Michel Bernard
Léo-Paul Lauzon

La comptabilité : un outil de gestion

TOME 1

gaëtan morin
éditeur

gaëtan morin éditeur
C.P. 180, BOUCHERVILLE, QUÉBEC, CANADA
J4B 5E6   TÉL. : (514) 449-2369   TÉLÉC. : (514) 449-1096

ISBN 2-89105-269-2

Dépôt légal 3ᵉ trimestre 1988
Bibliothèque nationale du Québec
Bibliothèque nationale du Canada

La comptabilité : un outil de gestion — Tome 1
Copyright © 1988, gaëtan morin éditeur ltée
Tous droits réservés

2 3 4 5 6 7 8 9 0 1   G M E 88   9 8 7 6 5 4 3 2 1 0

Révision linguistique : Suzanne Blackburn

Distributeur exclusif pour l'Europe et l'Afrique :

Éditions Eska S.A.R.L.

30, rue de Domrémy
75013 Paris, France
☎ 583.62.02

On peut se procurer nos ouvrages chez les diffuseurs suivants :

ALGÉRIE

Entreprise nationale du livre
3, boul. Zirout Youcef
Alger
☎ (213) 63.92.67

ESPAGNE

DIPSA
Francisco Aranda n° 43
Barcelone
☎ (34-3) 300.00.08

PORTUGAL

LIDEL
Av. Praia de Victoria 14A
Lisbonne
☎ (351-19) 57.12.88

ALGÉRIE

Office des publications universitaires
1, Place Centrale
Ben-Aknoun (Alger)
☎ (213) 78.87.18

TUNISIE

Société tunisienne de diffusion
5, av. de Carthage
Tunis
☎ (216-1) 255000

et dans les librairies universitaires des pays suivants :

Algérie	Côte-d'Ivoire	Luxembourg	Rwanda
Belgique	France	Mali	Sénégal
Cameroun	Gabon	Maroc	Suisse
Congo	Liban	Niger	Tchad

Chez le même éditeur :

- LAUZON, Léo-Paul, *Le cadre théorique de la comptabilité financière*, 1985, 128 pages.

- LAUZON, Léo-Paul, *La comptabilisation des impôts sur les bénéfices*, 1984, 208 pages.

- BERNARD, Michel, LAUZON, Léo-Paul, *La comptabilité : un outil de gestion, solutionnaire de l'étudiant*, 1988, 300 pages.

- LAUZON, Léo-Paul, GÉLINAS, Francine, BERNARD, Michel, *Contrôle de gestion, 2e édition*, 1985, 736 pages.

- LAUZON, Léo-Paul, GÉLINAS, Francine, BERNARD, Michel, *Contrôle de gestion : solutions, 2e édition*, 1985, 616 pages.

- LAUZON, Léo-Paul, *Information sur les effets des variations de prix*, 1984, 638 pages.

- BERNARD, Michel, *Introduction à la comptabilité financière*, 1986, 1004 pages. Accompagné d'un solutionnaire et d'un cahier d'exercices.

- BERNARD, Michel, CARRIER, Claude, *Simulation comptable*, 1984, 246 pages.

- LAUZON, Léo-Paul, *Théorie comptable : problèmes solutionnés, 3e édition*, 1988, 270 pages.

- BERNARD, Michel, LAUZON, Léo-Paul, *La comptabilité : un outil de gestion, Tome 2*, 1988, 760 pages.

- BERNARD, Michel, LAUZON, Léo-Paul, *La comptabilité : un outil de gestion, Tome 1, Recueil de solutions — Groupe B*, 1989, 202 pages.

- BERNARD, Michel, LAUZON, Léo-Paul, *La comptabilité : un outil de gestion, Tome 2, Recueil de solutions — Groupe B*, 1989, 153 pages.

Table des matières

Préface

Comme son titre l'indique, ce volume, qui compte déjà près de dix mille utilisateurs, a été rédigé pour répondre aux besoins de ceux et celles qui abordent la comptabilité comme une discipline contribuant à leur formation de gestionnaire ou qui désirent acquérir une base solide en vue de la poursuite d'études devant les mener à l'exercice de la profession comptable.

La connaissance de la littérature comptable et quinze années d'enseignement ont développé chez les auteurs une didactique de la comptabilité propre à livrer progressivement de solides connaissances selon un ordre strict tout en n'exigeant pas de l'apprenant une connaissance préalable de la comptabilité.

Nous avons, nous semble-t-il, diagnostiqué correctement les besoins des étudiants qui désirent un équilibre entre un savoir immédiatement utile (connaissance d'usage des états financiers et des données comptables en général) et une connaissance suffisante des fondements théoriques de la comptabilité.

Le premier tome traite des connaissances de base en comptabilité. Une méthode pédagogique rigoureuse permet d'accorder autant d'importance à la description du « pourquoi » des problèmes de mesure comptables qu'à la présentation du « comment », c'est-à-dire des procédés destinés à résoudre ces problèmes. Le lecteur est induit à comprendre, à titre d'exemple, la nécessité d'une comptabilité en partie double, l'obligation d'accumuler des données dans des comptes, le besoin d'un cadre théorique incluant des postulats et principes généralement reconnus. Faire réaliser à l'apprenant la nécessité de ces outils, leur « pourquoi », en lui faisant revivre les situations qui ont créé cette nécessité, est une condition essentielle à un bon apprentissage.

Dans le deuxième tome, l'aspect outil de gestion est mis de l'avant. Cet effort apparaît de façon éloquente dans les chapitres consacrés à l'analyse et à l'interprétation des états financiers. L'interprétation correcte des données financières par un gestionnaire exigeait aussi l'approfondissement de l'étude des états financiers (chapitre 15) et l'examen exhaustif de certains éléments de l'actif et des dettes.

Nous avons sélectionné les sujets prioritaires à un premier cours de comptabilité. D'autre part, nous avons dit non à l'inacceptable compromis qui consiste à présenter trente sujets différents dans un volume de mille pages. Malheureusement, c'est une tendance dans la littérature comptable que d'accepter ce compromis et de soumettre les étudiants à un régime exclusivement technique qui laisse peu de place à l'argumentation du « pourquoi ».

L'étudiant retrouve, à la fin de chaque chapitre, des questions et des problèmes. Le matériel complémentaire se compose d'un recueil de solutions des problèmes du « Groupe B ». Ce solutionnaire répond à un désir, maintes fois exprimé par les étudiants, d'auto-apprentissage et d'auto-évaluation.

Considérez donc ce volume comme notre humble contribution à une meilleure connaissance et appréciation de cette facette de l'activité humaine qu'est la comptabilité.

Les Auteurs.

Chapitre 1
La comptabilité : un outil de gestion

1.1 POURQUOI ÉTUDIER LA COMPTABILITÉ ?

Pourquoi un citoyen ordinaire s'intéresserait-il à la comptabilité ? N'est-elle pas seulement l'affaire des comptables professionnels qui, eux, ont choisi d'œuvrer dans cette discipline ?

Si l'on songe aux caractéristiques de la société moderne, on ne peut que répondre négativement. Quotidiennement, les citoyens côtoient, à des degrés divers, des informations d'ordre financier et comptable. Ne serait-ce que pour pouvoir lire la chronique financière d'un journal, bien comprendre un bulletin d'information, établir leur budget ou analyser leur situation financière personnelle, ils ont avantage à connaître la comptabilité.

Le bon fonctionnement de la société actuelle est basé sur l'information. Le citoyen délègue, en grande partie, l'administration de ses revenus et de ses épargnes. Il paie des impôts sur le revenu, des impôts fonciers, des taxes scolaires, des taxes de vente, etc., et il reçoit des informations sur la gestion de ces ressources. Ainsi, refuser de faire un effort pour comprendre l'information financière équivaut à déléguer aveuglément la gestion de ses propres biens, qu'il s'agisse de porter un jugement sur un gouvernement ou sur l'entreprise dans laquelle on a investi ses épargnes. L'incapacité de porter des jugements éclairés sur des questions financières amène inévitablement une mauvaise répartition des ressources sociales.

De plus, la circulation des informations financières a atteint un point tel que l'ignorer équivaut en quelque sorte à vivre partiellement en dehors de la société. La comptabilité est la discipline qui élabore les principes présidant à l'établissement des informations financières. Pour les saisir il faut comprendre la comptabilité. Par exemple, un individu qui examine le bilan d'une société sans connaître les principes comptables est non seulement privé d'information, mais il risque aussi, dans la plupart des cas, d'être induit en erreur. Les entreprises fournissent beaucoup de renseignements dans leurs états financiers et leur rapport annuel, mais elles s'adressent alors à des lecteurs avertis.

Une brève étude épistémologique nous amène à constater que la comptabilité est une des branches de l'activité humaine et que la connaître, c'est connaître une réalisation de l'humanité face à des problèmes d'échange, de mesure et d'information. Sa connaissance fait donc partie de ce qu'il est convenu d'appeler la culture et elle devrait intéresser ceux qui désirent accroître leurs connaissances en matière de réalisations humaines. Du point de vue méthodologique, la comptabilité ne tire pas ses postulats et principes de théories formulées à partir de lois inscrites dans la nature, comme les lois de la gravitation universelle ; ses postulats et principes ne se vérifient pas empiriquement. Par exemple, la loi du hasard sert de postulat à toutes les applications pratiques du calcul des probabilités. Tous peuvent vérifier cette loi avec une expérience aussi simple que le lancer d'une pièce de monnaie ou d'un dé, avec un grand nombre d'épreuves. La comptabilité est plutôt une discipline pragmatique, en ce sens qu'elle considère comme vrai ce qui est utile. Par exemple, il est utile de postuler l'indépendance des exercices financiers ou la continuité de l'exploitation. Nul ne peut démontrer, par expérimentation, que la vie des entreprises est divisée en exercices financiers indépendants. Mais les comptables admettent comme base de leur travail ce postulat de l'indépendance des exercices. Il devient donc un postulat généralement reconnu et fait partie du cadre théorique de la comptabilité. Il tire son autorité de sa reconnaissance générale qui est elle-même tributaire de l'utilité. Ce qui fait dire que la méthodologie de la comptabilité est un pragmatisme. Si le besoin périodique d'information disparaissait, le postulat de l'indépendance des exercices s'estomperait. Le phénomène de la gravitation universelle, au contraire, existait déjà même si on n'avait pas encore découvert son existence et son utilité.

Certains aiment définir la comptabilité en tant qu'art puisqu'elle exige constamment des jugements, des estimations, des prévisions dont la qualité dépend de l'expérience ; d'autres aiment la décrire comme une science munie d'un cadre théorique ou les pratiques découlent de principes qui dérivent eux-mêmes de postulats.

Bien qu'elle soit généralement étudiée pour ses applications pratiques, la comptabilité a une valeur formatrice en soi. Sa rigueur oblige à un effort constant de logique et de rationnel. Elle exige qu'on aborde les faits financiers objectivement et qu'on les connaisse à fond afin de pouvoir les enregistrer, les présenter et les analyser convenablement.

La comptabilité est une discipline en soi parce qu'elle constitue un champ d'étude qui peut être distingué clairement des autres disciplines. La pratique confirme ce fait par l'existence d'une profession distincte chapeautée par des corporations acceptées et reconnues du public. Les universités confirment également ce statut de discipline distincte en mettant sur pied des départements de sciences comptables. La maîtrise de la comptabilité exige plusieurs années d'études et de pratique ; elle ne peut donc plus être considérée comme un champ d'étude accessoire. Les connaissances humaines ont tellement évolué qu'un individu ne peut aspirer à les saisir toutes. C'est pourquoi on admet que certaines connaissances puissent former un sous-ensemble distinct. Il suffit que cette distinction soit utile et logique et qu'elle contribue au développement des connaissances.

Sans chercher à devenir comptable professionnel, il est essentiel que tout citoyen possède certaines connaissances en comptabilité, de la même façon que la santé est l'affaire des individus et non seulement des médecins. À plus forte raison, la comptabilité est indispensable aux gestionnaires actuels et futurs, même si leur expérience s'appuie sur d'autres disciplines. La comptabilité contribue à former des individus qui seront plus aptes à prendre des décisions, qu'il s'agisse de propriétaires, de gestionnaires, d'investisseurs, de créanciers ou de simples citoyens. Sa pratique nous permet d'en apprécier la valeur pour l'esprit humain.

1.2 DÉFINITION DE LA COMPTABILITÉ

On définit généralement la comptabilité en se référant à son objet, ce qui nous amène à distinguer la comptabilité financière de la comptabilité administrative. La première, qui est l'ensemble des activités d'un système d'information, vise à présenter fidèlement la situation financière et les résultats d'exploitation d'une entité économique à des utilisateurs externes à l'entreprise. Quant à la seconde, elle regroupe plutôt les activités qui visent à fournir aux gestionnaires des données qui leur permettront de planifier, de prendre des décisions et de contrôler les résultats atteints.

Plus spécifiquement, la comptabilité financière est l'ensemble des activités qui enregistrent, classent et présentent de façon significative, en termes monétaires, les transactions et les faits financiers d'une entité économique. De plus, elle fournit des schémas d'analyse et d'interprétation de l'information comptable.

L'enregistrement. La comptabilité a mis au point certains journaux dont la fonction exclusive est l'enregistrement méthodique des transactions financières. Le système comptable doit pourvoir le plus rapidement possible à l'enregistrement des transactions afin de prévenir la perte de documents ou, tout simplement, l'impossibilité de produire à temps les résultats.

La **classification.** Même si elles ont été enregistrées correctement, des milliers de transactions sont difficilement saisissables par l'intelligence humaine. Elles doivent donc être classées sous un nombre limité de chapitres que l'on nomme, en comptabilité, les comptes. De cette façon, on peut regrouper sous une cinquantaine de comptes des dizaines de milliers de transactions. Il devient alors possible de se faire une idée de la situation financière de l'entreprise. La comptabilité a mis au point des grands livres qui regroupent les comptes.

La **présentation.** Cette présentation des faits financiers se fait à l'aide de tableaux résumés que l'on nomme états financiers. Ce sont essentiellement le bilan, l'état des résultats, l'état des bénéfices non répartis et l'état de l'évolution de la situation financière.

De façon significative. Ce qui signifie que l'enregistrement, la classification et la présentation doivent respecter certaines normes. Pour que des faits financiers semblables soient présentés de façon identique par des comptables différents, il faut qu'il y ait une entente préalable. En comptabilité, ces ententes sont « les conventions fondamentales » et les « principes comptables généralement reconnus ». À cela viennent s'ajouter des normes de présentation des états financiers. De cette façon, les résultats des entreprises deviennent comparables. On imagine facilement les difficultés qu'éprouveraient les lecteurs d'états financiers si chaque entreprise avait ses propres normes et principes comptables. En fait, on s'entend généralement pour que l'information comptable ait les qualités suivantes :

Elle doit tout d'abord être *pertinente*, c'est-à-dire qu'elle doit aider effectivement à la prise de décisions. Elle doit également être *facile à comprendre* et *vérifiable*. Ces deux concepts sont difficiles à définir, mais il est important d'établir le principe que l'information doit être présentée de façon à être comprise. Ainsi, on évitera parfois de fournir des détails complexes pour laisser paraître la situation générale : on évitera de varier sans raison valable la présentation. Toutefois, les comptables supposent, en rédigeant les états financiers, que le lecteur a une connaissance minimale de la comptabilité. Ils ne s'engagent pas à faire comprendre les états financiers à un lecteur profane et non averti. La *vérifiabilité* implique que deux personnes indépendantes pourraient, en utilisant les mêmes principes, en arriver à des résultats semblables. De plus, l'information *ne doit pas être biaisée*, c'est-à-dire qu'elle ne doit pas privilégier une catégorie de lecteurs au détriment des autres qui pourraient avoir des intérêts opposés. L'information doit être *publiée à temps* pour aider effectivement à prendre des décisions. Elle doit être *comparable* à l'information publiée dans le passé ou à l'information publiée par d'autres entreprises. On doit donc, autant que possible, conserver les mêmes pratiques comptables d'année en année. Finalement, l'information doit être *complète*, c'est-à-dire qu'elle doit dévoiler tous les faits utiles dans l'évaluation de la situation financière et des résultats d'une entreprise.

En termes monétaires. Il s'agit là d'une hypothèse fondamentale en comptabilité. On suppose que les opérations d'une entreprise doivent être présentées en unités monétaires (dollars). On précise ce point parce que les valeurs pourraient être exprimées autrement (ex. : un terrain en mètres carrés, un stock en kilogrammes). Un bilan contenant des valeurs exprimées en unités différentes est moins significatif qu'un bilan dont toutes les valeurs sont exprimées en dollars.

Transactions et faits financiers. La distinction entre transaction et faits provient de ce qu'une transaction porte généralement sur un montant bien défini (ex. : achat, vente), tandis que certains faits qui n'ont pas encore donné lieu à une transaction complète doivent être estimés en termes monétaires et divulgués (ex. : engagement contractuel, éventualités). Le mot *financier* signifie que la transaction ou le fait doit avoir une répercussion financière exprimable. Ainsi, la nomination d'un nouveau directeur peut amener une hausse future des profits. Ce directeur devient en quelque sorte un nouvel actif, mais on ne l'inscrira pas parce que son engagement n'a pas donné lieu à une transaction d'ordre financier.

Une **entité économique.** Cette notion implique également une hypothèse fondamentale en comptabilité : celle de la personnalité de l'entreprise (*business entity*). L'entreprise est distincte de ses propriétaires et les entreprises sont distinctes les unes des autres. Ainsi, les transactions personnelles des propriétaires ne seront pas confondues avec celles de l'entreprise. Par exemple, si le propriétaire d'une entreprise achète une maison, il est évident que celle-ci n'apparaîtra pas au bilan de son entreprise qui possède son propre immeuble. Si le propriétaire a deux entreprises, on tiendra des registres comptables différents pour chacune. Ceci est fondamental si l'on veut connaître les résultats de chaque entreprise et prendre les décisions pertinentes.

L'**analyse** et l'**interprétation** des résultats sont les buts ultimes de l'opération précédente. Pour évaluer le rendement de la firme, il faut comparer les données obtenues à celles des années antérieures et à celles des autres entreprises. L'analyse compare également des données entre elles. Par exemple, le rapprochement du bénéfice net et du capital investi nous donne une idée de la rentabilité alors que celui des actifs à court terme et des passifs à court terme nous renseigne sur la solvabilité.

1.3 LA COMPTABILITÉ DE GESTION

En premier lieu, la comptabilité aide celui qui doit prendre des décisions, en lui fournissant des données passées. Celui-ci est intéressé par l'avenir et ne peut pas changer le passé, mais les données factuelles lui seront souvent d'un grand secours. Par exemple, lorsqu'il lui faut décider s'il accepte ou refuse une commande supplémentaire d'un certain produit, il considérera les coûts variables qu'entraîne automatiquement le surplus de fabrication. Les coûts passés seront à la base de cette estimation, même s'il doit prévoir leur augmentation. Ce sont les données factuelles qui lui permettront d'observer le comportement des coûts.

La comptabilité fournit également un schéma d'analyse qui permet de quantifier les possibilités. Le travail de quantification exige une connaissance du comportement des coûts, la mesure des bénéfices réalisables, etc. Elle permet aussi à la gestion d'analyser la qualité des décisions antérieures. Les états financiers sont le résultat sommaire de l'effet de toutes les décisions passées, mais il est possible d'obtenir des résultats sectoriels en prenant des dispositions quant à la comptabilisation distincte des produits et des charges d'une entité sectorielle (ex. : région géographique). L'analyse des écarts de coûts permettra d'intervenir à mesure du dénouement d'une activité donnée.

La comptabilité permet de planifier. Un budget ne sera valable que si les hypothèses budgétaires sont réalistes, mais c'est la comptabilité qui fournit la méthode d'analyse. Par exemple, s'il s'agit de planifier les fonds nécessaires pour la prochaine période budgétaire, c'est la comptabilité qui permettra d'exprimer, sous forme d'entrées de fonds futures, les revenus planifiés des ventes en tenant compte des délais de recouvrement des comptes-clients. On pourra aussi estimer les sorties de fonds prévues pour réaliser ces ventes en se fondant sur le coût des ventes observé dans le passé, la politique de stockage, le délai de paiement des comptes, etc.

La comptabilité permet le contrôle des actifs par le relevé des ressources qui prennent part à l'entreprise. Cette fonction de préservation de l'actif est importante, en particulier pour des actifs liquides tels que l'encaisse ou des actifs négociables ou à recevoir des clients. Il est tout aussi important, sinon plus, de garder une trace des engagements de l'entreprise afin de ne pas payer des montants qui ne sont pas dus et de payer les dettes à temps.

Finalement, nous pourrions aborder la question différemment en nous demandant quelles sont les décisions administratives qui se prennent sans faire intervenir la comptabilité à un stade ou à un autre. Mais il importe avant tout de remarquer que, sans le secours de la comptabilité, les décisions se prendraient avec beaucoup plus d'incertitude. Par exemple, les créanciers consentiraient des prêts, mais à des taux beaucoup plus élevés devant l'impossibilité d'obtenir des informations. La négociabilité des titres diminuerait faute de pouvoir obtenir des renseignements sur leur rentabilité. Les échanges économiques deviendraient, règle générale, beaucoup plus difficiles. Il est vrai qu'il est moins facile de déterminer les avantages que le coût de la comptabilité, mais en y réfléchissant bien, on constate que les premiers compensent largement pour le second.

1.4   LES PRINCIPES COMPTABLES GÉNÉRALEMENT RECONNUS

Les principes comptables découlent de l'observation du milieu économique et de l'analyse des besoins des utilisateurs. Contrairement aux lois de la physique, ce ne sont pas des principes naturels et vérifiables expérimentalement. Il suffit simplement qu'ils soient utiles et logiques. Pour formuler des principes comptables utiles, il faut tout d'abord déterminer les objectifs des états financiers. Comme les praticiens et les théoriciens de la comptabilité n'ont pas fini de déterminer les objectifs des états financiers, il n'existe pas encore une liste officielle des principes comptables.

Au Canada toutefois, l'Institut canadien des comptables agréés (ICCA) exerce un leadership en matière de formulation des principes comptables. Cet organisme améliore constamment les normes, les conventions ou les principes comptables, lesquels sont contenus dans le *Manuel de l'Institut canadien des comptables agréés*. Il regroupe les instituts et ordres des comptables agréés du Canada. Ainsi, au Québec, c'est l'Ordre des comptables agréés du Québec qui décerne le titre de comptable agréé. Les principes formulés par l'ICCA ont beaucoup de poids parce qu'en exerçant leur fonction d'attestation ou de vérification des états financiers, les comptables agréés s'assurent que ces principes sont bien suivis. Voici d'ailleurs à cet effet la recommandation de l'ICCA présentée dans son *Manuel*, au paragraphe 1500.06 :

« Si l'on adopte un traitement comptable ou un mode de présentation aux états financiers qui s'éloignent des recommandations du Manuel, il faut les expliquer dans une note aux états financiers en indiquant également les motifs de la dérogation. »

Étant donné l'adoption quasi universelle des recommandations de l'ICCA, les lecteurs d'états financiers ont le droit de supposer que les pratiques recommandées ont été suivies, à moins qu'une dérogation ne soit mentionnée. La comptabilité est la langue des affaires. C'est cet attribut de reconnaissance générale qui fait que certains termes propres à cette langue ont une signification précise.

En comptabilité, les états financiers ont une signification précise dans le contexte des principes comptables. Par exemple, le bilan est rédigé selon la convention de la continuité de l'exploitation. Les états financiers présentent donc un certain formalisme, essentiel pour éviter la diversité des interprétations et offrir ainsi matière à contestation. Il faut exiger des documents simples et uniformes qui ne laissent qu'une place limitée à une dissidence qui, d'ailleurs, doit être justifiée. En conséquence, ce ne sont pas les valeurs marchandes ou les valeurs de liquidation qui sont présentées au bilan, mais bien les coûts d'origine. Un immeuble présenté à son coût d'origine de 100 000 $ peut avoir un coût de remplacement de 1 000 000 $ et une valeur de 500 000 $ dans le contexte d'une liquidation forcée. Un lecteur qui ignore tout des principes de la continuité de l'exploitation et du coût d'origine peut conclure que le montant de 100 000 $ présenté au bilan est la valeur marchande. D'autre part, si l'entreprise doit être liquidée, le vérificateur doit mentionner qu'il ne peut présenter les états financiers selon la convention de la continuité de l'exploitation étant donné que le lecteur s'attend à ce que les états financiers soient établis suivant cette convention.

Comme aucune loi naturelle inflexible ne spécifie que le mot table désigne un meuble fait d'un plateau horizontal posé sur un ou plusieurs pieds, de même aucune loi naturelle ne spécifie que les états financiers doivent être présentés selon la convention de la continuité de l'exploitation. Donc, dans un cas comme dans l'autre, un organisme créé par les hommes doit s'appliquer à formuler la signification ou le principe qui recueillera le plus d'appuis, c'est-à-dire celui qui est généralement reconnu. La découverte d'une loi naturelle peut n'avoir été le fait que de quelques individus, mais l'édification et le maintien d'un postulat comptable est le fait d'un grand nombre à cause de l'obligation de sa reconnaissance générale. De même en droit fiscal, on reconnaît qu'une loi n'est applicable que si elle est généralement reconnue. Personne n'aime payer des impôts, mais tous admettent qu'il faut se doter de services publics. Une loi qui serait carrément injuste devrait être retirée, car une loi fiscale est une création humaine qui n'a d'autorité qu'en vertu de son utilité.

Les principes comptables découlent de la pratique. Face à un problème de mesure ou de présentation, on adopte un procédé donné et, si celui-ci a une certaine logique, son usage se généralise et il devient alors une norme comptable généralement reconnue. Par exemple, lors de l'apparition des contrats de location à long terme, on a constaté que certains d'entre eux équivalaient en substance à un achat assorti d'une clause de financement par le locateur. La nature économique de la transaction l'a emporté sur la nature juridique qui, elle, indiquait qu'il s'agissait d'un simple bail. L'usage de traiter ces baux comme des achats s'est développé. Aujourd'hui, il est obligatoire de traiter comme tels les baux qui équivalent en substance à des achats. C'est un traitement généralement reconnu. D'autre part, à l'époque où le pouvoir d'achat de la monnaie fluctuait très peu, il était d'usage de tabler sur sa stabilité. De nos jours, les variations importantes du pouvoir d'achat de la monnaie ont rendu impossible le maintien de cette hypothèse. La profession comptable a entrepris de déterminer de nouvelles façons de procéder qui tiendront compte des circonstances, même si cette démarche est laborieuse. Les principes et règles comptables ne sont pas immuables.

1.5 LA PROFESSION COMPTABLE AU CANADA

Au Canada, les comptables professionnels sont regroupés au sein de trois associations : l'*Institut canadien des comptables agréés* (ICCA), la *Société des comptables en management du Canada* (CMA, Comptable en management accrédité) et l'*Association des comptables généraux licenciés* (CGA, Certified General Accountant). Ces organismes canadiens ont des ramifications dans chaque province. Au Québec, on retrouve l'Ordre des comptables agréés du Québec, la Corporation professionnelle des comptables en management accrédités du Québec (2545 membres) et la Corporation professionnelle des comptables généraux licenciés.

Seuls les membres de ces organismes peuvent être véritablement qualifiés de comptables. On ne peut y être admis qu'après l'achèvement d'un programme d'études prévu par chaque organisme et la réussite des examens imposés et contrôlés par ceux-ci. Il est également nécessaire d'avoir acquis une certaine expérience sur le marché du travail.

Les exigences fixées par ces trois organismes garantissent la protection du public. Des années d'études et d'expérience sont indispensables à la formation d'un comptable professionnel, tandis qu'un commis ou un teneur de livres peut être formé en quelques mois. En général, les teneurs de livres n'exécutent que le travail d'enregistrement et de classement des données. L'accession à une profession comptable exige des qualités humaines fondamentales. Le comptable actuel est un bon communicateur. L'image du technicien borné aux chiffres n'a plus cours. Les « sciences comptables » regroupent la comptabilité financière et administrative, la vérification et la fiscalité. La formation du comptable professionnel puise dans les sciences juridiques (droit des affaires, insolvabilité, etc.), les mathématiques (recherche opérationnelle, statistiques, etc.), l'informatique, la gestion, la finance, le marketing, l'économique, les sciences humaines (gestion du personnel, comportement organisationnel), etc. Il faut toutefois reconnaître que les corporations professionnelles de comptables, les universités, ... ont encore du travail à faire pour que le public ait, du comptable, une idée qui correspond à sa formation.

Les actionnaires délèguent leur droit de gestion à un conseil d'administration. Les états financiers constituent le rapport des administrateurs aux actionnaires quant aux résultats de leur gestion. Il est très important que les actionnaires puissent avoir une opinion indépendante de celle des administrateurs, eu égard à la fidélité des états financiers. Cette fonction d'attestation ou de vérification est remplie par des comptables agréés indépendants, c'est-à-dire n'ayant aucun lien avec l'entreprise. Le comptable agréé agit alors comme vérificateur et fait rapport aux actionnaires. Des états financiers vérifiés sont exigés lorsqu'il pourrait y avoir conflit d'intérêt entre la direction de l'entreprise et les utilisateurs des états financiers. Les comptables généraux licenciés peuvent également offrir leurs services comme vérificateur des comptes de municipalités, de conseils scolaires et de coopératives.

Toutefois, un grand nombre de comptables professionnels ne travaillent que pour une seule entreprise à titre de contrôleur, de trésorier ou de chef comptable, par exemple. Un bon nombre offrent également leurs services au public à titre de conseillers en gestion ou en fiscalité.

1.6 LES ORGANISMES AYANT UNE INFLUENCE SUR LE DÉVELOPPEMENT DE LA COMPTABILITÉ

Le chef de file dans le développement de la comptabilité au Canada est, sans aucun doute, l'Institut canadien des comptables agréés. Cet organisme possède un Comité des normes comptables et un Comité des normes de vérification qui publient leurs recommandations respectives dans le *Manuel de l'ICCA* ; celles-ci ont beaucoup de poids, comme nous l'avons vu précédemment. Ces comités parrainent également des recherches qui donnent lieu à la publication de monographies. Toutefois, ces monographies ne constituent pas des recommandations parce qu'elles reflètent uniquement l'opinion des auteurs et non des prises de position des Comités.

Les commissions des valeurs mobilières de chaque province ont également une grande influence, car elles approuvent les états financiers des entreprises qui désirent vendre ou qui ont effectivement vendu des actions et des obligations au public. Ces commissions exigent que les états financiers qui leur sont adressés soient rédigés en conformité avec les recommandations du *Manuel de l'ICCA*. Aux États-Unis, la *Securities and Exchange Commission* joue le même rôle que les commissions des valeurs mobilières, mais elle édicte elle-même les normes de comptabilité que les entreprises doivent respecter lors de la rédaction des états financiers qui lui sont émis. Son influence est donc très marquée.

À cause de l'importance de la profession comptable aux États-Unis, les organismes américains disposent de moyens financiers et techniques qui en font la principale source des recherches en comptabilité. Aux États-Unis, la formulation des principes comptables est faite par le *Financial Accounting Standards Board* (FASB). En 1973, ce comité a remplacé l'*Accounting Principle Board* de l'*American Institute of Certified Public Accountants* (AICPA). Équivalent américain de l'ICCA, il regroupe les experts-comptables américains. Un autre organisme influent est l'*American Accounting Association* (AAA) qui est composé de professeurs et d'experts-comptables. Bien qu'il n'ait pas le pouvoir d'imposer des recommandations à ses membres, il exerce une influence sur la théorie comptable en publiant leurs travaux. C'est un organisme qui a toujours été à l'avant-garde dans le domaine de la théorie comptable et ses recherches stimulent les autres organismes.

Étant donné que chaque pays maintient ses propres entités en matière de formulation des principes comptables, le problème de leur harmonisation au niveau international s'est donc posé. Deux comités jouent un rôle important à cet égard : le *Comité international de normalisation de la comptabilité* et le *Comité international de normalisation de la vérification*. Ils déterminent respectivement les normes comptables internationales et les normes de vérification internationales. Le Comité international de normalisation de la vérification relève de la Fédération internationale des comptables.

1.7 QUESTIONS

Groupe A

1. La comptabilité est-elle une discipline distincte ou n'est-elle qu'une branche de la science de la gestion ?

2. Commentez l'affirmation suivante : « La comptabilité est appelée à prendre de moins en moins d'importance puisque les ordinateurs exécuteront bientôt tout le travail comptable ; ce n'est qu'une question de temps ».

3. M. Blais a récemment été nommé directeur de la production dans une petite entreprise. Comme première tâche, il doit collaborer à la rédaction du budget de production.

Comme il veut le rédiger dans les règles, il s'est renseigné sur les normes de présentation des budgets. Après de multiples recherches, il en est venu à la conclusion suivante : « La profession comptable a beaucoup de progrès à faire. Je me suis informé auprès d'un comptable professionnel au sujet des normes de présentation des budgets et il semble n'exister aucune directive précise à cet égard. À mon avis, il s'agit d'une grave lacune ». Êtes-vous d'accord avec cet énoncé ? Pourquoi ?

4. Un actionnaire adresse le reproche suivant au comptable : « Je viens de découvrir que les montants présentés au bilan ne correspondent pas aux valeurs marchandes, mais plutôt aux coûts d'origine. J'ai bien remarqué que les immobilisations étaient présentées au coût, mais, dans mon esprit, cela signifiait le coût à débourser pour leur acquisition à la date même du bilan. S'il avait été clairement précisé que les valeurs présentées n'étaient pas les valeurs marchandes auxquelles je pensais, je n'aurais pas été induit en erreur par vos états financiers ». Commentez la pertinence de ce reproche.

5. Mme Natacha Tétrault est propriétaire d'un commerce de détail. Elle est devenue furieuse lorsqu'elle a reçu la facture d'honoraires du comptable et les choses ne se sont pas améliorées lorsqu'elle a présenté ses états financiers à la banque dans le but de négocier un emprunt. En voyant qu'on lui consentait un taux de 13 %, elle s'est fait la réflexion suivante : « Je tiens des registres comptables car je dois légalement déterminer mes revenus, mais sans la comptabilité les choses iraient probablement mieux. Je continuerais d'acheter et de vendre des produits qui continueraient d'être fabriqués et tout le monde épargnerait beaucoup de frais inutiles. En présentant mes états financiers à la banque, je n'obtiens aucune réduction du taux sur mes emprunts ; au contraire, je crois que les banques pourraient consentir des prêts à meilleur taux si elles n'avaient pas tous ces frais de comptabilité ». Commentez ces affirmations.

Groupe B

1. Comment la comptabilité contribue-t-elle à une meilleure gestion des ressources communautaires ?

2. La lecture d'états financiers vous permet-elle de déterminer si les principes comptables généralement reconnus ont été mis en application lors de l'élaboration desdits états financiers ?

3. Énumérez cinq décisions administratives qui font appel aux données fournies par la comptabilité. Ne pourrait-on pas les prendre sans s'appuyer sur la comptabilité ?

4. Énumérez quelques organismes qui exercent une influence sur l'évolution de la comptabilité. Quels sont ceux qui ont le pouvoir de formuler les principes comptables ?

5. Énumérez cinq événements qui ont influencé le développement de la comptabilité.

6. Énumérez cinq qualités que doit posséder l'information comptable. Expliquez-en la nature.

Chapitre 2

Introduction à la comptabilité par l'étude du bilan

2.1 POURQUOI DÉBUTER PAR LE BILAN ?

L'étude du bilan constitue une façon intéressante d'aborder la comptabilité ; le bilan est un état financier qui reflète la situation financière atteinte par une entité suite à la compilation de l'ensemble des opérations financières intervenues depuis sa création. Le bilan est donc la *résultante* d'un processus comptable d'*inscription* aux livres comptables et de *classement* des opérations. Mais alors, pourquoi l'étude du bilan devrait-elle précéder l'étude de ce processus d'inscription et de classement ? Simplement parce que l'étude du processus d'inscription des opérations exige la connaissance *préalable* de la comptabilité en partie double qui est admirablement exposée par le bilan. Le bilan n'est d'ailleurs qu'une présentation détaillée de l'identité comptable fondamentale. De plus, de cette façon, le *but à atteindre*, c'est-à-dire la rédaction du bilan, est connu d'avance et l'étude des moyens pour y arriver, c'est-à-dire l'inscription et le classement des données, prend alors un sens. L'étude du bilan est aussi une excellente démarche pour se *familiariser avec la nature des opérations financières* qui devront être inscrites. En effet, celles-ci peuvent être analysées en fonction de leur effet sur le bilan car elles l'influencent toutes, sans exception.

Dans ce chapitre, nous *analyserons* donc l'effet des principales opérations sur le bilan, nous *définirons* les termes techniques qui représentent toujours un obstacle lorsqu'on aborde une nouvelle discipline, nous *étudierons la présentation* correcte et le classement des postes au bilan, nous *examinerons les conventions et les principes comptables* qui ont présidé à la rédaction de cet état financier et finalement nous porterons *un jugement critique sur le bilan* en dégageant ses limites.

2.2 LE MODÈLE COMPTABLE

Un *modèle* est en quelque sorte un exemple ou une représentation d'une certaine réalité. Ainsi, la maquette d'un projet domiciliaire est un modèle. Dans la pratique, les systèmes comptables varieront d'une entreprise à l'autre et l'objet d'un texte théorique ne peut être de les examiner un à un. Il s'agit plutôt de présenter un modèle qui accentuera les principaux éléments afin de communiquer une connaissance de base qui servira dans toutes les situations pratiques. L'objectif du modèle comptable est donc de démontrer, de façon concise, comment analyser les opérations financières, comment les inscrire dans les livres comptables et comment présenter les résultats dans des tableaux synthèses appelés états financiers.

Le modèle comptable est fondé sur une *théorie comptable* qui définit les objectifs des états financiers, les qualités que l'information comptable doit revêtir et qui en déduit certaines conventions et principes. Mais l'utilisation des comptes, les notions de débit et de crédit, l'étude des registres comptables et de la meilleure présentation des états financiers font aussi partie de ce modèle. Ce volume présente donc tous ces éléments fondamentaux du modèle comptable.

2.3 NOTRE MATIÈRE PREMIÈRE — L'OPÉRATION COMMERCIALE

Pour bien comprendre l'origine du modèle comptable, il faut définir la matière première que celui-ci doit traiter, soit l'*opération commerciale*. Essentiellement, celle-ci est un acte conclu à partir d'un échange. Par exemple, si une entreprise achète un camion de 20 000 $ et qu'elle paie comptant, elle cède une somme de 20 000 $ mais elle reçoit un camion en échange. Le modèle comptable doit donc noter la cession du 20 000 $ et l'entrée du camion. De la même façon, si une entreprise emprunte 10 000 $ d'une banque, le modèle comptable devra inscrire cette opération en considérant la réception d'une somme de 10 000 $ mais aussi l'engagement à rembourser cette somme. Ou encore, si le propriétaire de l'entreprise investit 50 000 $, le modèle comptable devra nous permettre d'enregistrer pour l'entreprise un encaissement de 50 000 $ mais aussi l'engagement à remettre d'une façon quelconque cette somme à son propriétaire. Nous pouvons schématiser ainsi :

Opération commerciale	Ce que l'entreprise reçoit	Ce que l'entreprise cède
Achat d'un camion	Un camion de 20 000 $	Une somme de 20 000 $
Emprunt bancaire	Une somme de 10 000 $	Un engagement à rembourser 10 000 $
Investissement du propriétaire	Une somme de 50 000 $	Un engagement de 50 000 $ envers le propriétaire

Pour consigner complètement une opération commerciale dans des livres comptables, il faut inscrire à la fois la chose reçue et la chose cédée. C'est une observation fondamentale qui nous amène à stipuler que le modèle comptable est en *partie double*.

2.4 ÉTABLISSEMENT DE LA SITUATION FINANCIÈRE D'UNE ENTITÉ À L'AIDE DU BILAN

L'expression populaire « faisons le bilan » signifie « voyons où nous en sommes rendus ». C'est précisément la mission d'un bilan financier : déterminer, en termes monétaires, où en est rendue une certaine entité après une période d'existence donnée.

Puisque chaque opération est un échange et qu'elle est consignée aux livres comptables par le double enregistrement de la chose reçue et de la chose cédée, il est logique de croire que la situation financière d'une entité, qui est la résultante d'un grand nombre d'opérations, s'exprimera elle aussi par une équation qui sera la résultante des choses reçues et des choses cédées. Pour faire progresser l'étude du modèle comptable, il convient donc de se demander comment exprimer la situation financière d'une entité qui a généré plusieurs opérations commerciales.

Pour faire cette expérience, imaginons que nous sommes appelés à formuler la situation financière, au 30 juin 19X6, de deux entreprises, A et B, qui existent depuis plusieurs années et qui appartiennent respectivement à Messieurs A et B. Une bonne façon de montrer la résultante de leurs opérations financières, c'est-à-dire la résultante des choses reçues et des choses cédées, est tout d'abord de dresser la liste de leurs biens au 30 juin 19X6.

	Société A	Société B
Immeuble et terrain	60 000 $	30 000 $
Mobilier de bureau	19 000	9 000
Automobile	13 000	7 500
Argent en banque	6 000	2 500
Divers	2 000	1 000
	100 000 $	50 000 $

À première vue, le propriétaire de l'entreprise A semble, selon ce mode de description, deux fois plus fortuné que celui de l'entreprise B. Toutefois, dans une opération financière, comme nous l'avons constaté précédemment dans les cas de l'emprunt bancaire et de l'investissement du propriétaire, l'acquisition d'une ressource n'entraîne pas toujours la cession immédiate d'une autre ressource, une somme d'argent par exemple, mais bien un engagement à céder une somme d'argent plus tard. Donc, pour être assuré d'avoir repéré l'ensemble des résultantes des opérations des entreprises A et B, il faut s'interroger sur les dettes que chacune d'elles doit assumer à l'égard de ses biens respectifs autant pour les dettes envers les créanciers que pour les montants dus aux propriétaires. Le rapport suivant décrirait donc de façon beaucoup plus satisfaisante et complète la situation financière des deux entreprises :

	Situation financière au 30 juin 19X6	
	Société A	Société B
Ressources utilisées par l'entreprise		
Immeuble et terrain	60 000 $	30 000 $
Mobilier de bureau	19 000	9 000
Automobile	13 000	7 500
Argent en banque	6 000	2 500
Divers	2 000	1 000
	100 000 $	50 000 $
Dettes à assumer envers les créanciers		
Emprunt bancaire relatif au mobilier et à l'automobile	25 000 $	4 600 $
Dette hypothécaire sur l'immeuble et le terrain	55 000	5 400
	80 000	10 000
Avoir du propriétaire (Dette envers le propriétaire)	20 000	40 000
	100 000 $	50 000 $

Cette description permet de démontrer l'effet cumulatif de toutes les opérations conclues par la Société A ou B depuis le début de leur existence jusqu'au 30 juin 19X6. Ainsi, nous remarquons que malgré le fait que A utilise deux fois plus de ressources que B (100 000 $ contre 50 000 $), le propriétaire de B est deux fois plus fortuné que le propriétaire de A (40 000 $ d'avoir net contre 20 000 $).

Le modèle comptable réclame donc une description complète de la situation financière comportant un relevé de toutes les ressources utilisées par une entité, de toutes les dettes dues aux créanciers ainsi qu'une indication de la part du ou des propriétaires de l'entité dans les ressources. Une telle description de la situation financière se nomme *bilan*.

Le bilan décrit d'abord l'ensemble des ressources utilisées par une entité ; cet ensemble de ressources forme l'*Actif*. Puis on présente les dettes de l'entité que l'on intitule le *Passif*. Vient enfin la part des propriétaires de l'entité que l'on nomme l'*Avoir des propriétaires*.

2.5 L'IDENTITÉ COMPTABLE FONDAMENTALE

Dans nos exemples précédents portant sur les sociétés A et B, nous avons pu remarquer que le total de l'actif était égal à la somme du passif et de l'avoir des propriétaires. Ainsi au 30 juin 19X6 nous avons :

	Actif	=	Passif	+	Avoir des propriétaires
Société A	100 000 $	=	80 000 $	+	20 000 $
Société B	50 000 $	=	10 000 $	+	40 000 $

Les bilans formeront toujours une *équation* parce que le financement des ressources utilisées par une entité vient soit des créanciers, soit du propriétaire, selon des proportions variables pour chaque entité.

Ressources utilisées = Provenance financière des ressources
Actif   = Passif + Avoir des propriétaires

Toute opération commerciale influe sur cette identité fondamentale. Tout au long des études en comptabilité nous sommes amenés à reconnaître l'effet d'opérations plus ou moins complexes sur cette équation. L'augmentation de l'actif est automatiquement accompagnée d'un accroissement du passif ou de l'avoir des propriétaires ou inversement, toute diminution de l'actif est nécessairement accompagnée d'une diminution du passif ou de l'avoir des propriétaires.

Voici un exemple qui démontrera que l'identité comptable fondamentale est constamment remise en équilibre après chaque opération commerciale.

M.A. Claudel, un plombier, décide de lancer une affaire sous le nom de Le Tuyaulogue enr. L'entreprise occupera le sous-sol de sa demeure. La nouvelle Société commence ses opérations au mois de mai 19X6. Voici la liste des opérations (on pourra par la suite suivre l'effet de celles-ci sur l'identité fondamentale) :

2 mai Le propriétaire, M.A. Claudel, investit 25 000 $ qu'il dépose dans un compte de banque ouvert au nom de son entreprise.

7 mai La Société achète de l'équipement pour un montant de 15 000 $. Elle verse 2000 $ comptant et s'engage à régler le solde plus tard.

12 mai Achat au comptant d'un camion pour la somme de 10 000 $.

15 mai En prévision des sorties de fonds futures, la Société emprunte 5000 $ à une banque.

20 mai Revente d'une partie de l'équipement à crédit pour un montant de 5000 $. À cette occasion, la Société ne réalise aucun gain et ne subit aucune perte.

25 mai Règlement d'un montant de 10 000 $ au fournisseur d'équipement (7 mai).

31 mai M.A. Claudel prélève 5000 $ pour son usage personel.

Dans le tableau suivant on peut suivre l'effet des opérations sur l'identité fondamentale.

	Actif				= **Passif**		+ **Avoir du propriétaire**
	Encaisse +	**Débiteurs** +	**Équipement** +	**Camion** +	= **Fournisseurs** +	**Emprunt bancaire** +	**Capital A. Claudel** +
2 mai **7 mai**	+ 25 000 (2 000)	0 0	0 15 000	0 0	0 13 000	0 0	25 000 0
Soldes 12 mai	23 000 (10 000)	0 0	15 000 0	0 10 000	13 000 0	0 0	25 000 0
Soldes 15 mai	13 000 5 000	0 0	15 000 0	10 000 0	13 000 0	0 5 000	25 000 0
Soldes 20 mai	18 000 0	0 5 000	15 000 (5 000)	10 000 0	13 000 0	5 000 0	25 000 0
Soldes 25 mai	18 000 (10 000)	5 000 0	10 000 0	10 000 0	13 000 (10 000)	5 000 0	25 000 0
Soldes 31 mai	8 000 (5 000)	5 000 0	10 000 0	10 000 0	3 000 0	5 000 0	25 000 (5 000)
Soldes	3 000	5 000	10 000	10 000	3 000	5 000	20 000

C'est donc à partir de l'observation fondamentale qu'à toute ressource utilisée (l'actif) correspond une provenance (passif et capitaux propres) que s'est élaborée la *comptabilité en partie double* telle qu'on la pratique aujourd'hui. Chaque opération a un double effet et oublier l'un de ces effets provoquerait un déséquilibre immédiat de l'identité fondamentale. Par exemple si, en enregistrant la transaction du 15 mai, qui est un emprunt bancaire de 5000 $, nous avions noté l'arrivée de la ressource en augmentant l'encaisse de 5000 $ sans noter la provenance de la ressource en augmentant l'emprunt bancaire, l'équilibre de l'identité aurait été rompu signalant ainsi automatiquement une erreur d'enregistrement.

2.6 PRÉSENTATION CORRECTE DU BILAN

Le lecteur du bilan doit trouver facilement et rapidement les informations qu'il cherche. Les bilans sont consultés par un grand nombre de personnes et une personne, dans le cadre de son travail, peut consulter un grand nombre de bilans. C'est pourquoi la situation est plus simple si la présentation des bilans revêt une certaine *uniformité*. Un courtier ou un directeur de banque apprécie certainement cette uniformité relative. Il existe toutefois de petites différences dans la présentation et dans les termes utilisés. Ceci vient en partie du fait qu'il n'existe pas, au Canada, de *Plan comptable général* tel qu'on le retrouve en France. Lorsqu'on prépare un bilan à vocation générale, il est important d'effectuer une présentation ordonnée.

2.6.1 La disposition verticale ou horizontale

La présentation doit faire ressortir les trois grandes rubriques : l'Actif, le Passif et l'Avoir des propriétaires. Voici le total de chacun de ces éléments tiré du bilan original de Bombardier inc. (le bilan réel contenait évidemment beaucoup plus de détails) :

BOMBARDIER INC.
Bilan
au 31 janvier 1986
(en milliers de dollars)

ACTIF	419 949 $	PASSIF	252 685 $
		AVOIR DES ACTIONNAIRES	167 264 $
	419 949 $		419 949 $

Dans cette disposition horizontale du bilan, l'*actif* est toujours présenté à gauche, tandis que le *passif* et l'*avoir des actionnaires* sont présentés à droite. Il s'agit d'une simple convention. Il aurait pu en être autrement, mais cette présentation est acceptée à peu près partout. On rencontre également la disposition verticale du bilan. Voici un autre exemple, tiré lui aussi d'un bilan réel :

L'IMPÉRIALE, COMPAGNIE D'ASSURANCE-VIE
Bilan
au 31 décembre 1986
(en milliers de dollars)

ACTIF	**4 504 281 $**
PASSIF	**4 231 772 $**
AVOIR DES ACTIONNAIRES ET DES TITULAIRES DE POLICES	**272 509**
	4 504 281 $

Dans ce cas, l'actif est présenté dans la partie supérieure et le passif et les capitaux propres en dessous. Un examen des rapports annuels des sociétés nous révèle que les deux dispositions sont utilisées avec une nette préférence pour la disposition horizontale. Il existe également une présentation destinée à faire ressortir le fonds de roulement.

PROVIGO INC.
Bilan
au 31 janvier 1987
(en millions de dollars)

Actif à court terme	**625,4 $**
Passif à court terme	**509,9**
Fonds de roulement	**115,5**
Autres éléments d'actif	**377,5**
	493,0 $
Autres éléments de passif	**176,9 $**
Avoir des actionnaires	**316,1**
	493,0 $

2.6.2 Le classement des postes pour une présentation ordonnée

Le bilan distingue l'actif et les dettes à court terme de l'actif et des dettes à long terme. Les éléments de l'actif à court terme sont ceux qui seront convertis en argent, vendus ou utilisés en moins d'un an à partir de la date du bilan ou à l'intérieur du cycle normal d'exploitation si celui-ci excède une année. Cette période d'un an a été établie par convention. Le passif à court terme comprend les dettes dont le règlement se fera à même l'actif à court terme. Il s'agit de sommes exigibles en moins d'un an ou à l'intérieur du cycle normal d'exploitation si celui-ci excède ce délai. Le cycle d'exploitation est le temps qui s'écoule entre la date d'achat de marchandises ou de matières premières et la date de l'encaissement du produit de la vente des produits finis ou des marchandises. C'est donc le temps qui s'écoule entre le moment où l'opération commerciale est amorcée et celui où elle est complètement achevée.

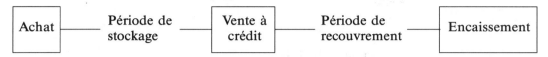

Si une entreprise renouvelle ses stocks en moyenne huit fois par année, il lui faut environ 46 jours (365/8) pour écouler un stock donné. Si, de plus, ses comptes-clients sont encaissés dans un délai de 30 jours, son cycle d'exploitation sera de 76 jours. Certaines entreprises ont un cycle d'exploitation qui excède un an.

À l'intérieur de l'actif à court terme, les postes sont présentés par *ordre de liquidité décroissante*. Un actif est plus liquide qu'un autre lorsqu'il faut moins de temps pour le convertir en argent. Ainsi, les comptes-clients sont plus liquides que les stocks. À l'intérieur du passif à court terme, les postes sont également classés par ordre d'exigibilité en commençant par ceux qui amèneront la sortie de fonds la plus immédiate (voir l'exemple dans la section 2.6.3).

Ce type de classification facilite l'examen de la situation financière. Les renseignements fournis par le bilan sont plus facilement exploitables. Ainsi, l'actif à court terme moins le passif à court terme indique le montant du fonds de roulement. Le rapport entre l'actif à court terme et le passif à court terme fournit un coefficient du fonds de roulement qui aide à apprécier si l'entreprise occupe une position financière saine à court terme :

$$\frac{\text{Actif à court terme}}{\text{Dettes à court terme}}$$

Le bilan relie le passif à long terme et l'avoir des actionnaires à l'actif à long terme, ce qui permet de connaître les conditions générales de financement de la société. Il est donc important d'y retrouver le total de chacune de ces rubriques.

L'enregistrement par ordre de liquidité n'est pas la seule forme de classification adoptée. Ainsi, pour les éléments de l'actif à long terme la classification par ordre de liquidité n'a pas de sens puisque l'on désire utiliser ces biens et non les convertir en argent. On classe plutôt ces éléments à long terme selon la nature ou l'usage. Par exemple, un terrain détenu à des fins de spéculation ne sera pas classé parmi les actifs immobilisés, mais bien parmi les placements à long terme. La rubrique des actifs immobilisés est réservée aux biens de production actuellement utilisés. Un terrain détenu pour emplacement futur ou un bien de production inutilisé dont on a l'intention de se défaire ne sont pas de la même nature qu'un placement ou un actif immobilisé : ils seront donc classés avec les autres actifs.

Un autre effet de la normalisation des bilans porte sur la publication obligatoire de l'information et l'uniformisation de la terminologie. Les regroupements d'experts-comptables et les organismes de contrôle ont été les premiers à exiger une présentation plus rationnelle des bilans. Par exemple, l'Institut canadien des comptables agréés a rendu obligatoire la mention distincte de certains postes et le classement par nature à l'intérieur de l'actif et du passif à court terme et à long terme. Par exemple, les comptes-fournisseurs doivent être distincts des emprunts bancaires, les comptes-clients doivent être séparés des prêts, le capital-actions et les bénéfices non répartis doivent apparaître séparément à l'avoir des actionnaires.

2.6.3 Disposition matérielle du bilan

Voici maintenant un bilan où les postes sont numérotés afin d'illustrer leur disposition matérielle. Cet exemple est présenté à titre indicatif car d'autres présentations peuvent convenir.

AUTOMAX ENR.
Bilan
au 2 janvier 19X0

1	**ACTIF**	
2	**Actif à court terme**	
3	**Encaisse**	**5 800 $**
4	**Comptes-clients**	**90 200**
5	**Stocks de marchandises**	**125 000**
6	**Frais payés d'avance**	**1 500**
7		**222 500**
8	**Immobilisations corporelles**	
9	**Matériel**	**87 800**
10	**Bâtiments**	**92 300**
11	**Terrains**	**20 900**
12		**201 000**
13	**Immobilisations incorporelles**	
14	**Brevets**	**50 000**
15	**Marques de commerce**	**20 000**
16		**70 000**
17	**Placement dans un terrain**	**30 000**
18	**Autres éléments d'actif**	**2 000**
19	**Total de l'actif**	**525 500 $**

AUTOMAX ENR.
Bilan
au 2 janvier 19X0 (suite)

20	**PASSIF**	
21	**Dettes à court terme**	
22	**Comptes-fournisseurs**	75 300 $
23	**Emprunts bancaires**	25 700
24	**Versement exigible de la dette à long terme**	5 000
25		106 000
26	**Dettes à long terme**	
27	**Emprunts bancaires**	50 000
28	**Emprunts hypothécaires**	78 500
29		128 500
30	**Total du passif**	234 500
31	**AVOIR DU PROPRIÉTAIRE**	
32	**Capital M. Paul Larivée**	291 000
33	**Total du passif et de l'avoir du propriétaire**	525 500 $

L'en-tête comprend le nom de l'entreprise, l'identification de l'état financier et la date où cette situation financière existait. Ensuite, la première ligne du *corps* même du bilan annonce au lecteur l'existence d'une grande rubrique, *Actif*, en plaçant ce mot à gauche en lettres majuscules : cette présentation amène un certain renforcement par rapport à la suite du texte. On accorde ainsi à cette rubrique la même importance qu'au Passif (voir la ligne 20) et à l'Avoir du propriétaire (voir la ligne 31). En apercevant la rubrique Actif, le lecteur s'attend à trouver la somme des montants qui y seront cumulés. Comme il s'agit de la première rubrique annoncée, le plus grand total présenté dans la colonne de chiffres devrait correspondre à cette rubrique. En effet, à la ligne 19 on peut lire le total de l'actif ; il s'agit du plus grand total.

Un grand total est souligné par un trait double. Aucun autre montant ne devrait être additionné ou soustrait à celui indiqué par un trait double.

Total de l'actif   **525 500 $**

La deuxième ligne annonce au lecteur l'existence d'une sous-rubrique à l'actif ou une subdivision de l'actif que l'on nomme *Actif à court terme*. On place ce nom à droite du mot ACTIF présenté à la ligne 1 mais légèrement renfoncé à gauche par rapport aux postes encaisse, comptes-clients, etc. qui sont eux-mêmes des subdivisions de l'actif à court terme.

De la même façon que précédemment, le lecteur s'attend à trouver le total de l'actif à court terme et, effectivement, il le trouve à la ligne 7 de notre exemple. Il s'agit toutefois d'un sous-total dans la rubrique Actif. La sous-rubrique *Actif à court terme* a la même importance que celle intitulée Immobilisations corporelles et celles indiquées aux lignes 17 et 18.

À chacune de ces sous-rubriques correspond un sous-total, souligné d'un trait simple ; la somme de ces sous-totaux donne le total de l'actif.

Actif à court terme	**222 500**
Immobilisations corporelles	**201 000**
Immobilisations incorporelles	**70 000**
Placement	**30 000**
Autres actifs	**2 000**
Total de l'actif	**525 500 $**

Lorsque l'on souligne un montant d'un trait simple, on indique de cette façon qu'il sera additionné à un autre. On lui attribue ainsi le caractère d'un sous-total ou d'un total partiel.

Nous aurions pu également présenter les sous-totaux correspondant aux sous-rubriques de cette façon :

ACTIF		
Actif à court terme		
Encaisse	**5 800 $**	
Comptes-clients	**90 200**	
Stocks de marchandises	**125 000**	
Frais payés d'avance	**1 500**	**222 500 $**
Immobilisations corporelles		
Matériel	**87 800**	
Bâtiments	**92 300**	
Terrains	**20 900**	**201 000**
Immobilisations incorporelles		
Brevets	**50 000**	
Marques de commerce	**20 000**	**70 000**
Placement dans un terrain		**30 000**
Autres actifs		**2 000**
		525 500 $

Généralement, le passif devrait inclure uniquement les dettes, selon le sens restreint que nous lui donnons au Canada. Nous avons indiqué au lecteur la présence d'une autre grande rubrique en plaçant le mot *Passif* à gauche (ligne 20). Cette grande rubrique a la même importance que celle de l'Actif (ligne 1) et que celle de l'Avoir du propriétaire (ligne 31). Le lecteur trouvera le total de cette grande rubrique à la ligne 30. Il n'y a aucune ligne en dessous de 234 500 $, car il s'agit d'un total partiel qui devra être ajouté au total de l'avoir du propriétaire (ligne 32) formant ainsi le grand total du passif et de l'avoir du propriétaire (ligne 33). Remarquez qu'une rubrique Dettes à court terme avait été signalée et que le total en est présenté à la ligne 25. Il en est de même des Dettes à long terme, dont le total est présenté à la ligne 29.

On aurait également pu le présenter ainsi :

PASSIF

Dettes à court terme		
Comptes-fournisseurs	75 300 $	
Emprunts bancaires	5 700	
Versement exigible de la dette à long terme	5 000	106 000 $
Dettes à long terme		
Emprunts bancaires	50 000	
Emprunts hypothécaires	78 500	128 500
Total du passif		234 500
AVOIR DU PROPRIÉTAIRE		
Capital M. Paul Larivée		291 000
Total du passif et de l'avoir du propriétaire		525 500 $

La rubrique Avoir du propriétaire a la même importance que les rubriques Actif (ligne 1) et Passif (ligne 20). Le total se trouve à la ligne 32. Quant au total du Passif et de l'Avoir du propriétaire (ligne 33), il est à comparer avec le total de l'actif (ligne 19).

Les signes du dollar sont nécessaires dans les états financiers contrairement aux livres comptables. Le premier montant de chaque colonne doit être suivi d'un signe du dollar de même que le grand total d'une colonne. Puis on refait de même si la colonne se poursuit encore après le grand total. Finalement, un montant présenté entre parenthèses sera diminué du montant qui le précède :

Immeuble	100 000 $	
Amortissement cumulé	(20 000)	80 000 $

2.7 EFFET DE QUELQUES OPÉRATIONS SUR LE BILAN : LES PRINCIPES COMPTABLES EN CAUSE

Voici un exemple où la situation financière d'une société se modifiera à la suite d'opérations diverses. Seul l'effet sur le bilan sera examiné ici.

Dans cet exemple, les opérations seront effectuées par Union électrique inc. Pour mieux suivre ces variations financières nous préparerons un bilan après chaque opération afin d'obtenir le bilan exact à la fin du mois de janvier. Nous n'avons pas d'autre solution que de préparer un bilan après chaque transaction, car nous n'avons par encore élaboré un système d'accumulation des données. Par exemple, nous n'avons pas encore introduit la notion de compte. Voyons comment chaque opération modifie le bilan d'Union électrique inc.

Charles Larouche, un électricien qui travaillait depuis plusieurs années pour une grande entreprise, décide de s'établir à son compte. Il fonde donc la société par actions Union électrique inc. L'entreprise obtient son certificat d'incorporation du gouvernement du Canada, ministère de la Consommation et des Corporations. D'autre part, Charles, administrateur et président de la Société, désire prendre tout le mois de janvier pour organiser son entreprise. Voici les opérations financières qui ont été effectuées pendant ce premier mois. Afin de mieux suivre les variations de la situation, nous préparerons un bilan après chaque opération.

2 janvier

Mise de fonds initiale de l'actionnaire fondateur. Les 2500 actions ont été émises par Union électrique inc. à 10 $ chacune et l'argent reçu de l'actionnaire a été immédiatement déposé dans le compte en banque de l'entreprise.

Comme Charles Larouche ne possédait pas tout le comptant requis, il a emprunté 15 000 $ à un ami pour pouvoir verser sa mise de fonds initiale. Cet emprunt personnel est garanti par une deuxième hypothèque sur sa maison.

UNION ÉLECTRIQUE INC. Bilan au 2 janvier 19X6			
ACTIF		**PASSIF**	
Encaisse	25 000 $	**AVOIR DES ACTIONNAIRES**	
		Capital-actions	25 000 $
	25 000 $		25 000 $

L'apport du propriétaire-actionnaire a été présenté à l'Avoir de l'actionnaire sous un poste intitulé Capital-actions. Ce poste indique que les fonds ont été reçus à la suite de l'émission d'actions. L'emprunt personnel de M. Larouche ne figure pas au passif d'Union électrique inc. En effet, du point de vue de la société, les fonds investis proviennent de Charles Larouche et non du créancier.

Les opérations personnelles de M. Larouche sont traitées distinctement de celles de son entreprise. Le *bilan personnel* de M. Larouche (non présenté ici) est le seul à être touché par son emprunt personnel. Nous agissons ainsi à cause de la *convention de la personnalité de l'entreprise*. Ces conventions sont des hypothèses, posées par les comptables, concernant l'environnement social et économique de l'entreprise ainsi que sur l'utilisation de l'information comptable ; elles tirent leur autorité de leur reconnaissance générale. Par exemple, il serait impossible de savoir dans quelle mesure Union électrique inc. est rentable si les transactions de M. Larouche étaient mélangées avec celles de son entreprise. De plus, si Charles Larouche possède deux commerces, il faudra traiter leurs opérations distinctement si l'on veut connaître la rentabilité de chacun d'eux. Les gens d'affaires ont besoin de cette information distincte et les comptables, en postulant la personnalité individuelle de chaque entreprise, répondent aux besoins fondamentaux des utilisateurs de l'information. La convention de la personnalité de l'entreprise a donc beaucoup d'autorité à cause de sa reconnaissance très générale.

5 janvier

Achat comptant d'un camion de livraison usagé, pour 5000 $, de la firme Automobiles Concorde ltée. Bien que le camion ait une usure de deux ans, M. Larouche juge qu'il a réalisé une bonne affaire, car il estime sa valeur marchande à au moins 6000 $.

UNION ÉLECTRIQUE INC.
Bilan
au 5 janvier 19X6

ACTIF		PASSIF	
		AVOIR DES ACTIONNAIRES	
Encaisse (− 5000)	20 000 $		
Camion (+ 5000)	5 000	Capital-actions	25 000 $
	25 000 $		25 000 $

Le camion est présenté au coût de 5000 $ au bilan, en dépit d'une valeur marchande présumée supérieure. Pourquoi en est-il ainsi ? Tout d'abord à cause d'une autre convention comptable, la *convention de la continuité de l'exploitation* ou de la permanence de l'entreprise. Les comptables supposent que l'entreprise durera assez longtemps pour remplir ses engagements et exécuter ses projets. Dans cette hypothèse, on ne tient pas compte de la valeur marchande des biens car l'entreprise continuera son exploitation et utilisera ses biens. En ce sens, cette valeur marchande ne sera jamais réalisée. Cela se traduit par l'application d'un principe comptable pour l'enregistrement des opérations, à savoir la *valeur d'acquisition* ou les coûts historiques. En effet, dans le contexte de la continuité de l'exploitation, la comptabilité cherchera à établir si la décision d'acheter le camion a été judicieuse. Pour ce faire, il faudra faire une comparaison entre les revenus que produira le camion et le *coût d'acquisition* de ce camion. Par exemple, si le camion de 5000 $ doit rouler pendant 5000 km, nous dirons que ce camion nous coûte environ 1 $ par kilomètre. Donc, si le camion rapporte des produits d'exploitation de 10 000 $ pendant une année et qu'il a roulé 3000 km nous verrons, à l'état des résultats :

Produits d'exploitation	10 000 $		10 000 $
Coût de l'usage du camion	3 000	et non	3 600
Bénéfice net	7 000 $		6 400 $

Une comparaison des revenus produits par le camion et de sa valeur marchande présumée de 6000 $ ou 1,20 $ du kilomètre est inappropriée en ce sens. La valeur marchande est non pertinente puisqu'on désire utiliser le camion pendant toute sa vie utile et non le liquider.

Nous pourrions ajouter que les comptables désirent que l'information ait certaines caractéristiques, dont l'*objectivité*. Le coût de 5000 $ est objectif et vérifiable. Ainsi, le vendeur essaie d'obtenir le prix le plus élevé possible tandis que l'acheteur tente de payer le moins cher possible. La *probité* s'appuie sur une *pièce justificative*, la facture, qui montre que 5000 $ est le montant sur lequel les deux parties ayant des intérêts divergents se sont entendues.

10 janvier

En raison de sorties de fonds prévues au cours des prochains jours, l'entreprise emprunte 7000 $ à la banque. Cette somme a été immédiatement déposée dans le compte courant de la firme et sera payable sur demande.

Étant donné que l'entreprise ne fait que débuter et le peu de biens qu'elle pouvait offrir en garantie, la banque a exigé que l'actionnaire endosse personnellement cet emprunt.

UNION ÉLECTRIQUE INC.
Bilan
au 10 janvier 19X6

ACTIF		PASSIF	
Encaisse (+ 7000)	27 000 $	Emprunt bancaire (+ 7000)	7 000 $
Camion	5 000		
		AVOIR DES ACTIONNAIRES	
		Capital-actions	25 000
	32 000 $		32 000 $

Les ressources contrôlées par l'entité sont plus importantes, mais l'Avoir des actionnaires est toujours de 25 000 $ puisque la ressource Encaisse a été fournie par les créanciers.

Le bilan personnel de M. Larouche sera donc modifié puisqu'il s'est porté garant de l'emprunt d'Union électrique inc. Ce *passif éventuel* n'apparaît pas au bilan de l'entreprise en vertu de la *convention de la personnalité de l'entreprise*. D'ailleurs, il contient le passif réel de 7000 $. Une note sera présentée au bas du bilan personnel de Charles Larouche et en fera partie intégrante. Il ne faut pas omettre cette information même si la dette est seulement éventuelle et non réelle en date du 10 janvier. Dans ce cas, nous sommes guidés par une caractéristique que l'information comptable doit posséder, soit l'*intégralité*. On rencontre parfois le terme critère de *divulgation complète*. En effet, dans notre cas, il faut admettre qu'un individu qui a endossé une entreprise pour 7000 $ n'est pas dans la même situation que celui qui n'a consenti aucun endossement. Si une entreprise est poursuivie en justice, nous noterons ce fait au passif éventuel même si le jugement n'est pas prononcé. Si une entreprise signe un bail à long terme, nous indiquerons ce fait sous forme de note, car le passif n'est pas encore réel. Nous agissons ainsi parce qu'une entreprise qui est endosseur d'une autre entreprise ou qui est poursuivie ou qui a signé un bail n'est pas dans la même situation financière que l'entreprise qui est libre de ces engagements. Il ne faut pas omettre un fait qui pourrait intéresser les lecteurs d'états financiers ou qui pourrait influencer leurs décisions.

15 janvier

Achat d'un terrain de 3000 $ et d'un bâtiment de 15 000 $. L'entreprise verse 5000 $ comptant et le solde sera payable dans dix ans. Un contrat hypothécaire est signé entre l'acheteur et le vendeur, Les Immeubles beausite inc.

UNION ÉLECTRIQUE INC.
Bilan
au 15 janvier 19X6

ACTIF		PASSIF	
Encaisse (− 5000)	**22 000 $**	**Emprunt bancaire**	**7 000 $**
Camion	**5 000**	**Dette hypothécaire** (+ 13 000)	**13 000**
Bâtiment (+ 15 000)	**15 000**		**20 000**
Terrain (+ 3000)	**3 000**		
		AVOIR DES ACTIONNAIRES	
		Capital-actions	**25 000**
	45 000 $		**45 000 $**

16 janvier

Union électrique inc. souscrit une police d'assurance afin de protéger le bâtiment contre les risques d'incendie. La prime de 2000 $ est payée immédiatement bien que la police entre en vigueur le 1er février 19X6 seulement.

UNION ÉLECTRIQUE INC.
Bilan
au 16 janvier 19X6

ACTIF		PASSIF	
Encaisse (− 2000)	20 000 $	**Emprunt bancaire**	7 000 $
Assurance payée		**Dette hypothécaire**	13 000
d'avance (+ 2000)	2 000		20 000
Camion	5 000		
Bâtiment	15 000	**AVOIR DES ACTIONNAIRES**	
Terrain	3 000	**Capital-actions**	25 000
	45 000 $		45 000 $

Les frais payés d'avance sont des *créances en nature* ou des services à recevoir, ce sont donc des éléments de l'actif.

17 janvier

Estimant que l'achat du camion fut une erreur (les bris sont très fréquents), M. Larouche décide de le vendre. Après maintes négociations, il parvient à le vendre 6000 $. L'acheteur paiera le tout dans un mois.

UNION ÉLECTRIQUE INC.
Bilan
au 17 janvier 19X6

ACTIF		PASSIF	
Encaisse	20 000 $	**Emprunt bancaire**	7 000 $
Débiteurs (+ 6000)	6 000	**Dette hypothécaire**	13 000
Assurance payée			20 000
d'avance	2 000		
Camion (− 5000)	0		
Bâtiment	15 000	**AVOIR DES ACTIONNAIRES**	
Terrain	3 000		
		Capital-actions	25 000
		Bénéfices non répartis	
		(+ 1000)	1 000
			26 000
	46 000 $		46 000 $

La Société a cédé un actif de 5000 $ en échange d'un autre actif de 6000 $. Elle a réalisé un bénéfice de 1000 $ et ce bénéfice appartient à l'actionnaire. L'Avoir des actionnaires augmente donc de 1000 $. On utilise le poste *Bénéfices non répartis* pour ne pas créer de confusion avec le poste Capital-actions qui, lui, montre exclusivement le montant reçu de l'émission d'actions ; *Bénéfices non répartis* signifie bénéfices non répartis sous forme de dividendes ou encore bénéfices réinvestis dans la société. Ce poste atteint des montants élevés chez les entreprises qui accumulent des bénéfices depuis de nombreuses années et qui ont pratiqué le réinvestissement.

En réalité, si on analyse la vente du camion nous avons :

	Actif	=	Passif	+	Capital-actions	+	BNR
a)	− 5 000	=					− 5 000
b)	+ 6 000	=					+ 6 000
	+ 1 000						+ 1 000

En a on note un *appauvrissement* de 5000 $, car la Société doit céder un actif de ce montant pour réaliser l'opération. Mais, simultanément, nous avons un *enrichissement* de 6000 $, car la Société reçoit un actif de ce montant au cours de l'opération. Nous verrons que les enrichissements sont qualifiés de produits et que les appauvrissements sont qualifiés de charges. La différence entre les enrichissements et les appauvrissements, *produits moins charges*, représente le calcul du bénéfice net qui sera présenté dans un état financier appelé *l'état des résultats*.

18 janvier

On déclare et verse à l'actionnaire des dividendes de 600 $.

UNION ÉLECTRIQUE INC.
Bilan
au 18 janvier 19X6

ACTIF		PASSIF	
Encaisse (− 600)	19 400 $	Emprunt bancaire	7 000 $
Débiteurs	6 000	Dette hypothécaire	13 000
Assurance payée			20 000
d'avance	2 000		
Bâtiment	15 000		
Terrain	3 000	AVOIR DES ACTIONNAIRES	
		Capital-actions	25 000
		Bénéfices non répartis	
		(− 600)	400
			25 400
	45 400 $		45 400 $

La transaction a eu l'effet suivant :

Actif	=	Passif	+	Capital-actions	+	BNR
− 600	=					− 600

Il y eu 1000 $ de bénéfices le 17 janvier mais une répartition de 600 $ a été effectuée le 18 janvier. Le poste Bénéfices non répartis traduit ce fait avec son nouveau solde de 400 $.

Avec cet encaissement de dividendes de 600 $, le poste Encaisse augmenterait au *bilan personnel* de M. Larouche, tandis que le poste Placement dans Union électrique inc. baisserait de 600 $. La société Union électrique inc. a subi une diminution de valeur de 600 $, car elle a expédié un chèque de ce montant à l'actionnaire. Charles Larouche a donc vu son placement baisser d'un montant de 600 $. Il a toutefois encaissé un montant égal en dividendes.

19 janvier

Union électrique inc. achète à crédit, pour 3000 $, un stock de fournitures électriques destiné à être vendu à ses clients.

UNION ÉLECTRIQUE INC.
Bilan
au 19 janvier 19X6

ACTIF		PASSIF	
Encaisse	19 400 $	Emprunt bancaire	7 000 $
Débiteurs	6 000	Comptes-fournisseurs	
Stock de marchandises		(+ 3000)	3 000
(+ 3000)	3 000	Dette hypothécaire	13 000
Assurance payée			23 000
d'avance	2 000		
Bâtiment	15 000		
Terrain	3 000	AVOIR DES ACTIONNAIRES	
		Capital-actions	25 000
		Bénéfices non répartis	400
			25 400
	48 400 $		48 400 $

Les marchandises destinées à la revente sont appelées stock de marchandises. Par exemple, chez Canadair les avions constituent un stock, tandis que chez Air Canada il s'agit d'immobilisations. Les stocks sont des capitaux circulants par opposition aux capitaux immobilisés.

19 janvier

Monsieur Larouche augmente les titres de son portefeuille personnel en se portant acquéreur de 100 actions de la société Bell Canada pour un montant total de 4500 $.

Cette transaction ne touche pas Union électrique inc. ; en fait, elle modifie seulement la situation financière personnelle de Charles Larouche. En plus d'avoir un placement dans Union électrique inc., il en a un également, à partir du 19 janvier, dans Bell Canada. Ce nouveau placement paraîtra au bilan personnel de M. Larouche.

Rappelons qu'en vertu de la convention de la *personnalité de l'entreprise*, nous distinguons les affaires du propriétaire de celles de son entreprise.

20 janvier

Achat à crédit de 2000 $ d'équipement chez Colbert ltée.

UNION ÉLECTRIQUE INC.
Bilan
au 20 janvier 19X6

ACTIF		PASSIF	
Encaisse	**19 400 $**	**Emprunt bancaire**	**7 000 $**
Débiteurs	**6 000**	**Comptes-fournisseurs**	
Stock de marchandises	**3 000**	(+ 2000)	**5 000**
Assurance payée		**Dette hypothécaire**	**13 000**
d'avance	**2 000**		**25 000**
Équipement (+ 2000)	**2 000**		
Bâtiment	**15 000**		
Terrain	**3 000**	**AVOIR DES ACTIONNAIRES**	
		Capital-actions	**25 000**
		Bénéfices non répartis	**400**
			25 400
	50 400 $		**50 400 $**

L'équipement sera utilisé et non vendu. Il s'agit bien d'une immobilisation.

23 janvier

Recouvrement du compte à recevoir du camion : 6000 $.

UNION ÉLECTRIQUE INC.
Bilan
au 23 janvier 19X6

ACTIF		PASSIF	
Encaisse (+ 6000)	25 400 $	Emprunt bancaire	7 000 $
Débiteurs (− 6000)	0	Comptes-fournisseurs	5 000
Stock de marchandises	3 000	Dette hypothécaire	13 000
Assurance payée			25 000
d'avance	2 000		
Équipement	2 000		
Bâtiment	15 000		
Terrain	3 000	AVOIR DES ACTIONNAIRES	
		Capital-actions	25 000
		Bénéfices non répartis	400
			25 400
	50 400 $		50 400 $

Le droit de recevoir 6000 $ n'existe plus mais, en échange, l'entreprise a reçu un actif sous la forme d'une somme d'argent équivalente ; le compte à recevoir était donc de l'argent. Dès qu'une entité extérieure reconnaîtra devoir un montant à l'entreprise, nous considérerons qu'il y a entrée d'actif. Il est à noter que l'encaisse, c'est-à-dire les dollars ou un dépôt, représente aussi un droit de recevoir des biens et en ce sens, elle est aussi incorporelle que les comptes-clients.

25 janvier

Versement partiel de 1000 $ à la Banque Nationale.

UNION ÉLECTRIQUE INC. **Bilan** **au 25 janvier 19X6**			
ACTIF		**PASSIF**	
Encaisse (− 1000)	24 400 $	Emprunt bancaire (− 1000)	6 000 $
Stock de marchandises	3 000	Comptes-fournisseurs	5 000
Assurance payée		Dette hypothécaire	13 000
d'avance	2 000		24 000
Équipement	2 000		
Bâtiment	15 000	**AVOIR DES ACTIONNAIRES**	
Terrain	3 000		
		Capital-actions	25 000
		Bénéfices non répartis	400
			25 400
	49 400 $		49 400 $

Le règlement d'une dette entraîne la réduction du passif par la réduction de l'actif. Il n'appauvrit ni n'enrichit les propriétaires. Au bilan personnel de M. Larouche, il faut modifier le montant figurant au passif éventuel.

27 janvier

M. Larouche, qui détient 2500 actions de l'entreprise Union électrique inc., décide de vendre une partie de son avoir, soit 500 actions, à un ami. Les actions ont été vendues 12 $ chacune.

La transaction du 27 janvier ne touche pas l'entreprise. Même si Charles Larouche a disposé d'une partie de ses actions, c'est-à-dire d'une partie de son placement dans Union électrique inc., et a encaissé un gain de capital de 1000 $ (500 actions à 2 $ de profit par action), l'entreprise ne s'en trouve pas enrichie. Elle n'a, dans ce cas-ci, ni reçu ni déboursé de fonds. Seul le transfert des actions doit être noté afin de connaître l'identité des actionnaires pour toute question relative à Union électrique inc. et à ses actionnaires, telles celles des dividendes et des convocations à des assemblées.

L'entreprise est touchée seulement lors de l'émission des actions. Par la suite, les actions changeront de mains. Ce lieu d'échange, pour les grandes sociétés ouvertes, est la Bourse. Une hausse du prix des actions à la Bourse n'enrichit pas l'entreprise puisque rien ne peut modifier le montant qu'elle avait reçu lors de l'émission. Toutefois, les entreprises ont intérêt à ce que la cote de leurs actions augmente car les émissions futures seront alors plus faciles à faire.

2.8 PREMIÈRE NOTION DE CYCLE COMPTABLE

Le *cycle comptable* est l'ensemble des opérations comptables effectuées au cours d'un exercice financier. On emploie le terme *cycle* parce que ces opérations reviennent à chaque exercice financier. Ce cycle se compose d'un certain nombre d'étapes que nous verrons à mesure que nous progresserons dans notre étude des opérations comptables, c'est-à-dire que nous procéderons depuis des cycles comptables partiels jusqu'au cycle comptable complet. Il est utile de connaître l'enchaînement de ces opérations, même si on n'est pas appelé à les effectuer. En effet, certaines étapes font appel à une bonne connaissance des principes comptables sans lesquels aucun état financier ne peut être interprété correctement. De plus, elles se déroulent selon une succession logique et connaître cette succession c'est connaître la séquence des étapes de la création d'une information comptable valable et se familiariser avec le fonctionnement d'un système d'information. L'étude du cycle comptable est donc très enrichissante.

Nous en sommes au point suivant :

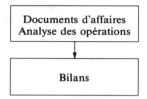

Le cycle commence par la collecte des informations brutes. Ces informations proviennent souvent d'une relation de l'entité avec l'extérieur et sont tirées de documents reçus ou émis par l'entité. Les factures de ventes ou d'achats et les chèques reçus ou expédiés en font partie. Les transactions doivent ensuite être analysées afin de déterminer leur effet sur la situation financière, c'est-à-dire qu'il faut d'abord identifier les postes ou comptes affectés, puis rédiger le bilan.

Ce cycle est naturellement partiel car, dans la pratique, on ne peut envisager de préparer un bilan après chaque opération. Il nous manque donc plusieurs étapes, lesquelles seront introduites plus tard. De façon sommaire, nous pouvons dire qu'il nous manque un système d'enregistrement des données.

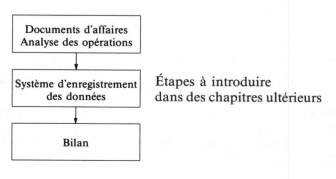

2.9 DESCRIPTION DES RUBRIQUES DU BILAN

Chacune des grandes sections d'un rapport financier est appelée *rubrique* qui, en anglais, se traduit par *heading*. Nous allons maintenant définir ces rubriques et chacun des *postes* de ces rubiques (*items* en anglais). Étant donné que l'étude d'une nouvelle discipline se double de l'apprentissage d'une nouvelle terminologie, il est opportun de souligner qu'il existe un dictionnaire de la comptabilité[1], duquel d'ailleurs nous avons tiré une partie des définitions qui suivent.

Tout d'abord, nous pouvons définir le bilan comme étant un état financier qui, à une date donnée, expose la situation financière d'une entreprise et dans lequel sont présentés les éléments de l'actif et du passif ainsi que la différence entre ces éléments, qui correspond aux capitaux propres.

En anglais, on rencontre les expressions *statement of financial position* et *balance sheet* un terme plus vieillot.

Le bilan tire son origine du mot italien *bilancio*. Ce mot fait référence aux anciennes balances à deux plateaux où l'on devait équilibrer le poids de l'objet déposé dans un plateau en plaçant une pesée dans l'autre plateau. Par analogie, le total de l'actif doit équilibrer la somme du passif et de l'avoir des actionnaires. Le terme anglais *balance sheet* fait également référence à cet équilibre obligatoire.

2.9.1 L'en-tête

Celui-ci est composé de trois éléments : le nom ou la dénomination sociale de l'entreprise, le nom de l'état financier, dans ce cas-ci *bilan*, et la date précise de la situation financière qui y est exposée. Chaque élément est présenté sur une ligne distincte et généralement au centre de l'état financier.

2.9.2. L'actif

L'actif désigne les ressources économiques utilisées par l'entreprise ou les biens qui sont *actifs* dans le fonctionnement de l'entreprise et qui sont susceptibles de lui procurer des avantages futurs.

Ce terme désigne l'argent ou l'équivalent en placements temporaires (certificats de dépôts, valeurs négociables), les services à recevoir pour lesquels on a déjà payé (frais payés d'avance), les droits de réclamer une somme (comptes-clients), les biens dont on prévoit tirer des services ou des avantages dans le futur (immobilisations, stocks).

---

(1) SYLVAIN, Fernand, *Dictionnaire de la comptabilité et des disciplines connexes*, 2e éd., Toronto, ICCA, Ordre des experts-comptables et des comptables agréés — Paris, Institut des reviseurs d'entreprises — Bruxelles, 1982, 662 pages.

Certains biens ont une existence physique (terrain, immeuble) tandis que d'autres ne constituent que des droits conférés à l'entreprise (comptes-clients, titres négociables, marques de commerce).

L'actif à court terme

Nous en avons déjà glissé quelques mots ; spécifions toutefois que celui-ci comprend l'argent ou tout autre bien normalement réalisable dans l'année qui suit la date du bilan. Un élément est dit réalisable s'il peut être converti en argent dans le cours normal des affaires. Par exemple, un compte-client sera converti en argent dans l'année qui suit. Cependant, un élément peut être réalisable en ce sens qu'il permettra à l'entreprise de gagner des revenus au cours de la prochaine année ; tel est le cas des stocks de marchandises.

Les éléments de l'actif à court terme sont aussi qualifiés de capitaux circulants. Voici donc un exemple de capitaux circulants :

	Départ	Achat de stock	Vente de stock	Encaissement
Encaisse	10	0	0	15
Comptes-clients			15	0
Stock de marchandises		10	0	0
Capital	10	10	15	15

L'encaisse s'est reconstituée au cours d'un cycle d'exploitation. Les comptes-clients et les stocks sont des capitaux à recouvrement rapide.

Une subdivision intéressante de l'actif à court terme peut être faite sur la base suivante : les *valeurs disponibles* (l'encaisse et l'argent déposé dans les banques), les *valeurs réalisables* à court terme (les comptes-clients, les prêts à moins d'un an, les avances et acomptes versés aux fournisseurs, les titres de placement et les effets à recevoir), les *valeurs d'exploitation* (les stocks de matières premières, les marchandises, les fournitures, les produits semi-ouvrés, les produits finis, les travaux en cours et les emballages commerciaux) ainsi que les *comptes issus des régularisations* (les produits à recevoir et les charges payées d'avance).

En anglais, on utilise le terme *current assets*.

L'encaisse

Celle-ci comprend les pièces de monnaie, les billets de banque, les mandats postaux, le solde des comptes à la banque ou dans une autre institution financière (*cash*). Un découvert bancaire existe lorsque le solde du compte devient négatif avec autorisation de la banque. Il faut alors le présenter au passif (*bank overdraft*).

Les comptes-clients

Ce montant regroupe les sommes dues par les clients après qu'ils ont acheté des marchandises ou reçu des services. Ce montant doit être montré distinctement des autres montants à recevoir par l'entreprise. Il s'agit donc d'un droit à recevoir certaines sommes (*accounts receivables*). On rencontre également *débiteurs* ou *comptes débiteurs*.

Le stock de marchandises

On y retrouve le coût des articles qu'une entreprise détient en magasin à un moment donné et qu'elle a l'intention de vendre. Ce sont par exemple des vêtements pour La Baie, des motoneiges pour Bombardier ltée, des avions pour Canadair ou des médicaments pour les Pharmacies Jean Coutu (*inventory*). Il existe aussi un stock de *matières premières* dont une entreprise a l'intention de se servir pour fabriquer un produit (*raw materials*) et un stock de *produits en cours* dont la fabrication est inachevée (*goods in process*).

Les frais payés d'avance

Les frais payés d'avance sont des créances en nature. Par exemple, si l'on paie son loyer au début du mois, on dispose d'un service de logement à recevoir. Ce service à recevoir serait présenté au bilan du début du mois au poste Frais payés d'avance. Il s'agit de services à recevoir dans un futur prochain. Ce poste peut regrouper plusieurs catégories de frais payés d'avance (*prepaid expenses*).

L'actif à long terme

L'actif à long terme (*long-term assets*) comprend les biens qui ne font pas partie du fonds de roulement. On y retrouve les immobilisations corporelles (*fixes assets*) et incorporelles (*intangible assets*), les placements à long terme (*long-term investments*), les frais reportés ou frais à long terme payés d'avance (*deferred charges*) et les autres éléments d'actif (*other assets*).

Les immobilisations corporelles

Il s'agit de l'ensemble des biens corporels d'une durée relativement longue ou permanente que l'entreprise utilise aux fins de son exploitation. Ce sont donc des biens mobiliers et immobiliers, créés ou acquis pour être utilisés d'une manière durable comme instrument de travail ou comme moyens de production et non pour être revendus (*fixed assets*).

Les immobilisations incorporelles

Ce sont des immobilisations qui n'ont pas d'existence physique (*intangible assets*). Que l'on pense aux brevets d'invention, aux droits d'auteur, aux marques de commerce, aux droits forestiers ou miniers, aux procédés secrets de fabrication, aux frais de premier établissement, aux frais de développement capitalisés et à l'achalandage issu de la consolidation.

LES BREVETS D'INVENTION

Titre délivré par l'État qui donne à l'inventeur d'un produit ou d'un procédé susceptible d'applications industrielles, ou à son cessionnaire, le droit exclusif d'exploitation d'une invention durant un certain temps (17 ans au Canada et 20 ans en France et en Belgique) aux conditions fixées par la loi (*patent*)[2].

Il s'agit donc d'un droit, d'un titre qui peut être vendu.

LES MARQUES DE COMMERCE

Symbole (nom, sigle, dessin, emblème, etc.) que l'entreprise attribue aux produits qu'elle fabrique (marque de fabrique ou marque de fabricant) ou distribue (marque de commerce ou marque de distribution), ou aux services qu'elle rend (marque de service), pour les individualiser par rapport à ceux des concurrents et pour en revendiquer la responsabilité. Lorsque la marque est déposée, son usage devient exclusif pour le déposant. Sachez que la marque personnelle, souvent sous forme de signature manuscrite, apposée sur un ouvrage (notamment sur les créations des couturiers) pour éviter les contre-façons porte le nom de « griffe » (*trademark*)[3].

L'ACHALANDAGE

Lorsqu'une société achète une autre société, il se peut qu'elle doive débourser un montant supérieur à la valeur marchande attribuée à l'actif net. En effet, une entreprise vaut plus que la valeur marchande de son actif net si elle a une clientèle loyale, de bonnes relations patron-employés, des employés expérimentés, un emplacement favorable, etc. L'entreprise acheteuse paiera alors pour cet actif incorporel que l'on nomme *l'achalandage*, et ce montant apparaît dans son bilan (*goodwill*).

Les placements à long terme

Il s'agit d'un placement dans des titres ou des biens pour une période prévisible de plus d'un an. Par exemple, si un fabricant d'outils achète un terrain avec l'intention de le revendre après quelques années, celui-ci apparaîtra au bilan comme un *placement à long terme*. En effet, il ne répond pas à la définition d'une immobilisation puisqu'il n'est pas utilisé pour les fins de l'exploitation normale.

---

(2) *Ibid.*, p. 364.
(3) *Ibid.*, p. 513.

Les autres éléments d'actif

Dans cette section du bilan, on présente les éléments d'actif qui ne peuvent être classés dans aucune des sections décrites précédemment. Par exemple : un terrain détenu pour site futur d'une usine n'est pas une immobilisation, car il n'est pas présentement utilisé, et ce n'est pas un placement non plus, car on désire le conserver pour l'utiliser plus tard (*other assets*).

2.9.3 Le passif

Le passif peut être défini simplement comme l'ensemble des sommes dues par une personne physique ou morale. L'entreprise sera libérée de ses dettes en versant de l'argent mais aussi en livrant des marchandises ou en rendant des services dans le cas de sommes reçues d'avance. Au Canada, on a tendance à restreindre le sens du terme *passif* qui, généralement, ne comprend que les sommes dues par l'entreprise à des tiers. Il ne comprend pas les capitaux propres. En anglais, on utilise le terme *liabilities*.

Le passif à court terme

Il comprend les dettes dont le règlement doit intervenir au cours de la prochaine année ou du prochain cycle d'exploitation, si ce dernier a une durée supérieure à un an. En anglais, on utilise *current liabilities*.

Les comptes-fournisseurs

On rencontre aussi le terme *créditeurs*. On y présente les dettes sur achats de marchandises, prestations de service et autres opérations (*accounts payable*).

Les emprunts bancaires

Sommes empruntées à une banque (*bank loan*).

Les dettes courues

Ces dettes sont issues de régularisation. Elles ne sont pas exigibles immédiatement mais elles se sont constituées à mesure que le temps a couru ou que l'on a reçu des services. Par exemple, si un prêt est remboursable, capital et intérêts, le 31 décembre et qu'un bilan est préparé le 30 juin, la moitié des intérêts sont courus (c'est un véritable passif) mais ils ne sont pas légalement exigibles immédiatement le 30 juin. Si la paie est préparée aux deux semaines et que le bilan est rédigé au milieu de cette période, il y aura une semaine de salaires courus à payer même si par entente la paie ne doit avoir lieu que dans une semaine. En effet, ce passif couru correspond à la semaine de services reçus (*accrued liability*).

Les versements sur la dette à long terme exigibles à court terme

Sous ce poste, on présente le montant en « principal » échéant au cours des douze prochains mois. Il faut se rappeler que les intérêts à payer sont présentés séparément et qu'ils sont exigibles en fonction du temps écoulé seulement. Si les intérêts ont été payés à la fin de l'exercice, le poste « intérêts à payer » présentera un solde nul, mais il pourrait tout de même y avoir un versement en « principal » exigible au cours de l'année suivante (*current maturities, current portion of long term debt*).

Par exemple, dans le tableau suivant, le versement sur la dette à long terme exigible à court terme est de 2420 $ au 31 décembre 19X5, car c'est le versement en principal qui est exigé au cours de 19X6. Un montant de 43 380 $ apparaîtra alors sous la rubrique des dettes à long terme.

DATE	VERSEMENT	INTÉRÊT	PRINCIPAL	SOLDE
30 juin 19X3				50 000 $
30 juin 19X4	7 000 $	5 000 $	2 000 $	48 000
30 juin 19X5	7 000	4 800	2 200	45 800
30 juin 19X6	7 000	4 580	2 420	43 380
30 juin 19X7	7 000	4 338	2 662	40 718

Le passif à long terme

Il comprend les dettes qui, dans le cours normal des affaires, ne seront pas réglées au cours de la prochaine année ou du prochain cycle d'exploitation. En anglais, on utilise *long-term liabilities*.

Les emprunts hypothécaires

Emprunt garanti par une hypothèque, c'est-à-dire un droit grevant un immeuble au profit d'un créancier pour garantir le paiement d'une dette (*mortgage loan payable*).

Les emprunts obligataires

Somme que doit une entreprise suite à l'émission d'obligations. L'obligation est un titre d'emprunt comportant une valeur nominale remis au prêteur en reconnaissance de dette. Par exemple, une entreprise peut emprunter 50 millions de dollars en émettant 50 000 obligations d'une valeur nominale de 1000 $ chacune (*bonded debt*).

Les obligations découlant de contrats de location-acquisition

Certains contrats de location équivalent à des achats et les loyers ne sont qu'une façon de rembourser le prix d'achat. La valeur capitalisée des contrats de location est alors présentée à l'actif et au passif du bilan comme si le bien loué avait été acheté. On accorde la primauté à la substance de la transaction, qui est un achat, plutôt qu'à sa forme, qui est une location (*long-term lease liability*).

2.9.4 Éléments présentés entre le passif et les capitaux propres

Certains éléments occupent des postes particuliers au bilan entre le passif et les capitaux propres. Ce ne sont pas des dettes car ils ne représentent pas, à la date du bilan, des sommes dues. Ils ne peuvent donc pas faire partie du passif tel que nous l'avons défini antérieurement. Ainsi en est-il des *impôts sur le revenu reportés* (*deferred income taxes*), qui sont des montants d'impôts dont le paiement est conditionné par l'existence de certains faits reliés aux exercices futurs. On note également la *participation minoritaire* (*minority interest*). Ce poste se retrouve là où une société mère ne détient pas 100 % des actions d'une filiale. Par exemple, si celle-ci ne détient que 80 % des actions d'une filiale, dont l'actif net est de 100 millions de dollars, nous aurons au bilan :

	(en millions de dollars)
Actif net	100
Participation minoritaire	20
Avoir des actionnaires	80

Évidemment, la société mère n'a pas à rembourser 20 millions de dollars aux actionnaires minoritaires mais elle doit montrer, dans son bilan, qu'une part de l'actif net, soit 20 millions de dollars, ne lui appartient pas. Elle le fait donc en présentant un poste participation minoritaire voisin du passif.

2.9.5 L'avoir des propriétaires

Cette dernière rubrique est définie comme étant les sommes que les propriétaires investissent dans une entreprise augmentées des bénéfices réalisés et non distribués à ces propriétaires (*owners' equity*). Chez les sociétés par actions on indique *avoir des actionnaires* (*shareholders's equity*).

Le capital-actions

Lorsqu'une société par actions émet des actions, l'encaisse augmente de même que le poste capital-actions. Ce poste est donc réservé au produit de l'émission des actions (*capital stock*).

Les bénéfices non répartis

Ce poste comprend le total des bénéfices réalisés par l'entreprise depuis sa constitution, diminué des pertes et des montants distribués en dividendes (les retraits des propriétaires-actionnaires) (*retained earnings*).

2.10 LES FORMES ÉCONOMIQUES DE L'ENTREPRISE

Selon le caractère de leurs opérations, les entreprises peuvent être divisées en trois catégories : les entreprises de services, les entreprises commerciales et les entreprises industrielles.

2.10.1 L'entreprise de services

Le système comptable des entreprises de services est généralement assez élémentaire, ce qui explique pourquoi nous l'étudions en premier dans l'apprentissage de la comptabilité. Parmi les entreprises de services, citons les professionnels du domaine de la santé, du droit, de la comptabilité, du conseil en administration, du courtage, de l'architecture, etc. D'autres entreprises fournissent un service par l'intermédiaire d'un équipement, citons les transporteurs, les réparateurs de toutes sortes, les multiples entreprises œuvrant dans les loisirs, l'esthétique, l'hôtellerie, etc.

Le système comptable doit permettre un bon suivi des relations avec les clients (facturation, comptes-clients, encaissements) et les fournisseurs de biens et services (achats parfois occasionnels, charges d'exploitation, paiement des comptes), faire la paie, contrôler les biens immobilisés, etc.

2.10.2 L'entreprise commerciale

Une bonne partie des opérations comptables que l'on retrouve dans l'entreprise de services se retrouve dans l'entreprise commerciale. Toutefois, comme les entreprises commerciales ont pour fonction principale de *distribuer des marchandises*, c'est-à-dire les acheter et les revendre sans les transformer, le système comptable devra être adapté aux fonctions d'achat, de vente, d'évaluation et de contrôle des marchandises. En plus, ce type d'entreprise exige un bon contrôle sur un investissement en biens immobilisés, généralement plus important que chez les entreprises de services. Que l'on pense à l'entreposage avec les entrepôts et le matériel de manutention, à la livraison avec le matériel roulant, à la présentation des marchandises avec les salles de montre et leur matériel, au stationnement, etc.

Parmi les entreprises commerciales citons les magasins d'alimentation, les grands magasins, les pharmacies, les boutiques et les commerces de vente au détail de toutes sortes.

2.10.3 L'entreprise industrielle

Les entreprises industrielles achètent des matières premières et les convertissent en *produits finis* avec l'aide d'une usine, de machineries et de main-d'œuvre. Elles doivent distribuer leurs produits comme le font les entreprises commerciales et contrôler des immobilisations très importantes. Mais, en plus des opérations comptables reliées au maintien d'un stock de produits finis, le système comptable doit traiter les opérations relatives à l'acquisition, au contrôle et à l'évaluation des *matières premières*. De plus, dans certaines entreprises où le processus de fabrication est long, le système comptable doit garder trace des *produits en cours*. Cependant, les opérations comptables les plus caractéristiques sont celles relatives à la détermination du *prix de revient* des produits finis. L'étude de la comptabilité industrielle fait habituellement l'objet d'ouvrages et de cours distincts de l'étude de la comptabilité générale.

Parmi les entreprises industrielles, citons les aciéries, les avionneries, les papeteries, les ébénisteries, les alumineries, les fabricants de produits alimentaires, d'automobiles, de produits chimiques, etc.

2.11 LES FORMES JURIDIQUES DE L'ENTREPRISE

Sans égard à leur nature économique, le statut juridique des entreprises et de leurs propriétaires peut varier. Au Québec, il existe quatre formes juridiques : l'entreprise individuelle, la société en nom collectif, la société par actions et la coopérative. Ces différentes formes amènent des variations dans l'appellation des comptes et la présentation aux états financiers ainsi que sur les renseignements à divulguer à l'État et au public.

2.11.1 L'entreprise individuelle

L'entreprise individuelle n'appartient qu'à *une seule personne* et ne forme *pas une entité juridique distincte* de son propriétaire, bien qu'elle constitue une entité distincte pour les comptables, en vertu de la convention de la personnalité de l'entreprise. La formation d'une entreprise à propriétaire unique n'exige pas de formalités juridiques importantes. D'autre part, si la raison sociale de l'entreprise diffère du nom du propriétaire, celui-ci doit la faire enregistrer au bureau du protonotaire de la Cour supérieure de son district. C'est pour cela que la raison sociale de l'entreprise est parfois suivie du mot *enregistrée (enr.)*.

Étant donné que l'entreprise n'est pas juridiquement distincte de son propriétaire, la responsabilité de celui-ci est illimitée, c'est-à-dire que les créanciers peuvent avoir recours à la liquidation des biens du propriétaire pour satisfaire leurs créances. Quant aux créanciers personnels du propriétaire, ils peuvent faire valoir des droits sur les biens de l'entreprise également. La vie de l'entreprise est limitée par la vie du propriétaire ; à son décès, on peut être appelé à liquider l'entreprise pour régler la succession. De plus, comme l'entreprise n'est pas un contribuable, l'unité d'imposition est donc le propriétaire. Le dernier inconvénient de ce type d'entreprise est qu'elle ne peut réunir de gros capitaux puisqu'il n'y a qu'un seul propriétaire. Même si elles sont nombreuses, elles ne représentent toutefois qu'un faible pourcentage de l'activité économique.

La présentation de la section Avoir du propriétaire, au bilan, peut prendre cette forme :

AVOIR DU PROPRIÉTAIRE
Capital, nom du propriétaire   **60 000 $**

Le capital augmentera lorsque l'entreprise réalisera des bénéfices ou lorsque le propriétaire investira de nouvelles sommes ; il diminuera si l'entreprise subit des pertes ou lorsque le propriétaire prélèvera des sommes pour son usage personnel. Contrairement à la société par actions démontrée précédemment dans l'exemple d'Union électrique inc., le compte Bénéfices non répartis n'apparaît pas, bien que cela puisse s'avérer utile.

2.11.2 Les sociétés de personnes

Au Québec, il existe deux sortes de sociétés de personnes (*partnership*) : les *sociétés en nom collectif* et les *sociétés en commandite*.

Dans les sociétés en nom collectif, dont la raison sociale est habituellement constituée du nom d'un ou plusieurs associés, tous les associés sont conjointement et solidairement tenus des obligations de la société.

La société de personnes est l'association volontaire de deux personnes ou plus qui conviennent, par contrat, de mettre des biens en commun, de contribuer, par leur travail, à l'exploitation d'une entreprise à but lucratif et de partager les bénéfices qui pourront en résulter. Au Québec, la société de personnes est régie par le Code civil.

La société de personnes repose sur un contrat d'association, elle prend donc fin dès qu'un associé se retire ou meurt, lorsqu'un nouvel associé est admis, lorsqu'un associé fait faillite ou devient incapable de contracter, lorsque la société est vendue ou fait faillite, lorsque le terme fixé pour la durée du contrat de société expire, lorsque le but pour lequel la société a été formé est atteint ou lorsqu'elle est transformée en société par actions. Dans certains de ces cas, une nouvelle société peut renaître peu après avec un nouveau contrat.

La responsabilité des associés est illimitée. Les créanciers ont un recours possible contre les biens personnels des associés en cas d'insolvabilité de la société. Les associés sont solidaires, c'est-à-dire que si un associé n'a plus de biens personnels à liquider pour répondre de sa part des dettes de la société insolvable, les créanciers s'adresseront aux autres associés plus fortunés.

Toutefois, dans le cas d'une société civile, c'est-à-dire celle créée pour offrir des services civils tels les services médicaux, juridiques, financiers ou comptables, la responsabilité n'est que conjointe. On ne peut alors parler de véritable société en nom collectif qui, elle, implique la responsabilité solidaire. Dans les sociétés commerciales, la responsabilité est toujours solidaire. Une société qui a pour objet des opérations civiles peut devenir une société commerciale si les associés choisissent d'être solidairement responsables. Il s'agira alors d'une société en nom collectif.

La formation d'une société en nom collectif est simple. Il suffit de rédiger une déclaration de société qui contiendra des informations relatives aux associés et à la société. Comme pour les entreprises individuelles, elle est déposée au bureau d'un fonctionnaire appelé « protonotaire de la Cour supérieure ». Celui-ci tient des registres publics de sorte que si un tiers veut faire une vérification, par exemple sur le nombre d'associés et leur nom, il puisse accéder à ces registres. Il est recommandé de rédiger un contrat d'association devant notaire, même si une entente orale pourrait suffire, car autrement des litiges pourraient naître d'une confusion quant au mode de partage des bénéfices, à l'apport des associés, etc.

Les professionnels doivent, dans l'exercice de leur profession, former une société de personnes ou entreprise à propriétaire unique. En effet, la loi ne leur permet pas de se constituer en société par actions. Donc, la société de personnes convient là où l'association de ressources humaines prime, mais dès qu'il faut réunir des capitaux importants, il vaut mieux songer à la société par actions.

La présentation, au bilan, de la section Avoir du propriétaire prend la forme suivante dans les sociétés en nom collectif :

AVOIR DES ASSOCIÉS
Capital, nom de l'associé	**40 000 $**
Capital, nom de l'associé	**30 000**
	70 000 $

Il est très important de distinguer le capital de chaque associé parce que cela pourrait avoir une influence lors du partage des bénéfices ou encore lors de la liquidation de la société ou du remplacement d'un associé.

Dans la *société en commandite*, il existe deux sortes d'associés : les associés *commandités* ou *gérants* et les associés *commanditaires* ou *passifs* qui eux ne fournissent que l'apport en argent ou en nature. La responsabilité des commanditaires est limitée à leurs apports.

2.11.3 Les sociétés de capitaux

La société par actions a une personnalité juridique distincte de celle de ses propriétaires. Cette *personne morale* possède l'actif et assume les dettes de l'entreprise. La responsabilité du propriétaire-actionnaire est donc limitée à sa mise de fonds. Par exemple, si une personne achète pour 5000 $ d'actions de Mines d'or Klondike limitée et que, suite à une baisse du prix de l'or, cette entreprise fait faillite, dans le pire des cas cette personne perdra 5000 $. Elle ne risque pas d'être obligée de liquider des biens personnels pour payer les dettes de la société par actions car il est entendu que la société est responsable de ses dettes. Par contre, le propriétaire-actionnaire ne peut retirer des fonds, sans formalité, de la société par actions car elle est propriétaire de l'actif. Pour retirer une somme, il doit y avoir déclaration de dividendes par le conseil d'administration.

Cette forme de société, grâce à la responsabilité limitée et au fractionnement de la propriété en un grand nombre d'unités nommées *actions*, permet d'amasser des capitaux considérables. La vie de l'entreprise n'est pas limitée à la vie des actionnaires car les actions sont négociables. Si un actionnaire meurt, ses actions sont transférées à une autre personne par règlement successoral ; si un actionnaire veut se retirer, il vend ses actions à une autre personne. Étant donné son statut de personne juridique distincte, la société par actions est un contribuable et paie elle-même ses impôts sur les bénéfices.

La formation d'une société par actions est un peu plus complexe que la rédaction d'un contrat d'association, par exemple, dans le cas des sociétés en nom collectif. Le ou les fondateurs doivent obtenir un *acte de constitution*, c'est-à-dire un document qui crée la personne juridique. Celui-ci est obtenu de la Direction des corporations, ministère de la Consommation et Corporations si l'on désire s'incorporer en vertu de la Loi sur les corporations commerciales canadiennes, ou du Service des compagnies, ministère des Consommateurs, Coopératives et Institutions financières si l'on désire s'incorporer en vertu de la Loi des compagnies du Québec. De plus, pour son fonctionnement interne, la société par actions doit avoir ses *règlements* et ses *conventions entre actionnaires*. Les règlements fixent les règles concernant le financement de l'entreprise, les assemblées d'actionnaires et d'administrateurs, etc. Les conventions entre actionnaires évitent des conflits et fixent des règles concernant les relations entre les actionnaires et la société, les transferts d'actions, les démarches en cas de décès d'un actionnaire, etc.

La présentation de l'avoir des propriétaires prend la forme suivante, chez une société par actions :

AVOIR DES ACTIONNAIRES	
Capital-actions	**100 000 $**
Bénéfices non répartis	**50 000**
	150 000 $

Une distinction très nette est faite entre le produit de l'émission d'actions, qui va au capital-actions, et le montant de l'avoir des actionnaires qui provient des bénéfices de la société accumulés d'année en année et non répartis en dividendes. Cette distinction évite que le capital-actions soit réduit par la déclaration de dividendes. L'identité des actionnaires n'a pas d'importance car leur responsabilité personnelle n'est pas en cause.

2.11.4 La coopérative

Une coopérative est une entreprise sans but lucratif contrôlée et possédée par une association de personnes. Les membres de la coopérative sont *propriétaires* et *usagers* de leur entreprise. Les membres participent démocratiquement au contrôle de la coopérative et s'en répartissent les trop-perçus en fonction de l'utilisation qu'ils ont faite de ses services.

La coopérative ressemble à la société par actions en ce sens qu'elle a une personnalité juridique distincte de celle de ses membres. Ceux-ci ont une *responsabilité limitée* à leur mise de fonds à savoir le montant déboursé pour acheter leurs parts sociales. Alors que le nom de la société par actions doit comporter le terme limitée ou incorporée, la dénomination sociale de la coopérative doit comprendre le terme coopérative, coopératif, coopération ou coop. Alors que l'actionnaire reçoit des dividendes en fonction du nombre d'actions qu'il détient, le membre de la coopérative reçoit des *ristournes* en fonction du volume d'affaires qu'il a transigé avec sa coopérative. Les dividendes sont des répartitions des bénéfices tandis que les ristournes sont des remises aux membres des *trop-perçus* ; les trop-perçus sont l'excédent des ventes sur les charges. Ils sont versés aux membres ou mis en *réserve* au taux de 20 % des trop-perçus annuels jusqu'à ce que la réserve soit égale à 25 % des dettes de la coopérative. La réserve constituée ne peut faire l'objet de ristournes.

Le capital-actions rencontré dans la société par actions se nomme *capital-social* dans la coopérative. Alors que chaque action confère un droit de vote aux assemblées, dans la coopérative c'est le principe *un membre*, *un vote* qui prévaut. Alors qu'une personne peut contrôler une société par actions en détenant plus de 50 % des actions votantes, il est impossible pour une personne de contrôler une coopérative.

Voici comment se présente l'avoir des membres au bilan.

Avoir des membres	
Capital-social autorisé	
20 000 parts sociales de 10 $	
Parts sociales émises et versées	**100 000 $**
Réserve générale	**50 000**
	150 000 $

Au Québec, le mouvement coopératif est très important. Il compte plus de 2500 entreprises coopératives, dont plus de la moitié sont des caisses d'épargne et de crédit. Mentionnons la Fédération de Québec des caisses populaires Desjardins avec plus de 1345 caisses. On retrouve aussi de nombreuses coopératives dans les secteurs de l'agriculture, de l'alimentation, de l'habitation, etc.

2.12 LIMITES DU BILAN

Le bilan n'exprime que les conséquences monétaires ; il est un élément partiel d'information. Tout d'abord, il ne traduit que les événements qui ont eu un effet monétaire. Des faits non encore exprimés en termes monéraires ou qu'on ne peut simplement pas convertir en termes monétaires peuvent avoir des conséquences très importantes. Par exemple, une modification de la stratégie des concurrents, des changements technologiques imminents, une nouvelle politique gouvernementale peuvent ne pas avoir encore eu un effet exprimé en termes monétaires, mais ils sont sans doute aussi importants que la dernière acquisition d'actif qui, elle, apparaît au bilan. L'embauchage d'un nouveau directeur compétent est une acquisition aussi, sinon plus, importante que l'acquisition d'une nouvelle machine ; pourtant le directeur ne figure pas à l'actif. C'est un événement non converti en termes monétaires. Bien sûr, la performance se traduira dans le futur en termes monétaires.

Le bilan présente la situation financière à une date donnée. Il devra donc être complété par d'autres états financiers. Par exemple, en examinant un bilan comparatif, on pourra constater que les immobilisations et les dettes ont augmenté, mais c'est l'état de l'évolution de la situation financière qui répertoriera toutes les activités de financement et d'investissement. Le bilan, lui, traduit le résultat de ces activités ; il présente une situation précise. Il remplit bien toutefois son rôle de photo financière à une date donnée. Une des lacunes du bilan est qu'il ne présente pas le résultat de la performance sociale de l'entreprise. Celui qui crée une entreprise utilise un système social préexistant qui a mis à sa disposition des ressources humaines qualifiées, une infrastructure, des services de sécurité, des installations portuaires, des routes, des services d'aqueduc, l'eau, les écoles, etc., en somme les résultats de l'action commune de millions d'hommes et de dizaines de générations. Pour une distribution équitable des richesses nationales, la société devrait être en mesure de juger du bilan social d'une entreprise donnée.

Le bilan de fin d'exercice traduit la situation financière générale, c'est-à-dire qu'il a une vocation générale. Par exemple, il ne peut fournir la valeur de l'entreprise considérée globalement ni même la valeur marchande d'un actif quelconque. Il ne peut fournir à la fois le coût et la valeur marchande. Il y a un choix à faire. Les bilans externes de fin d'exercice s'adressent à tous les utilisateurs. Un compromis en faveur d'une catégorie pourrait diminuer l'utilité du bilan pour tous les autres. Un créancier intéressé à la valeur marchande des immobilisations ou des stocks ne peut être privilégié au bilan de fin d'exercice au détriment d'un actionnaire qui désire voir ce que les biens lui ont coûté et ce qu'ils lui rapportent. On ne peut privilégier une association de consommateurs qui voudrait des rapports spécifiques au détriment d'un groupe d'actionnaires qui désire une situation résumée.

Le bilan de fin d'exercice est donc général. Les utilisateurs spécifiques peuvent demander une information particulière si leur situation le justifie. Par exemple, les administrateurs peuvent obtenir des bilans qui ne sont pas régis par des réglementations et des principes. Mais l'analyste financier qui examine un nombre important de bilans devra retrouver une certaine uniformité entre eux, sinon il ne pourra tirer de conclusions valables.

2.12.1 Le bilan exprime la situation financière à une date donnée seulement

L'exemple d'Union électrique inc. a clairement démontré que le bilan exposait la situation financière à un moment précis seulement. Dès qu'une opération financière se produit, le bilan passé devient désuet et il faut en rédiger un autre pour exprimer la situation financière du moment. Le bilan joue un rôle de *photo* de la situation financière atteinte à un moment précis, il a donc un caractère statique. Plus le temps s'écoule et plus il y a d'opérations qui sont intervenues, plus le bilan passé devient désuet ou non représentatif de la réalité du moment.

Par exemple on présente, dans le tableau suivant, le bilan de la société A au 30 juin 19X6. Mais on fournit également, à titre comparatif, le bilan ou la photo financière prise un an plus tard, soit le 30 juin 19X7.

Bilan comparatif de la Société A		
30 juin 19X7		30 juin 19X6
(Photo)	← Film ←	(Photo)
ACTIF		
Immeuble et terrain	70 000 $	Des	60 000 $
Mobilier de bureau	22 000	événements	19 000
Automobile	13 000	non	13 000
Argent en banque	10 000	exposés	6 000
Divers	3 000	dans	2 000
	118 000 $	le	100 000 $
		bilan	
PASSIF		ont	
Emprunt bancaire relatif		causé	
au mobilier et à l'auto-		la	
mobile	16 000	variation	25 000 $
Dette hypothécaire sur		de	
la résidence	52 000	la	55 000
	68 000	situation	80 000
		financière	
AVOIR DU			
PROPRIÉTAIRE			
Capital Monsieur A	50 000	← ? ←	20 000
	118 000 $		100 000 $

Le bilan au 30 juin 19X6 est une photo de la situation financière prise à cette journée précise. Dès le 1er juillet, la Société a effectué certaines transactions qui ont modifié sa situation financière. Peut-être a-t-elle remboursé une partie de son emprunt bancaire ? ou a-t-elle acheté du mobilier ? Une chose est certaine, dès le 1er juillet 19X6, le bilan rédigé le 30 juin 19X6 ne représentait plus la réalité financière de l'entreprise.

Nous avons donc une photo de la situation financière de l'entreprise au 30 juin 19X6 et une autre au 30 juin 19X7. La comparaison de ces deux photos, prises à un an d'intervalle, nous permet d'apprécier, de façon générale, le chemin parcouru. Ainsi, nous notons que la Société A s'est enrichie d'un montant de 30 000 $, car les capitaux propres sont passés de 20 000 $ à 50 000 $. Mais ces bilans successifs ne nous renseignent pas sur les événements qui ont provoqué cet enrichissement de 30 000 $ au cours de la dernière année écoulée. Ces événements ne sont pas définis dans le bilan du 30 juin 19X7. On a donc pris deux photos à un an d'intervalle et on nous laisse spéculer sur les événements qui se sont produits pendant cette période ; toutes les hypothèses sont donc permises. À première vue, nous pouvons affirmer que la Société A contrôle 18 000 $ de plus sous forme de biens (118 000 $ − 100 000 $) et qu'elle a réduit de 12 000 $ la part des créanciers dans les biens qu'elle utilise

(80 000 $ − 68 000 $). Mais nous devons spéculer, en l'absence d'information supplémentaire, sur les événements qui ont provoqué cet enrichissement de 30 000 $. Il faut donc présenter, en plus du bilan, d'autres états financiers qui vont remédier à cet état de fait.

2.12.2   États financiers qui pallient le caractère statique du bilan

Dans l'exemple précédent, l'enrichissement de 30 000 $ de la Société A, pendant l'année écoulée entre le 1er juillet 19X6 et le 30 juin 19X7, trouve sans doute son origine dans le fait que la Société A a gagné des produits (revenus) grâce à son exploitation et que pour ce faire elle a dû engager des charges (dépenses.).

L'état financier qui révélera ces produits et charges s'appelle *état des résultats*.

SOCIÉTÉ A
État des résultats
pour l'exercice terminé le 30 juin 19X7 (film)

Ventes	**100 000 $**
Coût des marchandises vendues	**50 000**
Salaires	**20 000**
	70 000
Bénéfice net	**30 000 $**

Le bilan se borne à *décrire la situation financière*, c'est-à-dire la *résultante* de plusieurs événements financiers qui se sont produits pendant une période indéterminée plus ou moins longue, allant de la création d'une entité économique jusqu'à la date du bilan. Cependant, il s'en tient à son rôle temporaire de photo car, comme la photo, il ne conserve son actualité que pendant un court moment jusqu'à ce qu'une opération financière nouvelle se produise. C'est pourquoi nous devons fournir aux lecteurs du bilan la *date précise* sur laquelle il porte et le compléter par un état des résultats qui sera, par analogie, le *film* des événements qui ont entraîné un enrichissement ou un appauvrissement de l'entreprise. L'étude complète de l'état des résultats sera faite plus tard mais nous savons d'ores et déjà qu'il devra décrire l'enrichissement (le bénéfice net) ainsi que les produits et les charges à l'origine de ce bénéfice net. L'en-tête de l'état des résultats démontre bien ce caractère de film : *résultats pour l'exercice terminé le ...*

Toutefois, les renseignements fournis par l'état des résultats sont encore incomplets. Voici une schématisation des explications qu'il fournit.

	Bilan Situation financière Photo au 30 juin 19X7	État des résultats Bénéfice net	Bilan Situation financière Photo au 30 juin 19X6
Avoir du propriétaire Capital Monsieur A.	50 000 $ ←	30 000 $	← 20 000 $

Toutes les autres variations des postes d'un bilan à l'autre, d'une situation financière à l'autre ne sont pas expliquées par l'état des résultats. Voici une représentation de ces explications à fournir.

	Bilan Situation financière Photo au 30 juin 19X7	État financier à déterminer	Bilan Situation financière Photo au 30 juin 19X6
Immeuble et terrain	70 000 $	← (a)	60 000 $
Mobilier de bureau	22 000	← (b)	19 000
Automobile	13 000	←	13 000
Argent en banque	10 000	← (g)	6 000
Divers	3 000	← (c)	2 000
Emprunt bancaire	16 000	← (d)	25 000
Dette hypothécaire	52 000	← (e)	55 000
Capital M.A.	50 000	← (f)	20 000

Comme il s'agit de produire un état financier qui expliquera les événements qui ont fait évoluer la situation financière du 30 juin 19X6 vers celle du 30 juin 19X7, nous intitulerons cet état financier *état de l'évolution de la situation financière*. Comme cet état est de la nature d'un film, l'en-tête montrera *pour l'exercice terminé le ...*

Voici ce dernier état financier :

SOCIÉTÉ A
État de l'évolution de la siutation financière
pour l'exercice terminé le 30 juin 19X7

Activités de financement ou provenance des fonds	
Ventes (f)	**100 000 $**
Activités d'investissement ou utilisation des fonds	
Amélioration de l'immeuble (70 000 $ − 60 000 $) (a)	**10 000**
Achat de mobilier (22 000 $ − 19 000 $) (b)	**3 000**
Achat de biens divers (3000 $ − 2000 $) (c)	**1 000**
Règlement partiel de l'emprunt bancaire	
(25 000 $ − 16 000 $) (d)	**9 000**
Règlement partiel de l'emprunt hypothécaire	
(55 000 $ − 52 000 $) (e)	**3 000**
Coût des marchandises vendues et salaires (f)	**70 000**
Total des activités d'investissement	**96 000**
Excédent du financement sur les investissements (g)	**4 000**
Argent en banque au 30 juin 19X6	**6 000**
Argent en banque au 30 juin 19X7	**10 000 $**

Voici la démarche que nous avons suivie pour rédiger cet état de l'évolution de la situation financière.

Tout d'abord, le montant sous le poste Immeuble et terrain est passé de 60 000 $ à 70 000 $: il s'agit d'un investissement de 10 000 $, qui est décrit dans l'état. De même, un investissement a été fait dans le Mobilier et le montant est passé de 19 000 $ à 22 000 $. Le montant du poste Automobile n'a pas varié. Quant à la rubrique des biens divers, laquelle est passée de 2000 $ à 3000 $, elle indique un investissement de 1000 $.

En ce qui concerne les éléments du passif, l'emprunt bancaire a baissé passant de 25 000 $ à 16 000 $. Nous avons indiqué, à l'état de l'évolution de la situation financière, un investissement de 9000 $ qui est le règlement partiel de cet emprunt. De même, un investissement de 3000 $ a été inscrit à l'état suite à la diminution de l'emprunt hypothécaire qui est ainsi passé de 55 000 $ à 52 000 $.

Le poste Capital Monsieur A. a bénéficié d'une augmentation de 30 000 $, c'est-à-dire qu'il est passé de 20 000 $ à 50 000 $. L'état des résultats nous avait déjà appris que cet enrichissement de 30 000 $ provenait de 100 000 $ de ventes moins les charges de 70 000 $. Nous avons classé les ventes, à l'état de l'évolution de la situation financière, sous la rubrique Activités de financement et nous avons classé les charges de 70 000 $ sous la rubrique Utilisation des fonds, c'est-à-dire des investissements. Nous aurions également pu présenter seulement le bénéfice net sous la rubrique des provenances.

Les lacunes causées par le caractère photographique du bilan sont ainsi comblées par l'état des résultats et l'état de l'évolution de la situation financière* ; c'est ce qui explique pourquoi nous retrouvons au moins ces trois états financiers dans les rapports annuels des sociétés.

2.13 SOMMAIRE DES POSTULATS, PRINCIPES ET QUALITÉ COMPTABLES IMPLIQUÉS DANS LA PRÉPARATION DU BILAN

Le bon fonctionnement de la société est basé en partie sur la circulation de l'information. La communication de l'information se fait par l'intermédiaire de symboles ou d'un ensemble de symboles que l'on nomme *langage*. Les symboles du langage découlent d'une *convention* entre différentes personnes. Le langage permet de communiquer car tous s'entendent (convention) sur la signification des mots. La comptabilité est le langage des affaires : pour le comprendre, il faut connaître les conventions qui en sont la base. Ce sont les principes comptables. Par exemple, aucune loi naturelle inflexible ne spécifie que le mot table doit désigner un meuble fait d'un plateau horizontal posé sur un ou plusieurs pieds. Il s'agit d'une convention entre certaines personnes d'une communauté. De même, aucune loi naturelle ne spécifie que les actifs doivent être enregistrés au bilan à leur *coût d'acquisition*. Là encore il s'agit d'une convention reconnue par la communauté des affaires. Ignorer cette convention, c'est ignorer une partie du langage des affaires.

Précédemment, lorsque nous avons rédigé le bilan d'Union électrique inc., nous avons constaté qu'il fallait suivre des conventions et des principes comptables assez rigoureux. Nous n'avons pas vu toutes les applications des principes comptables parce que nous avons seulement traité du bilan jusqu'à présent. Néanmoins, il sera utile de résumer ici les effets de leurs applications.

2.13.1 L'identité fondamentale

Le premier postulat, ou première convention comptable, que nous avons utilisé fut celui de l'*identité fondamentale* et c'est le postulat qui nous amène à utiliser la comptabilité en partie double. Ce postulat demande qu'il y ait continuellement parité ou égalité entre les ressources acquises par une entreprise et l'origine de ces ressources.

Ressources acquises = Provenances des ressources
Actif = Passif + Capital

---

* L'état des résultats sera étudié en profondeur au chapitre 4 du tome 1 tandis que l'état de l'évolution de la situation financière sera traité au chapitre 14 du tome 2.

2.13.2 La convention de la personnalité de l'entreprise

Tout d'abord, nous avons tenté de cerner les activités propres de chaque entité économique. Nous appliquions alors la *convention* ou le *postulat de la personnalité de l'entreprise*.

Cette convention exige que l'on reconnaisse à l'entreprise une existence distincte de celle de ses propriétaires et distincte des autres entreprises. Nous avons pris grand soin, au cours du présent chapitre, de ne pas grouper les transactions personnelles de Charles Larouche avec celles d'Union électrique inc. Imaginons une autre situation où cette convention de la *personnalité de l'entreprise* sera appliquée : une personne possède deux commerces, un restaurant et une épicerie. L'année dernière, le restaurant a fait des bénéfices de 30 000 $ tandis que l'épicerie a subi des pertes de 50 000 $. La personne n'a pas maintenu de registres comptables séparés ni préparé un bilan distinct pour chacun de ses commerces car, selon elle, cela est inutile puisqu'elle est l'unique propriétaire des deux commerces. Il lui apparaît donc que ses commerces ont subi des pertes de 20 000 $ l'année dernière. Elle décide donc de fermer les deux établissements et de devenir salariée pour une grande entreprise. Si elle avait appliqué le principe de la personnalité de l'entreprise, elle aurait reconnu que le restaurant et l'épicerie avaient une existence distincte. De ce fait, elle aurait exigé des registres comptables et des bilans distincts pour chacun de ses commerces. Ainsi, sa décision aurait probablement été de fermer l'épicerie seulement car le restaurant rapportait 30 000 $ de bénéfices.

2.13.3 La convention de l'unité de mesure monétaire

Le deuxième postulat que nous avons appliqué est celui de la *possibilité de quantifier en dollars* ou la *convention de l'unité de mesure monétaire*. Dans nos bilans, nous n'avons traduit que les événements financiers qui se quantifiaient en dollars. Par exemple, l'embauchage d'un nouveau directeur très compétent, la mort d'un directeur, la signature d'une convention collective, sont probablement des événements infiniment plus importants que l'achat d'un camion. Le bilan présente donc certaines limites en ne traduisant que les événements quantifiables. Par exemple, si une entreprise fait la découverte d'un nouveau produit qui fera sa fortune dans le futur, le fait n'est pas immédiatement quantifiable ; un bilan préparé peu après ne montrerait pas ce fait. Pourtant, c'est probablement le fait commercial le plus important pour l'entreprise. Mais le bilan ne communiquera que l'achat du camion, car l'embauchage du directeur par exemple ne s'est pas traduit par une transaction susceptible d'être quantifiée en dollars. Les événements devront donc être chiffrables et même chiffrables en dollars pour apparaître au bilan. Ce sont deux symboles du langage comptable : les chiffres et les dollars. Certains appellent cette convention le *postulat monétaire*. Tous les postes du bilan sont exprimés en dollars. On ne peut voir dans un bilan un stock en kilogrammes, un terrain en mètres carrés ou un poste indiquant un directeur très compétent.

2.13.4 La convention de la continuité de l'exploitation

Un homme d'affaires discute avec son comptable du montant de 100 000 $ qui apparaît au bilan de son entreprise au poste Machinerie. L'homme d'affaires soutient que, récemment, il a vu de la machinerie semblable au prix de vente de 150 000 $. Il demande alors à son comptable de lui expliquer pourquoi la machinerie de l'usine paraît au bilan à 100 000 $ plutôt qu'à 150 000 $. Sur ce, le comptable lui demande s'il désire vendre sa machinerie. « Bien sûr que non, répondit l'homme d'affaires, je désire plutôt utiliser cette machinerie pour fabriquer mon produit qui se vend d'ailleurs très bien. » « Dans ce cas, pourquoi inscrire au bilan la valeur marchande de la machinerie, réplique le comptable, si vous désirez conserver votre machinerie, n'est-il pas plus utile pour vous de la laisser au coût d'acquisition au bilan et de comparer ce qu'elle vous rapportera avec ce qu'elle vous a réellement coûté ? » L'homme d'affaires se range alors à l'idée du comptable. Il admit qu'étant donné qu'il voulait utiliser la machinerie, la seule comparaison qui pouvait l'intéresser était celle des sommes rapportées par la machinerie avec son coût d'acquisition réel et non la valeur marchande que la machinerie pouvait avoir aujourd'hui ou demain.

Autrement dit, l'homme d'affaires venait de réaliser que le principe du coût d'acquisition s'appliquait dans le contexte de la continuité de l'exploitation. En effet, si l'on veut liquider l'entreprise, c'est la valeur marchande des biens qui devient pertinente ou la valeur de liquidation si l'entreprise est en faillite.

Nous suivons le schéma de pensée suivant :

La situation économique de l'entreprise nous permet-elle de postuler la continuité de l'exploitation ?
→ Oui   Maintien des valeurs d'acquisition
→ Non   Inscription des valeurs de liquidation

Si le comptable se trouve face à une entreprise qui devra être liquidée, il ne pourra s'inscrire dans le contexte du postulat de la continuité de l'exploitation. Il préparera sur demande un **bilan de liquidation** et prendra soin d'indiquer au lecteur que ce bilan n'est pas préparé (cette convention étant celle de la continuité de l'exploitation) selon les principes comptables généralement reconnus.

C'est cette convention de la continuité de l'exploitation qui nous a incités à classifier les postes au bilan en court et long terme ou encore à considérer comme un actif des frais payés d'avance. Un coût n'est jugé utile dans le futur que si l'on croit à la poursuite de l'exploitation.

2.13.5   Le principe de la valeur d'acquisition

Nous avons vu l'application du *principe de la valeur d'acquisition* au cours du présent chapitre. Nous avons attribué aux éléments d'actif une valeur égale à leur coût d'acquisition par l'entreprise. Nous ne modifierons pas cette valeur dans le futur même si, à un moment donné, la valeur marchande de l'élément d'actif devient très différente du coût d'acquisition. Nous agissons ainsi car, en comptabilité, ce qui importe c'est de comparer les sommes que les éléments d'actif nous rapportent avec les sommes qu'ils nous ont coûtées (coût d'acquisition) afin de déterminer si l'acquisition de ces éléments fut une bonne affaire. Par exemple, si un magasin de détail achète 100 vestons de 50 $ chacun, nous verrons à son bilan un actif (un stock) de 5000 $ même si les vestons peuvent être revendus 90 $ chacun amenant ainsi une valeur marchande du stock de 9000 $. Toutefois, chaque fois que l'on vendra un veston, on comparera la somme reçue, soit 90 $, avec le coût d'acquisition, 50 $, et l'on conclura que l'entreprise s'est enrichie de 40 $ (90 $ − 50 $). Lorsqu'il s'agit d'un bien productif comme un immeuble, nous disons que le coût d'acquisition constitue le coût de l'ensemble des services à recevoir de l'immeuble. Nous comparons alors les sommes que l'immeuble nous rapporte (les loyers) avec le coût réel des services que nous avons reçus de ce même immeuble (une fraction du coût à l'acquisition).

2.13.6   L'objectivité ou la possibilité de preuve

L'enregistrement des transactions doit s'appuyer, autant que possible, sur des documents probants. C'est ce que l'on appelle la possibilité de preuve. Ainsi, deux parties ayant des intérêts divergents dans une transaction en arrivent à un accord sur un prix et ce prix est consigné sur un contrat ou une simple facture. Comme l'acheteur veut payer le moins cher possible et que le vendeur veut obtenir le plus haut prix possible, ils doivent s'entendre sur un *coût d'acquisition*. C'est le coût d'acquisition qui respecte le mieux le critère de l'objectivité. Les états financiers impliquent bien sûr des jugements, mais leur fiabilité exige que l'on s'en tienne le plus possible aux faits confirmés par des transactions ou des documents.

2.13.7   L'intégralité ou la divulgation complète

Comme l'objectivité, l'intégralité est une autre caractéristique que doit posséder l'information financière. Une information intégrale est celle qui présente tous les faits susceptibles d'influencer les décisions des utilisateurs des états financiers.

Ainsi, une entreprise qui est poursuivie en justice ou qui a signé un bail de trente ans n'a pas de passif réel à son bilan, mais elle n'est pas dans la même situation qu'une entreprise qui est libre de toute poursuite ou engagement. Ces faits seront donc mentionnés par voie de notes au bilan en vertu du respect de l'intégralité de l'information.

2.13.8   La convention de l'unité monétaire stable

Les opérations sont comptabilisées et exprimées en dollars, même si d'autres unités de mesure peuvent s'appliquer aux biens acquis. C'est la *convention de l'unité de mesure monétaire* (nous l'avons déjà mentionné). Toutefois, l'unité monétaire ou dollar n'est pas stable et l'addition du coût de biens acquis à différentes époques équivaut à additionner des unités de mesure différentes. Néanmoins, dans les bilans classiques, on effectue cette simple addition sur la foi d'une autre convention comptable, à savoir : *l'unité monétaire stable*.

En période d'inflation prononcée, cela pourrait équivaloir à additionner des pieds et des mètres et à présenter le total en pieds. L'indexation des états financiers est une solution à envisager en pareil cas.

2.13.9 Les normes de présentation des états financiers

Bien qu'il ne s'agisse pas de principes, nous avons également vu que des normes de présentation étaient respectées lors de la préparation du bilan. Ainsi, les postes sont classés par ordre de liquidité ou par nature et un minimum d'information doit être divulgué. En somme, pour que le bilan soit utile, compréhensible et fiable, il doit être rédigé selon certaines normes communes, être comparable à ceux d'autres entreprises et découler de mesures qui soient les plus objectives possible.

2.14 QUESTIONS

1. Expliquez pourquoi l'actif est toujours égal à la somme du passif et de l'avoir des propriétaires.

2. Pourquoi fait-on référence à une date précise (bilan au 30 avril 19X1, par exemple) dans l'en-tête du bilan ?

3. Expliquez les principes utilisés pour classifier les postes au bilan. Quelle est l'utilité de ces classements ?

4. Si une société acquiert un actif pour 10 000 $ mais que, selon toute vraisemblance, la valeur marchande de cet actif est de 12 000 $, quel montant sera enregistré ? En vertu de quel principe comptable ? Quelle est l'utilité de ce principe ?

5. Le comptable de M. Tassé prépare des bilans distincts pour l'épicerie, le restaurant et la buanderie. Pourquoi ne prépare-t-il pas un seul bilan puisque tous ces commerces appartiennent à M. Tassé ?

6. Expliquez l'influence du principe de la permanence de l'entreprise sur le classement des postes au bilan ; sur l'évaluation des stocks de produits en cours dans un bilan de fin d'exercice.

7. Un particulier a acheté un terrain 10 000 $, en 1960. Aujourd'hui, il le revend 25 000 $. Quel gain a-t-il réalisé si le niveau général des prix a doublé depuis 1960 ? Quel est l'effet du maintien du principe de la stabilité présumée du pouvoir d'achat lors de la préparation du bilan ?

8. Pourquoi l'avoir des propriétaires d'une société par actions est-il divisé en deux postes distincts ?

9. Si un particulier possède plusieurs commerces, comment son avoir dans chacun sera-t-il présenté dans son bilan personnel ?

10. Que pensez-vous de la préparation d'un bilan après chaque transaction comme moyen d'en arriver à un bilan exact en fin d'exercice ?

2.15 PROBLÈMES
Groupe A

PROBLÈME 1

À chaque phrase qui suit, associez un des mots ou groupe de mots énoncés ci-dessous :

a)	Stocks de marchandises	m)	Égalité
b)	Actif	n)	Actionnaires
c)	Monétaires	o)	Commerciale
d)	Égal	p)	Exigibilité
e)	Avoir des propriétaires	q)	Gauche
f)	Immobilisations	r)	Encaisse
g)	Dettes, actif	s)	Bilan
h)	Cycle d'exploitation	t)	Droit
i)	Disponibilité	u)	Aucun
j)	Stabilité du pouvoir d'achat du dollar	v)	Entité distincte
k)	Coût à l'acquisition	w)	Société de personnes
l)	Dettes		

1. Relation entre l'actif et la somme du passif avec l'avoir des propriétaires.

2. En comptabilité, il est faux de dire qu'une entité qui paie ses dettes s'enrichit. Nous disons plutôt qu'elle réduit ses _____ par la réduction de son _____.

3. Poste du bilan qu'on doit contrôler de près car il est le premier dans l'ordre de la liquidité.

4. Principe comptable qui nous demande de ne pas réévaluer les actifs à leur valeur marchande au bilan.

5. Termes dans lesquels s'expriment exclusivement les états financiers et qui constituent une de leurs faiblesses.

6. Nom que l'on donne à une entreprise formée de plusieurs personnes associées pour mener à bien une affaire.

7. Ordre selon lequel les passifs à court terme sont classés au bilan.

8. Poste de l'actif à court terme généralement inscrit au bilan après les comptes-clients.

9. État qui intéresse particulièrement la personne qui veut connaître la situation financière d'une entreprise à une date donnée.

10. Effet que produit l'achat à crédit d'un camion sur le capital d'une entreprise.

11. Dans une entreprise rentable, le solde des comptes débiteurs est toujours _____ au solde des comptes créditeurs.

12. De quel côté sont placés le passif et l'avoir des propriétaires dans un bilan présenté selon la disposition horizontale.

13. Principe comptable qui nous incite à préparer des états financiers distincts pour chacun des commerces d'un même propriétaire et à ne pas comptabiliser, dans les livres de l'entreprise, les transactions personnelles de celui-ci.

14. Section du bilan constituée par la rubrique exprimant la provenance des ressources d'une entreprise fournies par d'autres personnes que les créanciers.

15. Ordre selon lequel les éléments de l'actif à court terme sont classés au bilan.

16. Qualification dont on se sert pour désigner la forme économique d'une entreprise qui achète des stocks de marchandises et les revend dans le même état sans les transformer.

17. Section du bilan qui regroupe les comptes décrivant les ressources utilisées par l'entreprise.

18. En comptabilité, côté identifié à l'actif.

19. Terme général dont on se sert pour désigner les actifs à long terme que l'on utilise pour réaliser les produits d'exploitation.

20. Section du bilan qui regroupe les comptes exprimant la provenance des ressources d'une entreprise fournies par d'autres personnes que le propriétaire.

21. Propriétaires dans une société limitée.

22. Le _____ _____ dure le temps moyen nécessaire pour écouler les stocks et encaisser les comptes-clients.

23. Hypothèse que l'on pose en n'indexant pas le bilan.

PROBLÈME 2 — BONAUGURE LTÉE
PRÉSENTATION D'UN BILAN

On vous remet les renseignements financiers tirés des livres comptables de l'entreprise commerciale Bonaugure ltée, au 1er janvier 19X4, date du début des activités commerciales.

Bâtisses	90 000 $
Valeurs négociables	2 000
Camions	20 000
Capital-actions	?
Comptes-clients	30 000

Comptes-fournisseurs	42 000
Encaisse	8 000
Emprunt bancaire (sur demande)	17 000
Frais payés d'avance	5 000
Emprunt hypothécaire (échéant en 19X9)	80 000
Machinerie	22 000
Stock de marchandises	40 000
Terrains	10 000
Produits reçus d'avance	3 000
Bénéfices non répartis	5 000

Travail à faire

Préparez un bilan en bonne et due forme au 1er janvier 19X4.

PROBLÈME 3 — ÉRUDITE INC.
PROBLÈME PORTANT SUR L'IDENTITÉ FONDAMENTALE

Le 28 février 19X6, M. Sansécriture lance son entreprise. Le bilan d'ouverture est le suivant :

ÉRUDITE INC.
Bilan d'ouverture
au 28 février 19X6

ACTIF			PASSIF		
Actif à court terme			**Dettes à court terme**		
Caisse	3 500 $		Comptes-fournisseurs	5 500 $	
Comptes-clients	8 300		Emprunt bancaire	5 000	
Titres négociables	5 000		Versement exigible de		
			l'hypothèque	1 800	
	16 800			12 300	
Actif à long terme			**Dettes à long terme**		
Terrain	8 000		Hypothèque à payer	15 000	
Bâtiments	10 000			27 300	
Machines et outillage	4 500				
Camions	3 000		**AVOIR DES ACTIONNAIRES**		
			Capital-actions	15 000	
	25 500		Bénéfices non répartis	0	
	42 300 $			42 300 $	

Ne sachant pas ce qu'est une écriture comptable, M. Sansécriture a remédié à la situation en rédigeant un bilan sommaire après chaque transaction au cours du mois de mars. Voici ces bilans successifs :

ÉRUDITE INC.
Bilans successifs

	1er mars	2 mars	3 mars	4 mars	5 mars	6 mars	7 mars	8 mars	15 mars	17 mars	18 mars	31 mars
Comptes-fournisseurs	5 500 $	5 500 $	5 300 $	5 300 $	5 300 $	5 300 $	5 300 $	5 300 $	5 300 $	5 300 $	5 300 $	5 300 $
Capital-actions	15 000	15 000	15 000	16 000	16 000	16 000	16 000	16 000	16 000	16 000	16 000	16 000
Bâtiments	10 000	10 000	10 000	10 000	10 000	10 000	10 000	10 000	10 000	10 000	10 000	55 000
Machines et outillage	4 500	4 500	4 500	4 500	4 500	4 500	4 500	4 500	4 500	4 500	4 500	4 500
Terrain	8 000	8 000	8 000	8 000	8 000	8 000	8 000	8 000	7 500	7 500	7 500	37 500
Camions	3 000	3 000	3 000	3 000	3 000	3 000	3 000	3 000	3 000	3 000	3 000	3 000
Loyer payé d'avance	0	700	700	700	700	700	700	700	700	700	700	700
Mobilier	500	500	500	500	500	500	500	500	500	500	500	500
Emprunt bancaire	5 000	5 000	5 000	5 000	5 000	5 000	5 000	5 000	5 000	5 000	5 000	5 000
Versement exigible de l'hypothèque	1 800	1 800	1 800	1 800	1 800	1 800	1 800	0	0	0	0	0
Bénéfices non répartis	0	0	0	0	500	100	500	500	500	500	500	500
Hypothèque à payer	15 000	15 000	15 000	15 000	15 000	15 000	15 000	15 000	15 000	15 000	15 000	89 000
Titres négociables	5 000	5 000	5 000	5 000	2 500	2 500	2 500	2 500	2 500	2 500	2 500	2 500
Comptes-clients	8 300	8 300	8 300	8 300	11 300	11 300	12 100	12 100	12 100	11 500	11 500	11 500
Stock de marchandises	0	0	550	550	550	550	150	150	150	150	150	150
Caisse	3 400	2 700	1 950	2 950	2 950	2 550	2 550	750	1 250	1 850	1 450	450
Billet à payer	400 $	400 $	400 $	400 $	400 $	400 $	400 $	400 $	400 $	400 $	0	0

Travail à faire

a) Identifiez, par l'intermédiaire des bilans successifs, chacune des opérations survenues en mars.

b) Refaites une présentation ordonnée du bilan après la dernière transaction.

PROBLÈME 4 — BOCHAR LTÉE
PRÉSENTATION D'UN BILAN À LA SUITE DE CERTAINES OPÉRATIONS

Les données du bilan de Bochar ltée, au 1er septembre 19X1, sont les suivantes :

Bâtisses	50 000 $
Capital-actions	50 000
Comptes-fournisseurs	5 000
Comptes-clients	15 000
Emprunt bancaire	15 000
Encaisse	32 000
Frais payés d'avance	2 000
Emprunt hypothécaire	60 000
Machinerie et outillage	20 000
Terrain	11 000

Les transactions suivantes ont eu lieu au cours du mois de septembre :

5 septembre   Achat d'un camion de 8000 $: 2000 $ versé comptant et le solde payable dans 30 jours.

10 septembre   Remboursement partiel de 1000 $ sur l'emprunt bancaire.

15 septembre   Émission pour 5000 $ comptant d'actions comportant un droit de vote.

20 septembre   Reçu 2000 $ sur les comptes-clients.

25 septembre   Achat de 5000 $ de machinerie payable dans 60 jours.

30 septembre   Vente à crédit, pour 1000 $, d'une partie du terrain. Il a été vendu à un prix identique à son coût d'acquisition initial.

30 septembre   Remboursement partiel de 5000 $ sur l'hypothèque.

Travail à faire

Préparez un bilan en bonne et due forme au 30 septembre 19X1.

PROBLÈME 5 — ACHILLE INC.
PRÉSENTATION DES BILANS APRÈS QUELQUES OPÉRATIONS

La société Achille inc. a été fondée le 1er janvier 19X5. Voici les transactions financières qui se sont déroulées au cours du premier mois d'activité de l'entreprise :

3 janvier   Émission, au comptant, de 100 000 $ d'actions ordinaires.

5 janvier   Emprunt bancaire de 20 000 $, payable sur demande, effectué à la Banque du Canada.

8 janvier	Achat d'un immeuble de 100 000 $ et d'un terrain de 30 000 $; 50 000 $ ont été payés comptant et le solde est financé par un contrat obligataire payable par tranche annuelle de 2000 $.
10 janvier	Achat d'un camion de 12 000 $ payable d'ici un mois.
12 janvier	Un client verse 5000 $ à la Société pour des services à être rendus au mois de février seulement.
15 janvier	La Société juge opportun de louer un espace dans une autre ville. Le contrat de location est d'une durée de trois ans et entre en vigueur le 1er mars 19X5. Le loyer mensuel est de 2500 $ et la Société a versé 10 000 $ le 15 janvier 19X5.
20 janvier	La Société vend au coût, soit 15 000 $, la moitié de son terrain. Le client paiera le tout d'ici un mois.
25 janvier	Achat à crédit d'un mobilier de bureau pour 13 000 $; 6000 $ furent payés comptant et le solde est payable dans un mois.
31 janvier	L'entreprise ayant un surplus temporaire d'argent, elle achète pour 8000 $ de titres négociables composés d'Obligations d'épargne du Québec.
31 janvier	La Société verse un montant de 1000 $ sur l'achat du camion effectué le 10 janvier dernier.
31 janvier	L'acheteur de la moitié du terrain verse 3000 $ à la Société à titre de paiement partiel.

Travail à faire

Rédigez, en bonne et due forme, un bilan aux dates suivantes :

a) 15 janvier 19X5.
b) 31 janvier 19X5.

PROBLÈME 6 — MÉCANOTE INC.
PRÉPARATION D'UN BILAN APRÈS CHAQUE OPÉRATION

Madame Chantale Dagenais, électrotechnicienne de métier, décide de lancer sa propre entreprise de services ayant comme raison sociale Mécanote inc. Voici le bilan personnel de madame Dagenais juste avant d'ouvrir son entreprise :

MADAME CHANTALE DAGENAIS
Bilan personnel
au 30 septembre 19X1

Actif à court terme		Passif à court terme	
Encaisse	12 000 $	Emprunt bancaire	10 000 $
Placement temporaire		Capital	42 000
dans Bell Canada	2 000		
	14 000		
Actif à long terme			
Outillage	2 000		
Maison	28 000		
Atelier	5 000		
Camion	3 000		
	38 000		
	52 000 $		52 000 $

Voici les opérations personnelles et d'affaires qui se sont déroulées en octobre 19X1 :

1er octobre   Apport de 9000 $ comptant de madame Dagenais en retour de 900 actions ordinaires de Mécanote inc.

3 octobre   Madame Dagenais échange son atelier personnel contre 1000 actions ordinaires de son entreprise. À cette date, l'atelier avait une juste valeur marchande estimée à 10 000 $.

6 octobre   Madame Dagenais liquide la moitié de ses placements dans Bell Canada à 1,20 $ l'action ; ces actions avaient été payées 1 $ chacune.

7 octobre   Achat de 7000 $ d'équipement par Mécanote inc. Selon madame Dagenais, cet équipement vaut au moins 8000 $ sur le marché. Elle a obtenu un bon prix d'un ami qui se retire des affaires.

8 octobre   Achat, par la Société, d'un stock de pièces de rechange à crédit pour la somme de 2000 $.

9 octobre   M. Hébert offre 10 000 $ pour acheter l'équipement. Madame Dagenais ne peut résister à une telle offre.

10 octobre   Dividendes de 1000 $ déclarés et payés par Mécanote inc.

11 octobre   Madame Dagenais contracte un emprunt de 10 000 $ au nom de l'entreprise et endosse personnellement cet emprunt bancaire.

15 octobre   Madame Dagenais cède son outillage personnel à l'entreprise pour 1700 $ à recevoir en novembre 19X1.

17	octobre	Mécanote inc. reçoit 1000 $ pour des services de réparation à rendre en novembre.
20	octobre	Achat comptant, par l'entreprise, de 4000 $ de fournitures de réparation.
21	octobre	L'entreprise paie, pour le mois de novembre, 200 $ de location pour un terrain situé près du garage. Elle a signé un bail de deux ans à 200 $ par mois.
22	octobre	Mécanote inc. achète un nouvel équipement pour 9000 $.
31	octobre	Madame Dagenais cède, contre 6000 $ comptant, le tiers de ses actions de Mécanote inc. à sa grande amie Louise.

Travail à faire

Préparez le bilan personnel de Madame Dagenais et le bilan de Mécanote inc. après chaque opération.

PROBLÈME 7 — SABOUGE LTÉE
PROBLÈME PORTANT SUR LA RELATION ENTRE LES ÉTATS FINANCIERS

Voici la situation financière de Sabouge ltée au 31 décembre 19X5 :

SABOUGE LTÉE
Bilan
au 31 décembre 19X5

ACTIF		
Actif à court terme		
Encaisse	30 000 $	
Titres négociables	45 000	75 000 $
Actif à long terme		
Terrain	40 000	
Bâtiment	150 000	190 000
		265 000 $
PASSIF		
Passif à court terme		
Emprunts bancaires		30 000 $
Passif à long terme		
Emprunt hypothécaire		80 000

SABOUGE LTÉE
Bilan
au 31 décembre 19X5 (suite)

AVOIR DES ACTIONNAIRES
    Capital-actions   **30 000**
    Bénéfices non répartis   **125 000**

                                                   265 000 $

Curieux comme vous l'êtes, vous découvrez l'état de l'évolution de la situation financière de Sabouge ltée au 31 décembre 19X6. Vous l'analysez en vous posant certaines questions.

SABOUGE LTÉE
État de l'évolution de la situation financière
pour la période se terminant le 31 décembre 19X6

Provenance des fonds
    Emprunt bancaire   **30 000 $**
    Bénéfice net   **95 000**   **125 000 $**

Utilisation des fonds
    Acquisition d'un terrain   **60 000**
    Remboursement de l'emprunt hypothécaire   **20 000**
    Versement de dividendes   **50 000**   **130 000**

Diminution nette des fonds   **(5 000)**

Encaisse au 31 décembre 19X5   **30 000**

Encaisse au 31 décembre 19X6   **25 000 $**

Vous décidez de rédiger le bilan de Sabouge ltée au 31 décembre 19X6 de la façon suivante : la situation financière au début plus l'évolution de la situation financière de l'année afin d'obtenir la situation financière à la fin.

Travail à faire

a) Préparez l'état des bénéfices non répartis pour 19X6.

b) Rédigez le bilan au 31 décembre 19X6.

Groupe B

PROBLÈME 1 – WISCOLA INC.
PROBLÈME PORTANT SUR L'IDENTITÉ FONDAMENTALE

Les bilans successifs ci-dessous résument les effets des transactions financières effectuées par Wiscola inc.

WISCOLA INC.
Bilans successifs
au mois de mai 19X5

Postes du bilan	1	3	6	10	14	18	21	23	25	27	29	31
Encaisse	15 000 $	14 000 $	9 000 $	8 500 $	9 000 $	17 000 $	14 000 $	16 000 $	14 000 $	15 500 $	14 500 $	13 000 $
Comptes-clients					3 000	3 000	3 000	3 000	3 000	1 500	1 500	1 500
Stock de fournitures				2 000	2 000	2 000	2 000	2 000	2 000	2 000	2 000	5 000
Camion									12 000	12 000	12 000	12 000
Mobilier de bureau		3 000	3 000	3 000	3 000	3 000	3 000	3 000	3 000	3 000	3 000	3 000
Bâtiment			45 000	45 000	45 000	45 000	45 000	45 000	45 000	45 000	45 000	45 000
Terrain			5 000	5 000	1 500	1 500	1 500	1 500	1 500	1 500	1 500	1 500
Emprunt bancaire						8 000	8 000	8 000	17 000	17 000	17 000	17 000
Comptes-fournisseurs			2 000	3 500	3 500	3 500	3 500	3 500	4 500	4 500	3 500	5 000
Emprunt hypothécaire			45 000	45 000	45 000	45 000	42 000	42 000	42 000	42 000	42 000	42 000
Capital-actions ordinaires	15 000 $	15 000 $	15 000 $	15 000 $	15 000 $	15 000 $	15 000 $	17 000 $	17 000 $	17 000 $	17 000 $	17 000 $

Travail à faire

a) Décrivez brièvement la nature de chacune des transactions effectuées au mois de mai 19X5.

b) Préparez un bilan en bonne et due forme au 31 mai 19X5.

PROBLÈME 2 — MONSIEUR Y
RÉDACTION D'UN BILAN PERSONNEL

Voici quel était le bilan personnel de Monsieur Y il y a un an, soit le 31 décembre 19X1 :

Bilan
31 décembre 19X1

BIENS UTILISÉS PAR Y

Argent en banque	5 000 $
Placement en actions de Bell Canada	10 000
Automobile	11 000
Mobilier	15 000
Résidence	60 000
Divers	4 000
	105 000 $

DETTES ASSUMÉES PAR Y

Emprunt bancaire	10 000 $
Emprunt hypothécaire	40 000
	50 000
AVOIR PROPRE DE Y	55 000
	105 000 $

Vous savez que pendant l'année 19X2, les événements suivants se sont produits :

Salaire gagné par Y en 19X2	40 000 $
Frais de logement, vêtements, nourriture, transport, etc.	10 000
Enrichissement de Y pour 19X2	30 000 $

Y a donc épargné 30 000 $ qu'il a utilisé de la façon suivante :

• Il a consacré le tiers de ses épargnes à l'achat d'actions émises par Bell Canada.

• Il a employé un autre tiers de ses épargnes pour acheter du mobilier.

- Il a utilisé 2000 $ pour agrandir sa résidence.

- Il a remboursé 3000 $ sur son emprunt bancaire et 5000 $ sur son emprunt hypothécaire.

On vous demande de rédiger le bilan personnel de Y au 31 décembre 19X2.

PROBLÈME 3 — RIPOU LTÉE
EFFET DES OPÉRATIONS ET BILAN

Voici diverses transactions financières effectuées en février 19X3 par la société Ripou ltée. Vous devez indiquer, par un crochet, l'effet de chaque transaction sur les comptes du bilan.

	COMPTE D'ACTIF		COMPTE DE PASSIF ET D'AVOIR DES ACTIONNAIRES	
	Augmentation	Diminution	Augmentation	Diminution
1. Émission d'actions ordinaires — 40 000 $	x		x	
2. Encaissement d'un compte-client — 2000 $				
3. Emprunt bancaire — 15 000 $				
4. Achat à crédit d'un deuxième terrain — 18 000 $, payable le mois prochain				
5. Payé d'avance le loyer du mois suivant — 6000 $				
6. Achat d'un immeuble — 100 000 $ Une partie du coût (25 000 $) est payée comptant ; le solde est payable dans dix ans en vertu d'un contrat hypothécaire				
7. Paiement d'un compte-fournisseur — 7000 $				
8. Encaissement à l'avance des services à rendre le mois prochain — 4000 $				
9. Achat au comptant de placements temporaires — 16 000 $				
10. Achat à crédit d'un camion — 9000 $				
11. Remboursement partiel de l'emprunt bancaire — 2000 $				

Au début du mois de février, les comptes du bilan indiquaient les soldes suivants :

Encaisse	3 000 $
Comptes-clients	11 000
Comptes-fournisseurs	19 000
Terrain	10 000
Capital-actions ordinaires émis	5 000

On vous demande, dans un deuxième temps, de rédiger en bonne et due forme le bilan du 28 février 19X3.

PROBLÈME 4 — ASTER LTÉE
PRÉPARATION DES BILANS APRÈS DES OPÉRATIONS

Les opérations ci-dessous ont été effectuées par l'entreprise Aster ltée au cours du mois de janvier 19X5, soit le premier mois d'activité de l'entreprise.

2 janvier   On procède à une émission, au comptant, de 36 000 $ d'actions ordinaires.

8 janvier   L'entreprise achète un terrain et un bâtiment qu'elle paie respectivement 12 000 $ et 68 000 $. Elle vers 10 000 $ comptant et le solde est financé par un emprunt hypothécaire payable dans 25 ans.

10 janvier   L'entreprise achète 10 000 $ de mobilier de bureau, à crédit.

12 janvier   L'entreprise effectue un emprunt bancaire de 10 000 $ payable sur demande.

15 janvier   L'entreprise paie à l'avance 2500 $ pour une série de réclames devant paraître dans un grand journal à compter de février 19X5.

16 janvier   Un des actionnaires de l'entreprise vend une partie de ses actions ordinaires détenues dans Aster ltée à son cousin pour 4000 $.

18 janvier   L'entreprise vend, à crédit, la moitié du terrain qu'elle détient pour la somme de 6000 $.

21 janvier   L'entreprise effectue un remboursement capital partiel de 2000 $ sur son emprunt bancaire.

23 janvier   L'entreprise reçoit un acompte de 1000 $ en règlement du terrain qu'elle a vendu.

25 janvier   Un client verse 3000 $ à l'entreprise pour des services devant être rendus au mois de mars 19X5.

27 janvier   L'entreprise investit 15 000 $ de surplus d'encaisse dans des titres négociables à court terme (Obligations d'épargne du Québec), remboursables sur demande.

Travail à faire

Rédigez le bilan en bonne et due forme de la société Aster ltée, aux dates suivantes :

a) 15 janvier 19X5.
b) 21 janvier 19X5.
c) 25 janvier 19X5.
d) 31 janvier 19X5.

PROBLÈME 5 — TAXIS LANGLOIS
PRÉPARATION D'UN BILAN APRÈS CHAQUE OPÉRATION EN TENANT COMPTE DES PRINCIPES COMPTABLES

Voici les transactions du mois de mars 19X1 :

2 mars   M. Langlois fonde une entreprise qui offrira des services de taxis. Il dépose 50 000 $ dans le compte en banque de l'entreprise Taxis Langlois. Il a dû emprunter 10 000 $ à sa belle-mère, Mme Longpré, car il ne disposait personnellement que de 40 000 $. Ainsi, il doit rembourser Mme Longpré dans 30 jours et en plus aller souper chez elle tous les dimanches soirs pendant un an.

10 mars   Taxis Langlois achète et paie comptant 4 voitures pour un prix total de 36 000 $. M. Langlois dit avoir obtenu un bon prix en achetant 4 automobiles à la fois car le concessionnaire demandait 10 000 $ pour une seule automobile.

15 mars   Taxis Langlois achète un terrain de 5000 $ et un petit immeuble pour 20 000 $. On désire y établir la station de taxis ainsi que le service de réponse téléphonique. On verse 5000 $ comptant et l'on prend en charge l'emprunt hypothécaire de l'ancien propriétaire pour le solde.

18 mars   M. Langlois vous demande de réviser à la hausse les montants mentionnés aux postes Terrain et Immeuble et de les inscrire respectivement à 6000 $ et à 30 000 $. Il appuie sa décision sur une conversation qu'il a eue avec son voisin, un courtier en immeubles. Celui-ci lui aurait déclaré qu'il était un bon homme d'affaires puisque son terrain et son immeuble valaient 36 000 $ sur le marché. M. Langlois désire donc que le bilan montre la *vraie valeur* de ses biens.

20 mars   Taxis Langlois emprunte 10 000 $ à la Banque Nationale.

20 mars   M. Langlois rembourse 2000 $ à Mme Longpré et lui demande de patienter pour le solde. Toutefois, celle-ci exige une garantie en deuxième hypothèque sur la maison privée de M. Langlois.

25 mars   On embauche un conducteur pour un contrat d'un an. En effet, M. Langlois a réussi à convaincre un de ses amis, Émile Labrosse, de venir travailler chez Taxis Langlois. Selon M. Langlois, il s'agit du meilleur « chauffeur de taxi en ville ». M. Langlois lui aurait d'ailleurs dit : « Émile, tu es le meilleur actif de mon entreprise ».

27 mars Taxis Langlois achète 3000 $ d'équipement de bureau à crédit.

28 mars M. Langlois retire 1000 $ du compte en banque de Taxis Langlois et l'investit dans un nouveau commerce, *Salon de coiffure Langlois.*

Travail à faire

a) Préparez le bilan de Taxis Langlois après chaque opération.

b) Si un principe comptable vous a guidé lors du traitement d'une opération, nommez ce principe et dites de quelle façon il a influencé votre manière d'aborder cette opération.

PROBLÈME 6 — K. POTÉ LTÉE
PRÉPARATION D'UN BILAN APRÈS QUELQUES OPÉRATIONS

Les données de K. Poté ltée se présentaient ainsi au 1ᵉʳ septembre 19X1 :

Immeubles	100 000 $
Capital-actions	?
Fournisseurs	10 000
Clients	22 000
Emprunt bancaire	26 000
Encaisse	21 000
Frais payés d'avance	2 000
Emprunt hypothécaire	60 000
Matériel et outillage	29 000
Terrain	9 000

Les opérations suivantes ont eu lieu au cours du mois de septembre 19X1 :

5 septembre Achat d'un camion de 10 000 $: 3000 $ versés comptant, le solde payable dans 60 jours.

10 septembre Remboursement partiel de 3000 $ sur l'emprunt bancaire.

15 septembre Vente au comptant, au prix de 30 000 $, d'un immeuble que l'on avait payé 20 000 $ en août.

20 septembre Émission de 15 000 $ d'actions en échange d'un terrain.

21 septembre Recouvrements de 2000 $ relatifs aux comptes de nos clients.

25 septembre Déclaration de 6000 $ de dividendes aux actionnaires.

30 septembre Signature d'un bail d'un an pour l'occupation d'un espace dans un édifice à bureaux. Le loyer est de 1000 $ par mois à partir d'octobre. On a versé 1000 $ pour le loyer d'octobre.

30 septembre	La banque nous avise que les versements en principal seront de 8000 $ au cours de la prochaine année concernant l'emprunt hypothécaire.
30 septembre	Un client verse 3000 $ pour un service qui doit lui être rendu en octobre.
30 septembre	K. Poté ltée achète 60 % des actions de Jutras inc. et en prend ainsi le contrôle pour la somme de 50 000 $ qu'elle règle en émettant des actions.
30 septembre	Achat de matériel à crédit. K. Poté ltée signe un billet par lequel elle s'engage à rembourser 11 000 $ en principal et intérêts dans un an. Le taux d'intérêt est de 10 %.

Travail à faire

Préparez un bilan en bonne et due forme au 30 septembre 19X1.

PROBLÈME 7 — MADAME X
CARACTÈRE STATIQUE DU BILAN

X est une employée d'une grande société. Voici son bilan personnel au 31 décembre 19X2. Son bilan personnel au 31 décembre 19X1 est également présenté dans le but de permettre une comparaison.

	31 décembre 19X2	31 décembre 19X1
Biens utilisés par Mme X		
Argent en banque	4 000 $	3 000 $
Placement en Obligations du Québec	8 000	5 000
Automobile	12 000	–
Mobilier	20 000	13 000
Résidence	72 000	60 000
Divers	4 000	4 000
	120 000 $	85 000 $
Dettes assumées par Mme X		
Emprunt bancaire	4 000 $	8 000 $
Emprunt hypothécaire	36 000	42 000
	40 000	50 000
Portion appartenant en propre à Mme X	80 000	35 000
	120 000 $	85 000 $

Travail à faire

a) La portion appartenant en propre à Mme X, dans les biens qu'elle utilise, est passée de 35 000 $ à 80 000 $ pendant la période s'étendant du 1er janvier 19X2 au 31 décembre 19X2. Expliquez, selon vos propres hypothèses, la raison de cet enrichissement.

b) Pourquoi a-t-on été obligé de faire des hypothèses pour expliquer l'enrichissement de Mme X pour l'année 19X2 ?

PROBLÈME 8 — PAUL LADOUCEUR
PRINCIPE DU COÛT À L'ACQUISITION

Paul Ladouceur est propriétaire d'une entreprise spécialisée dans la fabrication d'appareils électriques. L'entreprise possède sa propre usine, à savoir : un terrain, un immeuble et de la machinerie. M. Ladouceur examine son bilan au 31 décembre 19X6 et constate que ces actifs sont inscrits aux valeurs suivantes :

Immeuble (net)	200 000 $
Terrain	100 000
Machinerie (net)	175 000
	475 000 $

M. Ladouceur est en complet désaccord avec ces chiffres. En effet, il a reçu récemment une offre d'un compétiteur et il s'appuie sur ces valeurs pour contester les chiffres du bilan. Voici d'ailleurs les chiffres relatifs à cette offre :

Immeubles	325 000 $
Terrain	150 000
Machinerie	25 000
	500 000 $

Le compétiteur ne veut pas offrir plus de 25 000 $ pour la machinerie car il prétend avoir développé un nouveau produit qui rendra désuet celui de M. Ladouceur. Comme la machinerie n'est pas adaptable, il considère donc qu'elle ne vaut guère plus que sa valeur de rebut.

Précisons que M. Ladouceur n'est pas non plus d'accord avec la valeur de 25 000 $ que son concurrent accorde à la machinerie. Selon lui, le produit de son compétiteur sera un désastre. Toutefois, il est d'accord avec les valeurs accordées à l'immeuble et au terrain. Il fait donc part de son étonnement à son comptable, à savoir que le bilan ne présente pas les valeurs réelles de l'entreprise.

Travail à faire

Expliquez les raisons de cette controverse entre le comptable et M. Ladouceur au sujet de l'évaluation de ces actifs.

PROBLÈME 9 — AMALGAME LTÉE
PRÉPARATION D'UN BILAN PRO FORMA EN VUE D'UNE FUSION

Voici des données concernant les bilans d'Amalgame ltée et de Mini ltée au 31 décembre 19X1 :

	Amalgame ltée	Mini ltée
Encaisse	80 $	60 $
Clients	100	120
Stocks	280	300
Valeurs négociables	90	100
Usines et installations	500	400
Brevets	50	40
	1 100 $	1 020 $
Dettes	200 $	500 $
Capital-actions	700	400
Bénéfices non répartis	200	120
	1 100 $	1 020 $

Amalgame ltée veut acheter 100 % des actions de Mini ltée et fusionner les deux sociétés. Les valeurs marchandes des biens de Mini ltée sont les suivantes :

Stocks	320 $
Valeurs négociables	90
Usines et installations	500
Brevets	100
Achalandage	50

Le prix demandé par les actionnaires de Mini ltée est de 740 000 $. Amalgame ltée examine les moyens de financer ce regroupement et considère les deux points suivants :

1. Effectuer un emprunt à long terme de 740 000 $.

2. Émettre des actions en vue d'échanger une action d'Amalgame ltée contre deux actions de Mini ltée.

Travail à faire

Préparez le bilan pro forma d'Amalgame ltée selon chacune des hypothèses de financement décrites ci-dessus. Ce bilan pro forma doit montrer l'effet prévisionnel de la fusion.

Chapitre 3

La comptabilisation des opérations

3.1 INTRODUCTION

Dans ce chapitre, nous allons aborder l'utilisation des comptes et décrire deux activités fondamentales d'un système d'information comptable, eu égard à la création d'une information utilisable : l'enregistrement et le classement des données. À ces activités correspondent deux registres comptables essentiels : le *journal général* et le *grand livre général*. Parallèlement à l'utilisation des comptes, nous étudierons les notions de débit et de crédit. Nous poursuivrons enfin l'étude de cette suite logique des opérations comptables appelée le *cycle comptable*.

3.2 NÉCESSITÉ DE STOCKER LES DONNÉES ET DE LES REGROUPER PAR NATURE : L'UTILISATION DES COMPTES

Nous savons que chaque opération, même la moins importante, modifie la situation financière d'une entité. Pour bien suivre les variations de la situation financière, nous avions choisi de préparer un bilan après chaque transaction. Nous avions procédé ainsi dans l'exemple d'Union électrique inc. au chapitre précédent. Cette méthode n'était pas inexacte et elle a permis d'établir correctement la situation financière en fin d'exercice. Il a ainsi été possible de retrouver l'effet final de plusieurs opérations sur la situation financière selon leur ordre chronologique. Par exemple, si nous voulions savoir ce qui s'était passé le 6 janvier, il suffisait d'examiner le bilan avant cette date et le bilan après pour déduire la nature de l'opération.

Maintenant, il faut donc développer un système qui permettra de conserver ces deux avantages : la possibilité de suivre les opérations individuelles selon leur ordre chronologique et celle d'accumuler leurs effets pour pouvoir présenter la situation financière telle qu'elle est à une date donnée, c'est-à-dire rédiger le bilan final. Mais ce système devra nous éviter d'avoir à préparer un bilan après chaque transaction. En effet, dès qu'une entreprise atteint une certaine ampleur, des centaines de transactions sont effectuées quotidiennement. La fréquence de préparation des bilans après chacune d'elles serait beaucoup trop élevée. Cette méthode serait coûteuse et embarrassante en plus d'être inefficace dans la production des informations en temps utile.

Habituellement, il suffit de constater mensuellement où en est la situation financière générale de l'entreprise. Pour atteindre cet objectif, il faut donc stocker les données ou l'effet monétaire des opérations et préparer le bilan à partir de cette accumulation d'informations, chaque fois que cela s'avère nécessaire.

Ce « stockage » consiste à regrouper des milliers d'opérations sous un nombre restreint de chapitres ou de titres que l'on appelle des *comptes*. Si on les regroupe par nature, des milliers de transactions peuvent se trouver à l'intérieur, disons, de cinquante chapitres. Par exemple, de nombreuses opérations touchent le compte en banque : elles seront donc inscrites sous le chapitre *Banque* ; l'entreprise a acheté dix camions pendant l'année : ces dix transactions seront présentées au compte *Camion*.

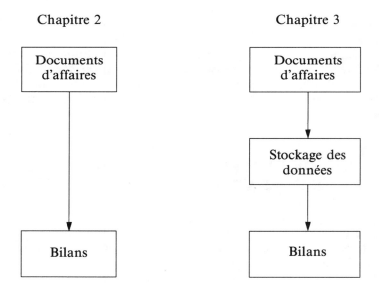

3.3 PRÉSENTATION MATÉRIELLE D'UN COMPTE

Un compte est une formule réservée à un individu, une ressource ou une dette, sur laquelle on notera tous les effets que les opérations ont sur cette ressource, cet individu ou cette dette. Par exemple, si une entreprise réserve une feuille à la ressource *camions* et qu'on y note toutes les acquisitions et les cessions de camions, nous avons en fait ouvert un *compte* camion. Si une banque réserve une feuille à M. Richard et qu'elle y note tous les dépôts et les retraits d'argent de M. Richard, elle a en fait ouvert un *compte* à M. Richard et il est possible de savoir en tout temps le montant d'argent dont M. Richard dispose.

Il est possible de reconstituer la façon dont un compte devrait se présenter matériellement en se demandant de quelle manière les opérations peuvent affecter les comptes. Or, il semble que les opérations ne peuvent qu'augmenter ou diminuer le montant d'une ressource, d'une dette, etc. En conséquence, le compte devrait avoir deux parties : une pour noter les *augmentations* et une autre pour noter les *diminutions*. Comme il est utile de connaître le résultat de ces successions d'augmentations et de diminutions, il est nécessaire de créer une troisième partie au compte qui montrera le solde après le calcul des augmentations et des diminutions.

3.3.1 Un exemple, votre compte bancaire

L'exemple de compte le plus universellement connu est celui du compte en banque. Voici comment il se présente parfois :

M. Richard				Folio : 16263
Date	Code	Retraits	Dépôts	Solde
2 janv. 88	Dépôt		3 000	3 000
10 janv. 88	Retrait	500		2 500
15 janv. 88	Dépôt		2 000	4 500
20 janv. 88	Chèque	1 000		3 500
31 janv. 88	Adm.	5		3 495

Il s'agit du compte réservé exclusivement aux transactions de M. Richard. C'est une formule qui contient un folio (16263) qui facilite le traitement des données. En plus de la date effective de la transaction et le code identifiant la nature de l'opération, on retrouve les trois colonnes essentielles : la première, *retraits*, où sont notées les diminutions du compte ; la deuxième, *dépôts*, où sont notées les augmentations du compte ; finalement la troisième, où le *solde* est présenté.

Ainsi, dans notre exemple, le 2 janvier, M. Richard a déposé 3000 $ et le solde de son compte a été immédiatement porté à 3000 $. Le 10 janvier, il retire 500 $ au guichet de la banque. Le caissier a préalablement vérifié le solde de son compte et a pu constater que M. Richard disposait de 3000 $, car une formule ou compte est réservé aux transactions de M. Richard. Le 15 janvier un nouveau dépôt porte le solde à 4500 $. Le 20 janvier le solde diminue puisque la banque a dû couvrir un chèque émis par M. Richard. Finalement, on déduit 5 $ du solde du compte le 31 janvier, car la banque a chargé des frais d'administration à M. Richard. Le solde du compte est donc de 3495 $ au 31 janvier 1988. C'est ce montant qui apparaîtra au bilan personnel de M. Richard s'il n'a pas fait d'autres chèques qui seraient encore en circulation.

Un compte peut donc être augmenté ou diminué. Toutefois, plutôt que de parler d'augmentation ou de diminution, les comptables préfèrent la notion de débit et de crédit.

3.4 NOTION DE DÉBIT ET DE CRÉDIT

Pour bien comprendre l'utilisation des comptes, il faut maîtriser la notion de débit et de crédit et, pour cela, revenir à l'identité comptable fondamentale :

Actif = Passif + Avoir des propriétaires

Au chapitre précédent, nous avons souligné que toute opération est un échange. Par exemple, quand Union électrique inc. a emprunté 7000 $ à une banque, nous avons noté l'augmentation de l'actif Encaisse et l'augmentation du passif Emprunt bancaire.

Actif   = Passif + Avoir des propriétaires
+ 7000 $ = + 7000 $

Nous en avions conclu que la comptabilité était en partie double et que toute opération avait un double effet. Nous pouvons conclure maintenant que toute opération touchera au moins *deux comptes* et leur enregistrement dans les comptes devra maintenir l'*équilibre* de l'identité fondamentale. On aurait pu songer à une formule de compte qui aurait eu la forme suivante :

Encaisse		
Augmentation	Diminution	Solde
7 000		7 000

Emprunt bancaire		
Augmentation	Diminution	Solde
7 000		7 000

Ainsi, l'opération enregistrée ci-dessus est un emprunt bancaire ; le compte Encaisse augmente en même temps que le compte Emprunt bancaire. Mais lorsqu'un grand nombre d'opérations sont enregistrées de la sorte, il s'avère utile de vérifier périodiquement si l'équation fondamentale est toujours en équilibre. Cette vérification, qui était facile lorsqu'on enregistrait les opérations directement sur l'équation, devient maintenant fastidieuse. En effet, les soldes que nous obtenons à nos comptes n'ont pas de nature particulière ou de signes distinctifs qui les associeraient à l'actif, au passif ou à l'avoir des propriétaires.

Notre vérification du maintien de l'équilibre de l'équation ne peut donc se faire qu'en associant mentalement chacun des comptes à leur nature d'actif, de passif ou d'avoir des propriétaires. Ainsi, dans notre exemple, nous avons dû faire l'exercice de vérifier si l'enregistrement de l'augmentation de 7000 $ à l'actif avait été accompagné d'un enregistrement d'une augmentation de 7000 $ au passif avant de conclure que l'enregistrement était exact.

Mais une façon beaucoup plus rapide de faire cette vérification consiste à attribuer aux comptes d'actif, un solde de nature différente de celle des comptes de passif et d'avoir des propriétaires.

Par pure convention, on a établi que les comptes d'actif seraient *débiteurs* et que les comptes de passif et d'avoir des propriétaires seraient tous deux *créditeurs*.

Actif = Passif + Avoir des propriétaires
Débit = Crédit + Crédit

De cette façon, la somme des comptes débiteurs devra toujours être égale à celle des comptes créditeurs. De plus, lors de l'enregistrement de chaque opération, il suffira de se demander si les comptes ont été modifiés d'un montant débiteur égal au montant créditeur pour avoir la certitude que l'équilibre des comptes est maintenu. Cela vaut beaucoup mieux que de se demander si l'augmentation à un compte d'actif a été accompagnée d'une augmentation égale à un compte de passif, ou encore si une augmentation à un compte d'actif a été accompagnée d'une diminution correspondante à un autre compte d'actif. Ai-je porté au crédit d'un compte un montant égal à celui enregistré au débit d'un autre compte ? Ce procédé est beaucoup plus clair et plus bref.

Revenons à notre exemple de l'emprunt bancaire. Nous avons :

Encaisse			
Débit	Crédit	Solde	
7 000		7 000	Dt

Emprunt bancaire			
Débit	Crédit	Solde	
	7 000	7 000	Ct

3.5 LE SOLDE CONVENTIONNEL DES COMPTES

Afin d'éviter des confusions au bilan, les éléments d'actif sont présentés à gauche et ont des soldes conventionnels débiteurs ; dans le même ordre d'idée, les débits apparaîtront à gauche dans les comptes. Les passifs et l'avoir des actionnaires, qui ont des soldes conventionnels créditeurs, sont présentés à droite au bilan et les crédits apparaîtront dans la colonne de droite dans les comptes.

Actif			
Débit	Crédit	Solde	
50 000		50 000	Dt

La diminution d'un actif (ci-dessous) s'enregistre dans le compte d'actif par une modification de la colonne Crédit, c'est-à-dire dans le sens contraire de son solde conventionnel.

Actif			
Débit	Crédit	Solde	
		50 000	Dt
	10 000	40 000	Dt

L'augmentation d'un passif ou de l'avoir des propriétaires s'enregistre par une modification de la colonne Crédit, c'est-à-dire dans le même sens que son solde conventionnel.

Passif			
Débit	Crédit	Solde	
	50 000	50 000	Ct

La diminution d'un passif (10 000 $) ou de l'avoir des propriétaires s'enregistre par une modification de la colonne Débit, c'est-à-dire dans le sens contraire de son solde conventionnel.

Passif			
Débit	Crédit	Solde	
	50 000	50 000	Ct
10 000		40 000	Ct

Le solde est la différence entre les montants portés au débit et au crédit. Ainsi, dans le dernier cas, nous avons un solde créditeur de 40 000 $ qui provient d'une affectation de 50 000 $ dans la colonne des crédits lors de la première opération et d'un débit de 10 000 $ découlant de la dernière opération. Le compte a finalement acquis un solde créditeur de 40 000 $. Donc, lorsqu'il faudra préparer un bilan, on n'aura plus qu'à retracer les *soldes dans chaque compte* et à en dresser la liste. On obtiendra exactement le même résultat final que si on avait rédigé un bilan après chaque transaction.

Nous pouvons donc tirer les conclusions suivantes :

a) l'utilisation des comptes abrège et simplifie l'enregistrement des opérations en éliminant l'obligation de rédiger des bilans après chaque transaction ;

b) l'introduction de la notion de débit et de crédit dans le mécanisme d'enregistrement dans les comptes permet de vérifier continuellement et rapidement si l'équilibre de l'identité comptable est maintenue sans avoir à se référer à la nature des comptes. La somme des comptes débiteurs doit égaler la somme des comptes créditeurs.

3.6 FORME ÉLABORÉE DES COMPTES

L'accumulation ou le stockage des données s'effectuera donc dans des comptes et la lecture du solde des comptes permettra de présenter les états financiers au moment jugé opportun. Voici un compte dans sa forme élaborée qui permet de calculer le solde après chaque opération ; on observe parfois quelques variations mineures dans cette présentation :

Nom du compte : **Encaisse**					Compte n° **100**	
Date	Explications	F°	Débit	Crédit	Solde	Dt/Ct
1988 **1er mars**		**J-10**	**50 000**		**50 000**	**Dt**

La colonne *Date* sert à indiquer la date où l'opération a eu lieu. La date de l'enregistrement aux livres n'est pas pertinente. Les dates importantes sont celles de la transaction et de la réception du document d'affaire. On devrait noter sur les documents reçus la date de leur réception, en particulier si celle-ci diffère de la date de l'opération. La colonne *Explications* peut servir occasionnellement mais, en pratique, elle est peu utilisée car les explications apparaissent dans les journaux, comme nous le verrons plus loin. La colonne folio (F°), qui signifie *feuille*, fait effectivement référence à un autre livre comptable. Il s'agit généralement de livres journaux dont nous traiterons plus tard. Viennent ensuite les colonnes débit et crédit et la colonne *Solde*, qui affiche la différence entre les débits et les crédits. Finalement, la dernière colonne indique le sens du solde, à savoir débiteur, Dt, ou créditeur, Ct.

3.7 LES COMPTES EN T

Sous sa forme la plus simple, le compte revêt la forme d'un T dont chacun des côtés correspond soit à une diminution, soit à une augmentation. Conformément à la convention établie, le côté gauche recevra les débits et le côté droit recevra les crédits.

Nom du compte	
Débits	Crédits

Les comptables utilisent cette forme de compte pour résoudre des problèmes avant d'enregistrer les écritures définitivement dans les livres qui, eux, contiennent la forme élaborée du compte. Les personnes qui font l'apprentissage de la comptabilité trouvent également les comptes en T très utiles pour résoudre plus rapidement des exercices. Lorsque l'on désire solder un compte en T, on trace une ligne et on inscrit ensuite le solde dans la colonne débitrice ou créditrice qui correspond au sens du solde. On trace ensuite une ligne double sous le montant du solde.

Encaisse	
50 000	20 000
30 000	

3.8 LES DOCUMENTS D'AFFAIRES

Les opérations déterminent la matière première qui amènera un enregistrement dans les livres comptables et, plus tard, la présentation des états financiers. Le comptable est prévenu d'une opération par les *documents d'affaires*. Au chapitre précédent nous avons mentionné que le comptable attachait une importance considérable au fait que l'information soit *objective* et *vérifiable*.

Les documents d'affaires donnent le détail de la transaction et constituent des preuves ou des *pièces justificatives.* Ces documents reçus de l'extérieur de l'entreprise ou expédiés à l'extérieur de l'entreprise peuvent faire l'objet d'une vérification.

Par exemple, si l'entreprise achète des biens, elle reçoit une facture dont le comptable se servira pour comptabiliser l'achat. Plus tard, lors du règlement par chèque de la facture, il utilisera le talon du chèque ou encore une copie comme base de l'écriture. Si l'entreprise vend des marchandises à des tiers, une facture de ventes en plusieurs copies sera préparée. L'original sera expédié au client et une copie sera remise au Service de la comptabilité pour la comptabilisation de la vente. Les ventes au comptant pourront être comptabilisées à partir du ruban de caisse enregistreuse.

3.9 L'ANALYSE DES OPÉRATIONS

Une fois que la personne préposée aux écritures a le document en main, elle doit l'analyser afin de décider quels comptes du plan comptable seront touchés et lesquels recevront le débit et le crédit. Avec la pratique, il devient facile de déterminer que la facture de tel fournisseur de services affecte tel ou tel compte, surtout si l'entreprise transige souvent avec les mêmes fournisseurs.

Dans l'exemple d'Union électrique inc. (du chapitre précédent), nous avons introduit des postes d'actif, de passif et de capitaux propres qui pourraient devenir des comptes. Ensuite, nous avons défini les règles relatives au débit et au crédit que l'on pourrait résumer ainsi :

Actif		Passif		Capitaux propres	
Débit	Crédit	Débit	Crédit	Débit	Crédit
Augmentation	Diminution	Diminution	Augmentation	Diminution	Augmentation

Le processus intellectuel qui mène au choix de l'écriture comptable peut être décrit en trois étapes. Nous l'illustrons par l'opération suivante : l'entreprise émet 10 000 actions en échange d'une somme de 100 000 $.

Première étape	Deuxième étape	Troisième étape
Analyse de l'opération	**Référence à la règle relative au débit et au crédit**	**Choix de l'écriture comptable**
Nous recevons la somme de 100 000 $ L'actif Encaisse augmente	Les augmentations de l'actif s'inscrivent au débit des comptes d'actif	Débiter le compte Encaisse de 100 000 $
La somme provient de l'émission d'actions Le capital-actions augmente	Les augmentations des capitaux propres s'inscrivent au crédit	Créditer le compte Capital-actions de 100 000 $

Une fois de plus, on note que, selon la *comptabilité en partie double*, le total des montants inscrits au débit est égal au total des montants inscrits au crédit sinon l'écriture n'est pas valide. Cette vérification est particulièrement utile dans le cas d'écritures composées qui touchent plus de deux comptes.

3.10 OPÉRATIONS DÉMONTRANT L'ENREGISTREMENT DANS LES COMPTES

L'exemple suivant décrira les opérations de mai 19X6 réalisées par une société de personnes formée de deux architectes. Nous devrons donc faire l'analyse de ces opérations de manière à déterminer 1) les comptes d'actif, de passif ou de capitaux propres qui seront touchés, et 2) inscrire ces opérations dans des comptes en T en appliquant la règle des débits et des crédits.

(1) 1er mai   Alexandre Chenevert et Marie Menaud investissent chacun 10 000 $ dans leur cabinet d'architecte.

Encaisse			*Analyse de l'opération* : L'entreprise reçoit une somme de 20 000 $. L'actif Encaisse augmente. Les augmentations d'actif s'inscrivent au débit. L'actif Encaisse est débité de 20 000 $.
(1) 20 000			
Capital-Menaud			
	(1) 10 000		La somme provient des associés. Les capitaux propres augmentent. Les augmentations des capitaux propres s'inscrivent au crédit. Les comptes Capital-Menaud et Capital-Chenevert sont crédités respectivement de 10 000 $.
Capital-Chenevert			
	(1) 10 000		

(2) 2 mai   Les associés achètent, pour 50 000 $, une propriété constituée d'un édifice de 40 000 $ et d'un grand terrain de 10 000 $. Un montant de 5000 $ est versé comptant et le solde est financé par une hypothèque de premier rang consentie à la Société.

Encaisse		*Analyse de l'opération* : L'entreprise reçoit un édifice de 40 000 $ et un terrain de 10 000 $. L'actif Édifice et l'actif Terrain augmentent. Les augmentations d'actif s'inscrivent au débit. Le compte d'actif Édifice est débité de 40 000 $ et le compte d'actif Terrain est débité de 10 000 $.
(1) 20 000	(2) 5 000	
Édifice		
(2) 40 000		
Terrain		L'entreprise a cédé une somme de 5000 $ et a reconnu une dette de 45 000 $ envers un créancier hypothécaire. Les diminutions d'actif s'inscrivent au crédit. Le compte d'actif Encaisse est crédité de 5000 $. Les augmentations de passif s'inscrivent au crédit. Le compte Emprunt hypothécaire est crédité de 45 000 $.
(2) 10 000		
Emprunt hypothécaire		
	(2) 45 000	

(3) 6 mai   Achat à crédit de matériel de bureau (tables à dessin, machine à écrire ...) pour un montant de 2000 $ et de fournitures de bureau (papier, crayons ...) pour 300 $.

Fournitures de bureau en main	
(3) 300	

Analyse de l'opération : L'entreprise reçoit du matériel de bureau pour 2000 $ et des fournitures de bureau pour 300 $. L'actif Matériel de bureau et l'actif Fournitures de bureau augmentent. Les augmentations d'actif s'inscrivent au débit. Le compte d'actif Matériel de bureau est débité de 2000 $ et le compte d'actif Fournitures de bureau en main est débité de 300 $.

Matériel de bureau	
(3) 2 000	

Fournisseurs	
	(3) 2 300

L'entreprise reconnaît devoir 2300 $ à ses fournisseurs. Le passif Fournisseurs augmente. Les augmentations de passif s'inscrivent au crédit. Le compte de passif Fournisseurs est crédité de 2300 $.

(4) 12 mai Les associés réservent un espace dans un journal afin de publier leur carte d'affaires. Ces annonces ont entraîné un versement de 400 $ et elles paraîtront en juin.

Encaisse	
(1) 20 000	(2) 5 000
	(4) 400

Analyse de l'opération : L'entreprise bénéficiera de services futurs. L'actif Publicité payée d'avance augmente. Les augmentations d'actifs s'enregistrent au débit. Le compte Publicité payée d'avance est débité de 400 $.

Publicité payée d'avance	
(4) 400	

L'entreprise a versé la somme de 400 $. L'actif Encaisse diminue. Les diminutions d'actif s'enregistrent au crédit. Le compte Encaisse est crédité de 400 $.

(5) 18 mai Signature d'un contrat en vertu duquel la Société dessinera les plans d'un complexe résidentiel.

Encaissement immédiat de 1000 $ d'honoraires. Les associés commenceront en juin les travaux relatifs à ce contrat.

Encaisse	
(1) 20 000	(2) 5 000
(5) 1 000	(4) 400

Analyse de l'opération : L'entreprise reçoit une somme de 1000 $. L'actif Encaisse augmente. Les augmentations d'actif s'enregistrent au débit. Le compte Encaisse est débité de 1000 $.

Honoraires reçus d'avance	
	(5) 1 000

L'entreprise devra rendre des services futurs. Le passif Honoraires reçus d'avance augmente. L'augmentation des passifs s'enregistre au crédit. Le compte Honoraires reçus d'avance est crédité de 1000 $.

(6) 22 mai L'associée Marie Menaud retire 500 $ du compte en banque de la Société. Comme les associés avaient convenu qu'il n'y aurait pas de prélèvements tant que la Société n'aurait pas réalisé de bénéfices, ce retrait devient une avance que Marie Menaud devra rembourser le 22 juin.

Encaisse			
(1) 20 000		(2)	5 000
(5) 1 000		(4)	400
		(6)	500

Avance aux associés	
(6) 500	

Analyse de l'opération : L'entreprise acquiert le droit de recevoir une somme de 500 $ le 22 juin. L'actif Avance aux associés augmente. Les augmentations d'actif s'enregistrent au débit. Le compte Avance aux associés est débité de 500 $.

L'entreprise cède une somme de 500 $. L'actif Encaisse diminue de 500 $. Les diminutions d'actif s'enregistrent au crédit. Le compte Encaisse est crédité de 500 $.

(7) 25 mai Une partie du terrain acheté le 2 mai est revendue. Cette parcelle de terrain avait coûté 3000 $ et les associés l'ont vendu 4500 $ réalisant un bénéfice de 1500 $. L'acheteur devra régler cette somme le 25 juin. Les associés ont convenu de partager tous les bénéfices à parts égales.

Débiteurs	
(7) 4 500	

Terrain			
(2) 10 000		(7)	3 000

Capital-Menaud			
		(1)	10 000
		(7)	750

Capital-Chenevert			
		(1)	10 000
		(7)	750

Analyse de l'opération : L'entreprise acquiert le droit de recevoir une somme de 4500 $ le 25 juin. L'actif Débiteurs augmente. Les augmentations d'actif s'enregistrent au débit. Le compte Débiteurs est débité.

L'entreprise cède un terrain dont le coût d'acquisition a été de 3000 $. L'actif Terrain diminue. Les diminutions d'actif s'inscrivent au crédit. Le compte Terrain est crédité de 3000 $.

L'entreprise réalise un bénéfice de 1500 $. Les bénéfices augmentent les capitaux propres. L'augmentation des capitaux propres s'inscrit au crédit. Les comptes Capital-Menaud et Capital-Chenevert sont crédités respectivement de 750 $.

(8) 31 mai Versement d'une somme de 1000 $ au fournisseur de matériel de bureau pour l'achat effectué le 6 mai.

Encaisse				*Analyse de l'opération* : L'entreprise diminue sa dette de 1000 $. Le passif Fournisseurs diminue. Les diminutions de passif s'inscrivent au débit. Le compte Fournisseurs est débité de 1000 $.
(1) 20 000	(2)	5 000		
(5) 1 000	(4)	400		
	(6)	500		
	(8)	1 000		

Fournisseurs				L'entreprise cède une somme de 1000 $. L'actif Encaisse diminue. Les diminutions d'actif s'inscrivent au crédit. Le compte Encaisse est crédité de 1000 $.
(8) 1 000	(3)	2 300		

Le tableau suivant présente tous les comptes utilisés au cours du mois de mai. Ils sont associés à l'identité fondamentale afin de permettre une vérification de l'équilibre de cette identité, mais l'addition des soldes débiteurs et créditeurs, qu'il est maintenant possible de faire depuis l'introduction des notions de débit et de crédit, nous évite la nécessité de recourir à cette procédure.

Débit	=	Crédit	+	Crédit
Actif	=	Passif	+	Capitaux propres

Encaisse		Fournisseurs		Capital-Menaud
(1) 20 000 (2) 5 000		(8) 1 000 (3) 2 300		(1) 10 000
(5) 1 000 (4) 400		1 300		(7) 750
(6) 500				10 750
(8) 1 000				
14 100				

Débiteurs		Honoraires reçus d'avance		Capital-Chenevert
(7) 4 500		(5) 1 000		(1) 10 000
				(7) 750
				10 750

Avance aux associés		Emprunt hypothécaire
(6) 500		(2) 45 000

Publicité payée d'avance

(4) 400	

Fournitures de
bureau en main

(3) 300	

Matériel de bureau

(3) 2 000	

Édifice

(2) 40 000	

Terrain

(2) 10 000	(7) 3 000
7 000	

3.11   LES FONCTIONS ENREGISTREMENT ET CLASSIFICATION

L'exemple précédent peut laisser croire qu'un grand nombre de comptes seront ouverts. Il est normal de penser ainsi à ce stade car l'entreprise débutait et chaque nouvelle transaction exigeait l'ouverture de un ou plusieurs comptes. Toutefois, à mesure que l'entreprise fonctionne, les transactions deviendront répétitives et, en conséquence, les mêmes comptes seront souvent touchés. Par exemple, l'entreprise achètera à nouveau du matériel de bureau et chaque nouvel achat sera inscrit au même compte Matériel de bureau.

La comptabilité est un processus de création d'information. Il est donc utile de se demander à quelles étapes correspond l'utilisation des comptes dans ce processus.

a) L'inscription aux comptes correspond en premier lieu à une *phase d'enregistrement*. En effet, des centaines et même des milliers d'opérations se produisent quotidiennement dans une entreprise. La première mission du système d'information comptable est de procéder le plus tôt possible à leur enregistrement. Un système adéquat doit reproduire les faits avec *intégralité*. La pratique nous enseigne que le retard dans l'enregistrement amène la perte de documents d'affaires et certaines *erreurs d'omission* qui en découlent automatiquement. De plus, le système d'information comptable doit fournir des données en *temps opportun*. Le retard dans l'enregistrement annihilera la pertinence des informations fournies.

b) L'inscription aux comptes correspond aussi à une *phase de classification* des données. Des milliers d'opérations sont regroupées sous un nombre limité de comptes. En consultant le solde de cinquante comptes, il est possible de retracer l'effet d'un million de transactions. L'information brute devient alors accessible. Ce processus de classification est bien connu dans toute démarche scientifique. En botanique ou en zoologie, on regroupe les individus dans des classes, ordres, familles, genres, espèces, variétés selon leur apparence, leur habitat, etc.

C'est un processus intellectuel essentiel sans lequel l'étude des faits individuels serait un perpétuel recommencement. Il en va un peu de même en comptabilité ; la phase de classification regroupe des milliers de transactions de même nature sous un même compte de sorte qu'un nombre limité de comptes peut regrouper l'ensemble de l'activité d'une entreprise. Par exemple, sur un total d'un million de transactions, on peut retrouver cent mille charges d'exploitation, parmi ces cent mille charges d'exploitation on peut retrouver dix mille charges administratives, parmi ces dix mille charges administratives il existe peut-être mille opérations concernant les frais de bureau et parmi ces mille frais de bureau il y a peut-être cent opérations concernant les frais de photocopies. Si on utilise un seul compte intitulé Frais de bureau, il regroupera mille opérations mais nous ne pourrons fournir une réponse au gestionnaire qui désire connaître les frais de photocopies. Si on utilise un compte intitulé Photocopies, la tenue de livres sera compliquée car il faudra distinguer, parmi les frais de bureau, les frais qui concernent la photocopie, le téléphone, les fournitures, l'électricité, les salaires, l'entretien, l'amortissement du matériel de bureau, etc.

Cette classification dépendra donc du besoin des utilisateurs. Il faut parfois sacrifier la connaissance d'une caractéristique individuelle (p. ex. photocopies) au bénéfice d'une connaissance rapide, immédiate et moins coûteuse d'un montant global des ressources utilisées (frais de bureau) parce que *l'équilibre coûts-avantages* de l'information l'exige. Ainsi, une personne qui ne s'intéresse pas à l'étude de la botanique sait qu'un arbre est du règne végétal mais elle ne peut identifier la variété. L'information a un coût.

3.12 COMMENT ÉTABLIR UNE BALANCE DE VÉRIFICATION

Dans l'exemple précédent, nous avons placé les comptes sous l'identité fondamentale afin de vérifier son équilibre. Un déséquilibre dans cette identité confirme l'existence d'une ou de plusieurs erreurs, car la comptabilité est en partie double et chaque opération modifie les comptes d'un montant débiteur égal au montant créditeur.

Dans le *cycle comptable*, ou succession logique des travaux comptables, ce contrôle doit précéder la rédaction du bilan. Comme le bilan est l'expression détaillée de cette identité fondamentale, il est inutile de le rédiger sans avoir d'abord retracer les erreurs commises dans le cas où un déséquilibre existerait. Les comptables décrivent ce contrôle comme étant l'établissement d'une *balance de vérification*. La démarche suivante doit être suivie : 1) calculer le solde de chaque compte, 2) faire une liste des comptes en disposant sur deux colonnes distinctes les soldes débiteurs et les soldes créditeurs, 3) additionner chacune de ces deux colonnes et 4) comparer le total des soldes débiteurs avec le total des soldes créditeurs.

MENAUD ET CHENEVERT, ARCHITECTES
Balance de vérification
au 31 mai 19X6

	Débit	Crédit
Encaisse	14 100 $	
Débiteurs	4 500	
Avance aux associés	500	
Publicité payée d'avance	400	
Fournitures de bureau en main	300	
Matériel de bureau	2 000	
Édifice	40 000	
Terrain	7 000	
Fournisseurs		1 300 $
Honoraires reçus d'avance		1 000
Emprunt hypothécaire		45 000
Capital — Menaud		10 750
Capital — Chenevert		10 750
	68 800 $	68 800 $

3.13 PREUVE COMMUNIQUÉE PAR LA BALANCE DE VÉRIFICATION

Si la balance de vérification est en équilibre, il est permis de croire à l'exactitude arithmétique des comptes, c'est-à-dire que 1) la comptabilisation des opérations a porté au débit des comptes un montant total égal à celui porté au crédit, 2) le calcul du solde des comptes est bon, 3) la transcription des soldes des comptes dans la balance de vérification et l'addition de la balance de vérification sont exactes.

L'exactitude de la balance de vérification ne nous autorise toutefois pas à garantir l'absence d'erreur. Par exemple, elle ne repère pas :

1) les erreurs d'omission, c'est-à-dire celle qui surgissent lorsqu'on oublie de comptabiliser une opération ;

2) les erreurs d'inscription qui proviennent d'une mauvaise analyse de l'opération et qui amènent à modifier le ou les mauvais comptes ;

3) les erreurs d'inscription qui consistent à débiter et à créditer un même montant erroné.

La balance de vérification est un document interne qui ne fait pas l'objet d'une publication. Il est conseillé d'établir périodiquement une balance de vérification parce que si une erreur se produit, il est alors beaucoup plus facile de la retracer étant donné que la période est plus courte. Par exemple, si la balance de vérification est en déséquilibre à la fin du mois de mai et qu'elle était en équilibre à la fin du mois d'avril, l'erreur se situe au cours du mois de mai. Nous ne pourrions en dire autant si la dernière balance de vérification datait de mars.

3.14 PREMIER REGISTRE COMPTABLE : LE GRAND LIVRE GÉNÉRAL

Comme nous l'avons constaté dans l'exemple précédent, il faut ouvrir un compte pour chaque élément d'actif, de passif et de l'avoir des propriétaires. Nous verrons plus loin qu'il faudra également un compte pour chaque type de produits et de charges. Plus nous souhaitons obtenir d'informations, plus il nous faut ouvrir de comptes. Il s'agit d'une règle fondamentale à retenir en matière de comptabilité. Le *grand livre général* contiendra plus ou moins de comptes. Si on désire contrôler le montant d'un actif, d'un passif, d'un produit ou d'une charge, il vaut mieux ouvrir un compte. Nous l'avons déjà mentionné, cela complique la tenue des livres puisqu'il faut analyser chaque facture ou autre document afin de faire une ventilation dans plusieurs comptes.

Il est facile d'imaginer que le nombre de comptes puisse dépasser la centaine dans une entreprise qui a un minimum d'importance. L'ensemble de tous ces comptes forme le *grand livre général*. C'est le premier registre comptable que nous allons étudier dans cet ouvrage.

Le grand livre général est un système manuel qui regroupe l'ensemble des feuilles détachées qui constituent les comptes. Si le système est mécanographique, le grand livre se présentera comme un ensemble de cartes, chacune correspondant à un compte. Dans un système informatisé, le grand livre aura une bande ou un disque magnétique comme support. Chaque compte correspondra à un code. On n'aura qu'à faire imprimer totalement ou partiellement les données stockées pour retrouver l'équivalent d'un système manuel. Ainsi, il suffira de consulter la charte des comptes qui les identifie par un code ou un numéro pour faire ressortir le solde et les transactions affectant le compte recherché ; c'est exactement ce qui se produit lorsque vous désirez des informations sur votre compte bancaire. Les comptes inscrits au grand livre général sont classés selon le même ordre que dans les états financiers : les comptes d'actifs à court terme par ordre de liquidité ; les comptes d'actifs à long terme selon leur nature ; les comptes de dettes à court terme selon l'échéance probable ; les comptes de dettes à long terme ; et finalement, les comptes de l'avoir des propriétaires. Viennent ensuite les comptes de prélèvement (dividendes) et d'apports et les comptes de produits et charges.

3.15 CYCLE COMPTABLE AVEC GRAND LIVRE GÉNÉRAL

Au chapitre précédent, nous avons introduit un cycle comptable partiel, mais qui ne comprenait aucune référence à un registre comptable. Voici maintenant le cycle comptable partiel actuel après l'introduction du grand livre général. :

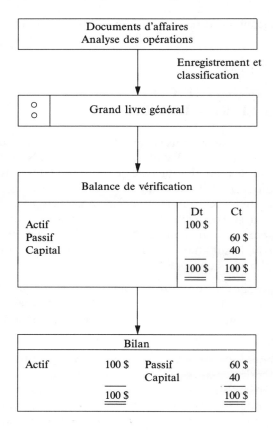

Ce symbole identifie un registre comptable alors que les autres documents sont, soit des feuilles de travail, soit les états financiers eux-mêmes.

Au bilan, il arrive que l'on regroupe plusieurs comptes sous un seul poste afin de ne pas nuire à la clarté de la situation financière générale, en multipliant des détails utiles pour la gestion interne, mais inutiles pour l'utilisateur externe des états financiers.

Voici maintenant le bilan de Menaud et Chenevert, architectes, qui correspond à la dernière étape du cycle comptable tel que nous le connaissons pour le moment. Nous tirons nos données de la balance de vérification.

MENAUD ET CHENEVERT, ARCHITECTES
Bilan
au 31 mai 19X6

ACTIF

Actif à court terme		
Encaisse	14 100 $	
Débiteurs	4 500	
Avance aux associés	500	
Publicité payée d'avance	400	
Fournitures de bureau en main	300	19 800 $
Immobilisations		
Matériel de bureau	2 000	
Édifice	40 000	
Terrain	7 000	49 000
Total de l'actif		68 800 $

PASSIF

Dettes à court terme		
Fournisseurs	1 300 $	
Honoraires reçus d'avance	1 000	2 300 $
Dettes à long terme		
Emprunt hypothécaire		45 000
		47 300

AVOIR DES ASSOCIÉS

Capital — Marie Menaud	10 750	
Capital — Alexandre Chenevert	10 750	21 500
Total du passif et de l'avoir des associés		68 800 $

3.16 PLAN COMPTABLE ET CODIFICATION DES COMPTES

Le plan comptable d'une entreprise est la liste codifiée de ses comptes classés selon leur nature. Au Canada, le plan comptable peut varier d'une entreprise à l'autre car il n'y a pas de *Plan comptable général* recommandé par l'État. Ainsi, le code peut contenir trois chiffres et le premier chiffre peut distinguer les comptes d'actif des comptes de passif et de capitaux propres.

    111 à 199   Les comptes d'actif.
    211 à 299   Les comptes de passif.
    311 à 399   Les comptes de capitaux propres.

Le deuxième chiffre peut servir à préciser s'il s'agit d'éléments à court terme ou à long terme. Par exemple, parmi l'actif :

    111 à 119   Les comptes d'actif à court terme.
    121 à 129   Les comptes relatifs aux immobilisations corporelles.
    131 à 139   Les comptes relatifs aux immobilisations incorporelles.

Le troisième chiffre peut finalement être utilisé pour identifier le compte lui-même. Par exemple, parmi l'actif à court terme :

    111   Encaisse.
    113   Comptes-clients.
    115   Frais payés d'avance.

Il faut se garder des numéros libres en réserve, par exemple 112, au cas où on ouvrirait de nouveaux comptes dans le futur.

3.17   NÉCESSITÉ DE DISTINGUER L'ENREGISTREMENT DE LA CLASSIFICATION : LES LIVRES JOURNAUX

Jusqu'à maintenant, nous avons enregistré les opérations directement dans les comptes. Ce système pourrait fonctionner dans une petite entreprise, mais il comporte des lacunes, précisément parce que la comptabilité est en partie double. En réalité, il vaut mieux distinguer la phase enregistrement de la phase classification parce que :

1) le processus de classification disperse les débits et les crédits. Le débit est classé dans un compte et le crédit dans un autre. Nulle part dans ce système on ne retrouve le débit et le crédit côte à côte. Par exemple, si on trouve un débit de 1000 $ dans le compte Encaisse et qu'on s'interroge sur la nature de la transaction qui a occasionné cette entrée de fonds, il faudra entreprendre la recherche du ou des crédits de 1000 $. Il faudra feuilleter les comptes du grand livre général jusqu'à ce que le crédit soit retrouvé. En présence du débit et du crédit il sera facile de reconnaître l'opération. Le système ne peut donc pas fournir rapidement de réponse satisfaisante à une question soulevée lors de l'analyse d'un compte.

Supposons maintenant que dans ce système composé uniquement d'un grand livre général, une erreur est commise, tel l'enregistrement d'un débit à un compte et l'oubli de l'enregistrement du crédit du même montant dans un autre compte, ou encore l'enregistrement d'un montant différent au débit et au crédit. La balance de vérification sera en déséquilibre et il faudra chercher l'erreur. Celle-ci sera pratiquement impossible à découvrir parce qu'il nous faudrait associer un nombre considérable de débits et de crédits ;

2) le processus de classification ne présente pas les opérations par ordre chronologique. Si l'on désire passer en revue les opérations d'une journée donnée, il sera difficile de les retrouver car, au grand livre général, les transactions de cette journée auront modifié seulement certains comptes et, encore une fois, il faudra revoir tous les comptes et identifier ensuite toutes les transactions en associant les débits et les crédits.

C'est pour toutes ces raisons, et pour d'autres que nous verrons lors de l'étude des journaux auxiliaires, qu'il faut séparer la fonction enregistrement de la fonction classification et leur consacrer des registres distincts.

Désormais, la fonction enregistrement sera confiée aux livres journaux et la fonction classification sera confiée au grand livre général.

Dans les livres journaux :

1) nous maintiendrons le lien entre le débit et le crédit afin de remédier aux défauts susmentionnés. Les comptes débités et crédités seront présentés côte à côte. Nous présenterons également les détails relatifs à l'opération.

2) les opérations seront enregistrées par ordre chronologique de sorte que la consultation des livres journaux permettra de retrouver rapidement une transaction d'une date donnée.

Les livres journaux sont des registres de première écriture. C'est là que l'opération sera tout d'abord enregistrée. La phase *classification* sera ensuite réalisée par le *report* des écritures des livres journaux dans le grand livre général.

3.17.1 Le journal général

Le premier livre journal introduit ici est le *journal général*. Il sert à un usage général puisque, en l'absence de journaux plus spécialisés, on peut y enregistrer toutes les transactions. L'acte qui consiste à enregistrer une opération au journal s'appelle *passer une écriture*.

Un journal général est illustré dans le tableau suivant :

Journal général				Page n° 10
Date	Explication	F°	Débit	Crédit
19X6 15 févr.	Encaisse Capital-actions (Émission de 10 000 actions)		100 000	100 000
16 févr.	Encaisse Comptes-clients (Encaissement du compte de Fiji ltée)		5 000	5 000

Évidemment, le journal général aura deux colonnes afin que le débit et le crédit y apparaissent côte à côte et l'opération sera datée. Voici les étapes à suivre pour passer une écriture au journal général :

1) On inscrit la date de l'opération ; 2) On inscrit le nom du compte à débiter puis le montant à débiter dans la colonne débit ; 3) Le compte à créditer apparaît sur la ligne suivante, un peu en retrait, et le montant est porté dans la colonne crédit ; 4) L'écriture est suivie d'une explication et parfois de référence à des documents ; 5) Pour distinguer les écritures on laisse un espace ; 6) On n'inscrit rien pour le moment dans la colonne folio, on y inscrira le numéro du compte une fois que le report au grand livre général aura été fait.

Dans une écriture composée, plus de deux comptes sont modifiés, mais les comptes débités figurent toujours en premier. Il faut utiliser le nom exact des comptes et non pas des expressions comme argent reçu ou achat de fournitures. Dans ces derniers cas, il faut inscrire Encaisse et Fournitures de bureau en main qui correspondent au plan comptable.

3.17.2 Insuffisance du journal général seul : le report au grand livre

Même si de nombreuses transactions sont enregistrées au journal, il n'y aura pas de création véritable d'information sans le classement dans les comptes au grand livre général. Pensons au gestionnaire qui doit prendre rapidement une décision et qui, pour ce faire, dispose seulement d'un journal général dans lequel toutes les transactions ont été soigneusement enregistrées. Il devra, pour retrouver les soldes des comptes qui l'intéressent, additionner tous les débits et les crédits qui les ont touchés. Le système comptable doit fournir cette information immédiatement ; c'est pourquoi les débits et les crédits doivent avoir déjà été classés dans les comptes. Autrement dit, il faut transcrire les écritures du journal général au grand livre général.

Dans l'exemple suivant, une écriture de journal a été passée le 15 février pour enregistrer une émission d'actions ; nous devons maintenant en faire la transcription au grand livre général, c'est-à-dire le *report*.

JOURNAL GÉNÉRAL

				Page n° 10
Date	Explication	F°	Débit	Crédit
19X6 15 févr.	Encaisse Capital-actions ordinaires (Émission de 10 000 actions ordinaires)	5 100	100 000	100 000

GRAND LIVRE GÉNÉRAL

Titre du compte : Encaisse					Compte n⁰ 05	
Date	Titre	F⁰	Débit	Crédit	Solde	Dt/Ct
19X6 15 févr.		JG-10	100 000		100 000	Dt

Titre du compte : Capital-actions					Compte n⁰ 100	
Date	Titre	F⁰	Débit	Crédit	Solde	Dt/Ct
19X6 15 févr.		JG-10		100 000	100 000	Ct

La démarche pour effectuer le report est la suivante, en commençant par la portion débitrice de l'écriture :

1) Localiser dans le grand livre général le compte où l'on reportera le débit de l'écriture de journal ;

2) Inscrire au débit de ce compte le montant figurant dans la colonne débit du journal général ;

3) Écrire la date de l'opération dans le compte du grand livre ;

4) Inscrire dans la colonne folio du grand livre le nom du journal, soit JG pour journal général, et le numéro de la page du journal d'où l'écriture est tirée. Lorsque le report proviendra d'un autre livre journal, par exemple un journal des ventes, nous inscrirons alors JV. Les autres journaux seront introduits plus tard ;

5) Revenir au journal général et inscrire, dans la colonne folio, le numéro du compte du grand livre dans lequel on a effectué le report ;

6) Répéter ces cinq étapes pour la portion créditrice de la même écriture de journal.

Il est important de ne pas inverser d'étapes. Par exemple, le numéro du compte est inscrit dans la colonne folio du journal (étape 5) une fois seulement que le report du montant a été fait du journal au grand livre. Si le travail de report est interrompu, un examen de la colonne folio du journal général permet alors de reprendre au bon endroit.

Nous avons maintenant un système avec double *renvoi* : un renvoi du journal au grand livre et du grand livre au journal. Par exemple, si un vérificateur analyse un compte au grand livre et qu'il cherche des détails relatifs à un montant, il consulte le renvoi à la page du journal dans la colonne folio du grand livre et il trouve au journal, à la page indiquée, les détails nécessaires à la poursuite de sa vérification.

Théoriquement, on doit effectuer le report le plus souvent possible afin que les soldes des comptes du grand livre soient constamment à jour. Si les comptes ne sont pas à jour, on ne pourra pas, par exemple, se servir de leur solde pour prendre une décision.

Voyons maintenant si ce système pallie les inconvénients du système à grand livre général seulement. Par exemple si, en consultant le compte Encaisse, on s'interroge sur cette entrée de fonds de 100 000 $, il suffit de relever la référence à la page 10 du journal et en date du 15 février. En consultant le journal aux page et date indiquées, on obtient le débit et le crédit qui sont côte à côte, ainsi que l'explication. Si une erreur a été faite, comme un report de 10 000 $ au lieu de 100 000 $ ou une omission du report au compte Capital-actions, il suffira, après l'avoir découverte par la balance de vérification, de revoir les reports depuis la date de la dernière balance de vérification et l'erreur pourra être corrigée.

3.17.3 Cycle comptable avec journal général

Dans le cycle comptable partiel que nous connaissons, nous devons introduire une phase intermédiaire entre l'analyse des opérations et l'inscription dans les comptes au grand livre général. Cette étape correspond au fractionnement des fonctions enregistrement et classification que l'on confiait auparavant uniquement au grand livre général. Remarquez, dans le graphique qui suit, que la fonction enregistrement a été liée au journal général tandis que la fonction classification appartient toujours au grand livre général.

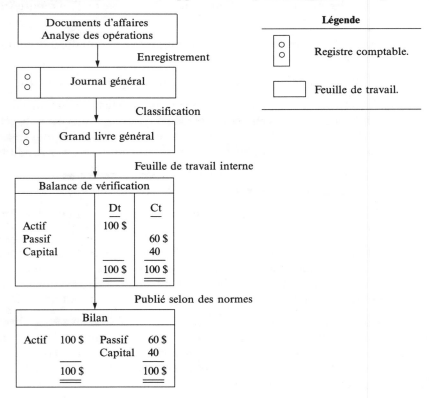

3.17.4 Exemple avec journal général

Voici maintenant un court exemple où l'on utilisera un journal pour l'enregistrement et un grand livre général pour le classement.

Le 1er juillet 19X6, M. Gérard D. Lebel, employé depuis vingt ans dans une maison de courtage reconnue, lance sa propre entreprise. Les transactions d'Investissement Lebel inc. commencent alors. Voici celles réalisées en juillet 19X6 :

1er juillet	M. Lebel dépose 100 000 $ dans le compte en banque d'Investissement Lebel inc. en échange de 10 000 actions votantes.
5 juillet	Achat d'un terrain et d'un bâtiment pour un montant total de 75 000 $. On a obtenu un emprunt hypothécaire pour 80 % du montant. Le solde est payé comptant à la signature de l'acte de vente, le 5 juillet. Le coût du terrain est de 25 000 $.
11 juillet	Achat à crédit de matériel de bureau (bureau, chaises, classeurs, etc.) chez Pagé ltée pour 8000 $.
20 juillet	M. Lebel consent à vendre 10 % du terrain au prix coûtant à Stationnement Corbeil ltée, une entreprise située à proximité. L'acheteur s'engage à payer dans 30 jours.
25 juillet	Premier versement de 500 $ sur la créance relative au matériel de bureau.
31 juillet	Location, de Linden ltée, d'une auto pour deux ans. Une première mensualité de 350 $ est versée pour l'utilisation future de la voiture au mois d'août.

JOURNAL GÉNÉRAL   Page 1

Date	Titre des comptes et explications	Fo	Débit	Crédit
19X6 1er juillet	Caisse Capital-actions (Émission de 10 000 actions votantes à M. Gérard D. Lebel)	100 500	100 000	 100 000

5 juillet	Terrain
	Bâtiment
	  Caisse
	  Emprunt hypothécaire
	(Achat d'un terrain et d'un bâtiment moyennant
	un versement comptant de 20 % et un emprunt
	hypothécaire pour le solde)
		200
		220
		100
		400
			25 000
			50 000
				
				15 000
				60 000

11 juillet	Matériel de bureau Fournisseurs (Achat à crédit de matériel de bureau chez Pagé ltée)	270 300	8 000	 8 000

JOURNAL GÉNÉRAL (suite)

20 juillet	Clients	120	2 500	
	Terrain	200		2 500
	(Vente à crédit à Stationnement Corbeil ltée)			
25 juillet	Fournisseurs	300	500	
	Caisse	100		500
	(Premier versement à Pagé ltée)			
31 juillet	Frais payés d'avance	190	350	
	Caisse	100		350
	(Versement à Linden ltée des frais de location de l'auto pour le mois d'août)			

GRAND LIVRE GÉNÉRAL

Caisse					Compte nº 100
Date	Explications	Fº	Débit	Crédit	Solde
19X6					
1er juillet		JG-1	100 000		100 000
5 juillet		JG-1		15 000	85 000
25 juillet		JG-1		500	84 500
31 juillet		JG-1		350	84 150

Clients					Compte nº 120
Date	Explications	Fº	Débit	Crédit	Solde
19X6					
20 juillet		JG-1	2 500		2 500

Frais payés d'avance					Compte nº 190
Date	Explications	Fº	Débit	Crédit	Solde
19X6					
31 juillet		JG-1	350		350

Terrain					Compte nº 200
Date	Explications	Fº	Débit	Crédit	Solde
19X6					
5 juillet		JG-1	25 000		25 000
20 juillet		JG-1		2 500	22 500

GRAND LIVRE GÉNÉRAL (suite)

Bâtiment					Compte n° 220
Date	Explications	F°	Débit	Crédit	Solde
19X6 5 juillet		JG-1	50 000		50 000

Matériel de bureau					Compte n° 270
Date	Explications	F°	Débit	Crédit	Solde
19X6 11 juillet		JG-1	8 000		8 000

Fournisseurs					Compte n° 300
Date	Explications	F°	Débit	Crédit	Solde
19X6 11 juillet 25 juillet		JG-1 JG-1	500	8 000	8 000 7 500

Emprunt hypothécaire					Compte n° 400
Date	Explications	F°	Débit	Crédit	Solde
19X6 5 juillet		JG-1		60 000	60 000

Capital-actions ordinaires					Compte n° 500
Date	Explications	F°	Débit	Crédit	Solde
19X6 1er juillet		JG-1		100 000	100 000

INVESTISSEMENT LEBEL INC.
Balance de vérification
au 31 juillet 19X6

		DÉBIT	CRÉDIT
100	Caisse	84 150 $	
120	Clients	2 500	
190	Frais payés d'avance	350	
200	Terrain	22 500	
220	Bâtiment	50 000	
270	Matériel de bureau	8 000	
300	Fournisseurs		7 500
400	Emprunt hypothécaire		60 000
500	Capital-actions		100 000
		167 500 $	167 500 $

INVESTISSEMENT LEBEL INC.
Bilan
au 31 juillet 19X6

ACTIF

    Actif à court terme

Caisse	84 150 $	
Clients	2 500	
Frais payés d'avance	350	87 000 $

    Immobilisations

Terrain	22 500	
Bâtiment	50 000	
Matériel de bureau	8 000	80 500
Total de l'actif		**167 500 $**

PASSIF

    Dette à court terme

Fournisseurs	7 500 $	
Dette à long terme		
Emprunt hypothécaire	60 000	67 500

AVOIR DE L'ACTIONNAIRE

Capital-actions		100 000
Total du passif et de l'avoir de l'actionnaire		**167 500 $**

3.18 LA DÉCOUVERTE DES ERREURS

Si la balance de vérification est en déséquilibre, il faut découvrir l'erreur ou les erreurs qui en sont la cause. La recherche des erreurs peut occasionner un travail long et fastidieux. Voilà pourquoi il vaut mieux procéder méthodiquement en refaisant les étapes du cycle comptable, mais selon l'*ordre inverse.*

1) Il faut tout d'abord réadditionner les colonnes de chiffres de la balance de vérification. Il serait dommage, après avoir revu les reports du journal au grand livre, de découvrir ensuite qu'il s'agit d'une simple erreur d'addition dans la balance de vérification.

2) Si, après cette première vérification, l'erreur subsiste, il faut calculer la différence entre les totaux des colonnes débitrice et créditrice. Si la différence est divisible par 9, il s'agit possiblement d'une inversion de chiffres. Par exemple, si le solde du compte Encaisse est de 2914 $ et qu'en transcrivant ce solde dans la balance de vérification nous avons écrit 2194 $, il y aura donc une différence de 720 $. Cette erreur d'inversion de chiffres est divisible par 9 ; l'erreur qui consiste a déplacer involontairement la virgule décimale est également divisible par 9. Par exemple, si le solde d'un compte est 2875 $ au grand livre et que l'on a inscrit 28,75 $ dans la balance de vérification, la différence de 2846,25 $ est divisible par 9.

Une autre erreur commune de transcription des soldes du grand livre à la balance de vérification consiste à prendre un solde débiteur pour un solde créditeur ou vice-versa. La différence entre la colonne débitrice et la colonne créditrice sera alors égale à deux fois le montant de l'un des soldes quelconques. Il faut dans ce cas diviser la différence par deux et vérifier si le montant obtenu ne correspond pas à un des soldes de la balance de vérification. Ceci est valable si une seule erreur a été commise.

De toute manière, il est utile de diviser par deux une différence dans la balance de vérification car il est possible, lors du report du journal au grand livre, que l'on ait inscrit un montant dans la colonne créditrice au lieu de celle débitrice ou vice-versa. Mais cette vérification n'est pas faite immédiatement.

3) Si l'erreur demeure, il faut comparer les soldes du grand livre avec ceux de la balance de vérification en effectuant un pointage, à l'aide d'un crochet par exemple.

4) Si l'erreur subsiste encore, il faudra recalculer les soldes du grand livre général pour chaque compte. Si l'on trouve une erreur de calcul, il faut vérifier si la différence est expliquée complètement dans la balance de vérification.

5) Finalement, il faudra revoir les reports du journal général au grand livre général en effectuant un pointage à chacun des chiffres de ces deux registres. Les montants n'ayant pas de marque de pointage ou incorrectement reportés seront corrigés ou reportés. Dans cette dernière vérification, il faut tenir compte des montants mais aussi s'assurer que les débits du journal ont bel et bien été reportés au débit des comptes.

L'erreur devrait être repérée par ce processus. Sinon, il faut recommencer le processus. Le travail qu'occasionne la recherche des erreurs devrait nous convaincre de dresser régulièrement la balance de vérification.

3.19 SOMMAIRE

À la fin d'une période, pour obtenir un bilan qui soit le résultat de l'effet de toutes les transactions effectuées depuis la création d'une société, il faut un système efficace de cueillette, d'analyse, d'enregistrement et de classement des nombreuses données relatives aux opérations.

L'usage des comptes ou du grand livre permet l'accumulation des données jusqu'à ce que la préparation d'un bilan devienne nécessaire. Des milliers de transactions se regroupent par nature sous un nombre limité de comptes. C'est une phase de classement qui est en même temps une phase d'enregistrement.

Toutefois, comme il est nécessaire d'enregistrer le débit et le crédit côte à côte tout en respectant la suite chronologique des transactions, cela oblige à distinguer la phase enregistrement de la phase classement qui, par définition, sépare les débits des crédits. L'enregistrement des débits et des crédits se fera donc tout d'abord au journal général et le classement dans les comptes du grand livre n'aura lieu qu'ensuite.

Ce sont là deux phases essentielles dans la création d'une information : l'enregistrement et le classement. Deux registres comptables y correspondront : le journal général et le grand livre des comptes. Les deux sont indispensables.

L'enregistrement et le classement sont des activités qui se répètent constamment au cours d'une période financière. En fin de période, le cycle comptable est complété par la préparation du bilan. Mais auparavant, il peut s'avérer utile de préparer une balance de vérification afin de s'assurer que l'équilibre des comptes débiteurs et créditeurs a été maintenu.

3.20 QUESTIONS

1. Après un cours d'introduction à la comptabilité, vous discutez avec un confrère des notions de débit et de crédit. Celui-ci vous affirme que la comptabilité aurait pu parvenir aux mêmes résultats en utilisant une convention des couleurs plutôt que celle des débits et des crédits. Ainsi, il suggère que les soldes des comptes de l'actif soient bleus et que les soldes des comptes de passif et d'avoir du propriétaire soient rouges. Que pensez-vous de la suggestion de votre confrère ?

2. Pourquoi les comptes d'actif sont-ils débiteurs alors que les comptes de passif et d'avoir des propriétaires sont créditeurs ?

3. Quelle est la signification des mots *débit* et *crédit* ?

4. Quelle fonction remplissent les comptes du grand livre général dans le processus de création d'une information comptable utile ? Expliquez.

5. Établissez un parallèle entre l'utilité de la classification des plantes en botanique et l'utilité de la classification des opérations en comptabilité.

6. Pourquoi vaut-il mieux établir périodiquement une balance de vérification ?

7. Pourquoi la balance de vérification précède-t-elle la rédaction du bilan dans la séquence logique du cycle comptable ?

8. Une balance de vérification qui montre un équilibre entre la somme des comptes débiteurs et des comptes créditeurs constitue-t-elle la preuve définitive qu'aucune erreur n'a été commise ? Sinon, quelles sont les erreurs qui pourraient échapper à ce mode de vérification ?

9. Expliquez, par des exemples, les lacunes que vient combler le journal général par rapport à un système où on utiliserait seulement un grand livre ?

10. Pourquoi un journal général seul est-il insuffisant pour créer une information ?

11. Une référence réciproque est maintenue entre le grand livre général et le journal général. Quelle est l'utilité de cette méthode ?

12. Le report du journal général au grand livre général doit-il nécessairement se faire tous les jours ?

13. Quand on constate que la balance de vérification est en déséquilibre, quelle démarche logique doit-on suivre pour retracer les erreurs sans risquer de travailler inutilement ?

14. Une des tâches importantes d'un système d'information comptable consiste à faire en sorte qu'une masse considérable de données brutes (fournies par les documents commerciaux par exemple) puisse être exprimée dans des états financiers de façon à la fois succincte et raisonnablement compréhensible par tous les utilisateurs. Décrivez ces fonctions ou opérations du système comptable, les registres qui servent à ces fonctions et quelques principes nécessaires à une exécution adéquate de celles-ci.

15. Dans un cours portant sur les registres comptables, un étudiant, M. Plantain, émet l'opinion qu'il serait plus simple et moins long d'inscrire directement les transactions dans les comptes du grand livre général plutôt que de les inscrire d'abord au journal général puis de les reporter ensuite au grand livre général. Une étudiante, Madame Meilleure, n'est pas d'accord car, dit-elle, ce traitement ne serait pas conforme à la comptabilité en partie double puisque chaque opération ne serait inscrite qu'une fois.

    Que pensez-vous de ces deux opinions ?

16. Une entreprise a encaissé une somme de 10 000 $. Cette opération a entraîné l'écriture suivante dans les livres de l'entreprise :

	Débit	Crédit
Encaisse	10 000	
Clients		10 000

Toutefois, en examinant le relevé que votre banque vous fait parvenir régulièrement, vous notez qu'elle a crédité votre compte de 10 000 $. Vous remarquez que tous les dépôts sont portés au crédit tandis que les retraits sont portés au débit. Pourquoi en est-il ainsi ?

17. En examinant le plan comptable de deux de vos nouveaux clients, vous remarquez que, pour comptabiliser les frais de bureau, le premier n'utilise qu'un seul compte, intitulé Frais de bureau, alors que le deuxième en utilise plusieurs.

   Voici une liste partielle de ces comptes :

   Salaire — Employés de bureau
   Photocopies
   Téléphone
   Fournitures et papeterie
   Amortissement — Matériel de bureau
   Loyer — Espace administratif.

   Quels avantages voyez-vous à cette deuxième façon de faire. La conseilleriez-vous à tous vos clients ?

18. Énumérez toutes les phases du cycle comptable tel qu'il apparaît au stade actuel de vos études.

19. Vous établissez le plan comptable d'un nouveau client et vous désirez lui suggérer un code composé de trois chiffres pour numéroter ses comptes. Choisissez les numéros que vous donnerez à chaque compte. Ne serait-il pas souhaitable de consulter *Revenu Canada* ou *Statistique Canada* afin d'avoir les mêmes numéros que les autres entreprises ?

20. Dans certaines entreprises, le grand livre général comprend de nombreux comptes alors que le bilan et les autres états financiers ne contiennent que quelques postes. Comment expliquer ce phénomène ?

3.21 PROBLÈMES
Groupe A

PROBLÈME 1 — LE PHARE DE CAP BROUILLARD
            ANALYSE DES OPÉRATIONS ET INSCRIPTION
            DANS LES COMPTES

La petite ville de Cap Brouillard n'avait pas encore de journal jusqu'à ce que Charles Léger fonde Le Phare de Cap Brouillard ltée, une Société par actions dont l'objet est la publication du journal *Le Phare de Cap Brouillard*. Voici les transactions qui ont eu lieu en janvier 19X6, mois consacré à l'organisation de la Société.

3 janvier   Charles Léger dépose 90 000 $ dans le compte en banque de la Société en échange de 9000 actions.

6 janvier   Après avoir cherché en vain à louer un espace, il fait l'acquisition d'un terrain et d'un bâtiment pour la somme de 50 000 $.
Le terrain est évalué à 5000 $. Un versement comptant de 10 000 $ était requis. Le solde a été financé par la prise en charge de l'emprunt hypothécaire de l'ancien propriétaire. Le premier versement de 5000 $ est exigible le 31 décembre 19X6.

12 janvier   Acquisition d'équipement destiné à l'impression du journal. Le coût est de 20 000 $, payé comptant.

15 janvier   Deux commerçants versent chacun 500 $ afin de réserver des pages de publicité dans la première édition prévue pour le 7 février 19X6.

20 janvier   Achat d'un camion de livraison usagé de 11 000 $. La somme est payable dans 60 jours. Un billet fut signé.

25 janvier   Réception d'une commande de papier journal effectuée au début de janvier. La facture s'élève à 5000 $ et est payable dans 30 jours.

30 janvier   Achat comptant de 7000 $ de mobilier de bureau.

31 janvier   Embauchage de trois employés ; ils toucheront chacun un salaire annuel de 15 000 $.

Voici les noms et les numéros de comptes utilisés par l'entreprise :

100	Caisse	220	Terrain
120	Stock de papier journal	400	Fournisseurs
200	Camion	410	Billet à payer
205	Équipement	420	Revenus reçus d'avance
210	Mobilier	500	Emprunt hypothécaire
215	Bâtiment	600	Capital-actions

Travail à faire

a) Analysez, par écrit, les transactions de la façon suivante, pour un emprunt bancaire de 5000 $:

   1) l'actif Caisse augmente. Les augmentations d'actif s'enregistrent par un débit. Débit au compte Caisse ;

   2) le passif Emprunt bancaire augmente. Les augmentations de passif s'enregistrent par un crédit. Crédit au compte Emprunt bancaire.

b) Après cette analyse, enregistrez ces opérations dans des comptes en utilisant la forme élaborée des comptes.

c) Rédigez un bilan au 31 janvier 19X6 après avoir fait une balance de vérification. Il n'est pas nécessaire de l'inclure dans la solution.

PROBLÈME 2 — MULTIART LTÉE
ANALYSE DES OPÉRATIONS ET INSCRIPTION DANS LES COMPTES

Le 1er juin 19X6, Mmes Nathalie Bernier et Lucie Renoir s'associent dans le but d'ouvrir un magasin de vente au détail d'œuvres d'art ; la raison sociale de la Société est Multiart ltée. Les transactions suivantes ont été effectuées durant le mois de juin, lequel a été consacré à l'organisation du commerce. Voici des comptes qui font partie du plan comptable de l'entreprise :

Titre	Numéro	Titre	Numéro
Caisse	100	Équipement de magasin	220
Clients	110	Founisseurs	310
Stocks de marchandises	120	Revenus reçus d'avance	380
Terrain	200	Billet à payer	400
Bâtiment	210	Capital-actions	500

1er juin   Nathalie Bernier reçoit 2500 actions et Lucie Renoir 2000 actions, après avoir versé respectivement 25 000 $ et 20 000 $ à la Société.

5 juin   Acquisition d'un terrain et d'un bâtiment pour la somme de 27 000 $, dont 20 000 $ sont attribués au bâtiment et 7000 $ au terrain. La somme de 10 000 $ est versée comptant et un billet de 17 000 $, payable dans 5 ans, est signé.

8 juin   Achat comptant de 8000 $ d'équipement de magasin (comptoirs, mobilier, etc.).

13 juin   Achat à crédit de 18 000 $ d'œuvres d'art. Ce stock est destiné à être vendu à partir du 1er juillet, date de l'ouverture officielle de Multiart ltée.

20 juin   Encaissement d'une somme de 2000 $ provenant d'un artiste-peintre qui désire organiser un vernissage et une exposition de ses œuvres en juillet, dans une partie du local de Multiart ltée.

25 juin   Réception d'une note de crédit de 650 $, à la suite du retour des sculptures achetées le 13 juin. Les œuvres avaient été endommagées dans le transport.

30 juin   Vente à crédit d'une partie du terrain. Le terrain acquis le 5 juin étant trop grand, la moitié a été vendue au prix coûtant, soit 3500 $. Le compte vient à échéance le 1er décembre 19X6.

30 juin   Paiement d'un montant de 6000 $ pour l'un des achats effectués à crédit le 13 juin.

Travail à faire

a) Enregistrez ces transactions au grand livre général.

b) Pour ce faire, analysez les transactions mentalement, de la façon suivante, pour une émission d'actions de 10 000 $;

    1) l'actif Caisse augmente. Les augmentations d'actif s'enregistrent par un débit. Débit au compte Caisse, 10 000 $;

    2) le capital-actions augmente. Les augmentations de l'avoir des actionnaires s'enregistrent par un crédit. Crédit au compte Capital-actions, 10 000 $.

c) Rédigez le bilan au 30 juin 19X6 après avoir fait une balance de vérification. Ce n'est pas nécessaire de l'inclure dans la solution.

PROBLÈME 3 — LA FRANCHISE MALOUIN ENR.
CYCLE COMPTABLE AVEC JOURNAL GÉNÉRAL ET GRAND LIVRE GÉNÉRAL

M. Paul Malouin a été très heureux d'apprendre, après deux ans d'attente, qu'un gros franchiseur spécialisé dans la restauration rapide venait de lui accorder une franchise. Les transactions suivantes ont eu lieu au mois de juin ;

1er juin   M. Malouin verse 50 000 $ comptant comme droit d'entrée au système de franchise. Pour sa part, le franchiseur consacrera 10 000 $ à la publicité en prévision du lancement qui aura lieu le 10 juin. En versant un montant de 40 000 $, M. Malouin acquiert le droit de participer aux avantages de la franchise tels que les achats en commun, la formation du personnel, les services administratifs, l'utilisation des marques de commerce, le territoire réservé, etc. La franchise a une durée de quinze ans. Monsieur Malouin devra également verser des droits périodiques dont le montant s'élève à 2 % des ventes brutes.

3 juin   Le franchiseur a agi comme constructeur du restaurant et comme bailleur de fonds. M. Malouin doit maintenant devenir propriétaire. Il signe un contrat hypothécaire qui couvre le bâtiment pour 100 000 $ et le terrain pour 20 000 $; il signe également un billet à court terme de 18 000 $ pour l'équipement et le mobilier qui ont coûté respectivement 10 000 $ et 8000 $. Il ne peut modifier la bâtisse ou l'équipement sans l'autorisation du franchiseur, qui désire préserver la qualité et l'uniformité des installations.

5 juin   M. Malouin achète 10 000 $ de marchandises chez un fournisseur désigné par l'intermédiaire du système de franchise ; la facture est payable dans 30 jours.

8 juin   M. Malouin dépose 10 000 $ au compte en banque de l'entreprise pour acquitter les obligations courantes.

Travail à faire

a) Enregistrez ces transactions sous forme d'écritures de journal.

b) Reportez-les au grand livre général.

c) Préparez une balance de vérification au 10 juin 19X6, mais sans la rédiger formellement dans la solution.

d) Rédigez le bilan d'ouverture au 10 juin 19X6.

PROBLÈME 4 — COIFFEUSE LIPO INC.
CYCLE COMPTABLE AVEC JOURNAL GÉNÉRAL ET GRAND LIVRE GÉNÉRAL

Le 1er janvier 19X4, Martine Lauzon, coiffeuse de son métier, fonde sa propre entreprise : Coiffeuse Lipo inc. Elle se spécialisera dans la coiffure pour gens âgés et se rendra au domicile de ses clients.

Voici les intitulés des comptes du grand livre général avec leur folio :

Encaisse	05	Emprunt bancaire	50
Comptes-clients	10	Comptes-fournisseurs	55
Charge payée d'avance	20	Produits reçus d'avance	60
Automobile	30	Emprunt sur automobile	70
Appareils et instruments	35	Capital-actions ordinaires	80

Madame Lauzon a effectué les opérations suivantes :

3 janvier   Émission, au comptant, d'actions ordinaires pour un montant de 2500 $.

5 janvier   Achat d'une automobile de 9500 $. Coiffeuse Lipo inc. a versé 500 $ comptant et le solde est remboursable sans intérêt, à raison de 3000 $ par an à compter du 1er janvier 19X5. Le vendeur de l'automobile accorde ce financement.

10 janvier   Emprunt bancaire de 4000 $ payable sur demande.

15 janvier   Achat à crédit d'appareils et d'instruments pour un montant de 3100 $. Cet achat est payable d'ici un mois.

18 janvier   La résidence Kilou limitée verse à l'avance 500 $ pour des coupes de cheveux à être effectuées au mois de février 19X4.

20 janvier   Madame Lauzon réalise qu'elle a acheté beaucoup trop d'appareils et elle en vend, à crédit et à leur coût, pour 800 $.

25 janvier   Paiement d'une prime d'assurance de 700 $ couvrant une période d'un an et entrant en vigueur le 1er février 19X4.

31 janvier   Versement de 900 $ sur l'achat effectué le 15 janvier dernier.

Travail à faire

a) Passez les écritures de journal pour inscrire les opérations effectuées au mois de janvier 19X4.

b) Reportez les écritures de journal dans les comptes du grand livre général. Comptes en T.

c) Dressez, en bonne et due forme, un bilan de la Société au 31 janvier 19X4. Ne tenez pas compte de l'amortissement possible des actifs à long terme.

PROBLÈME 5 — LOUROULE LTÉE
CYCLE COMPTABLE AVEC JOURNAL GÉNÉRAL ET GRAND LIVRE GÉNÉRAL

Pierre Sauvé et Arthur Tremblay, deux des meilleurs représentants d'un grand concessionnaire d'automobiles, quittent leur emploi le 1er septembre 19X4 pour acheter une entreprise de location de voitures. La société a comme raison sociale : Louroule ltée. Le 2 septembre, la transaction se concrétise et Pierre Sauvé achète 5000 actions contre un versement de 50 000 $; quant à Arthur Tremblay, il en acquiert 6000 en versant 60 000 $. À cette date, la juste valeur des actifs nets corporels de Louroule ltée s'élève à 102 000 $ et se détaille ainsi :

Clients	2 000 $
Matériel roulant	210 000
Équipement de bureau	5 000
Fournisseurs	(7 000)
Billet à payer le 1er décembre	(108 000)
	102 000 $

Le prix payé excède la valeur marchande de l'entreprise à cause de la présence d'un achalandage.

Le 5 septembre, les actionnaires actuels intéressent un mécanicien expérimenté qui sera responsable de l'entretien de la flotte de véhicules. Ce troisième actionnaire apporte 45 000 $ en échange de 5000 nouvelles actions votantes.

Avant septembre 19X4, Louroule ltée louait son terrain de stationnement de même que ses espaces de bureaux. Les baux viennent à échéance et devant les conditions inacceptables exigées pour le renouvellement, les actionnaires décident d'acquérir un terrain et un immeuble. Les activités sont suspendues durant le mois de septembre. Le 15 septembre, on acquiert un immeuble et un terrain pour la somme de 170 000 $. Un montant de 20 000 $ est versé comptant et un financement hypothécaire est négocié pour le solde. Le terrain est estimé à 120 000 $.

Une partie du local est consacrée à la réparation des voitures. De l'équipement et de l'outillage sont achetés pour l'atelier de réparation. La facture s'élève à 10 000 $ et est payable dans 30 jours.

Après avoir reçu des soumissions pour l'achat de cinq voitures neuves, les actionnaires acceptent celle dont le montant s'élève à 32 000 $. Un billet est signé le 29 septembre et vient à échéance dans 90 jours. Ces voitures sont destinées à la location.

Le 30 septembre, la société Edam ltée signe un contrat avec Louroule ltée pour la location à long terme de trois voitures, à partir d'octobre 19X4. Un dépôt de 1000 $ est fait et doit couvrir les premiers mois d'usage.

Travail à faire

En considérant que les actionnaires désirent ouvrir de nouveaux registres comptables :

a) Enregistrez ces transactions au journal général.

b) Classifiez-les dans des comptes au grand livre.

c) Établissez la balance de vérification au 30 septembre 19X4, sans la rédiger formellement.

d) Rédigez le bilan au 30 septembre 19X4.

L'entreprise utilise le plan comptable suivant :

Banque	100	Terrain	240
Comptes-clients	110	Achalandage	270
Matériel roulant	210	Comptes-fournisseurs	300
Équipement et outillage d'entretien	215	Billet à payer	310
Équipement de bureau	225	Produits reçus d'avance	360
Immeuble	230	Emprunt hypothécaire	400
		Capital-actions	500

PROBLÈME 6 — OLIFRUIT INC.
CYCLE COMPTABLE AVEC JOURNAL GÉNÉRAL ET GRAND LIVRE GÉNÉRAL. ÉCRITURES DE CORRECTION À ENREGISTRER

Voici les soldes des comptes d'Olifruit inc. après un an d'activité, c'est-à-dire au 30 avril 19X2. Ce commerce, détenu par Lucie et Marie Lacasse ainsi que Paul Toutant, est spécialisé dans la vente de fruits et légumes en gros et au détail.

100	Encaisse	56 000 $
105	Valeurs négociables	0
110	Comptes-clients	12 000
120	Stock de marchandises	22 000
200	Terrain	23 000
205	Immeuble	50 000
210	Équipement de magasin	17 000
300	Comptes-fournisseurs	18 000
400	Emprunt hypothécaire	52 000
500	Capital-actions	80 000
600	Bénéfices non répartis	30 000

Les trois actionnaires, qui s'occupent de la gérance du magasin, avaient confié la comptabilité de leur commerce à M. Onésime Boyer, leur cousin qui vient de prendre sa retraite. M. Boyer est rapidement parti pour la Floride et son successeur M. Aldo Siey retrouve les faits suivants :

1. Deux clients ont payé leur compte le 3 juin, mais aucun enregistrement n'a été effectué. Le montant total s'élève à 1100 $ et a été déposé normalement.

2. Un chèque de 5970 $, fait le 5 juillet à un fournisseur, a été comptabilisé à 9750 $.

3. Une vérification du registre des actionnaires indique qu'un quatrième actionnaire s'est joint à l'entreprise en se portant acquéreur de 1000 actions à 10 $ chacune, le 10 août.

4. Le 30 septembre, la banque a débité le compte d'Olifruit inc. d'un montant de 12 000 $ qui constitue un remboursement partiel de l'emprunt hypothécaire. Le débit direct au compte en banque de la Société n'a pas été relevé par M. Boyer. Un autre remboursement semblable doit être effectué l'année suivante.

5. Une facture de 1000 $ concernant la réception de fruits a entraîné un débit au compte Équipement de magasin.

6. On a acheté 1000 actions de Bell Canada à titre de placement temporaire, le 10 avril 19X2. Le coût de ces actions s'élevait à 20 000 $. Aucun enregistrement n'a été fait.

Travail à faire

a) Ouvrez des comptes de grand livre et inscrivez-y les soldes existant au 30 avril 19X2.

b) Rectifiez la situation par des enregistrements au journal général. Ces enregistrements peuvent être datés du 30 avril 19X2.

c) Classez ces montants dans les comptes du grand livre.

d) Rédigez le bilan correct au 30 avril 19X2.

PROBLÈME 7 — INFORMATIQUE ALPO INC.
CYCLE COMPTABLE AVEC JOURNAL GÉNÉRAL ET GRAND LIVRE GÉNÉRAL

Le 1er octobre 19X4, Madame Alice Pomerleau lançait une nouvelle entreprise, Informatique Alpo inc., dont l'objet principal est de fournir des services en informatique. Au cours du mois d'octobre, qui fut consacré à l'établissement de l'entreprise, la Société a effectué les opérations financières suivantes :

1er octobre   Mise de fonds initale de 37 000 $ déposée dans le compte en banque de la Société. Madame Pomerleau reçoit 3700 actions ordinaires de la Société.

4	octobre	Achat d'un terrain et d'un immeuble, coûtant respectivement 20 000 $ et 75 000 $, moyennant un versement comptant de 15 000 $ et le solde financé par un emprunt hypothécaire payable en 40 ans.
9	octobre	Achat d'une automobile de 12 500 $, moyennant un versement comptant de 5000 $ et le solde payable dans les 30 prochains jours.
12	octobre	Emprunt bancaire de 12 000 $, payable sur demande.
13	octobre	L'entreprise achète au comptant un stock de fournitures de réparations d'ordinateurs pour un montant de 1800 $.
15	octobre	Achat pour 23 000 $ de mobilier de bureau, dont 11 000 $ versés comptant et le solde payable au cours du prochain mois.
18	octobre	Vente, au prix coûtant, du quart du terrain acheté le 4 octobre, moyennant un accord prévoyant le règlement total du prix de vente dans les 30 prochains jours.
20	octobre	La Société perçoit à l'avance un montant de 4500 $, d'un client renommé, pour des services à rendre au cours des douze prochains mois à compter du 1er novembre 19X4.
23	octobre	Versement de 2500 $ en règlement partiel de la dette contractée le 9 octobre.
25	octobre	Recouvrement d'une somme de 500 $ de l'entreprise à laquelle une partie du terrain a été vendue le 18 octobre.
27	octobre	Réception et paiement d'une facture de 3600 $ concernant la prime d'assurance générale de l'entreprise, couvrant les douze prochains mois, à compter du 15 novembre prochain.
31	octobre	La Société investit 12 000 $ dans des Obligations d'épargne du Québec, remboursables sur demande, et des actions ordinaires des sociétés par actions Québecor inc., Provigo inc. et la Banque Nationale du Canada.

Voici les titres des comptes du grand livre général que vous utiliserez et leur folio :

Encaisse	01	Immeuble	40
Titres négociables	05	Terrain	45
Clients	10	Emprunt bancaire	50
Stock de fournitures	15	Fournisseurs	55
Charges payées d'avance	20	Produits reçus d'avance	60
Matériel roulant	30	Emprunt hypothécaire	70
Mobilier de bureau	35	Capital-actions ordinaires	85

Travail à faire

a) Passez les écritures de journal pour inscrire les transactions financières effectuées au mois d'octobre 19X4.

b) Reportez les écritures de journal dans les comptes du grand livre général.

c) Dressez un bilan, en bonne et due forme, au 31 octobre 19X4 après avoir vérifié l'équilibre des comptes.

PROBLÈME 8 — LE SPÉCIALISTE DU RÉTRO LTÉE
CYCLE COMPTABLE AVEC JOURNAL GÉNÉRAL ET GRAND LIVRE GÉNÉRAL

Le Spécialiste du rétro ltée est une entreprise dont l'objet commercial est la reproduction de meubles de style. Elle a été fondée par dix actionnaires qui y travaillent eux-mêmes. Voici les transactions effectuées lors de l'organisation de la société par actions :

1er mars   Émission de 10 000 actions votantes en contrepartie de 60 000 $.

3 mars   Les administrateurs négocient une marge de crédit à la banque. La banque accorde une marge de 20 000 $ à la condition d'obtenir un cautionnement personnel des administrateurs. Le taux d'intérêt sera de 2 % supérieur au taux préférentiel (*prime rate*) qui prévaudra au moment de l'utilisation de la marge de crédit.

5 mars   On acquiert un terrain de 30 000 $ et un bâtiment de 120 000 $. Un contrat hypothécaire de 110 000 $ est signé.

7 mars   L'entreprise achète pour 125 000 $ de machinerie. Un contrat de vente conditionnelle est signé. En vertu de ce contrat, l'acheteur ne deviendra propriétaire qu'à partir du moment où la somme aura été complètement payée. Les paiements sont échelonnés sur deux ans.

8 mars   Achat de 32 000 $ de matières premières destinées à la fabrication des meubles. La facture est payable dans 30 jours.

9 mars   Réception d'une facture de 8000 $ pour le matériel de bureau. Le vendeur consent un crédit de trois mois.

15 mars   Réception d'une facture de 500 $, payable dans 30 jours, pour des fournitures de bureau.

20 mars   Achat d'une automobile destinée à un représentant. Le coût est de 12 000 $, payable dans 30 jours.

8 avril   Le Spécialiste du rétro ltée doit régler la facture de 32 000 $ du 8 mars. La Société utilise sa marge de crédit pour un montant de 12 000 $. Les administrateurs avaient signé des billets promissoires en blanc, à la banque, ce qui a permis à celle-ci de verser immédiatement le montant de 12 000 $ dans le compte de l'entreprise. Le chèque de 32 000 $ a donc pu être honoré.

20 avril   À cause des retards survenus dans l'organisation de la production, l'entreprise n'a pas encore commencé ses activités commerciales. Elle doit maintenant ver-

ser 12 000 $ pour l'achat de l'automobile. Les administrateurs désirent utiliser la marge de crédit bancaire qui leur reste. Pour le solde, ils obtiennent un emprunt bancaire en cédant à la banque, par convention, les stocks de matières premières en vertu de l'article 88 de la Loi sur les banques. Il s'agit en quelque sorte d'une marge de crédit additionnelle consentie par la banque.

30 avril Les actionnaires actuels réussissent à intéresser un particulier à l'acquisition de 2000 actions supplémentaires au coût de 12 000 $.

Travail à faire

a) Enregistrez les transactions précédentes au journal général.

b) Classez-les ensuite au grand livre général.

c) Établissez une balance de vérification au 30 avril 19X1, sans la rédiger formellement.

d) Rédigez le bilan au 30 avril 19X1.

Le plan comptable utilisé est le suivant :

100	Caisse	215	Bâtiment
105	Stock de matières premières	220	Terrain
110	Fournitures de bureau	300	Comptes-fournisseurs
200	Matériel roulant	305	Emprunt bancaire
205	Machinerie	400	Emprunt hypothécaire
210	Matériel de bureau	500	Capital-actions

Groupe B

PROBLÈME 1 — LES MEUBLES D'HIER LTÉE
ANALYSE DES OPÉRATIONS ET INSCRIPTION
DANS LES COMPTES

Profitant de la hausse dans la demande de meubles grâce à l'abolition de la taxe de vente, M. Stanislas Laramée décide, en octobre 19X6, de se lancer dans la fabrication de meubles québécois. Comme il fabriquait de ces meubles à mi-temps depuis plusieurs années déjà, il possède un outillage important.

1er octobre M. Laramée fonde l'entreprise Les Meubles d'hier ltée. Il reçoit 3000 actions en échange de son stock d'outillage et de bois et d'un montant d'argent de 50 000 $ qu'il verse au compte en banque de l'entreprise. Voici le détail précis des biens apportés :

Stock de bois	3 000 $
Outillage	7 000
Équipement	15 000
Argent comptant	50 000
	75 000 $

2 octobre L'entreprise loue un atelier. Un bail de 10 ans est signé. Le loyer doit être payé un an d'avance ; par contre, les trois premiers mois sont gratuits à cause de la durée du bail. Le débours est de 9000 $ pour 9 mois.

5 octobre L'entreprise fait l'acquisition d'une scie radiale de 2000 $. La facture est payable dans 30 jours.

10 octobre Un fournisseur américain propose à Meubles d'hier ltée un stock de bois de chêne très intéressant. Le stock est important puisque la facture s'élève à 25 000 $ US. M. Laramée accepte. Il est conscient toutefois que la facture est payable dans 30 jours en dollars américains, ce qui représente un montant plus important, étant donné qu'à cette date le dollar canadien vaut 0,85 dollar américain.

15 octobre L'entreprise reçoit une commande de 20 armoires québécoises avec panneaux à pointes de diamant, d'inspiration Louis XIII. Comme c'est l'usage pour une commande particulière, un dépôt est reçu ; il s'élève à 5000 $. La production commencera en novembre.

20 octobre Deux jeunes ébénistes sont embauchés au salaire annuel de 25 000 $. Ils débuteront le 1er novembre.

25 octobre Réception d'une facture de 2000 $ pour l'impression de 1000 exemplaires d'un dépliant publicitaire en couleur illustrant la gamme des meubles fabriqués par Meubles d'hier ltée.

30 octobre Un des ébénistes est intéressé à devenir actionnaire dans l'affaire. Il veut acheter 1000 actions à 25 $ chacune. Il verserait 2000 $ comptant et demanderait que le solde soit déduit de sa paie au rythme de 500 $ par mois. Étant donné la compétence de cet ébéniste, M. Laramée, qui était le seul actionnaire jusque-là, accepte la proposition et l'entreprise émet 1000 actions supplémentaires.

31 octobre Étant donné que des débours importants devront bientôt être faits, l'entreprise emprunte 20 000 $ remboursables par versements annuels selon le tableau suivant :

DATE	VERSEMENT	PRINCIPAL	INTÉRÊTS	SOLDE
31 octobre 19X6	—	—	—	20 000 $
31 octobre 19X7	2 550 $	550 $	2 000 $	19 450
31 octobre 19X8	2 550	605	1 945	18 845
31 octobre 19X9	2 550	665	1 885	18 180

Travail à faire

a) Analysez, par écrit, chacune des transactions selon le mode suivant. Ainsi, pour le paiement d'un compte-fournisseur :

1) Fournisseurs est un passif. La diminution d'un passif s'enregistre par un débit. Débit à Fournisseurs ;

2) Banque est un actif. La diminution d'un actif s'enregistre par un crédit. Crédit au compte Banque.

b) Classez-les dans des comptes en utilisant la forme élaborée des comptes.

c) Préparez un bilan en bonne et due forme au 31 octobre 19X6.

L'entreprise utilise la plan comptable suivant :

100	Banque	210	Équipement
120	À recevoir d'un actionnaire	300	Comptes-fournisseurs
130	Stock de bois	320	Emprunt bancaire
140	Charges payées d'avance	330	Produits d'exploitation reçus
150	Stock de fournitures publicitaires		d'avance
200	Outillage	500	Capital-actions

PROBLÈME 2 — ÉCONSULT LTÉE
UTILISATION DU JOURNAL GÉNÉRAL

Éconsult ltée est un bureau de consultants spécialisés dans les questions financières et administratives. Voici les transactions du mois d'avril, au cours duquel l'entreprise a été organisée :

1er avril MM. Yvon Dallaire et Pierre Limer investissent chacun 30 000 $ en échange de 3000 actions votantes.

3 avril Dépôt de 1000 $ à la signature d'un bail de cinq ans pour les espaces de bureau. Le premier mois est gratuit.

10 avril Achat de 7000 $ de mobilier de bureau. Un billet est signé, payable dans trois (3) mois.

12 avril Achat comptant de 1000 $ de fournitures de bureau.

15 avril Achat d'un petit ordinateur de 17 000 $. Celui-ci devra être payé dans six mois. Un billet a été signé.

19 avril Achat de deux automobiles de 12 000 $ chacune, payées comptant.

25 avril Une agence de développement international verse 2000 $ afin de réserver les services des deux consultants pour l'administration d'un projet dans un pays éloigné.

30   avril   Achat de 1000 $ de livres, payé comptant, destinés à la bibliothèque du bureau. On désire maintenir un compte séparé pour la bibliothèque.

Travail à faire

a) Enregistrez les transactions au journal général.

b) Reportez-les au grand livre général.

c) Prenez une balance de vérification au 30 avril 19X6, sans la rédiger formellement.

d) Rédigez le bilan au 30 avril 19X6.

PROBLÈME 3 — *LE CAFÉ RIMBAUD LTÉE*
UTILISATION DU JOURNAL GÉNÉRAL

Depuis deux ans, Donald Bertrand et Nicole Clémenceau travaillent à mi-temps dans un restaurant pour payer leurs études. Depuis un mois, le propriétaire du restaurant *Le Café Rimbaud ltée* parle de se retirer et affirme qu'il céderait les 5000 actions de son commerce contre la somme globale de 50 000 $, dont 25 000 $ payés comptant. Considérant que l'occasion est exceptionnelle, Donald Bertrand serait prêt à acquérir 2000 actions à condition que Nicole Clémenceau en acquière elle-même 1500 et que le chef cuisinier, M. Henri Bernard, s'intéresse dans l'entreprise et achète les 1500 actions restantes.

Donald et Nicole empruntent les sommes nécessaires et, le 1er mai 19X3, les actions changent de mains. Voici la juste valeur marchande des biens acquis ainsi que les dettes à assumer :

Mobilier de restaurant	15 000 $
Équipement de cuisine	25 000
Permis de bar	2 000
Stock de marchandises	5 000
Améliorations locatives	3 000
Achalandage	10 000
Comptes-fournisseurs	(10 000)
	50 000 $

Le Café Rimbaud ltée loue une ancienne maison de chambres, d'où le solde au compte Améliorations locatives. Le bail vient à échéance le 1er mai et le propriétaire augmente le loyer de 10 %. Après discussion, un contrat de 10 ans est signé. Le loyer de mai est accordé gratuitement, mais une somme de 3000 $ est versée pour les loyers de juin, juillet et août. Le propriétaire du Café Rimbaud exige le paiement d'une somme de 10 000 $ supérieure à la juste valeur nette des actifs identifiables de son commerce parce qu'il estime qu'un « achalandage » a été développé au cours des années et que l'établissement jouit maintenant d'une clientèle fidèle et régulière.

Dès le 1er mai, les actionnaires gestionnaires décident de fermer le restaurant pour tout le mois afin de procéder à des rénovations. En quête de financement, ils réussissent, le 10 mai, à emprunter 10 000 $ à la banque, après avoir émis, le 8 mai, 2000 actions supplémentaires à 10,50 $ chacune au père de Donald Bertrand.

Le 20 mai, les rénovations sont terminées. Le détail des factures indique que 5000 $ ont été consacrés à l'équipement de cuisine, 2000 $ au mobilier, tandis que 2500 $ ont permis d'installer une terrasse attenante au restaurant. Ces factures sont payables dans 30 jours.

Le 22 mai, le chef cuisinier décide de se retirer de l'affaire après avoir reçu une offre ailleurs. Son remplaçant consent à se porter acquéreur de ses 1500 actions au coût de 9 $ chacune.

Le 25 mai, un espace inutilisé, situé au deuxième étage de l'immeuble, est sous-loué à un chambreur. Celui-ci verse 100 $ pour son loyer de juin.

Le 28 mai, M. Gérard Beuvion, un bon client, se présente et paie son compte de bar qui atteint 1000 $. Après une discussion avec l'ancien propriétaire, Donald Bertrand réussit à lui faire admettre que cette somme faisait partie des actifs acquis lors de l'achat du commerce. On décide de réviser le montant de l'achalandage en conséquence.

Le 29 mai, on reçoit une facture de 1500 $ pour des stocks de boissons alcoolisées commandés et reçus au cours du mois.

Le 31 mai, un dépôt de 200 $ est versé au principal fournisseur de produits alimentaires pour rétablir, en juin, la livraison de marchandises qui avait été interrompue en mai.

Travail à faire

Considérant que les nouveaux propriétaires désirent ouvrir de nouveaux registres comptables :

a) Enregistrez ces transactions au journal général.

b) Classifiez-les dans des comptes au grand livre.

c) Rédigez le bilan au 31 mai 19X3.

PROBLÈME 4 — RÉPARATEUR LEMÉH LTÉE
UTILISATION DU JOURNAL GÉNÉRAL

Monsieur Lucien Leméh fonde, en novembre 19X3, une entreprise dont l'objet commercial est la réparation d'appareils électroménagers. Trop occupé, durant le mois de novembre, à mettre son entreprise sur pied, il n'a pas recours à un service de tenue de livres et fonctionne en notant les recettes et les débours dans un registre qu'il appelle son livre de bord. Voici ces renseignements :

RÉPARATEUR LEMÉH LTÉE
Recettes et débours
pour le mois de novembre 19X3

RECETTES

Date		
1er novembre	Émission de 1000 actions	30 000 $
10 novembre	Contrat de service	3 000
29 novembre	Emprunt bancaire	10 000
30 novembre	Émission supplémentaire d'actions (fusion)	15 000
30 novembre	Loyer	500
		58 500 $

DÉBOURS

Date		
2 novembre	Versement comptant sur l'atelier	5 000 $
4 novembre	Achat d'équipement	10 000
7 novembre	Prime d'assurance	3 000
15 novembre	Achat d'un camion	12 000
18 novembre	Paiement au journal régional	500
		30 500 $

2 novembre   L'entreprise acquiert un immeuble et un terrain pour 50 000 $. L'atelier sera installé dans cet immeuble évalué à 40 000 $. Toutefois, M. Leméh y installera également son appartement dès le 30 novembre. Cette même date, il a payé d'avance son loyer de décembre. Un emprunt hypothécaire a été fait pour l'atelier, dont une partie du montant n'a pas été payé comptant.

4 novembre   La Société reçoit 20 000 $ d'équipement. Un versement comptant est immédiatement effectué et un billet est signé pour le solde. Ce billet est payable dans 120 jours.

7 novembre   M. Leméh souscrit une police d'assurance incendie, vol et responsabilité. La protection est de 3 ans et est effective à partir de décembre 19X3.

10 novembre   Le président de Laroche électrique ltée prend contact avec M. Leméh. Son entreprise fabrique et vend des robots culinaires. Quand il y en a de défectueux, Laroche électrique ltée a pour politique de dépêcher immédiatement un réparateur auprès du consommateur. Étant donné la qualité et la rapidité du service exigé, M. Leméh demande un dépôt immédiat de 3000 $, déductible du montant des réparations futures.

18 novembre   Un versement de 500 $ est fait au journal régional afin de réserver un espace publicitaire pour les trois prochains mois, à partir de décembre.

29 novembre   Un emprunt bancaire remboursable dans 6 mois est conclu.

30 novembre   M. Leméh prend contact avec son unique concurrent dans la région afin d'acheter son entreprise. Celui-ci, connaissant l'excellente réputation de M. Leméh, n'a vraiment d'autre choix que d'accepter une fusion des entreprises. La fusion s'effectue ainsi : le concurrent reçoit 999 actions de Réparateur Leméh ltée en échange de tous les biens de son entreprise, dont voici le détail :

Caisse	15 000 $
Équipement à la juste valeur marchande	12 000
Camion à la juste valeur marchande	3 000
Stocks de fournitures de réparation	2 000
Achalandage	1 000
Billet à payer	(3 000)
	30 000 $

Le montant de 15 000 $ reçu apparaît dans l'état des recettes et débours du mois de novembre à titre d'émission supplémentaire d'actions.

Travail à faire

Établissez un système comptable avec journal général et grand livre.

a) Enregistrez ces transactions telles qu'elles auraient dû être inscrites en novembre 19X3.

b) Classez-les en les reportant au grand livre des comptes.

c) Rédigez le bilan au 30 novembre 19X3.

PROBLÈME 5 — LE CLUB DE GOLF DE SAINT-CLIN
CYCLE COMPTABLE AVEC JOURNAL GÉNÉRAL
ET GRAND LIVRE GÉNÉRAL

Monsieur Charles Biron, un golfeur chevronné, décide de faire aménager un terrain de golf dont il sera le principal actionnaire. Voici les opérations qui se sont déroulées au printemps 19X1, lors de la mise sur pied de cette entreprise, ayant comme raison sociale Le Club de golf de Saint-Clin :

1er mars   L'entreprise est organisée sous forme de société par actions. Elle a reçu ses statuts d'incorporation et 20 000 actions sont émises à M. Biron contre un versement de 100 000 $. MM. Paul Boulanger et Antoine Leclerc apportent également chacun 50 000 $ en échange d'actions votantes.

3 mars   L'acquisition d'un superbe terrain se matérialise. Le coût est de 125 000 $ payable comptant. Une maison est située sur ce terrain et on pourra éventuellement y installer un bar et un magasin d'accessoires de golf. Les acheteurs ont dû ajouter 25 000 $ comptant pour la maison.

10 mars   Un contrat est accordé pour l'aménagement du terrain au coût de 200 000 $. On accorde également le contrat de transformation de la maison de 32 000 $.

20 avril   Les travaux touchant le terrain et le bâtiment sont terminés. Un montant de 20 000 $ d'aménagement du terrain concerne la clôture, tandis qu'un autre 30 000 $ concerne du matériel d'éclairage. On désire comptabiliser ces montants séparément. Un emprunt hypothécaire est négocié pour la somme de 200 000 $. Cette hypothèque est assortie d'une clause de dation en paiement en vertu de laquelle le prêteur devient le seul et unique propriétaire du terrain et du bâtiment en cas de défaut de paiement. Le contrat hypothécaire contient également une clause de déchéance de terme en vertu de laquelle le solde entier du financement devient exigible si l'entreprise ne respecte pas ses obligations. L'hypothèque est remboursable sur une période de 20 ans, dont 10 000 $ en deçà d'un an.

25 avril   Le club de golf achète pour 3000 $ de matériel de bureau (machine à écrire, mobilier, classeurs). La facture est payable dans 30 jours. On achète également 500 $ de fournitures que l'on paie comptant.

30 avril   L'entreprise acquiert 20 voiturettes électriques au prix de 1500 $ chacune. Un billet est signé fixant l'échéance au 30 octobre.

2 mai   Les services de bar et de repas seront offerts par le Club de golf de Saint-Clin même, mais par l'intermédiaire du club Le 19e trou. On reçoit des factures atteignant 18 000 $ pour le matériel du bar et de la salle à manger.

5 mai   Réception de marchandise pour le bar et la salle à manger. Le montant s'élève à 5000 $.

10 mai   Le magasin qui doit vendre les accessoires de golf exigera trop de surveillance. Les actionnaires préfèrent laisser cette affaire à un tiers, moyennant un loyer fixe de 500 $ par mois ouvrable et 5 % des ventes brutes. On exige toutefois un dépôt immédiat de 2000 $. Un particulier se montre intéressé et verse le dépôt demandé.

15 mai   La carte de membre coûte 300 $ par saison. La saison débutera le 1er juin. Le club de golf a déjà reçu 100 demandes accompagnées de chèques.

30 mai   Une prime d'assurance de 3000 $ est payée pour la prochaine année. La protection débute le 1er juin.

Travail à faire

a) Enregistrez ces transactions au journal général.

b) Reportez-les au grand livre général.

c) Établissez une balance de vérification au 31 mai 19X1, sans la rédiger formellement.

d) Rédigez le bilan au 31 mai 19X1.

PROBLÈME 6 — L'ESTHÉTIQUE INC.
COMPTABILISATION DES OPÉRATIONS ET PRÉPARATION DU BILAN

Le 1er septembre 19X6, Madame Édith Dumas, esthéticienne, décide d'exploiter sa propre entreprise. Au cours du mois de septembre, qui fut consacré à l'établissement de l'entreprise, la société l'Esthétique inc. a effectué les opérations financières suivantes :

1er septembre Mise de fonds initiale de 45 000 $ déposée dans le compte en banque de la Société. Madame Dumas reçoit 5000 actions ordinaires de la société L'Esthétique inc.

2 septembre Achat d'une camionnette usagée de 6000 $ moyennant un versement comptant de 3500 $ et le solde payable dans 60 jours.

5 septembre Achat d'un terrain et d'un immeuble, coûtant respectivement 12 000 $ et 65 000 $, moyennant un versement comptant de 10 000 $ et le solde financé par un emprunt hypothécaire payable dans 20 ans.

6 septembre L'entreprise achète, au comptant, un stock de fournitures de 18 000 $.

7 septembre Achat de mobilier pour la somme de 15 500 $, dont 9000 $ versés comptant et le solde payable au cours du prochain mois.

10 septembre Emprunt bancaire de 6000 $ payable sur demande.

12 septembre Vente, au prix coûtant, du tiers du terrain acheté le 5 septembre dernier. Le règlement total du prix de vente devra être effectué dans 60 jours.

14 septembre Madame Dumas reçoit à l'avance un montant de 1700 $ d'une cliente, pour des services d'esthétique à être rendus au cours des douze prochains mois.

18 septembre Versement de 3000 $ en règlement partiel de la dette contractée le 10 septembre.

22 septembre Réception d'un facture de 1800 $ concernant la prime d'assurance générale de l'entreprise. La couverture est d'un an à compter du 15 octobre prochain.

27 septembre Recouvrement d'une somme de 700 $ de la société à laquelle une partie du terrain a été vendue le 12 septembre.

30 septembre   La Société investit 7000 $ dans des Obligations d'épargne du Canada, remboursables sur demande, et dans des actions ordinaires des sociétés Cascades inc., Provigo ltée et Unigesco ltée.

Voici les titres des comptes que vous aurez à utiliser et leur folio :

Encaisse	111	Immeuble	125
Titres négociables	113	Terrain	127
Comptes-clients	115	Emprunt bancaire	211
Stock de fournitures	117	Comptes-fournisseurs	213
Charges payées d'avance	119	Produits reçus d'avance	215
Matériel roulant	121	Emprunt hypothécaire	221
Mobilier de bureau	123	Capital-actions ordinaires	311

Travail à faire

a) Faites les écritures de journal pour inscrire les transactions financières effectuées au cours de septembre 19X6.

b) Reportez les écritures de journal dans les comptes du grand livre général.

c) Rédigez un bilan, en bonne et due forme, au 30 septembre 19X6 après vous être assuré de l'équilibre des comptes.

PROBLÈME 7 — IMPÔTS GARIEPY LTÉE
COMPTABILISATION DES OPÉRATIONS ET BILAN

M. Benoît Gariepy, un comptable de réputation internationale, décide de fonder sa propre entreprise. Voici les opérations d'Impôts Gariepy ltée, débutant le 1er mai 19X6 :

1er mai   M. Gariepy dépose 50 000 $ dans le compte en banque de Gariepy ltée en échange de 10 000 actions votantes.

3 mai   Achat d'un terrain et d'un bâtiment pour 100 00 $. On a obtenu un emprunt hypothécaire pour 75 % du montant. Le solde est payé comptant. Le coût du terrain seul est de 25 000 $. La bâtisse servira seulement pour l'entreprise.

8 mai   Achat à crédit de matériel de bureau (bureau, chaises, classeurs, etc.), chez Pilon ltée, pour 7500 $.

10 mai   Vente de 10 % du terrain pour 3000 $ à un bon ami. Jean, l'ami en question, doit payer dans 90 jours.

15 mai   Emprunt d'un montant de 10 000 $ à la Banque Nationale.

15 mai   Premier remboursement de 3750 $ sur la créance relative au matériel de bureau.

16 mai Achat d'un micro-ordinateur de 6000 $ de la compagnie Sperry ltée : 1250 $ a été payé comptant et le solde est payable le mois prochain.

22 mai Location d'une partie de la bâtisse à son ami Jean pour le mois de juillet. Un montant de 1000 $ a été encaissé pour le loyer de juillet.

Voici le plan comptable d'Impôts Gariepy ltée :

Caisse	111	Emprunt bancaire	210
Clients	115	Fournisseurs	215
Terrain	150	Produit reçu d'avance	217
Bâtiment	155	Emprunt hypothécaire	250
Matériel de bureau	160	Capital-actions	310
		Bénéfices non répartis	320

Travail à faire

a) Passez les écritures de journal pour inscrire les opérations de mai 19X6.

b) Reportez ces écritures aux comptes du grand livre général.

c) Préparez une balance de vérification au 31 mai, sans la rédiger formellement.

d) Rédigez le bilan au 31 mai.

Chapitre 4
Les résultats d'exploitation

4.1 LE BÉNÉFICE NET ET LA CROISSANCE DE L'ENTREPRISE

Les entreprises à but lucratif recherchent, par définition, l'obtention d'un bénéfice net. La rentabilité entraîne la croissance des capitaux propres et de l'actif d'une société à la condition que ces bénéfices soient réinvestis. Voici un exemple :

	Situation de départ 1er janvier 19X6	Vente des stocks à profit en 19X6	Renouvellement des stocks	Réinvestissement des bénéfices en immobilisations
Encaisse	30 $	80 $	55 $	30 $
Stock	25	0	25	25
Immobilisations	100	100	100	125
	155 $	180 $	180 $	180 $
Passif	100 $	100 $	100 $	100 $
Capital-actions	55	55	55	55
Bénéfices réinvestis	0	25	25	25
	155 $	180 $	180 $	180 $

Le bénéfice net réalisé en 19X6 est de 25 $. Ce bénéfice a été réalisé en vendant, au prix de 50 $, un stock acquis au coût de 25 $. Avec l'entrée de fonds de 50 $, l'entreprise a renouvelé son stock pour un montant de 25 $ et elle a *réinvesti* le bénéfice net de 25 $ dans ses immobilisations. Le poste Bénéfices réinvestis est souvent nommé *Bénéfices non répartis* sous forme de dividendes.

Le *bénéfice net* d'un exercice est défini comme étant l'excédent du total des produits et des gains d'un exercice sur le total des charges et des pertes de ce même exercice. L'état financier où figurent ces produits et gains ainsi que ces charges et pertes se nomme *état des résultats*.

4.2 INSUFFISANCES DU BILAN POUR EXPRIMER LES CHANGEMENTS FINANCIERS

Au chapitre 2, nous avons étudié le bilan. Il a été clairement établi que le bilan jouait le rôle d'une *photo* de la situation financière à un moment précis. Nous avons appris également que l'information serait tout à fait insuffisante si le système comptable ne produisait que des bilans. Nous allons rappeler ces notions en utilisant un exemple semblable à celui de la section précédente. Nous disposons, pour la société Tropeu ltée, du bilan au 31 décembre 19X6 avec chiffres comparatifs au 31 décembre 19X5. L'information est-elle suffisante pour conclure sur les activités qui ont affecté Tropeu ltée pendant l'exercice écoulé en 19X6 ?

	TROPEU LTÉE **Bilans au**	
	31 décembre 19X6	**31 décembre 19X5**
ACTIF		
Encaisse	30 $	30 $
Stock	25	25
Immobilisations	120	100
Total de l'actif	175 $	155 $
PASSIF		
Emprunt bancaire	20 $	20 $
Emprunt hypothécaire	70	80
Total du passif	90	100
AVOIR DES ACTIONNAIRES		
Capital-actions	65	55
Bénéfices non répartis	20	0
Total de l'avoir des actionnaires	85	55
Total du passif et de l'avoir des actionnaires	175 $	155 $

Le manque d'information est évident. On remarque bien, en comparant les bilans (les deux photos), que les bénéfices non répartis ont augmenté de 20 $. La Société a enrichi ses actionnaires de 20 $ (bénéfice net) par ses opérations de 19X6. Il s'agit d'une conclusion que nous pouvons risquer mais sans en être tout à fait certain, car la Société pourrait plutôt avoir réalisé un bénéfice net de 25 $ en 19X6 et avoir réparti 5 $ en dividendes, ce qui ne laisserait qu'une croissance de 20 $ des bénéfices non répartis. Nous ne pourrons jamais être certains de nos conclusions, car les bilans sont silencieux sur les causes de cette croissance de 20 $. Les bilans sont des photos des résultats atteints. Ils doivent donc être complétés par d'autres états financiers qui illustreront correctement les opérations financières survenues dans le laps de temps séparant les deux photographies de la situation financière. Il nous faut donc le film des événements qui ont fait que Tropeu ltée a connu une croissance de 20 $ de ses bénéfices non répartis pendant l'année 19X6.

Ce film des événements nous sera fourni par l'état des résultats et l'état des bénéfices non répartis. L'état des résultats montrera de combien la société s'est réellement enrichie et quelle fut sa rentabilité, en exposant ses différents types de produits d'exploitation, ses différentes charges d'exploitation et le bénéfice net qui en est résulté. L'état des bénéfices non répartis complète le film en montrant quelle portion de bénéfice net a été répartie aux actionnaires sous forme de dividendes et quelle portion a été réinvestie dans la société. C'est cette dernière portion qui expose la croissance nette de la société pendant l'exercice financier.

Voici ces deux photos accompagnées de leurs films, c'est-à-dire voici les bilans comparatifs (nous n'avons reproduit que le poste Bénéfices non répartis) associés à leurs deux films : l'état des bénéfices non répartis et l'état des résultats.

TROPEU LTÉE
Bilans au

	31 décembre 19X6	31 décembre 19X5
Bénéfices non répartis	20 $	0 $

TROPEU LTÉE
État des bénéfices non répartis
pour l'exercice terminé le 31 décembre 19X6

Solde au début de l'exercice 19X6	0 $
Plus : bénéfice net de l'exercice 19X6	25
	25
Moins : dividendes déclarés aux actionnaires en 19X6	5
Solde à la fin de l'exercice 19X6	20 $

TROPEU LTÉE
État des résultats
pour l'exercice terminé le 31 décembre 19X6

Produits d'exploitation	
Ventes de marchandises en 19X6	50 $
Charges d'exploitation	
Coût des marchandises que l'on a vendues en 19X6 et autres frais d'exploitation	25
Bénéfice net de 19X6	25 $

Nos conclusions sont maintenant certaines : la performance, ou rentabilité, de l'entreprise pour 19X6 s'élève réellement à 25 $. L'état des résultats le divulgue. Toutefois, la Société n'a réinvesti que 20 $, car elle a distribué 5 $ en dividendes à ses actionnaires. Cette fois-ci, c'est l'état des bénéfices non répartis qui le révèle.

La comparaison entre les bilans montre également que l'entreprise a acheté pour 20 $ d'immobilisations, qu'elle a émis des actions et qu'elle a réglé partiellement son emprunt hypothécaire.

Ni l'état des résultats, ni l'état des bénéfices non répartis ne recense ce type d'opérations que sont les investissements et les financements de toutes natures. L'état financier qui représente les activités de financement et d'investissement se nomme *état de l'évolution de la situation financière*. Dans le présent chapitre, nous nous intéresserons à l'étude des variations de la situation financière causées par les produits et les charges d'exploitation. Voici tout de même la présentation de ce dernier état pour compléter notre exemple :

TROPEU LTÉE
État de l'évolution de la situation financière
pour l'exercice terminé le 31 décembre 19X6

FINANCEMENT
Autofinancement par le bénéfice net (voir l'état
des résultats)   25 $
Émission d'actions 65 $ − 55 $ 10
    35 $

INVESTISSEMENT
Remboursement de l'emprunt hypothécaire 80 $ − 70 $ 10 $
Déclarations de dividendes   5
Achat d'immobilisations 120 $ − 100 $ 20
    35 $

4.3 LES PRODUITS D'EXPLOITATION

Les produits d'exploitation sont *les sommes reçues ou à recevoir au titre de l'exploitation, soit en contrepartie de marchandises livrées, de travaux exécutés, de services rendus ou d'avantages fournis par l'entreprise.*

L'opération qui entraîne un produit d'exploitation, comme toutes les opérations, implique un échange. Par exemple, lorsque vous achetez pour 100 $ d'aliments de votre marché d'alimentation, celui-ci vous cède un stock de produits alimentaires qui lui ont coûté environ 60 $ alors qu'il reçoit de vous une somme de 100 $. Cette somme reçue est un *enrichissement* pour le marché d'alimentation ; c'est le *produit de son exploitation*. Par contre, le stock cédé est un *appauvrissement* ; c'est le sacrifice que le marché d'alimentation doit consentir pour gagner son produit d'exploitation. La somme de 60 $ est donc une *charge d'exploitation*. La différence entre ce produit et cette charge d'exploitation contribue au bénéfice net.

Dans l'accomplissement de son objet commercial, qui est la vente de marchandises ou la prestation de services, l'entreprise peut recevoir en échange une somme d'argent mais elle peut aussi, lors d'une vente à crédit, acquérir le droit de percevoir plus tard une certaine somme. Dans ce dernier cas, y a-t-il produit d'exploitation ? La réponse est positive car l'entreprise s'est enrichie d'une *créance* à recevoir.

Les produits d'exploitation, les enrichissements, se traduisent par une hausse de l'avoir des propriétaires et une hausse de l'actif qu'il s'agisse de l'entrée d'un actif sous forme d'argent ou sous forme de créances ou même de tout autre bien. Pour répondre à la question « un produit d'exploitation est-il gagné ? » il faut s'en remettre au *principe comptable de la réalisation*. Celui-ci nous demande de *constater* les produits lorsque les événements suivants prouvent l'accroissement de l'actif :

1. lorsque la vente a eu lieu et que les marchandises ont été livrées et acceptées par le client, ou

2. lorsque le service a été rendu.

Voici un exemple : un avocat plaide une cause en décembre 19X6 et facture son client ce même mois. Toutefois, ce dernier ne règle sa créance qu'au cours du mois de janvier 19X7. Le produit d'exploitation appartient-il à l'année 19X6, année où l'avocat a rendu le service, ou appartient-il à l'année 19X7, année où l'avocat a encaissé ses honoraires ? Le principe de réalisation du produit nous suggère de présenter le produit dans l'état des résultats de 19X6, car le service a été rendu en 19X6 et cela sans égard au fait que l'encaissement a eu lieu en 19X7.

Un produit d'exploitation est une entrée d'actif qui n'entraîne pas d'augmentation de la part des créanciers. Par exemple, un plombier effectue une réparation et encaisse immédiatement 100 $. En voici l'effet sur l'équation comptable de l'entreprise :

Actif	=	**Passif**	+	**Avoir du propriétaire**
Encaisse	=	−	+	**Capital**
+ 100 $	=	**+ 0**	+	**+ 100 $**

Il effectue une autre réparation de 200 $ et facture son client qui le paiera dans un mois.

Actif	=	**Passif**	+	**Avoir du propriétaire**
Clients	=	−	+	**Capital**
+ 200 $	=		+	**+ 200 $**

4.4 LES RECETTES NE SONT PAS NÉCESSAIREMENT DES PRODUITS

Il faut éviter d'identifier les *recettes* (entrée d'argent) automatiquement aux produits d'exploitation. C'est une erreur car, dans bien des cas, les recettes ne constituent pas des produits d'exploitation. En voici des exemples :

1. Une entrée d'argent peut avoir lieu sans que la propriété de ce montant ne puisse être attribuée inconditionnellement à l'entreprise, car elle n'a pas livré les marchandises ou rendu les services. Ainsi, une entreprise de publication encaisse 360 $ pour un abonnement de trois ans à une revue dont le premier numéro paraîtra dans deux mois.

Actif	=	Passif	+	Avoir des propriétaires
Encaisse	=	Produits reçus d'avance	+	−
+ 360 $	=	+ 360 $	+	0

La somme n'appartient pas encore véritablement à la société car si la revue ne peut paraître, la société devra rembourser le client. L'augmentation de l'actif a été accompagnée de l'augmentation d'un passif. L'enrichissement n'est pas immédiat. Le produit se réalisera *graduellement* à mesure que les revues paraîtront et seront expédiées au client. La recette et le produit ne sont donc pas simultanés.

2. Une entrée d'argent peut provenir d'autres facteurs que l'accomplissement de l'objet commercial. Ainsi, l'entreprise emprunte 1000 $ à une banque.

Actif	=	Passif	+	Avoir des propriétaires
Encaisse	=	Emprunt bancaire	+	−
+ 1 000 $	=	+ 1 000 $	+	0

L'augmentation de l'actif a été accompagnée d'une augmentation correspondante du passif. L'actif, l'argent reçu, devra être remboursé plus tard. Il n'appartient pas au propriétaire, il n'y a donc pas d'enrichissement.

3. Une recette peut provenir d'un apport des propriétaires. Ainsi, la société émet des actions en échange d'une somme de 2000 $.

Actif	=	Passif	+	Avoir des propriétaires
Encaisse	=	−	+	Capital-actions
+ 2 000 $	=	0	+	+ 2 000 $

Ici, la recette a entraîné une augmentation de l'avoir des propriétaires, mais ce n'est pas un produit d'exploitation que l'entreprise a gagné en rendant un service ou en vendant des marchandises. Les apports des propriétaires n'entrent donc pas dans le calcul du bénéfice net.

4. Une recette peut provenir de l'encaissement d'une créance relative à un produit d'exploitation réalisé au cours d'un exercice antérieur. Par exemple, la société vend des marchandises à crédit en décembre 19X6 et elle encaisse le compte-client de 3000 $ en janvier 19X7.

	Actif	=	Passif	+	Avoir des propriétaires
Année 19X6	Client	=	–	+	Bénéfices non répartis
	+ 3 000 $	=	0	+	+ 3 000 $
Année 19X7	Client				
	– 3 000 $	=			
	Encaisse				
	+ 3 000 $	=	0	+	0

Le produit d'exploitation a été réalisé en 19X6 lors de la vente. Il n'est donc pas enregistré à nouveau au moment de l'encaissement en 19X7. L'avoir des propriétaires avait augmenté en 19X6 ; en 19X7 nous assistons seulement à la conversion d'un montant à recevoir en argent. Ici encore, la recette et le produit ne sont pas simultanés.

Les comptes de produits auront des titres différents selon la nature de l'entreprise. Ainsi, les produits d'exploitation des commerces de vente au détail et des fabricants se nommeront ventes ; ceux des professionnels, honoraires ; ceux des courtiers, commissions ; ceux des sociétés immobilières, loyers ; etc.

4.5 LES CHARGES D'EXPLOITATION

Les charges d'exploitation sont *les coûts qu'il a fallu engager pour mener l'opération qui a créé le produit d'exploitation*. Nous l'avons déjà mentionné, l'opération qui crée un produit d'exploitation est un échange comportant un *enrichissement* et un *appauvrissement*. Cet appauvrissement, ou le coût du sacrifice qu'il a fallu consentir pour gagner le produit, est la charge d'exploitation. Par exemple, pour un cabinet d'avocats, les produits d'exploitation sont des honoraires, mais pour les gagner il a fallu engager des coûts tels que les salaires des employés, le loyer, le téléphone, la publicité, etc. De plus, il a fallu utiliser certaines immobilisations comme le matériel de bureau et les automobiles. Par exemple, si une automobile de 12 000 $ qui rendra des services pendant trois ans a été utilisée toute l'année, le coût de son utilisation sera de 4000 $ pour cette année. Cette charge d'exploitation se nomme *amortissement* de l'automobile, elle provient de l'*absorption* des coûts de biens acquis antérieurement.

Les charges d'exploitation se caractérisent par une diminution des capitaux propres accompagnée d'une diminution de l'actif dans les cas des charges payées comptant et de l'absorption des coûts des immobilisations. Toutefois, la diminution des capitaux propres peut être accompagnée d'une augmentation du passif dans le cas des charges engagées à crédit. Comme il est d'usage d'accorder un délai de crédit, ce dernier type de charge se rencontrera fréquemment.

Pour répondre à la question « une opération quelconque est-elle une charge d'exploitation pour l'année courante ? » il faut se référer au principe comptable du *rapprochement des produits et des charges*. Ce principe nous demande de *recenser*, pour l'année courante, tous les coûts des biens et services qui ont été utilisés pour gagner les produits d'exploitation de l'année courante. Les charges sont donc rapprochées des produits qui ont été comptabilisés conformément au principe de réalisation. En somme, il faut se demander si l'opération a eu comme conséquence d'augmenter les produits d'exploitation ; si la réponse est positive, nous sommes en présence d'une charge d'exploitation.

Voici un premier type de charge : l'entreprise paie le salaire hebdomadaire du vendeur, soit 500 $.

Actif	=	**Passif**	+	**Avoir des propriétaires**
Encaisse	=	−	+	**Bénéfices non répartis**
− 500 $	=	**0**	+	**− 500 $**

Il y a eu réduction de l'actif accompagnée d'une réduction des capitaux propres. Il y a eu appauvrissement. Le salaire de cet employé est nécessaire pour faire gagner les produits. L'entreprise était même appauvrie avant le paiement du salaire puisqu'une dette se constituait envers l'employé à mesure que l'on utilisait ses services au cours de la semaine.

Voici un deuxième type de charge : l'entreprise utilise les services d'un conseiller. Celui-ci fait parvenir sa facture d'honoraires, à savoir 1000 $, payable dans un mois.

Actif	=	**Passif**	+	**Avoir des propriétaires**
−	=	**Fournisseurs**	+	**Bénéfices non répartis**
0	=	**+ 1000 $**	+	**− 1000 $**

Il y a eu augmentation du passif accompagnée d'une réduction des capitaux propres. Même si le débours n'aura lieu que dans un mois, il y a quand même eu appauvrissement car l'entreprise a utilisé les services du conseiller pour résoudre un problème. Il y a consommation de services et aucune augmentation de l'actif.

Voici un troisième type de charge : l'entreprise a acheté, à la fin de 19X6, une automobile de 15 000 $ qui doit servir pendant trois ans. Nous sommes à la fin du mois de janvier 19X7, après un mois d'usage. L'automobile n'est pas encore payée.

	Actif	=	**Passif**	+	**Avoir des propriétaires**
	Automobile	=	**Fournisseurs**	+	**Bénéfices non répartis**
Fin 19X6	**15 000 $**	=	**15 000 $**	+	**0**
Fin janvier 19X7	**− 417 $**	=		+	**− 417 $**

Le débours n'a pas encore eu lieu ; toutefois, il y a eu un appauvrissement de 417 $ (15 000 $/36 mois) car l'entreprise a utilisé l'automobile pour gagner ses produits.

4.6 LES DÉBOURS NE SONT PAS NÉCESSAIREMENT DES CHARGES

Il faut éviter d'associer automatiquement les débours (sorties d'argent) à des charges. Dans bien des cas, les débours d'une période ne constituent pas des charges pour cette même période.

En voici des exemples :

1. L'entreprise règle son emprunt bancaire de 10 000 $.

Actif	=	**Passif**	+	**Avoir des propriétaires**
Encaisse	=	**Emprunt bancaire**	+	**−**
− 10 000 $	=	**− 10 000 $**	+	**0**

Il n'y a pas eu de réduction des capitaux propres, car la diminution de l'actif était accompagnée d'une diminution du passif.

2. L'entreprise paie son loyer, soit 3000 $, pour le trimestre à venir.

Actif	=	**Passif**	+	**Avoir des propriétaires**
Encaisse	=	**−**		**−**
− 3000 $	=	**0**	+	**0**
Loyer payé d'avance				
+ 3000 $	=	**0**	+	**0**

Le loyer est payé d'avance, au début du trimestre. Une somme d'argent s'est transformée en un service de loyer à recevoir. Tant et aussi longtemps que ce deuxième actif ne sera pas consommé, il n'y aura pas d'appauvrissement réel. L'entreprise, en utilisant le local jour après jour, s'appauvrira de 33 $ quotidiennement (3000 $/90 jours). La charge se crée par l'utilisation des services. Le moment du débours est différent de celui de la charge.

3. L'entreprise achète comptant un édifice de 120 450 $. Cet édifice aura une durée de vie utile de 10 ans.

Actif	=	**Passif**	+	**Avoir des propriétaires**
Encaisse	=	**−**	+	**−**
− 120 450 $	=	**0**	+	**0**
Édifice				
+ 120 450 $	=	**0**	+	**0**

Ce cas est tout à fait identique au cas précédent, sauf que le loyer a été payé 10 ans d'avance. La charge quotidienne pour l'utilisation de l'immeuble est de 33 $ (120 450 $/3650 jours) même si le débours est déjà complété. La charge et le débours ne sont pas simultanés.

4. Les propriétaires de l'entreprise retirent 2000 $ pour leur usage personnel. La société déclare donc cette somme en dividendes.

Actif	=	**Passif**	+	**Avoir des propriétaires**
Encaisse	=	**−**	+	**Bénéfices non répartis**
− 2000 $	=	**0**	+	**− 2000 $**

Même si les prélèvements diminuent l'avoir des propriétaires, ce ne sont pas des charges. Il n'y a pas eu utilisation de services ou de biens. Le retrait n'est pas un coût engagé pour gagner des produits. Les retraits ou dividendes paraîtront à l'état des bénéfices non répartis et non à l'état des résultats.

4.7 LA NOTION DE DÉBIT ET DE CRÉDIT APPLIQUÉE AUX PRODUITS ET AUX CHARGES

Les produits et les charges modifient donc constamment la situation financière d'une société. Par conséquent, le bilan, cet état qui exprime la situation financière, est continuellement modifié. Il faut noter que c'est l'entrée d'actif qui nous permet d'affirmer que les propriétaires se sont enrichis ; quant à la sortie d'actif ou l'augmentation des dettes sans actif correspondant, c'est elle qui nous permet de conclure à un appauvrissement des propriétaires. Les produits et les charges *ont donc toujours un effet sur le bilan*, que ce soit à l'actif ou au passif. L'avoir des propriétaires n'est que la représentation de la part des propriétaires dans l'actif. La représentation de l'effet des produits et charges peut se faire directement au bilan, à l'avoir des propriétaires, mais il existe une autre façon de procéder comme nous le verrons plus loin.

Un produit accroît les capitaux propres. Comme les capitaux propres ont un solde conventionnel créditeur, la comptabilisation d'un produit se fera en *créditant* un compte de produit. La comptabilité en partie double nous demande de noter à la fois la ressource et la provenance de la ressource. Un produit amène généralement l'entrée d'un actif pour la société. La provenance de cet actif doit être *noté* à l'avoir des propriétaires, car il appartient aux propriétaires et non aux créanciers. Par exemple, pour une vente au comptant de 1000 $:

	Débit	Crédit
Encaisse (ressource reçue)	**1 000**	
Bénéfices non répartis (le produit enrichit		
les propriétaires ; l'enrichissement est noté		
par le crédit)		**1 000**

Actif	**=**	**Passif**	**+**	**Capital-actions**	**+**	**B.N.R.**
+ 1 000 $	**=**				**+**	**1 000 $**
Débit	**=**					**Crédit**

Plus tard nous désignerons la provenance de la ressource en utilisant un compte de produit. Ici, nous utiliserons Ventes plutôt que Bénéfices non répartis pour montrer que la ressource provient des ventes.

L'équation peut alors s'exprimer ainsi :

Actif	**=**	**Passif**	**+**	**C.-actions**	**+**	**B.N.R.**	**+**	**Produits**	**−**	**Charges**
Débit	**=**	**Crédit**	**+**	**Crédit**	**+**	**Crédit**	**+**	**Crédit**	**−**	**Débit**
+ 1 000 $	**=**						**+**	**1 000 $**		
Encaisse	**=**							**Ventes**		

L'écriture sera alors :

	Débit	Crédit
Encaisse (ressource)	**1 000**	
Ventes (provenance)		**1 000**

Les charges diminuent les capitaux propres. La diminution des capitaux propres s'enregistre au débit. La comptabilisation d'une charge amènera l'inscription d'un débit dans un compte. Une charge occasionne généralement la diminution d'un actif ou l'augmentation d'un passif. Il faut noter la diminution de la ressource et l'appauvrissement des propriétaires. Par exemple, pour une charge en publicité :

	Débit	Crédit
Bénéfices non répartis (on note de cette façon l'appauvrissement)	**500**	
Encaisse ou Fournisseurs (on note ainsi la diminution de la ressource ou l'augmentation du passif)		**500**

Actif	**=**	**Passif**	**+**	**Capital-actions**	**+**	**B.N.R.**
− 500 $	**=**					**500 $**
Crédit	**=**					**Débit**

Nous verrons que l'appauvrissement sera noté dans des comptes de charges plutôt que dans Bénéfices non répartis.

	Débit	Crédit
Publicité (l'appauvrissement)	**500**	
Encaisse (diminution de la ressource)		**500**

L'équation pourra alors s'exprimer ainsi :

Actif	**=**	**Passif**	**+**	**C.-Actions**	**+**	**B.N.R.**	**+**	**Produits**	**−**	**Charges**
Débit	**=**	**Crédit**	**+**	**Crédit**	**+**	**Crédit**	**+**	**Crédit**	**−**	**Débit**
− 1 000 $	**=**								**−**	**1 000 $**
Encaisse										**Publicité**

4.8 EXEMPLE DÉMONTRANT LA COMPTABILISATION DES PRODUITS, DES CHARGES ET DES PRÉLÈVEMENTS EN MODIFIANT LES CAPITAUX PROPRES

La notion de produits et charges est liée à la notion d'exercice financier. Cela signifie que les produits et les charges ont lieu durant une certaine période. Ainsi, on ne peut pas dire que les produits de la société X sont de 30 000 $ au 31 décembre 19X6, mais bien que les produits de la société X ont été de 30 000 $ pour l'année qui s'est terminée le 31 décembre 19X6. La référence à la période est essentielle. L'opinion aurait été différente si la phrase avait été formulée ainsi : « les produits de la société X sont de 30 000 $ au 31 décembre 19X6, mais il s'agit des produits du mois de décembre 19X6 ». En réalité, on veut toujours connaître les produits et charges d'une période afin d'établir des comparaisons avec soit une période antérieure de même durée, soit avec une période similaire pour une autre entreprise. L'enrichissement net (le bénéfice net, profit net) d'une période peut donc se calculer en faisant la différence entre l'avoir des propriétaires en fin et en début de période.

	Actif	=	Passif	+	Avoir des propriétaires
Fin d'année le 31 décembre 19X6	75 000 $	=	25 000 $	+	50 000 $
Début de l'année le 1er janvier 19X6	50 000	=	30 000	+	20 000
Augmentation	25 000 $	=	− 5 000 $	+	30 000 $

Les propriétaires ont fait un bénéfice net de 30 000 $ puisque les actifs de leur société ont augmenté de 25 000 $, tandis que les dettes ont diminué de 5000 $. Nous verrons plus loin que des retraits peuvent également avoir lieu en cours d'exercice.

Voici maintenant un exemple où l'on retrouvera des produits et des charges et où l'enregistrement se fera par la modification de l'avoir des propriétaires.

Jacques Bélair, un pilote, a décidé de fonder sa propre entreprise dont la raison sociale sera Transport aérien nordique ltée et l'objet commercial, le transport de marchandises et de voyageurs à l'intérieur de la province de Québec. Voici les transactions qui se sont produites durant le premier mois d'activités, soit janvier 19X6.

1er janvier   Jacques Bélair dépose 2000 $ dans le compte de l'entreprise en échange de 1000 actions ordinaires de la Société.

Encaisse	2 000	
Capital-actions		2 000

Ici, il y a une recette mais pas de produit

Actif	=	Passif	+	Capital-actions
+ 2 000 $	=			+ 2 000 $

Il n'y a pas d'enrichissement. La Société n'a pas enrichi son actionnaire puisque c'est lui qui a apporté les fonds.

3   janvier   Location d'un petit avion d'Aviation canadienne ltée. Le loyer est de 300 $ par mois plus 50 $ par heure de vol. Il est payable à la fin de chaque mois. Le même jour, il retient les services d'un pilote.

Aucune écriture

Au moment où on loue l'avion, le 3 janvier, on n'a pas reçu le service, il n'y a donc pas de passif envers Aviation canadienne ltée. D'ailleurs il serait difficile d'inscrire le montant car celui-ci varie selon le nombre d'heures de vol, lequel est encore inconnu. S'il fallait préparer un bilan le 3 janvier, cette transaction serait portée à l'attention du lecteur par voie de note aux états financiers sous la rubrique Engagement. En effet, une entreprise qui a signé un bail n'est pas dans la même situation financière qu'une autre qui n'a pas un tel engagement.

4 janvier   Réception d'une facture de 300 $ pour de la publicité à paraître dans le *Devoir du Nord-Ouest* au mois de janvier.

Bénéfices non répartis	300	
Fournisseurs		300

Il est intéressant de noter le caractère continu de cette transaction. Il y a une charge de 10 $ par jour environ. Nous avons considéré la facture de publicité comme une charge et nous avons enregistré un passif correspondant de 300 $. Toutefois, d'un point de vue strictement théorique, la charge ou l'appauvrissement ne se matérialisera pas avant la réception des services de publicité. Une fois le service reçu, l'appauvrissement est constaté par un débit à Bénéfices non répartis et un crédit au compte de passif.

Par exemple, si le journal est publié quotidiennement, *théoriquement*, il faudrait passer chaque jour l'écriture suivante :

Bénéfices non répartis	10	
Fournisseurs		10

Cependant, une telle façon de procéder ne serait pas pratique à cause des nombreuses écritures qu'elle exige et surtout parce qu'une mise à jour quotidienne des comptes est inutile. Étant donné que la facture de publicité sera entièrement une charge d'ici peu, nous n'observons pas la nature stricte de la transaction et nous considérons le montant total, soit 300 $, comme une charge ou un appauvrissement immédiat à partir du 4 janvier ; nous enregistrons donc immédiatement le passif complet de 300 $.

On pourra observer le même phénomène pour les transactions du 6 et du 17 janvier.

5 janvier   Envoi d'une facture à la société Nortel ltée pour de la marchandise livrée le 3 janvier. Le montant de la facture s'élève à 650 $.

Clients	650	
Bénéfices non répartis		650

Ici, il y a produit mais pas de recette. Le produit est matérialisé ou gagné car le service a été rendu le 3 janvier. Retenons que le produit était déjà gagné le 3 janvier. Nous avons attendu le 5 janvier pour l'enregistrer, car la facturation a eu lieu à cette date. Mais si un état financier avait été préparé le 3 janvier, nous aurions alors été dans l'obligation de considérer ce montant dans les produits accompagné d'un compte à recevoir correspondant au bilan.

6 janvier   Paiement de 500 $ pour du carburant d'avion.

Bénéfices non répartis	500	
Encaisse		500

Le 6 janvier on a payé le carburant, mais il nous en reste probablement un stock important. Évidemment, pour être « *théoriquement* » très exact, il faudrait passer l'écriture suivante au moment où l'on achète le carburant.

Stock de carburant	**500**	
Encaisse		**500**

Et au moment où l'on utilise le carburant, on passerait une écriture pour noter l'utilisation de l'actif Stock de carburant et l'appauvrissement ou la charge correspondante. Par exemple, si on a utilisé 70 $ de carburant le 7 janvier on passerait :

Bénéfices non répartis	**70**	
Stock de carburant		**70**

7   janvier   Encaissement de 6320 $ en règlement du transport de passagers partant en excursion de chasse les 7 et 8 janvier.

Encaisse	**6 320**	
Bénéfices non répartis		**6 320**

Ici, il y a recette. Le produit n'est pas gagné au moment de la recette mais nous l'enregistrons immédiatement comme produit car il sera gagné sous peu. Nous obéissons à une considération pratique.

9   janvier   Paiement partiel de 150 $ sur la facture du *Devoir du Nord-Ouest*.

Fournisseurs	**150**	
Encaisse		**150**

Le 9 janvier, il n'y a pas d'appauvrissement ou de charge car, le 4 janvier, on a déjà considéré le montant total de la facture de publicité, soit 300 $, comme une charge. Considérer à nouveau ce montant comme charge au moment du paiement équivaudrait à l'enregistrer deux fois comme charge. En réalité, nous avons :

	Actif	**=**	**Passif**	**+**	**Capital-actions**	**+**	**B.N.R.**
4 janvier	0	=	+ 300 $				− 300 $
9 janvier	− 150 $	=	− 150 $				0

Le 9 janvier, il y a eu seulement réduction du passif et de l'actif.

10   janvier   Encaissement du compte de Nortel ltée.

Encaisse	**650**	
Clients		**650**

Ici il y a recette, mais on n'enregistre pas de produit car il a été enregistré le 5 janvier. Enregistrer à nouveau ce produit le 10 janvier équivaudrait à le comptabiliser deux fois.

	Actif	=	Passif	+	Capital-actions	+	B.N.R.
5 janvier	**+ 650 $**	**=**				**+**	**650 $**
10 janvier	**− 650 $**	**=**				**+**	**0**
	+ 650 $						

12 janvier Facturation à Noranda ltée pour la livraison de matériel à Rouyn. La facture s'élève à 1000 $.

Clients	1 000	
Bénéfices non répartis		**1 000**

Ici il y a produit, mais la recette aura lieu plus tard. Il faut enregistrer le produit car il est gagné.

15 janvier Paiement du salaire de 250 $ à un employé qui travaille à mi-temps. Cet employé s'occupe de la manutention.

Bénéfices non répartis	250	
Encaisse		**250**

Ici il y a débours. La charge se produit de façon continue à mesure que l'on utilise les services de l'employé. On enregistre cette charge au moment de la paie pour des considérations pratiques, car il serait fastidieux et inutile d'enregistrer chaque jour :

Bénéfices non répartis	25	
Salaires à payer		**25**

Là aussi nous notons le caractère continu de la transaction. Il y a une charge d'environ 25 $ par jour. On ne retrouve pas subitement une charge de 250 $ le 15 janvier même si, à notre enregistrement, un profane pourrait le croire.

17 janvier Paiement d'un loyer de 200 $ pour la location d'un espace pour garer l'avion. Le loyer couvre le mois de janvier.

Bénéfices non répartis	200	
Encaisse		**200**

Il y a débours. La charge loyer a aussi un caractère continu. En effet, on reçoit le service de location chaque jour et même continuellement. Ici, si l'on voulait être *théoriquement* exact, nous devrions dire qu'il y a une charge d'environ 100 $. Ce qui donnerait l'écriture suivante :

Loyer payé d'avance	100	
Bénéfices non répartis	100	
Encaisse		200

Nous avons enregistré le total de 200 $ comme une charge, car les services de loyer seront reçus sous peu. Notre enregistrement sera « véridique » au 31 janvier, c'est-à-dire lorsque nous aurons reçu le service en entier. Comme nous ne présenterons pas d'état financier avant le 31 janvier, il est inutile de passer cette écriture car elle nous obligerait à passer l'écriture suivante au 31 janvier :

Bénéfices non répartis	100	
Loyer payé d'avance		100

18 janvier Encaissement d'un chèque de 1600 $ de Domtar ltée pour la livraison de matériel de précision.

Encaisse	1 600	
Bénéfices non répartis		1 600

Nous avons une recette et le moment où elle intervient coïncide pratiquement avec celui où le produit est gagné, soit au cours de la journée du 18 janvier.

20 janvier M. Bélair prévoit une expansion de ses affaires ; il loue donc un deuxième avion et retient les services d'un autre pilote.

Aucune écriture

23 janvier Encaissement d'un chèque de 400 $ en paiement du transport d'un malade de Val-d'Or à Montréal.

Encaisse	400	
Bénéfices non répartis		400

Il y a recette et produit presque simultanément.

24 janvier Réception d'une facture de 300 $ pour des travaux d'entretien effectués sur les avions.

Bénéfices non répartis	300	
Fournisseurs		300

Une charge existe mais le débours aura lieu plus tard.

25 janvier M. Bélair retire 500 $ de dividendes pour son usage personnel.

| Bénéfices non répartis | 500 | |
| Encaisse | | 500 |

Il y a un débours mais il ne s'agit pas d'une charge, même si les capitaux propres diminuent. Les dividendes sont des retraits et ne sont donc pas des sacrifices consentis dans le but de gagner des produits. Il s'agit d'une répartition des bénéfices.

29   janvier   Encaissement d'un chèque de 950 $ pour un transport de passagers devant avoir lieu le 31 janvier.

| Encaisse | 950 | |
| Bénéfices non répartis | | 950 |

Ici il y a recette. Le produit sera gagné le 31 janvier lorsque l'on aura rendu le service. On aurait pu enregistrer :

| Encaisse | 950 | |
| Produits reçus à l'avance | | 950 |

suivi, au 31 janvier, de :

| Produits reçus à l'avance | 950 | |
| Bénéfices non répartis | | 950 |

mais finalement ces deux écritures donnent le même résultat une fois rendu au 31 janvier. L'écart de temps n'étant pas important, nous avons traité le montant immédiatement comme produit le 29 janvier. Mais il pourrait y avoir des circonstances qui nous empêcheraient de rendre le service le 31 janvier. Le produit n'est donc pas *théoriquement* réalisé le 29 janvier.

30   janvier   Envoi d'une facture de 600 $ à Mine d'or Klondike ltée pour la livraison de matériel.

| Clients | 600 | |
| Bénéfices non répartis | | 600 |

Le produit est gagné mais la recette aura lieu plus tard.

31   janvier   Paiement de 800 $ de salaires aux pilotes ainsi que de 200 $ à l'employé affecté à la manutention.

| Bénéfices non répartis | 1 000 | |
| Encaisse | | 1 000 |

Ici il y a débours. On enregistre également la charge à ce moment même si, théoriquement, elle s'est constituée jour après jour, à mesure que l'on utilisait les services des employés. Si la fin d'un exercice arrive au milieu d'une période de paie, il faudra enregistrer la charge et le passif correspondant aux services reçus depuis la dernière paie.

31 janvier Achat au comptant de 300 $ de mobilier de bureau. Jusque-là, M. Bélair utilisait sa maison comme bureau. Il examine les factures et estime que 50 $ de téléphone et 20 $ d'électricité ainsi que 100 $ de loyer appartiennent aux affaires de la Société. M. Bélair reçoit 85 actions en échange de cet apport.

Mobilier de bureau	300	
Encaisse		300
Bénéfices non répartis	170	
Capital-actions		170

Il y a débours pour l'achat de mobilier de bureau. La charge sera enregistrée périodiquement à mesure que l'on utilisera le mobilier.

	Actif	**=**	**Passif**	**+**	**C.-actions**	**+**	**B.N.R.**	
Mobilier	300 $							
Service reçu	− 10 $					−	10 $	**Charge**

L'actionnaire a payé des charges au nom de la Société. Il reçoit des actions en échange de cette avance faite à la Société. La transaction équivaut à une simple émission d'actions en échange d'un montant d'argent que la Société utilisera ensuite pour régler ses comptes de téléphone, d'électricité, etc.

31 janvier Achat d'un immeuble et d'un terrain pour des montants respectifs de 30 000 $ et 5000 $. M. Bélair a réussi à obtenir un financement de la banque garanti par une hypothèque. L'emprunt total est de 34 000 $ et il est remboursable en versements mensuels de 1000 $ à partir du 28 février. M. Bélair a l'intention de diversifier ses opérations et d'ouvrir une petite agence de voyage.

Immeuble	30 000	
Terrain	5 000	
Emprunt hypothécaire		34 000
Encaisse		1 000

Les achats d'éléments d'actif comptant ou à crédit ne sont pas des charges. La charge se constitue petit à petit, à mesure que l'on utilise les actifs. Cette transaction a un caractère continu. Dans le futur, avant de présenter des états financiers, il faudra calculer le coût des services reçus de ces actifs et l'enregistrer à chaque période. Cette charge se nommera amortissement.

2 février La société Aviation canadienne ltée facture Transport aérien nordique ltée pour les 70 heures de vol effectuées en janvier.

Bénéfices non répartis	**3 800**	
Fournisseurs		**3800**
(Attention ! cette écriture devra être datée du 31 janvier)		

Nous avons enregistré le coût des services reçus de l'avion (70 heures de vol) le 31 janvier, car nous voulions présenter les états financiers corrects au 31 janvier. Cette charge de 3 800 $ doit être rapprochée des produits de janvier, même si la facturation n'a eu lieu que le 2 février. Comme nous le verrons plus loin, ce type d'écriture s'appelle « régularisation » et a pour but d'inscrire, pendant la même période financière, les charges et les produits qui appartiennent à cette période.

L'enregistrement des opérations du mois de janvier est maintenant terminé. Les écritures de journal ont été reportées au grand livre général. Nous devons à présent poursuivre les étapes du cycle comptable et présenter les états financiers afin de connaître la rentabilité de l'entreprise (état des résultats) et sa situation financière (bilan).

FEUILLES DE COMPTE (Grand livre général)

Titre du compte : Encaisse					Compte n° 01	
Date	Explication	Fo	Débit	Crédit	Solde	Dt/Ct
1er janv.		J-1	2 000		2 000	Dt
6 janv.		J-1		500	1 500	Dt
7 janv.		J-1	6 320		7 820	Dt
9 janv.		J-1		150	7 670	Dt
10 janv.		J-1	650		8 320	Dt
15 janv.		J-1		250	8 070	Dt
17 janv.		J-1		200	7 870	Dt
18 janv.		J-1	1 600		9 470	Dt
23 janv.		J-1	400		9 870	Dt
25 janv.		J-2		500	9 370	Dt
29 janv.		J-2	950		10 320	Dt
31 janv.		J-2		1 000	9 320	Dt
31 janv.		J-2		300	9 020	Dt
31 janv.		J-2		1 000	8 020	Dt

Titre du compte : Clients					Compte n° 05	
Date	Explication	Fo	Débit	Crédit	Solde	Dt/Ct
5 janv.		J-1	650		650	Dt
10 janv.		J-1		650	0	
12 janv.		J-1	1 000		1 000	Dt
30 janv.		J-2	600		1 600	Dt

Titre du compte : Mobilier de bureau					Compte nº 10	
Date	Explication	Fo	Débit	Crédit	Solde	Dt/Ct
31 janv.		J-2	300		300	Dt

Titre du compte : Immeuble					Compte nº 13	
Date	Explication	Fo	Débit	Crédit	Solde	Dt/Ct
31 janv.		J-2	30 000		30 000	Dt

Titre du compte : Terrain					Compte nº 15	
Date	Explication	Fo	Débit	Crédit	Solde	Dt/Ct
31 janv.		J-2	5 000		5 000	Dt

Titre du compte : Fournisseurs					Compte nº 30	
Date	Explication	Fo	Débit	Crédit	Solde	Dt/Ct
4 janv.		J-1		300	300	Ct
9 janv.		J-1	150		150	Ct
24 janv.		J-1		300	450	Ct
31 janv.		J-2		3 800	4 250	Ct

Titre du compte : Emprunt hypothécaire					Compte nº 33	
Date	Explication	Fo	Débit	Crédit	Solde	Dt/Ct
31 janv.	1 000 $ (par mois)	J-2		34 000	34 000	Ct

Titre du compte : Capital-actions					Compte nº 40	
Date	Explication	Fo	Débit	Crédit	Solde	Dt/Ct
1er janv.		J-1		2 000	2 000	Ct
31 janv.		J-2		170	2 170	Ct

Titre du compte : Bénéfices non répartis					Compte nº 41	
Date	Explication	Fo	Débit	Crédit	Solde	Dt/Ct
4 janv.		J-1	300		300	Dt
5 janv.		J-1		650	350	Ct
6 janv.		J-1	500		150	Dt
7 janv.		J-1		6 320	6 170	Ct
12 janv.		J-1		1 000	7 170	Ct
15 janv.		J-1	250		6 920	Ct
17 janv.		J-1	200		6 720	Ct
18 janv.		J-1		1 600	8 320	Ct
23 janv.		J-1		400	8 720	Ct
24 janv.		J-1	300		8 420	Ct
25 janv.		J-2	500		7 920	Ct
29 janv.		J-2		950	8 870	Ct
30 janv.		J-2		600	9 470	Ct
31 janv.		J-2	1 000		8 470	Ct
31 janv.		J-2	170		8 300	Ct
31 janv.		J-2	3 800		4 500	Ct

Nous vérifions maintenant si nous avons maintenu l'équilibre de l'identité fondamentale. Nous transcrivons donc le solde de chacun des comptes du grand livre général dans la balance de vérification.

TRANSPORT AÉRIEN NORDIQUE LTÉE
Balance de vérification
au 31 janvier 19X6

	Débit	Crédit
Banque	8 020 $	
Clients	1 600	
Mobilier de bureau	300	
Immeuble	30 000	
Terrain	5 000	
Fournisseurs		4 250 $
Emprunt hypothécaire		34 000
Capital-actions		2 170
Bénéfices non réparris		4 500
	44 920 $	44 920 $

Nous désirons maintenant préparer un état des résultats pour le mois de janvier afin d'examiner la rentabilité et vérifier la nature des différents résultats au chapitre des produits et des charges. Toutefois, il est impossible de rédiger cet état des résultats avec le procédé d'enregistrement que nous avons utilisé.

Cette méthode, qui consiste à enregistrer les produits, les charges et les dividendes en modifiant directement l'avoir des propriétaires (le compte Bénéfices non répartis dans une société par actions), procure une balance de vérification qui ne contient aucun compte des produits, charges et dividendes. Le bénéfice net semble ici de 5000 $. En effet, le poste Bénéfices non répartis a connu une croissance de 4500 $ malgré une diminution de 500 $ occasionnée par les dividendes. Cependant, nous ne pouvons pas concilier cette augmentation de 4500 $ dans un état des bénéfices non répartis car le compte Dividendes y est inexistant.

Toutefois, cette méthode fournit une balance de vérification qui permet de préparer un bilan immédiatement. Ce bilan sera en équilibre car les comptes d'actif sont à leur solde de fin de période et les comptes de passif et Bénéfices non répartis le sont également.

Voici ce bilan :

TRANSPORT AÉRIEN NORDIQUE LTÉE
Bilan
au 31 janvier 19X6

ACTIF
Actif à court terme

Encaisse	8 020 $	
Clients	1 600	9 620 $

Actif à long terme

Mobilier de bureau	300	
Immeuble	30 000	
Terrain	5 000	35 300
		44 920 $

PASSIF
Passif à court terme

Fournisseurs	4 250 $	
Versement exigible de l'emprunt hypothécaire	12 000	16 250 $

Passif à long terme

Emprunt hypothécaire	34 000	
Moins : Versement exigible de l'emprunt hypothécaire	(12 000)	22 000
		38 250

AVOIR DES ACTIONNAIRES

Capital-actions	2 170	
Bénéfices non répartis	4 500	6 670
		44 920 $

Même si cette méthode fournit un bilan en équilibre, nous allons la modifier car l'absence de détails quant aux produits, aux charges et aux dividendes et l'impossibilité de préparer l'état des résultats et l'état des bénéfices non répartis constituent des inconvénients trop importants.

4.9 NÉCESSITÉ D'OUVRIR DES COMPTES DE RÉSULTAT

Dorénavant, nous allons fractionner le compte Bénéfices non répartis en comptes de produits, charges et dividendes. La nouvelle identité comptable se présentera ainsi :

Actif = Passif + C.-act. + B.N.R. + Produits − Charges − Dividendes
Débit = Crédit + Crédit + Crédit + Crédit − Débit − Débit

Lors de l'enregistrement d'un produit d'exploitation, par exemple des honoraires gagnés, nous débiterons le compte d'actif et nous créditerons le compte de produit *Honoraires gagnés* au lieu de créditer le compte *Bénéfices non répartis*.

Encaisse ou Clients	**5 000**	
Honoraires gagnés		**5 000**

Voici l'effet de ce produit sur la nouvelle identité fondamentale.

Équation du bilan	**Comptes de l'état des résultats et de l'état des B.N.R.**

Actif	**= Passif + C.-act. + B.N.R.**	**+**	**Produits**	**− Charges**	**− Dividendes**
Débit	**= Crédit + Crédit + Crédit**	**+**	**Crédit**	**− Débit**	**− Débit**
+ 5 000 $	**=**	**+**	**5 000 $**		

Lors de l'enregistrement d'une charge d'exploitation, par exemple des salaires, nous débiterons un compte de charge intitulé *Salaires* au lieu de débiter le compte *Bénéfices non répartis* comme nous l'avons fait jusqu'à maintenant. Comme une charge amène la diminution d'un actif ou l'augmentation d'un passif, nous créditerons généralement soit *Encaisse*, soit *Fournisseurs*.

Publicité	**3 000**	
Encaisse ou Fournisseurs		**3 000**

Voici maintenant l'effet de cette charge sur la nouvelle identité fondamentale :

Équation du bilan						Comptes de l'état des résultats et de l'état des B.N.R.		
Actif	= **Passif**	+ **C.-act.**	+ **B.N.R.**	+		**Produits** −	**Charges** −	**Dividendes**
Débit	= **Crédit**	+ **Crédit**	+ **Crédit**	+		**Crédit** −	**Débit** −	**Débit**
− 3 000 $	=						− **3 000 $**	
		ou						
		+ 3 000 $					− **3 000 $**	

Lors de l'enregistrement de retraits ou de dividendes nous débiterons le compte *Dividendes* au lieu du compte *Bénéfices non répartis*.

Dividendes	1 000	
Encaisse		1 000

Et l'effet sur l'identité fondamentale sera :

Équation du bilan						Comptes de l'état des résultats et de l'état des B.N.R.		
Actif	= **Passif**	+ **C.-act.**	+ **B.N.R.**	+		**Produits** −	**Charges** −	**Dividendes**
Débit	= **Crédit**	+ **Crédit**	+ **Crédit**	+		**Crédit** −	**Débit** −	**Débit**
− 1 000 $	=						−	**1 000 $**

Cette façon de procéder, qui consiste à affecter des comptes *hors de l'avoir des propriétaires* pour enregistrer les produits et les charges, comporte l'avantage de maintenir à jour une description complète des divers produits, charges et dividendes ; par contre, elle nous cause un inconvénient, à savoir : elle *déséquilibre temporairement les comptes du bilan.*

Toutefois, cet inconvénient est négligeable si l'on songe que le bilan est préparé en fin de période seulement. Il n'est pas nécessaire que les comptes du bilan soient toujours en équilibre ; il suffit simplement que cet équilibre soit rétabli immédiatement avant la préparation du bilan.

Quand le moment de préparer le bilan sera venu, c'est-à-dire immédiatement après la préparation de l'état des résultats et l'état des bénéfices non répartis, il s'agira de *virer* les comptes de produits, charges et dividendes dans le compte Bénéfices non répartis. Ce processus s'appelle la *fermeture des comptes.* Voici son illustration avec les chiffres de l'exemple donné précédemment :

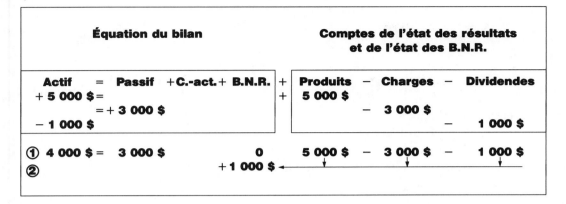

Sur la première ligne des totaux ①, l'équation du bilan est en déséquilibre car les comptes de l'actif présentent leur solde de la fin (4000 $), les comptes de passif présentent leur solde de la fin (3000 $) tandis que le compte Bénéfices non répartis a conservé le solde qu'il avait au début (0 $).

Après avoir utilisé le solde des comptes de produits, charges et dividendes pour préparer notre état des résultats et notre état des bénéfices non répartis, nous pouvons les *fermer* dans Bénéfices non répartis et nous obtenons les résultats présentés à la deuxième ligne ②des totaux de l'équation du bilan illustrée ci-dessus. Cette fois-ci, le compte Bénéfices non répartis est également à son solde de la fin, c'est-à-dire au solde que nous aurions obtenu si nous n'avions jamais ouvert de comptes de produits, charges et dividendes. En d'autres mots, on obtient le solde que l'on aurait obtenu si nous avions comptabilisé les produits, charges et dividendes directement au compte Bénéfices non répartis.

Notre deuxième façon de procéder est donc supérieure à la première puisque nous pouvons maintenant préparer un état des résultats et un état des bénéfices non répartis et que nous obtenons, comme avec la première méthode, un bilan en équilibre en fin d'exercice moyennant des travaux de fermeture des *comptes de résultats.*

L'accumulation dans les comptes de produits, charges et dividendes se fera pour la durée de la période financière, après quoi leurs soldes seront transférés à Bénéfices non répartis. C'est pourquoi ces comptes sont appelés *comptes de résultats* ou comptes temporaires par opposition aux comptes du bilan qui se nomment *comptes de valeurs* ou comptes permanents. Ces derniers demeurent ouverts pour suivre les valeurs d'une société pendant toute sa vie.

4.10   PROBLÈME RÉSOLU EN UTILISANT DES COMPTES DE RÉSULTATS

Nous présentons maintenant le journal général et le grand livre général de Transport nordique ltée, compte tenu de l'ouverture de comptes de résultats comme on en retrouve en pratique :

FEUILLES DE JOURNAL GÉNÉRAL

				Page no 1
Date		Fo	Débit	Crédit
1er janv.	Encaisse	01	2 000	
	Capital-actions	40		2 000
4 janv.	Publicité	60	300	
	Fournisseurs	30		300
5 janv.	Clients	05	650	
	Produits, transport marchandises	51		650
6 janv.	Carburant	62	500	
	Encaisse	01		500
7 janv.	Encaisse	01	6 320	
	Produits, transport passagers	50		6 320
9 janv.	Fournisseurs	30	150	
	Encaisse	01		150
10 janv.	Encaisse	01	650	
	Clients	05		650
12 janv.	Clients	05	1 000	
	Produits, transport marchandises	51		1 000
15 janv.	Salaire, manutention	63	250	
	Encaisse	01		250
17 janv.	Loyer, hangar	64	200	
	Encaisse	01		200
18 janv.	Encaisse	01	1 600	
	Produits, transport marchandises	51		1 600
23 janv.	Encaisse	01	400	
	Produits, transport passagers	50		400
24 janv.	Entretien	65	300	
	Fournisseurs	30		300
25 janv.	Dividendes	42	500	
	Encaisse	01		500
29 janv.	Encaisse	01	950	
	Produits, transport passagers	50		950
30 janv.	Clients	05	600	
	Produits, transport marchandises	51		600
31 janv.	Salaire pilote	66	800	
	Salaire manutention	63	200	
	Encaisse	01		1 000

31 janv.	Mobilier de bureau	10	300	
	Encaisse	01		300
31 janv.	Téléphone	67	50	
	Électricité	68	20	
	Loyer, bureau	69	100	
	Capital-actions	40		170

| | | | | Page no 2 |
Date		Fo	Débit	Crédit
31 janv.	Immeuble	13	30 000	
	Terrain	15	5 000	
	Emprunt hypothécaire	33		34 000
	Encaisse	01		1 000
31 janv.	Location avion	61	3 800	
	Fournisseurs	30		3 800

GRAND LIVRE GÉNÉRAL

| Titre du compte : Encaisse | | | | | Compte no 01 | |
Date	Explication	Fo	Débit	Crédit	Solde	Dt/Ct
1er janv.		J-1	2 000			
6 janv.		J-1		500		
7 janv.		J-1	6 320			
9 janv.		J-1		150		
10 janv.		J-1	650			
15 janv.		J-1		250		
17 janv.		J-1		200		
18 janv.		J-1	1 600			
23 janv.		J-1	400			
25 janv.		J-1		500		
29 janv.		J-1	950			
31 janv.		J-1		1 000		
31 janv.		J-1		300		
31 janv.		J-2		1 000	8 020	Dt

Titre du compte : Clients					Compte no 05	
Date	Explication	Fo	Débit	Crédit	Solde	Dt/Ct
5 janv.		J-1	650		650	Dt
10 janv.		J-1		650	0	
12 janv.		J-1	1 000		1 000	Dt
30 janv.		J-1	600		1 600	Dt

Titre du compte : Mobilier de bureau					Compte no 10	
Date	Explication	Fo	Débit	Crédit	Solde	Dt/Ct
31 janv.		J-1	300		300	Dt

Titre du compte : Immeuble					Compte no 13	
Date	Explication	Fo	Débit	Crédit	Solde	Dt/Ct
31 janv.		J-2	30 000		30 000	Dt

Titre du compte : Terrain					Compte no 15	
Date	Explication	Fo	Débit	Crédit	Solde	Dt/Ct
31 janv.		J-2	5 000		5 000	Dt

Titre du compte : Fournisseurs					Compte no 30	
Date	Explication	Fo	Débit	Crédit	Solde	Dt/Ct
4 janv.		J-1		300	300	Ct
9 janv.		J-1	150		150	Ct
24 janv.		J-1		300	450	Ct
31 janv.		J-2		3 800	4 250	Ct

Titre du compte : Emprunt hypothécaire					Compte no 33	
Date	Explication	Fo	Débit	Crédit	Solde	Dt/Ct
31 janv.		J-2		34 000	34 000	Ct

Titre du compte : Capital-actions					Compte no 40	
Date	Explication	Fo	Débit	Crédit	Solde	Dt/Ct
1er janv.		J-1		2 000	2 000	Ct
31 janv.		J-1		170	2 170	Ct

Titre du compte : Bénéfices non répartis					Compte no 41	
Date	Explication	Fo	Débit	Crédit	Solde	Dt/Ct

Titre du compte : Dividendes					Compte no 42	
Date	Explication	Fo	Débit	Crédit	Solde	Dt/Ct
25 janv.		J-1	500		500	Dt

Titre du compte : Produits, transport passagers					Compte no 50	
Date	Explication	Fo	Débit	Crédit	Solde	Dt/Ct
7 janv.		J-1		6 320	6 320	Ct
23 janv.		J-1		400	6 720	Ct
29 janv.		J-1		950	7 670	Ct

Titre du compte : Produits, transport marchandises					Compte no 51	
Date	Explication	Fo	Débit	Crédit	Solde	Dt/Ct
5 janv.		J-1		650	650	Ct
12 janv.		J-1		1 000	1 650	Ct
18 janv.		J-1		1 600	3 250	Ct
30 janv.		J-1		600	3 850	Ct

Titre du compte : Publicité					Compte no 60	
Date	Explication	Fo	Débit	Crédit	Solde	Dt/Ct
4 janv.		J-1	300		300	Dt

Titre du compte : Location avion					Compte no 61	
Date	Explication	Fo	Débit	Crédit	Solde	Dt/Ct
31 janv.		J-2	3 800		3 800	Dt

Titre du compte : Carburant					Compte no 62	
Date	Explication	Fo	Débit	Crédit	Solde	Dt/Ct
6 janv.		J-1	500		500	Dt

Titre du compte : Salaire manutention					Compte	no 63
Date	Explication	Fo	Débit	Crédit	Solde	Dt/Ct
15 janv.		J-1	250		250	Dt
31 janv.		J-1	200		450	Dt

Titre du compte : Loyer hangar					Compte	no 64
Date	Explication	Fo	Débit	Crédit	Solde	Dt/Ct
17 janv.		J-1	200		200	Dt

Titre du compte : Entretien					Compte	no 65
Date	Explication	Fo	Débit	Crédit	Solde	Dt/Ct
24 janv.		J-1	300		300	Dt

Titre du compte : Salaire pilote					Compte	no 66
Date	Explication	Fo	Débit	Crédit	Solde	Dt/Ct
31 janv.		J-1	800		800	Dt

Titre du compte : Téléphone					Compte	no 67
Date	Explication	Fo	Débit	Crédit	Solde	Dt/Ct
31 janv.		J-1	50		50	Dt

Titre du compte : Électricité					Compte	no 68
Date	Explication	Fo	Débit	Crédit	Solde	Dt/Ct
31 janv.		J-1	20		20	Dt

Titre du compte : Loyer bureau					Compte	no 69
Date	Explication	Fo	Débit	Crédit	Solde	Dt/Ct
31 janv.		J-1	100		100	Dt

Nous sommes à la fin de janvier 19X6 et le propriétaire de Transport aérien nordique ltée désire connaître les résultats d'exploitation de son entreprise pour le mois écoulé. Nous amorçons donc la séquence logique des travaux comptables qui mèneront aux états financiers, en commençant par la balance de vérification.

TRANSPORT AÉRIEN NORDIQUE LTÉE
Balance de vérification
au 31 janvier 19X6

		Débit	Crédit
01	Encaisse	8 020 $	
05	Clients	1 600	
10	Mobilier de bureau	300	
13	Immeuble	30 000	
15	Terrain	5 000	
30	Fournisseurs		4 250 $
33	Emprunt hypothécaire		34 000
40	Capital-actions		2 170
TOTAL COMPTES DE VALEURS		**44 920**	**40 420**
42	Dividendes	500	
50	Produits, transport passagers		7 670
51	Produits, transport marchandises		3 850
60	Publicité	300	
61	Location avion	3 800	
62	Carburant	500	
63	Salaire, manutention	450	
64	Loyer, hangar	200	
65	Entretien	300	
66	Salaire, pilote	800	
67	Téléphone	50	
68	Électricité	20	
69	Loyer, bureau	100	
TOTAL COMPTES DE RÉSULTATS		**7 020**	**11 520**
GRAND TOTAL		**51 940 $**	**51 940 $**

On remarque, dans cette balance de vérification, en faisant le sous-total pour les comptes de valeurs, que le total des comptes de l'actif excède de 4500 $ (44 920 $ contre 40 420 $) celui du passif. Le bilan est en déséquilibre du montant des bénéfices (5000 $) moins celui des dividendes (500 $), c'est-à-dire qu'il présente un déséquilibre, en faveur des débits, de 4500 $. Il s'agit exactement du déséquilibre inverse que l'on retrouve dans les comptes de résultats qui ont des crédits supérieurs de 4500 $ (11 520 $ contre 7020 $).

En effet, si un bénéfice a été réalisé, les entrées d'actif ont finalement été supérieures aux sorties d'actif ou aux augmentations de passif. De plus, s'il y a eu un bénéfice, le montant des produits est supérieur à celui des charges. L'excédent dans les postes d'actif au bilan (4500 $ débiteur) est égal à l'excédent dans les postes de produits (4500 $ créditeur), de sorte que l'addition complète des deux types de comptes donne un même grand total. Ceci se comprend facilement si l'on songe qu'il y a seulement une partie des écritures d'enregistrement des produits, charges et dividendes qui affecte les comptes de bilan. Il est évident que si l'on additionne à la fois les comptes de bilan et de résultats, l'équilibre débit-crédit existe à n'importe quel moment puisqu'on intègre alors les deux parties des écritures d'enregistrement des produits charges et dividendes.

Ainsi, l'équation suivante résume l'effet de toutes les transactions du mois de janvier 19X6 :

Actif	=	Passif	+	Capital-actions	−	Dividendes	+	Produits	−	Charges
+ 44 920 $	=	+ 38 250 $	+	2 170 $	−	500 $	+	11 520 $	−	6 520 $

Les transactions ont maintenu l'équilibre de l'équation totale. Toutefois, si l'on considère seulement l'équation du bilan, on remarque que les montants portés à l'actif excèdent de 4500 $ les montants portés au passif et à l'avoir des actionnaires :

Dt Actif	=	Ct Passif	+	Ct Capital-actions	+	Ct Bénéfices non répartis
+ 44 920 $	=	+ 38 250 $	+	2 170 $	+	0

Par contre, si l'on considère uniquement les comptes de produits, charges et dividendes, on remarque que les montants portés aux produits excèdent de 4500 $ les montants portés aux charges et aux dividendes :

Ct Produits	−	Ct Charges	−	Dt Dividendes
11 520 $	−	6 520 $	−	500 $

Cela nous convainc que tout produit, charge et dividende modifie le bilan du même montant qu'il modifie l'état des résultats ou l'état des bénéfices non répartis, mais en sens opposé. En effet, le bilan note les changements dans l'actif et le passif causés par les produits, charges et dividendes tandis que l'état des résultats note l'autre portion de l'écriture, c'est-à-dire les enrichissements et les appauvrissements, et l'état des bénéfices non répartis note les dividendes.

PRODUITS		
Encaisse (Bilan)	5 000	
Honoraires (État des résultats)		5 000
CHARGES		
Publicité (État des résultats)	3 000	
Fournisseurs (Bilan)		3 000
DIVIDENDES		
Dividendes (État des B.N.R.)	1 000	
Encaisse (Bilan)		1 000

Les comptes du bilan ont un excédent de 1000 $ au débit et les comptes de résultats un excédent de 1000 $ au crédit.

La deuxième méthode, qui consiste à ouvrir des comptes de résultats, nous permet donc, par un simple examen de la balance de vérification, de préparer l'état des résultats et l'état des bénéfices non répartis.

TRANSPORT AÉRIEN NORDIQUE LTÉE
État des résultats
pour le mois de janvier 19X6

PRODUITS D'EXPLOITATION

Transport de passagers	7 670 $	
Transport de marchandises	3 850	11 520 $

CHARGES D'EXPLOITATION

Publicité	300	
Location, avion	3 800	
Carburant	500	
Salaire, manutention	450	
Loyer, hangar	200	
Entretien	300	
Salaire, pilote	800	
Téléphone	50	
Électricité	20	
Loyer, bureau	100	6 520
BÉNÉFICE NET		**5 000 $**

TRANSPORT AÉRIEN NORDIQUE LTÉE
État des bénéfices non répartis
pour le mois de janvier 19X6

Solde des bénéfices non répartis au 1er janvier 19X6	0 $
Plus : bénéfice net de 19X6	5 000
	5 000
Moins : dividendes	500
Solde des bénéfices non répartis au 31 janvier 19X6	4 500 $

4.11   LES ÉCRITURES DE FERMETURE : UN PRÉALABLE À LA PRÉSENTATION DU BILAN

Nous arrivons maintenant à l'étape de la préparation du bilan puisqu'il faut également connaître la situation financière atteinte au 31 janvier 19X6. Actuellement, le bilan n'est pas en équilibre, comme l'a démontré la balance de vérification. La question est de savoir comment arriver à un bilan identique à celui obtenu avec la première méthode, puisque nous avions alors estimé qu'elle produisait un bilan parfait ?

Il suffit de transférer le solde des comptes de produits, charges et dividendes dans celui de l'avoir des propriétaires. En effet, en fin d'exercice, rien ne s'oppose à ce que les comptes de produits et charges reviennent à un *solde nul*. Au contraire, c'est même nécessaire puisque l'accumulation doit commencer à zéro pour la période suivante. Les comptes de résultats seront utilisés à nouveau au cours du prochain exercice financier. Les écritures qui transfèrent le solde des comptes de produits, charges et dividendes dans l'avoir des propriétaires (au compte Bénéfices non répartis, dans notre exemple) sont justement appelées *écritures de fermeture* ou *écritures de clôture*.

Le déroulement de ces écritures se situe donc, en ce qui a trait à la simple logique comptable, après la préparation de l'état des résultats et de l'état des bénéfices non répartis et avant la préparation du bilan car, avant celles-ci, les bénéfices non répartis sont encore inscrits au solde de début d'exercice. Ces écritures sont enregistrées au journal général en fin d'exercice, puis reportées au grand livre général. Une fois ce report effectué, le compte Bénéfices non répartis acquiert son solde de fin d'exercice et le bilan est en équilibre.

Il est bien entendu que, lors de la préparation d'états financiers mensuels, il n'est pas nécessaire de fermer les comptes de résultats. Il faut continuer l'accumulation jusqu'à la fin de l'exercice financier, qui est généralement d'un an. À la fin d'une période mensuelle ou trimestrielle, on utilise des feuilles de travail pour faire l'équivalent des écritures de clôture. Dans notre exemple, nous allons fermer les comptes de résultats après un mois d'exploitation à des fins de démonstration seulement.

4.11.1 La fermeture des comptes de produits

Les comptes de produits ont un solde créditeur. Pour les fermer, nous allons les débiter et nous allons créditer le compte Sommaire des résultats. Ce dernier compte recevra tous les produits et toutes les charges pour être ensuite lui-même fermé dans le compte Bénéfices non répartis. Voici ces écritures de fermeture pour Transport aérien nordique ltée.

JOURNAL GÉNÉRAL				Page 3
Date	Explication	Fo	Débit	Crédit
	Produits, transport de passagers	50	7 670	
	Produits, transport de marchandises	51	3 850	
	Sommaire des résultats	43		11 520

GRAND LIVRE GÉNÉRAL

Titre du compte : Produits, transport de passagers					Compte n⁰ 50	
Date	Explication	Fo	Débit	Crédit	Solde	Dt/Ct
7 janv.		J-1		6320	6 320	Ct
27 janv.		J-1		400	6 720	Ct
29 janv.		J-1		950	7 670	Ct
31 janv.	Fermeture	J-3	7 670		0	

Solde versé

Titre du compte : Produits, transport de marchandises					Compte nº 51	
Date	Explication	Fº	Débit	Crédit	Solde	Dt/Ct
5 janv.		J-1		650	650	Ct
12 janv.		J-1		1 000	1 650	Ct
18 janv.		J-1		1 600	3 250	Ct
30 janv.		J-1		600	3 850	Ct
31 janv.	Fermeture	J-3	3 850		0	

→ Solde versé →

Titre du compte : Sommaire des résultats					Compte nº 43	
Date	Explication	Fº	Débit	Crédit	Solde	Dt/Ct
31 janv.		J-3		11 520	11 520	Ct

→ Solde reçu ←

Le compte Sommaire des résultats reçoit le solde des deux autres comptes.

4.11.2 La fermeture des comptes de charges

Les comptes de charges ont un solde débiteur. Pour les fermer, nous allons les créditer et nous allons débiter le compte Sommaire des résultats.

JOURNAL GÉNÉRAL				Page 3
Date	Explication	Fº	Débit	Crédit
31 janv.	Sommaire des résultats	43	6 520	
	Publicité	60		300
	Location avion	61		3 800
	Carburant	62		500
	Salaire manutention	63		450
	Loyer hangar	64		200
	Entretien	65		300
	Salaire pilote	66		800
	Téléphone	67		50
	Électricité	68		20
	Loyer bureau	69		100

GRAND LIVRE GÉNÉRAL

Titre du compte : Publicité					Compte nº 60	
Date	Explication	Fº	Débit	Crédit	Solde	Dt/Ct
4 janv.		J-1	300		300	Dt
31 janv.	Fermeture	J-3		300	0	

Titre du compte : Location avion					Compte n⁰ 61	
Date	Explication	F⁰	Débit	Crédit	Solde	Dt/Ct
31 janv.		J-2	3 800		3 800	Dt
31 janv.	Fermeture	J-3		3 800	0	

Titre du compte : Carburant					Compte n⁰ 62	
Date	Explication	F⁰	Débit	Crédit	Solde	Dt/Ct
6 janv.		J-1	500		500	Dt
31 janv.	Fermeture	J-3		500	0	

Titre du compte : Salaire manutention					Compte n⁰ 63	
Date	Explication	F⁰	Débit	Crédit	Solde	Dt/Ct
15 janv.		J-1	250		250	Dt
31 janv.		J-1	200		450	Dt
31 janv.	Fermeture	J-3		450	0	

Titre du compte : Loyer hangar					Compte n⁰ 64	
Date	Explication	F⁰	Débit	Crédit	Solde	Dt/Ct
17 janv.		J-1	200		200	Dt
31 janv.	Fermeture	J-3		200	0	

Titre du compte : Entretien					Compte n⁰ 65	
Date	Explication	F⁰	Débit	Crédit	Solde	Dt/Ct
24 janv.		J-1	300		300	Dt
31 janv.	Fermeture	J-3		300	0	

Titre du compte : Salaire pilote					Compte n⁰ 66	
Date	Explication	F⁰	Débit	Crédit	Solde	Dt/Ct
31 janv.		J-1	800		800	Dt
31 janv.	Fermeture	J-3		800	0	

Titre du compte : Téléphone					Compte n⁰ 67	
Date	Explication	F⁰	Débit	Crédit	Solde	Dt/Ct
31 janv.		J-1	50		50	Dt
31 janv.	Fermeture	J-3		50	0	

Titre du compte : Électricité					Compte nº 68	
Date	Explication	Fº	Débit	Crédit	Solde	Dt/Ct
31 janv.		J-1	20		20	Dt
31 janv.	Fermeture	J-3		20	0	

Titre du compte : Loyer bureau					Compte nº 69	
Date	Explication	Fº	Débit	Crédit	Solde	Dt/Ct
31 janv.		J-1	100		100	Dt
31 janv.	Fermeture	J-3		100	0	

Titre du compte : Sommaire des résultats					Compte nº 43	
Date	Explication	Fº	Débit	Crédit	Solde	Dt/Ct
31 janv.		J-3		11 520	11 520	Ct
31 janv.		J-3	6 520		5 000	Ct

4.11.3 La fermeture du compte Sommaire des résultats

Les comptes de produits et charges sont maintenant fermés. Le compte Sommaire des résultats montre un solde créditeur de 5000 $ qui correspond au bénéfice net de janvier 19X6. Nous allons maintenant fermer ce compte en le débitant et en créditant le compte de valeur Bénéfices non répartis. Si l'entreprise avait subi une perte, le solde du compte Sommaire des résultats aurait été débiteur.

JOURNAL GÉNÉRAL			Page 3
Sommaire des résultats	**43**	**5 000**	
Bénéfices non répartis	**41**		**5 000**

Titre du compte : Sommaire des résultats					Compte nº 43	
Date	Explication	Fº	Débit	Crédit	Solde	Dt/Ct
31 janv.		J-3		11 520	11 520	Ct
31 janv.		J-3	6 520		5 000	Ct
31 janv.		J-3	5 000		0	

Titre du compte : Bénéfices non répartis					Compte nº 41	
Date	Explication	Fº	Débit	Crédit	Solde	Dt/Ct
31 janv.		J-3		5 000	5 000	Ct

4.12 LES APPORTS, LES PRÉLÈVEMENTS OU LES DIVIDENDES

Le prélèvement ou les dividendes ne sont pas des charges parce que ce ne sont pas des sorties d'actifs ou des coûts engagés dans le but de gagner un produit. Prenons l'exemple de deux entreprises qui se sont retrouvées dans une position identique sur le plan de leurs bénéfices.

	Société A	Société B
Produits	100 000 $	80 000 $
Charges	70 000	50 000
Bénéfice net	30 000	30 000
Retraits ou dividendes	20 000	
Augmentation nette du capital ou des bénéfices non répartis	10 000 $	30 000 $

Les prélèvements ou les dividendes sont des partages d'un bénéfice net de 30 000 $ qui a été préalablement calculé par le rapprochement des produits et des charges. Comme ils entraînent une sortie d'actif, il est évident que l'avoir des propriétaires s'en trouve diminué. Le prélèvement doit être bien distingué d'une charge parce qu'il a lui aussi pour effet de réduire les actifs. Par exemple, si le propriétaire d'une épicerie nourrit sa famille en puisant dans son stock sans comptabiliser ces prélèvements, le coût de cette marchandise apparaîtra parmi celui des marchandises ayant été vendues. Avec un tel procédé, ce propriétaire ne pourra jamais avoir une idée exacte de la rentabilité de son épicerie.

Dans une entreprise à propriétaire unique ou dans une société en nom collectif, les apports sont enregistrés dans un compte distinct, suivant une écriture semblable à celle-ci :

Encaisse	10 000	
Apport M. Larivière		10 000

Ce compte d'apport est évidemment distinct d'un produit pour l'entité parce qu'il s'agit d'une entrée d'actif ayant une source autre que la réalisation de l'objet commercial. Ce compte est fermé au compte capital en fin d'exercice, au même titre que les comptes de produits et charges. Il s'agit en fait de garder une trace distincte des apports effectués pendant la période.

Dans une société par actions, les apports se font lors de l'émission d'actions et sont comptabilisés dans le compte Capital-actions, selon cette écriture :

Encaisse	10 000	
Capital-actions		10 000

Dans ce dernier cas, il n'y a pas d'écriture de fermeture puisqu'un compte de capital a été affecté directement.

En ce qui a trait aux prélèvements dans une entreprise à propriétaire unique ou dans une société en nom collectif, on applique le même principe que pour les apports, c'est-à-dire l'ouverture d'un compte distinct pendant l'exercice pour garder une trace des retraits :

Prélèvements M. Larivière	**5 000**	
Encaisse		**5 000**

Dans une société par actions, les retraits se nomment *dividendes* ; leur déclaration est la responsabilité des administrateurs. On ouvre alors un compte distinct intitulé Dividendes.

Dividendes	**10 000**	
Dividendes à verser		**10 000**

Comme pour les produits et les charges, les apports, les prélèvements ou les dividendes comptabilisés dans un compte hors de l'avoir des propriétaires provoquent un déséquilibre du bilan jusqu'au moment des écritures de fermeture.

4.12.1 La fermeture des comptes d'apports, de prélèvements ou de dividendes

Le compte Dividendes n'a pas été fermé au compte Sommaire des résultats, car il ne s'agit pas d'un compte de charges. Dans une entreprise individuelle ou une société en nom collectif, le compte Dividendes porte le nom de *prélèvements* ou *retraits*. Dans ces deux derniers types d'entreprises les apports de capitaux des propriétaires ne sont pas crédités dans Capital-actions mais bien dans un compte intitulé *Apports.* Voici comment ces comptes de prélèvements et d'apports seront fermés :

Capital — M. Larivière	**5 000**	
Prélèvements — M. Larivière		**5 000**
Apports — M. Larivière	**10 000**	
Capital — M. Larivière		**10 000**

Dans notre exemple de Transport aérien nordique ltée, nous fermons ainsi le compte Dividendes :

JOURNAL GÉNÉRAL			Page 3	
Bénéfices non répartis	41	500		
Dividendes	42		500	

Titre du compte : Dividendes					Compte nº 42	
Date		Fº	Débit	Crédit	Solde	Dt/Ct
25 janv.		J-1	500		500	Dt
31 janv.		J-3		500		

Titre du compte : Bénéfices non répartis					Compte nº 41	
Date		Fº	Débit	Crédit	Solde	Dt/Ct
31 janv.		J-3		5 000	5 000	Ct
31 janv.		J-3	500		4 500	Ct

4.13 LA BALANCE DE VÉRIFICATION APRÈS FERMETURE

Les écritures de clôture ou de fermeture de Transport aérien nordique ltée sont maintenant terminées et le compte Bénéfices non répartis montre son solde de la fin, soit 4500 $, rejoignant ainsi les comptes de valeur qui étaient déjà à leur solde de la fin. Nous pouvons maintenant préparer le bilan. Auparavant, il convient de dresser une balance de vérification après fermeture qui ne contiendra que des comptes de valeur. Elle nous certifiera qu'aucune erreur n'a été commise lors de la clôture des comptes. Elle sert également de base à la préparation du bilan. Retournons au grand livre général de Transport aérien nordique ltée afin de noter les soldes des comptes.

TRANSPORT AÉRIEN NORDIQUE LTÉE
Balance de vérification après fermeture
au 31 janvier 19X6

		Débit	Crédit
01	Encaisse	8 020 $	
05	Clients	1 600	
10	Mobilier de bureau	300	
13	Immeuble	30 000	
15	Terrain	5 000	
30	Fournisseurs		4 250 $
33	Emprunt hypothécaire		34 000
40	Capital-actions		2 170
41	Bénéfices non répartis		4 500 $
		44 920 $	44 920 $

La dernière étape du cycle comptable est la préparation du bilan. Il est toutefois inutile de le reproduire ici car ce bilan sera le même que celui obtenu selon la première méthode que nous avions utilisée pour solutionner Transport aérien nordique ltée.

4.14 LES CARACTÉRISTIQUES DES DIVIDENDES

Les dividendes sont les prélèvements des propriétaires-actionnaires. Toutefois, ces prélèvements ne peuvent se faire sans formalités, contrairement à ce qui se passe dans les entreprises à propriétaire unique. Ce sont les administrateurs qui sont responsables de la déclaration des dividendes. Juridiquement, ils ne peuvent déclarer des dividendes qui réduiraient le capital légal parce qu'ils seraient alors personnellement et conjointement responsables d'avoir agi en violation des lois. Ainsi, la Loi sur les corporations commerciales canadiennes interdit la déclaration de dividendes lorsqu'il y a des motifs sérieux de croire aux éventualités suivantes : 1) une insolvabilité de la société par actions, et à plus forte raison si la société est déjà insolvable ; ou 2) une réduction de la valeur de réalisation de l'actif de la société à un niveau inférieur au total de son passif et du capital investi par les actionnaires.

Les actionnaires admettent que leur responsabilité est limitée, c'est-à-dire que la société par actions est responsable de ses dettes ; ils doivent aussi admettre qu'elle est propriétaire de son actif et que le prélèvement de cet actif sous forme de dividendes doit être assujetti à certaines règles.

Ces aspects de la loi visent à protéger les créanciers. Voici un exemple où des dividendes exagérés placeraient les créanciers dans une position précaire :

	Situation initiale	Dividendes exagérés de 49 000 $	Situation finale
Actif	100 000 $	(49 000)	51 000 $
Dettes	50 000 $		50 000 $
Capital-actions	40 000	(39 000)	1 000
Bénéfices non répartis	10 000	(10 000)	0
	100 000 $		51 000 $

Dans la situation initiale, les créanciers ont fourni 50 % des capitaux. Ils avaient une certaine protection en cas de faillite car, même si la valeur de réalisation de l'actif est de 0,50 $ pour chaque dollar, ils récupèrent leurs créances. Ils ont consenti des prêts en tenant compte du fait que les actionnaires avaient eux-mêmes risqué 40 000 $ dans l'affaire. Suite aux dividendes exagérés, les actionnaires ne risquent presque rien (1000 $) alors que les créanciers financent 98 % de l'actif. En cas de faillite, la valeur de réalisation de l'actif devrait être de 0,98 $ pour chaque dollar afin que ceux-ci puissent récupérer leurs créances.

En plus de ces aspects strictement légaux, les administrateurs doivent tenir compte des besoins d'autofinancement de l'entreprise. Les sociétés en voie d'expansion préféreront réinvestir leurs capitaux. Les actionnaires seront d'accord avec cette politique si les capitaux réinvestis dans l'entreprise se traduisent par un rendement compétitif avec les placements qu'ils auraient pu effectuer en recevant des dividendes. Les administrateurs doivent considérer l'effet des dividendes sur le cours des actions, non seulement à cause des actionnaires, mais aussi à cause de la nécessité d'émettre d'autres actions dans le futur.

Les grandes entreprises ont une politique de dividendes. Ces dividendes sont généralement déclarés tous les trois mois avec la possibilité d'un dividende supplémentaire à la fin de l'exercice si les résultats le justifient. Dans la résolution déclarant les dividendes, les administrateurs déterminent :

1. la date de déclaration ;

2. la date d'inscription ou d'immatriculation ;

3. la date de paiement.

À la date de déclaration, un passif est créé. L'écriture est alors la suivante :

Dividendes	50 000	
Dividendes à verser		50 000

À la fin de l'exercice, le compte Dividendes est fermé au compte Bénéfices non répartis. Comme il s'agit de bénéfices qui ont été répartis, ils doivent donc diminuer Bénéfices non répartis.

Bénéfices non répartis	50 000	
Dividendes		50 000

À partir de cette date, les actionnaires connaissent le montant des dividendes. S'ils désirent les toucher, ils doivent conserver leurs actions jusqu'à la date d'inscription. C'est en effet à cette date, qui suit habituellement la déclaration de deux semaines, qu'on établit la liste des actionnaires qui auront droit aux dividendes. Si un actionnaire désire vendre ses actions entre la date de déclaration et la date d'inscription, il les vendra *avec dividende attaché*, c'est-à-dire à un prix qui comprend le dividende. Il va de soi que si un actionnaire qui détenait une action depuis un trimestre vend celle-ci peu avant la date d'inscription, il transfère le droit de recevoir le dividende à un actionnaire qui n'aura détenu l'action que pendant quelques jours ; dans ces conditions, il est normal qu'il exige un prix plus élevé. Après la date d'inscription, les actions se vendent *ex-dividende*, c'est-à-dire à un prix qui ne comprend pas le dividende. En effet, un acheteur qui se procure l'action peu après la date d'inscription ne recevra pas le dividende, même si celui-ci n'est pas encore payé, parce que son nom ne figure pas sur la liste des actionnaires dressée à la date d'inscription. À la date de paiement, il faut débiter le compte Dividendes à verser et créditer le compte Caisse.

4.15 L'ÉTAT DU CAPITAL OU ÉTAT DES BÉNÉFICES NON RÉPARTIS

L'étude de deux bilans successifs nous montre que le capital ou les bénéfices non répartis d'une entreprise peuvent augmenter à la suite d'un excédent des produits sur les charges (bénéfice net). Cette donnée est disponible à l'état des résultats. Si aucun autre événement financier ne se produisait, les bénéfices non répartis ou le capital au bilan de la fin devraient être égaux au montant du début plus les bénéfices nets de l'exercice. Mais il y a toujours des événements tels des apports, des prélèvements et des dividendes qui seront à l'origine des variations du capital ou des bénéfices non répartis. C'est pourquoi on établit un nouvel état financier qui indiquera clairement le passage d'un solde de début d'exercice à un solde de fin d'exercice pour le capital ou les bénéfices non répartis. Dans le cas d'une entreprise non constituée en corporation, cela donnera :

Bilan au 31 décembre 19X5		Bilan au 31 décembre 19X6	
Actif	100 000 $	Actif	125 000 $
Passif	50 000 $	Passif	40 000 $
Capital	50 000	Capital	85 000
	100 000 $		125 000 $

ÉTAT DU CAPITAL
pour l'exercice terminé le 31 décembre 19X6

Solde du début 1er janvier 19X6	50 000 $
Plus : apports	10 000
Plus : bénéfice net	40 000
	100 000
Moins : prélèvements	15 000
Solde au 31 décembre 19X6	85 000 $

De même, pour une société par actions, nous aurons la présentation suivante :

Bilan au 31 décembre 19X5		Bilan au 31 décembre 19X6	
Actif	150 000 $	Actif	175 000 $
Passif	100 000 $	Passif	90 000 $
Capital-actions	30 000	Capital-actions	40 000
Bénéfices non répartis	20 000	Bénéfices non répartis	45 000
	150 000 $		175 000 $

ÉTAT DES BÉNÉFICES NON RÉPARTIS
pour l'exercice terminé le 31 décembre 19X6

Solde du début	20 000 $
Bénéfice net	40 000
	60 000
Dividendes	15 000
Solde à la fin	45 000 $

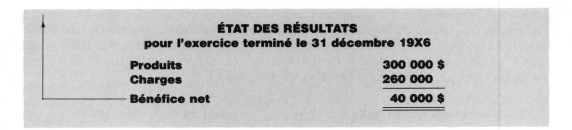

ÉTAT DES RÉSULTATS
pour l'exercice terminé le 31 décembre 19X6

Produits	**300 000 $**
Charges	**260 000**
Bénéfice net	**40 000 $**

Dans cet exemple, nous avons ajouté l'état des résultats afin de mieux illustrer l'interrelation entre celui-ci, l'état des bénéfices non répartis et les bilans successifs.

Même s'ils présentent le solde cumulatif des bénéfices non distribués en dividendes, les bénéfices non répartis ne correspondent pas à de l'argent liquide. En effet, ils sont réinvestis à mesure sous forme de ressources. Donc, même si une entreprise montre plusieurs millions de dollars à titre de bénéfices non répartis, cela ne signifie aucunement qu'elle dispose d'une pareille somme qu'elle pourrait distribuer en dividendes. On rencontre, dans certains bilans, le terme *bénéfices réinvestis* comme synonyme de *bénéfices non répartis*. Ce terme décrit mieux la réalité.

Comme le montant des bénéfices non répartis est un compte de bilan et que ses variations proviennent, d'une part des bénéfices nets qui apparaissent à l'état des résultats et, d'autre part, des dividendes qui ne sont pas montrés dans l'état des résultats ou le bilan, une conciliation du solde de fin d'exercice du compte Bénéfices non répartis accompagnera l'état des résultats et le bilan. Il s'agit de l'état des bénéfices non répartis que nous avons déjà montré.

4.16 TRAITEMENT DES SALAIRES OU DES PRÉLÈVEMENTS DES PROPRIÉTAIRES DANS LES ÉTATS FINANCIERS

Le choix se pose lorsqu'il s'agit de la présentation des états financiers des entreprises non constituées en société par actions étant donné que ces sociétés ne sont pas juridiquement distinctes de leurs propriétaires. Doit-on montrer l'ensemble des biens de l'entreprise et du propriétaire et, en contrepartie, l'ensemble des dettes de l'entreprise et du propriétaire qui sont couvertes par tous les biens indistinctement ? ou devra-t-on faire abstraction des biens et des dettes personnelles du propriétaire ? Par exemple, si un propriétaire a de nombreux biens et peu de dettes, l'exclusion de ses biens personnels du bilan de l'entreprise se traduira par une situation financière moins solide qu'elle ne l'est en réalité.

Pour répondre à cette question, il faut songer à la convention comptable de l'entité économique distincte. Ainsi, pour connaître la véritable rentabilité de l'entreprise, il faut éviter de confondre les produits et les charges du propriétaire avec ceux de l'entreprise. Le même principe s'applique au bilan de l'entreprise. Celui-ci ne devrait montrer que les biens qui ont généré ces produits et charges relatifs à l'exploitation, ce qui exclut d'office les biens personnels du propriétaire.

Toutefois, comme l'avoir du propriétaire dans l'entreprise est parfois difficile à distinguer de ses autres intérêts et comme les états financiers de l'entreprise ne reflètent pas l'ensemble des biens du propriétaire, il faut clairement souligner leur caractère limitatif. L'ICCA recommande ce qui suit :

« Les états financiers d'une entreprise personnelle doivent indiquer clairement la raison sociale de l'entreprise et, autant que possible, le nom du propriétaire.

« Les états financiers doivent faire ressortir le fait que l'entreprise n'est pas constituée en compagnie et qu'ils ne font pas voir la totalité des biens, dettes, produits et charges du propriétaire. »[1]

Ces recommandations valent également pour les sociétés en nom collectif, c'est-à-dire des entreprises avec plusieurs propriétaires non constituées en société par actions.

Les bénéfices nets d'une entreprise individuelle peuvent varier selon que la rémunération des propriétaires a été déduite ou non à l'état des résultats. Par exemple, si le propriétaire d'un commerce retirait 40 000 $ par année, nous pourrions avoir les trois états des résultats suivants :

	a	b	c
Produits	100 000 $	100 000 $	100 000 $
Salaire du propriétaire	—	(20 000)	(40 000)
Autres charges	(50 000)	(50 000)	(50 000)
Bénéfice net avant impôts	50 000 $	30 000 $	10 000 $

Dans le cas a, le propriétaire effectue des prélèvements sous une forme autre qu'un salaire ; dans le cas b, il retire le salaire (20 000 $) que toucherait tout employé qui effectuerait le même travail et retire 20 000 $ sous forme de prélèvements ; dans le cas c, le propriétaire effectue tous ses retraits sous forme de salaire. Il faut donc reconnaître le caractère arbitraire de la rémunération du propriétaire. Si elle est dissimulée parmi les charges d'exploitation, il sera impossible de se faire une juste idée de la rentabilité réelle de l'entreprise. L'ICCA a donc formulé les recommandations suivantes :

« L'état des résultats d'une entreprise personnelle doit indiquer clairement la rétribution du propriétaire, le rendement de son capital et toute autre affectation de même nature. On peut en faire des postes distincts ou bien mettre une note explicative.

« Si les états financiers font abstraction de ces frais, le fait doit être signalé. »[2]

Les remarques qui s'appliquaient à la société en nom collectif s'appliquent également à l'entreprise à propriétaire unique en ce qui concerne l'impôt sur le revenu, c'est-à-dire que ces sociétés ne sont pas des contribuables. L'état du capital du propriétaire suit les mêmes principes que l'état de l'avoir des associés dans une société en nom collectif.

---

(1) Institut canadien des comptables agréés, **Manuel de l'ICCA** Toronto, par. 1800.04, 1800.05.

(2) Institut canadien des comptables agréés, **op.cit.**, par. 1800.07 et 1800.08.

4.17 CYLCE COMPTABLE PARTIEL AVEC ÉTAT DES RÉSULATS

Comme nous l'avons fait jusqu'à présent, nous examinerons maintenant où nous en sommes dans la séquence logique des opérations comptables. Le graphique ci-contre illustre le cycle comptable partiel au point où nous en sommes dans notre étude. Nous remarquons que les produits, les charges et les dividendes, tout comme les autres transactions, ont été enregistrés au journal général puis classés dans des comptes spécifiques au grand livre général. Les soldes de ces comptes de produits, charges et dividendes ont tout d'abord été utilisés pour rédiger l'état des résultats et des bénéfices non répartis. Après la préparation de ces états pour une période donnée, les soldes de ces comptes sont désormais inutiles et sont virés au compte de bilan Bénéfices non répartis à l'aide des écritures de fermeture qui, elles aussi, sont enregistrées au journal général et reportées au grand livre général. Nous pouvons ensuite préparer le bilan car les comptes de valeurs sont alors en équilibre.

4.18 INTRODUCTION À L'UTILISATION DU CHIFFRIER

Avant de produire les états financiers ou les rapports définitifs qui seront publiés, le comptable constitue un dossier qui contient des feuilles de travail. Le chiffrier est une de ces feuilles de travail : c'est le brouillon des états financiers. Il se rédige généralement sur une feuille à quatorze colonnes.

Dans cette introduction, le chiffrier comportera quatre sections : (1) la balance de vérification initiale ; (2) l'état des résultats ; (3) l'état des bénéfices non répartis ou l'état du capital ; et (4) le bilan.

Voici un exemple où nous allons préparer les états financiers mensuels.

Le docteur G. Attendu, un jeune omnipraticien, a ouvert sa clinique le 1er juin 19X6. Voici les transactions qui ont eu lieu au cours du mois de juin :

1er juin   Le Dr Attendu dépose 13 260 $ dans un compte bancaire au nom de sa clinique.

 2 juin   Paiement du loyer de juin : 625 $.

 2 juin   Achat au comptant de 3745 $ de matériel de bureau.

 3 juin   Achat de 15 800 $ de matériel médical. Un montant de 2140 $ est versé comptant et deux billets de 6830 $ chacun sont signés. Ils viennent à échéance respectivement le 30 juin et le 30 septembre.

 4 juin   Le Dr Attendu signe un contrat avec Marlo ltée, une grande entreprise. En échange d'honoraires fixes de 300 $ par mois, le Dr Attendu s'engage à répondre aux cas urgents qui surviendraient dans cette entreprise et à passer les examens médicaux des employés et des candidats. Un premier mois d'honoraires est perçu.

15 juin   Honoraires gagnés à la clinique pour les 15 premiers jours de juin : 4500 $. Aucun de ces honoraires n'est encore encaissé.

Voici le graphique du cycle comptable partiel :

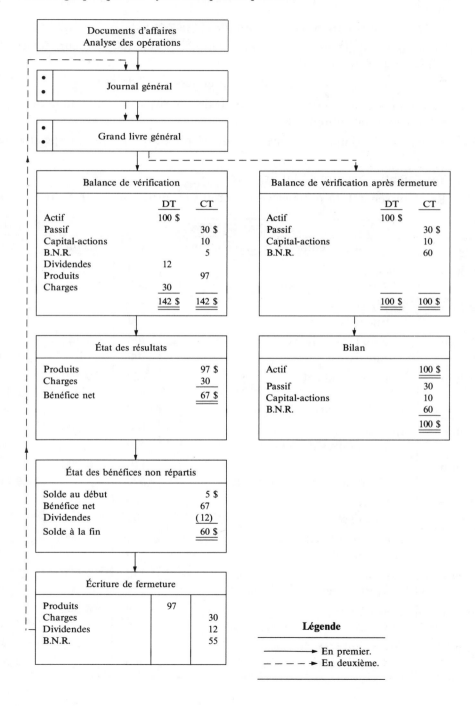

15 juin Paiement du salaire de l'infirmière, soit 625 $ pour les deux premières semaines de juin.

17 juin Le Dr Attendu retire 800 $ pour son usage personnel.

30 juin Honoraires gagnés pour les derniers jours de juin : 5100 $. Aucun de ces honoraires n'est encore encaissé.

30 juin Encaissement des honoraires des 15 premiers jours de juin.

30 juin Réception d'une facture de 1380 $ pour des fournitures reçues au début de juin. Elles sont toutes utilisées au 30 juin.

30 juin Paiement des comptes d'électricité et de téléphone qui s'élèvent respectivement à 75 $ et 55 $.

30 juin Versement du salaire de l'infirmière.

30 juin Remboursement du premier billet : 6830 $ en principal et 100 $ en intérêts.

JOURNAL GÉNÉRAL				Page J-1
Date	Nom des comptes et explication	F^o	Débit	Crédit
1er juin	Encaisse	100	13 260	
	Apport G. Attendu	505		13 260
2 juin	Loyer	530	625	
	Encaisse	100		625
2 juin	Matériel de bureau	200	3 745	
	Encaisse	100		3 745
3 juin	Matériel médical	220	15 800	
	Encaisse	100		2 140
	Billets à payer	310		13 660
4 juin	Encaisse	100	300	
	Honoraires professionnels	520		300
15 juin	Clients	110	4 500	
	Honoraires professionnels	520		4 500
15 juin	Salaires	540	625	
	Encaisse	100		625
17 juin	Prélèvements G. Attendu	510	800	
	Encaisse	100		800
30 juin	Clients	110	5 100	
	Honoraires professionnels	520		5 100
30 juin	Encaisse	100	4 500	
	Clients	110		4 500
30 juin	Fournitures médicales	580	1 380	
	Fournisseurs	300		1 380

JOURNAL GÉNÉRAL				Page J-2
Date	Nom des comptes et explication	F°	Débit	Crédit
30 juin	Électricité	550	75	
	Téléphone	560	55	
	Encaisse	100		130
30 juin	Salaires	540	625	
	Encaisse	100		625
30 juin	Billets à payer	310	6 830	
	Intérêts	570	100	
	Encaisse	100		6 930

Titre du compte : Encaisse					Compte n° 100	
Date	Explication	F°	Débit	Crédit	Solde	Dt/Ct
19X6						
1er juin		J-1	13 260			
2 juin		J-1		625		
2 juin		J-1		3 745	8 890	
3 juin		J-1		2 140	6 750	
4 juin		J-1	300			
15 juin		J-1		625	6 425	
17 juin		J-1		800	5 625	
30 juin		J-1	4 500			
30 juin		J-2		130		
30 juin		J-2		625	9 370	
30 juin		J-2		6 930	2 440	Dt

Titre du compte : Clients					Compte n° 110	
Date	Explication	F°	Débit	Crédit	Solde	Dt/ct
19X6						
15 juin		J-1	4 500		4 500	Dt
30 juin		J-1	5 100		9 600	Dt
30 juin		J-1		4 500	5 100	Dt

Titre du compte : Matériel de bureau					Compte n° 200	
Date	Explication	F°	Débit	Crédit	Solde	Dt/Ct
19X6						
2 juin		J-1	3 745		3 745	Dt

Titre du compte : Matériel médical					Compte nº 220	
Date	Explication	Fº	Débit	Crédit	Solde	Dt/Ct
19X6						
3 juin		J-1	15 800		15 800	Dt

Titre du compte : Fournisseurs					Compte nº 300	
Date	Explication	Fº	Débit	Crédit	Solde	Dt/Ct
19X6						
30 juin		J-1		1 380	1 380	Ct

Titre du compte : Billets à payer					Compte nº 310	
Date	Explication	Fº	Débit	Crédit	Solde	Dt/Ct
19X6						
3 juin		J-1		13 660	13 660	Ct
30 juin		J-2	6 830		6 830	Ct

Titre du compte : Capital G. Attendu					Compte nº 560	
Date	Explication	Fº	Débit	Crédit	Solde	Dt/Ct
19X6						

Titre du compte : Apports G. Attendu					Compte nº 505	
Date	Explication	Fº	Débit	Crédit	Solde	Dt/Ct
19X6						
1er juin		J-1		13 260	13 260	Ct

Titre du compte : Prélèvements G. Attendu					Compte nº 510	
Date	Explication	Fº	Débit	Crédit	Solde	Dt/Ct
19X6						
17 juin		J-1	800		800	Dt

Titre du compte : Honoraires professionnels					Compte nº 520	
Date	Explication	Fº	Débit	Crédit	Solde	Dt/Ct
19X6						
4 juin		J-1		300	300	Ct
15 juin		J-1		4 500	4 800	
30 juin		J-1		5 100	9 900	Ct

Titre du compte : Loyer					Compte nº 530	
Date	Explication	Fº	Débit	Crédit	Solde	Dt/Ct
19X6 2 juin		J-1	625		625	Dt

Titre du compte : Salaires					Compte nº 540	
Date	Explication	Fº	Débit	Crédit	Solde	Dt/Ct
19X6 15 juin		J-1	625		625	
30 juin		J-2	625		1 250	Dt

Titre du compte : Électricité					Compte nº 550	
Date	Explication	Fº	Débit	Crédit	Solde	Dt/Ct
19X6 30 juin		J-2	75		75	Dt

Titre du compte : Téléphone					Compte nº 560	
Date	Explication	Fº	Débit	Crédit	Solde	Dt/Ct
19X6 30 juin		J-2	55		55	Dt

Titre du compte : Intérêts					Compte nº 570	
Date	Explication	Fº	Débit	Crédit	Solde	Dt/Ct
19X6 30 juin		J-2	100		100	Dt

Titre du compte : Fournitures médicales					Compte nº 580	
Date	Explication	Fº	Débit	Crédit	Solde	Dt/Ct
19X6 30 juin		J-1	1 380		1 380	Dt

Clinique du docteur G. Attendu

Chiffrier

au 30 juin 19X6

		Balance de vérification		État des résultats		État du capital		Bilan	
		Dt	Ct	Dt	Ct	Dt	Ct	Dt	Ct
100	Encaisse	2 440						2 440	
110	Clients	5 100						5 100	
200	Matériel de bureau	3 745						3 745	
220	Matériel médical	15 800						15 800	
300	Fournisseurs		1 380						1 380
310	Billets à payer		6 830						6 830
500	Capital G. Attendu		—				—		
505	Apports G. Attendu		13 260				13 260		
510	Prélèvements G. Attendu	800				800			
520	Honoraires professionnels		9 900		9 900				
530	Loyer	625		625					
540	Salaires	1 250		1 250					
550	Électricité	75		75					
560	Téléphone	55		55					
570	Intérêts	100		100					
580	Fournitures médicales	1 380		1 380					
		31 370	31 370	3 485	9 900				
	Bénéfice net			6 415			6 415		
				9 900	9 900				
						800	19 675		
						18 875			18 875
						19 675	19 675	27 085	27 085

Les chiffres de la balance de vérification proviennent du grand livre général et sont distribués à leurs colonnes respectives à l'état des résultats, à l'état du capital et au bilan. La section *état du capital* reçoit le solde du capital au début, les apports, les prélèvements et le bénéfice net.

Dans la section *état des résultats*, les deux colonnes sont additionnées. La colonne créditrice (9900 $) excède la colonne débitrice (3485 $) d'un montant de 6415 $. Il y a donc un bénéfice net de 6415 $. Ce montant est porté à la colonne débitrice à l'état des résultats et à la colonne créditrice à l'état du capital. Les deux colonnes de l'état des résultats sont additionnées et fournissent chacune un total de 9900 $. C'est une présentation commune à toutes les sections du chiffrier selon une forme *auto-équilibrante.*

Dans la section *état du capital*, la colonne créditrice (19 675 $) excède la colonne débitrice (800 $) d'un montant de 18 875 $. Il s'agit du solde du compte capital à la fin du mois. C'est le total que l'on aurait obtenu si nous avions fermé les comptes de résultats. C'est pourquoi nous pouvons affirmer que cette étape équivaut à *simuler*, dans le chiffrier, les écritures de fermeture que nous n'inscrivons pas dans les livres comptables à la fin d'une période mensuelle. Le montant du capital à la fin, soit 18 875 $, est porté à la colonne créditrice pour obtenir la forme auto-équilibrante puis il est inscrit à la colonne créditrice du bilan.

La section du *bilan* vient maintenant de recevoir le solde du capital à la fin (18 875 $) dans sa colonne créditrice. Les colonnes du bilan devraient maintenant être en équilibre (27 085 $).

Les états financiers seront ensuite rédigés en respectant les normes de présentation.

4.19 SOMMAIRE

Les produits et les charges sont, avec les activités de financement et d'investissement, les principales causes de la variation de la situation financière. Ces transactions affectent directement l'avoir des propriétaires. Les produits sont des entrées d'éléments d'actifs (encaisse ou sommes à recevoir) qui enrichissent les propriétaires et les charges sont des sorties d'encaisse ou des augmentations de passif qui les appauvrissent. Afin de contrôler les produits et les charges, on ouvre des comptes distincts de l'avoir des propriétaires. À cause de leur effet sur cet avoir, qui est créditeur par convention, les comptes de produits seront créditeurs, tandis que les comptes de charge seront débiteurs.

L'affectation des comptes hors de l'avoir des propriétaires permet de préparer l'état des résultats, mais le bilan s'en trouve déséquilibré tant que les comptes issus de cet avoir ne sont pas fermés ou versés au compte de l'avoir des propriétaires.

Tant que les produits et les charges affectent des comptes qui se situent à l'intérieur du bilan, celui-ci est constamment en équilibre. Voici un court exemple synthèse :

EXEMPLE

1er janvier	Actif	15 000 $
	Avoir des propriétaires	15 000
Pendant l'année	Produits	10 000 $
	Charges	5 000

	DT	CT
Encaisse ou Clients	10 000	
Avoir des propriétaires		10 000
Avoir des propriétaires	5 000	
Encaisse		3 000
Fournisseurs		2 000

L'avoir des propriétaires de la fin est donc de 20 000 $. L'équation fondamentale est équilibrée puisque seuls des comptes de bilan ont été affectés.

	Actif	**=**	**Passif**	**+**	**Avoir des propriétaires**
Début	15 000 $	=			15 000 $
Année	10 000	=			10 000
	(3 000)	=	2 000 $	+	(5 000)
Fin	22 000 $	=	2 000 $	+	20 000 $

Avoir des propriétaires de la fin : 20 000 $

Le bilan peut être préparé directement, mais il est impossible de préparer l'état des résultats parce qu'on n'a utilisé aucun compte distinct pour garder la trace des produits et des charges.

L'utilisation des comptes hors bilan ou hors de l'avoir des propriétaires entraîne un déséquilibre du bilan.

	DT	CT
Encaisses ou Clients	10 000	
Produits gagnés		10 000
Charges	5 000	
Encaisse		3 000
Fournisseurs		2 000

Si on étudie l'effet sur l'équation du bilan, on remarque que celle-ci est en déséquilibre. Ce qui revient à dire que le bilan est en déséquilibre.

	Équation du bilan			État des résultats	
	Actif = Passif +		**Avoir des propriétaires**	**+ Produits**	**– Charges**
Début	**15 000 $ =**		**15 000 $**		
Année	**10 000 =**			**+ 10 000 $**	
	(3 000) = 2 000 $				**– 5 000 $**
Fin	**22 000 $ = 2 000 $ +**		**15 000 $**	**+ 10 000 $**	**– 5 000 $**

Bien qu'on ne puisse pas préparer le bilan directement, on peut par contre préparer l'état des résultats.

Si on considère que les comptes de produits et de charges sont issus de l'avoir des propriétaires et qu'ils doivent être versés dans ce même avoir en fin de période, on passera les écritures de fermeture suivantes :

	DT	CT
Produits gagnés	**10 000**	
Avoir des propriétaires		**10 000**
Avoir des propriétaires	**5 000**	
Charges engagées		**5 000**

Après ces fermetures des comptes de résultats ; l'équation fondamentale sera de nouveau en équilibre.

	Actif = Passif +		**Avoir des propriétaires**	**+ Produits**	**– Charges**
Ci-dessus	**22 000 $ = 2 000 $ +**		**15 000 $**	**+ 10 000 $**	**– 5 000 $**
Fermeture			**5 000**		
Après fermeture	**22 000 $ = 2 000 $ +**		**20 000 $**		

Maintenant, on peut donc préparer le bilan.

Ceci explique pourquoi, dans le bilan de fin d'exercice, l'avoir des propriétaires indiqué est toujours le capital ou les bénéfices non répartis de la fin et, selon la stricte logique comptable, la préparation de l'état des résultats précède la préparation du bilan.

Finalement, voici un sommaire démontrant que l'ouverture de comptes de résultats (deuxième façon de procéder) produit les mêmes résultats que l'affectation directe du compte Bénéfices non répartis (première façon de faire développée dans ce chapitre). Elles produisent le même bilan.

Sans ouverture de comptes de résultats			Avec ouverture de comptes de résultats		
Pendant l'année (Produits)			**Pendant l'année (Produits)**		
Encaisse	10		Encaisse	10	
Bénéfices non répartis		10	Produits		⎡10⎤
Fermeture			**Fermeture**		
Aucune			Produits	⎡10⎤	
			Bénéfices non répartis		10
Pendant l'année (Charges)			**Pendant l'année (Charges)**		
Bénéfices non répartis	5		Charges	⎡5⎤	
Encaisse		3	Encaisse		3
Founisseurs		2	Fournisseurs		2
Fermeture			**Fermeture**		
Aucune			Bénéfices non répartis	5	
			Charges		⎡5⎤
Pendant l'année (Dividendes)			**Pendant l'année (Dividendes)**		
Bénéfices non répartis	1		Dividendes	⎡1⎤	
Encaisse		1	Encaisse		1
Fermeture			**Fermeture**		
Aucune			Bénéfices non répartis	1	
			Dividendes		⎡1⎤

Les montants encadrés s'annulent ; finalement, les deux méthodes affectent les comptes de valeur de façon identique.

4.20 QUESTIONS

1. Définissez les produits d'exploitation. À quel moment un produit d'exploitation est-il gagné ?

2. Le 10 juillet 19X6, Indécis ltée encaisse 50 000 $. Énumérez quatre transactions qui pourraient avoir généré cette recette le 10 juillet mais qui ne seraient pas des produits d'exploitation de cette même date.

3. Dans une entreprise, les débours diffèrent souvent des montants des charges. Décrivez cinq situations susceptibles d'engendrer cette différence. À long terme toutefois, les charges finissent par égaler les débours ; confirmez ou niez cette dernière allégation à l'aide d'exemples.

4. Définissez les charges d'exploitation. Quand une charge est-elle matérialisée ?

5. Nommez deux erreurs de gestion qui pourraient être causées spécifiquement par la confusion entre la notion de produits et charges et celle de recettes et débours.

6. Dites si *chacun* des énoncés suivants est vrai ou faux. Justifiez votre réponse en donnant un exemple d'opération.

   a) Toute opération qui influe sur un compte de charge influe aussi sur un compte de produit.

   b) Toute opération qui influe sur un poste de l'état des résultats influe aussi sur un poste du bilan.

   c) Toute opération qui influe sur un poste du bilan influe aussi sur un poste de l'état des résultats.

   d) Toute opération qui influe sur un compte de charge influe aussi sur un compte d'actif.

7. Expliquez comment on peut déduire l'application des notions de débit et de crédit aux produits et aux charges sachant que l'avoir des propriétaires est créditeur.

8. Pour chacun des énoncés suivants, trouvez la valeur de x et présentez les calculs à l'appui :

   a)
Prélèvements	5 000 $
Produits d'exploitation	100 000
Passif	35 000
Comptes-clients	25 000
Charges d'exploitation	25 000
Comptes-fournisseurs	10 000
Apports	7 000
Capital du début	37 000
Actif	x

   b)
Stocks	6 000 $
Avoir des actionnaires	46 000
Encaisse	4 000
Frais payés d'avance	500
Immobilisations	40 000
Comptes-clients	x
Passif	28 000
Placements — Obligations	15 000
Produits reçus d'avance	5 000

   c)
Produits d'exploitation	85 000 $
Actif à la fin	130 000
Passif à la fin	60 000
Avoir des actionnaires au début	60 000
Charges d'exploitation	x

d)

Actif du début	60 000 $
Passif du début	x
Produits d'exploitation	110 000
Avoir des actionnaires à la fin	x
Charges d'exploitation	120 000
Dividendes	20 000
Avoir des actionnaires au début	x
Bénéfice net (ou perte)	x
Actif de la fin	50 000
Passif de la fin	30 000

9 M.D. Bonair, un inventeur, distribue son produit par l'intermédiaire d'Ultime ltée, une Société qu'il a lui-même fondée. Il veut vous céder son entreprise, y compris tous les droits sur le produit. L'entreprise existe depuis trois ans et, pour vous convaincre du succès qu'elle connaît, il vous expose les chiffres suivants :

	Recettes provenant des clients
Première année	40 000 $
Deuxième année	50 000
Troisième année	60 000

Selon lui, il s'agit d'une croissance de bonne augure.

Toutefois, vous désirez pousser plus loin l'analyse et vous interrogez M. Bonair sur les chiffres de ventes. Il vous répond ceci : « Au cours de la deuxième année, mes ventes à crédit ont été de 35 000 $, tandis que mes ventes au comptant étaient de 10 000 $. Et, à la fin de la deuxième année, j'avais au total 25 000 $ de comptes-clients. Pendant la troisième année, j'ai fait un effort pour recouvrer mes comptes, si bien qu'en fin d'exercice je n'avais plus aucun compte-client. »

Travail à faire

Comme première démarche de la détermination de la valeur de l'entreprise de M. D. Bonair, vous désirez reconstituer les ventes pour chacune des trois années. Quelles sont ces ventes ?

10. La compagnie Kool ltée a déclaré et payé 10 000 $ de dividendes en 19X6. Les livres comptables de l'entreprise indiquent les changements suivants pour cette même année.

	Augmentation	Diminution
Encaisse	30 000 $	
Comptes-clients	—	1 000 $
Stocks de marchandises	15 000	

	Augmentation	Diminution
Équipement (net)	18 000	
Immeuble (net)	30 000	
Comptes-fournisseurs		7 000
Dettes à long terme	50 000	
Capital-actions	40 000	

Travail à faire

À partir de ces renseignements, trouvez le bénéfice net pour l'année se terminant le 31 décembre 19X6. Exposez le détail de vos calculs.

11. Montrez les qualités et les défauts inhérents à l'enregistrement des produits et des charges par l'affectation directe de l'avoir des propriétaires.

12. Expliquez pourquoi les comptes de bilan sont en déséquilibre lorsqu'on choisit d'ouvrir des comptes de produits et charges distincts de l'avoir du propriétaire.

13. Expliquez l'utilité des écritures de fermeture.

14. Pourquoi, dans la séquence logique des opérations comptables, la préparation de l'état des résultats et de l'état des bénéfices non répartis précède-t-elle la rédaction du bilan ?

15. Cette question porte sur le cycle comptable.
Identifiez correctement et complètement chacune des phases du cycle comptable dans l'espace réservé à votre réponse dans le graphique (voir p. 188). De plus, ajoutez les chiffres manquants.

16. Voici les données financières concernant la société Lapière ltée :

Encaisse
Solde en banque au 1er janvier 19X6	400 000 $
Moins : diminution nette pendant l'année 19X6	200 000
Solde en banque au 31 décembre 19X6	200 000 $

Bénéfice net
Ventes 19X6	400 000 $
Charges 19X6	300 000
Bénéfice net	100 000 $

Travail à faire

Énumérez cinq explications possibles à cette apparente contradiction dans le fait que, malgré un bénéfice net de 100 000 $, l'encaisse ait diminué de 200 000 $. Chaque explication devra être de nature différente.

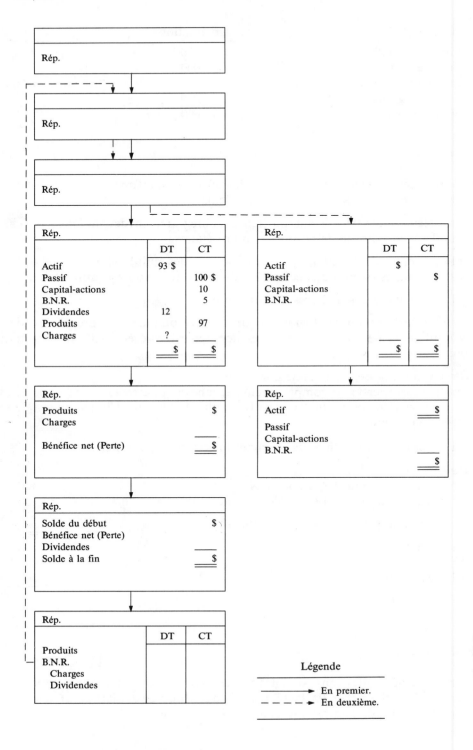

Rép.

Rép.

Rép.

Rép.	DT	CT
Actif	93 $	
Passif		100 $
Capital-actions		10
B.N.R.		5
Dividendes	12	
Produits		97
Charges	?	
	$	$

Rép.	DT	CT
Actif	$	
Passif		$
Capital-actions		
B.N.R.		
	$	$

Rép.	
Produits	$
Charges	
Bénéfice net (Perte)	$

Rép.	
Actif	$
Passif	
Capital-actions	
B.N.R.	$

Rép.	
Solde du début	$
Bénéfice net (Perte)	
Dividendes	
Solde à la fin	$

Rép.	DT	CT
Produits		
B.N.R.		
Charges		
Dividendes		

Légende

→ En premier.
--→ En deuxième.

4.21 PROBLÈMES
Groupe A

PROBLÈME 1 — CROISSANCE LTÉE
PROBLÈME EXPLORANT L'EFFET DU BÉNÉFICE NET
SUR LA CROISSANCE D'UNE ENTREPRISE
AINSI QUE LA RELATION ENTRE LES ÉTATS FINANCIERS

Voici quelle était la situation financière de Croissance ltée au 31 décembre 19X5 :

CROISSANCE LTÉE
Bilan
au 31 décembre 19X5

ACTIF		
Encaisse	100 000 $	
Valeurs négociables	150 000	
Terrain	200 000	
Immeuble	300 000	
Placement	50 000	800 000 $
PASSIF		
Emprunt bancaire	30 000 $	
Emprunt hypothécaire	220 000	250 000 $
AVOIR DES ACTIONNAIRES		
Capital-actions	200 000	
Bénéfices non répartis	350 000	550 000
		800 000 $

En examinant un état financier intitulé état de l'évolution de la situation financière, vous découvrez les faits suivants concernant les opérations de la Société en 19X6. Vous ne connaissez pas parfaitement cet état financier mais, néanmoins, vous repérez les principaux événements qui ont modifié la situation financière de Croissance ltée en 19X6 en le consultant.

CROISSANCE LTÉE
État de l'évolution de la situation financière
pour l'exercice terminé le 31 décembre 19X6

Provenance des fonds	
Bénéfice net	**370 000 $**
Utilisation des fonds	
Acquisition d'un terrain	**50 000**
Acquisition d'un immeuble	**130 000**
Achat de placement	**10 000**
Remboursement de l'emprunt hypothécaire	**80 000**
Versement de dividendes	**90 000**
	360 000
Augmentation nette des fonds	**10 000**
Encaisse au 31 décembre 19X5	**100 000**
Encaisse au 31 décembre 19X6	**110 000 $**

Travail à faire

Afin de bien comprendre les relations qui existent entre le bilan, l'état des bénéfices non répartis et l'état de l'évolution de la situation financière :

a) Rédigez l'état des bénéfices non répartis pour 19X6.

b) Préparez le bilan au 31 décembre 19X6 en vous servant du guide suivant :

Situation financière au 31 décembre 19X5	+	Évolution de la situation financière (Voir l'état)	=	Situation financière au 31 décembre 19X6 (Réponse à la question)

PROBLÈME 2 — RÉPARATION RAPIDE LTÉE
ENREGISTREMENT DES OPÉRATIONS. ÉTATS FINANCIERS.
DISTINGUER LES PRODUITS ET CHARGES DES RECETTES
ET DÉBOURS

Le 1er janvier 19X1, Jacques Gagnon a créé l'entreprise Réparation rapide ltée, spécialisée dans la réparation des réfrigérateurs et des lessiveuses qui, comme son nom l'indique, met l'accent sur la rapidité de son service tant à domicile qu'en atelier.

M. Gagnon a consacré tout le mois de janvier à l'organisation de son entreprise. Il s'est donc livré, durant ce mois, à diverses activités qui n'ont entraîné ni produit ni charge et qui, par conséquent, n'ont pas affecté les bénéfices non répartis. C'est donc dire que M. Gagnon, seul actionnaire, n'est ni plus riche ni plus pauvre qu'au début de janvier.

Voici la balance de vérification au 31 janvier 19X1, après un mois d'existence :

RÉPARATION RAPIDE LTÉE
Balance de vérification
au 31 janvier 19X1

	Débit	Crédit
Encaisse	15 000 $	
Camion	10 000	
Bâtiment	25 000	
Terrain	5 000	
Fournisseurs		10 000 $
Capital-actions — 450 actions émises		45 000
	55 000 $	55 000 $

Les transactions financières du mois de février sont les suivantes :

2 février   Emprunt de 5000 $ à la Banque Nationale du Canada, à un taux d'intérêt annuel de 12 % et payable sur demande.

5 février   Monsieur Gagnon a exécuté divers travaux de réparation totalisant 1500 $. Le client, Brasserie Tanguay, paiera son compte dans 30 jours.

10 février   Réparation de lessiveuses pour un montant de 14 000 $. Le client, Magique plusnet inc., acquittera son compte dans 30 jours.

15 février   Paiement du salaire des employés : 3000 $.

17 février   Réception d'un compte de 1000 $ pour les charges relatives au camion. Cette facture, émise par la société Gulf Oil, couvre les frais pour le carburant, le graissage, l'huile, etc. Les conditions de paiement sont net 30 jours.

18 février   Réception d'un chèque de 500 $ de la part de Brasserie Tanguay.

19 février   Paiement comptant d'une facture de 1500 $ pour l'entretien de l'immeuble.

20 février   Paiement complet de la somme due à Gulf Oil.

20 février   Déclaration d'un dividende de 2 $ par action, payable le 15 mars 19X1.

22 février   Réception d'une facture d'Hydro-Québec de 200 $, payable dans 10 jours.

23 février   Présentation d'une facture de 3000 $ à la compagnie Entrepôt réfrigéré Clémence inc. pour services rendus. La modalité de paiement est net 60 jours.

24 février   Achat à crédit, chez Équipement Lalonde inc., d'un équipement électronique de 5000 $ utilisé pour la réparation de lessiveuses et de réfrigérateurs.

25 février   Réception d'un chèque de 5000 $ provenant de l'entreprise Magique plusnet inc.

26 février   Paiement du salaire des employés : 2500 $.

28 février   Remboursement partiel de l'emprunt bancaire, soit 1000 $, et paiement des intérêts pour le mois de février, soit 50 $.

28 février   Réception d'une facture de 2000 $ émise par le journal local pour la publicité du mois. Un montant de 1000 $ est payé comptant et le solde est payable dans 30 jours.

Travail à faire

a) Enregistrez, au journal général, les transactions financières du mois de février.

b) Pour chaque transaction, indiquez s'il s'agit d'un produit, d'une recette, d'une charge ou d'un débours.

c) Effectuez le classement de ces transactions dans les comptes par le report au grand livre général. (Comptes en T.)

d) Préparez, sans la produire, la balance de vérification.

e) Rédigez l'état des résultats et l'état des bénéfices non répartis pour le mois de février 19X1.

f) Rédigez le bilan au 28 février 19X1.

NOTE : Ne tenez pas compte de l'impôt sur le revenu.

PROBLÈME 3 — SERVICE DE RÉPARATION COLLIN INC. ÉTATS FINANCIERS À PARTIR D'UNE BALANCE DE VÉRIFICATION

M. Georges Collin croit avoir trouvé l'idée qui fera de lui un homme riche. En effet, il a décidé de lancer sa propre entreprise de réparation de téléviseurs. Il a patiemment suivi un cours d'un an et, dès qu'il s'en est cru capable, il a offert ses services au grand public. La raison sociale de l'entreprise est Service de réparation Collin ltée.

Un an s'est écoulé depuis l'ouverture de l'atelier et M. Collin a recours à vos services, à la fin de l'année 19X5, pour déterminer le profit réalisé durant cette période.

Voici la liste des comptes avec leurs soldes respectifs ; elle a été extraite du grand livre général au 31 décembre 19X5 :

Encaisse	865 $
Salaires	5 000
Fournisseurs	1 000
Produits de réparation	37 500
Dividendes	10 150
Effets à payer	400
Amortissement cumulé — Équipement	280
Équipement	3 960
Achat de pièces de rechange	9 200
Loyer	1 200
Publicité	600
Taxes	500
Charges diverses	1 200
Location auto	2 500
Capital-actions	4 180
Valeurs négociables	2 200
Clients	5 570
Charges payées d'avance	135
Amortissement — Équipement	280

Le stock de pièces de rechange était de 1000 $ au 31 décembre 19X5.

Travail à faire

a) Préparez l'état des résultats pour la période.

b) Présentez l'état des bénéfices non répartis.

c) Présentez le bilan au 31 décembre 19X5.

PROBLÈME 4 — CONSULTATION MULTIPLEX INC.
ÉTATS FINANCIERS À PARTIR D'UNE BALANCE
DE VÉRIFICATION

Voici les soldes apparaissant aux comptes du grand livre général, au 31 décembre 19X2 :

Amortissement cumulé — Immeuble	30 500 $
Amortissement cumulé — Mobilier	12 000
Amortissement — Immeuble	7 500
Amortissement — Mobilier	2 000
Assurances	3 600
Bénéfices non répartis au 1er janvier 19X2	38 000
Capital-actions	50 000
Fournisseurs	41 500

Clients	65 000
Dividendes	7 000
Dividendes à verser	3 500
Effets à recevoir	2 000
Électricité	800
Emprunt bancaire	12 000
Encaisse	26 000
Frais payés d'avance	4 500
Frais de représentation	32 100
Frais de voyages	52 200
Honoraires de consultation	275 000
Emprunt hypothécaire échéant en 19X1	65 000
Immeuble	150 500
Impôts sur le revenu	14 000
Impôts à payer	7 000
Intérêts	6 700
Intérêts courus à payer	2 800
Loyer	8 000
Mauvaises créances	1 100
Mobilier de bureau	32 000
Provision pour créances douteuses	1 500
Publicité	17 400
Salaires	102 500
Salaires courus à payer	19 200
Taxes	7 900
Téléphone	5 200
Terrain	10 000

Travail à faire

Préparez :

a) L'état des résultats pour l'année 19X2 ;

b) L'état des bénéfices non répartis pour l'année 19X2 ;

c) Les écritures de fermeture ;

d) Le bilan au 31 décembre 19X2.

PROBLÈME 5 — MUR DU SON INC.
ENREGISTREMENT ÉTATS FINANCIERS ÉTAT DES RECETTES ET DES DÉBOURS

J.-G. Landry, propriétaire de Mur du son inc., qui se spécialise dans la présentation de spectacles de musique de jazz, a commencé ses opérations il y a un an, soit le 1er mai 19X7. Monsieur Landry, artiste de formation, ne connaissant pas l'existence du journal général, a inscrit directement au grand livre général les transactions du mois de mai 19X8. L'année dernière, les registres comptables avaient été correctement tenus par un teneur de livres expérimenté qui, malheureusement, a remis sa démission après seulement un an à l'emploi de la Société.

Voici le solde de chacun des comptes du grand livre général au 31 mai 19X8 :

Encaisse   N⁰ 01

Débit		Crédit	
19X8-05-01			
Solde	3 100	05-03	5 000
05-01	7 000	05-07	500
05-02	8 000	05-09	3 000
05-05	3 000	05-13	1 700
05-11	1 000	05-22	1 600
05-17	3 200	05-25	700
05-19	1 100	05-27	500
05-24	1 800	05-29	2 100
		05-30	12 000

Titres négociables   N⁰ 03

Débit		Crédit
05-30	12 000	

Clients   N⁰ 05

Débit		Crédit	
19X8-05-01			
Solde	4 700	05-17	3 200
05-05	4 500		
05-11	1 800		
05-23	6 000		
05-24	2 400		

Stock de friandises et de boissons   N⁰ 07

Débit		Crédit
05-31	500	

Charge payée d'avance   N⁰ 09

Débit		Crédit
05-13	1 700	

Mobilier de bureau   N⁰ 15

Débit		Crédit
05-27	4 700	

Terrain   N⁰ 18

Débit		Crédit	
05-03	45 000	05-23	5 000

Emprunt bancaire   N⁰ 25

Débit		Crédit	
05-29	2 000	05-02	8 000

Fournisseurs			N° 27
Débit		**Crédit**	
		19X8-05-01	
		Solde	600
05-25	700	05-07	700
		05-15	1 000
		05-26	1 200
		05-27	4 200

Dividendes à payer			N° 29
Débit		**Crédit**	
		05-21	700

Salaires courus à payer			N° 31
Débit		**Crédit**	
		05-28	2 300

Produits reçus d'avance			N° 33
Débit		**Crédit**	
		05-24	1 700

Emprunt hypothécaire			N° 35
Débit		**Crédit**	
		05-03	40 000

Capital-actions ordinaires			N° 40
Débit		**Crédit**	
		19X8-05-01	
		Solde	1 000
		05-01	7 000

Bénéfices non répartis			N° 42
Débit		**Crédit**	
		19X8-05-01	
		Solde	6 200

Dividendes			N° 44
Débit		**Crédit**	
05-21	700		

Achat — Friandises et boissons			N° 50
Débit		**Crédit**	
05-07	1200	05-31	500

Électricité et chauffage			N° 52
Débit		**Crédit**	
05-15	300		

Entretien et réparations			N° 54
Débit		**Crédit**	
05-26	1 200		

Intérêts			N° 56
Débit		**Crédit**	
05-29	100		

Location du bâtiment			N° 58
Débit		**Crédit**	
05-09	3 000		

Publicité			N° 60
Débit		**Crédit**	
05-15	700		

Salaires			N° 62
Débit		**Crédit**	
05-22	1 600		
05-28	2 300		

Produits — Musique classique			N° 70
Débit		**Crédit**	
		05-05	7 500
		05-24	2 500

Produits — Musique de jazz	N° 72		Produits — Friandises et boissons	N° 75
Débit	Crédit		Débit	Crédit
	05-11 2 800			05-19 1 100

Gain sur aliénation de terrain	N° 80
Débit	Crédit
	05-23 1 000

Reconnaissant ses limites en matière comptable, monsieur Landry fait appel à vos services en expertise comptable.

Travail à faire

a) Reconstituez les transactions financières du mois de mai 19X8 et effectuez les écritures de journal appropriées. Établissez le solde de chacun des comptes du grand livre général.

b) Préparez l'état des résultats pour le mois de mai 19X8.

c) Rédigez l'état des bénéfices non répartis pour le mois de mai 19X8.

d) Dressez le bilan au 31 mai 19X8.

e) Préparez l'état des recettes et des débours pour le mois de mai 19X8.

f) Passez les écritures de fermeture au journal général. En pratique, on notera que ces écritures ne se font qu'une fois par année, à la fin de l'exercice financier.

PROBLÈME 6 — LES CROISIÈRES SABORD ENR.
ENREGISTREMENT ÉTATS FINANCIERS FERMETURE

Au début du mois de juillet 19X6, Mme Rita Sabord fonde la société Les Croisières Sabord enr. Cette entreprise organise des petites croisières sur le Saint-Laurent. Voici les transactions du mois de juillet 19X6 :

1er juillet   Mme Sabord dépose 50 000 $ dans le compte en banque des Croisières Sabord enr.

3 juillet   Location d'un bateau pour les deux prochains mois. La Société verse 10 000 $.

4 juillet   La Société achète un stock de carburant au prix de 1000 $ et paie comptant.

10 juillet   Facturation d'un montant de 20 000 $ à un club de l'âge d'or pour des croisières du 3 au 10 juillet.

15 juillet   Paiement du salaire du capitaine pour deux semaines de travail, 500 $.

20 juillet   Achat comptant d'actions de Marina du vieux port ltée. Ces titres négociables ont été payés 10 000 $.

25 juillet   Mᵐᵉ Sabord prélève 300 $ pour son usage personnel.

27 juillet   Facturation de clients, pour 30 000 $, pour des croisières effectuées en juillet.

31 juillet   Encaissement de la moitié des services facturés le 10 juillet.

31 juillet   Paiement des charges d'exploitation suivantes :

Salaire du capitaine   500 $
Entretien du bateau   300 $
Location du quai   200 $

31 juillet   La Société encaisse 10 000 $ pour des croisières qui auront lieu au mois d'août.

31 juillet   Paiement d'un montant de 1200 $ à un grand journal pour cinq annonces parues en juillet et cinq annonces à paraître en août.

31 juillet   Il reste pour 300 $ du carburant acheté le 4 juillet.

31 juillet   Encaissement de 500 $ de dividendes de Marina du vieux port ltée.

31 juillet   Achat d'un bateau de 80 000 $. La Société verse 20 000 $ et signe un billet remboursable par mensualités selon le tableau suivant :

DATE	VERSEMENT	INTÉRÊTS	PRINCIPAL	SOLDE
				60 000 $
31 août 19X6	1 000 $	600 $	400 $	59 600
30 septembre 19X6	1 000	596	404	59 196
31 octobre 19X6	1 000	592	408	58 788
30 novembre 19X6	1 000	588	412	58 376
31 décembre 19X6	1 000	584	416	57 960
31 janvier 19X7	1 000	580	420	57 540
28 février 19X7	1 000	575	425	57 115
31 mars 19X7	1 000	571	429	56 686
30 avril 19X7	1 000	567	433	56 253
31 mai 19X7	1 000	563	437	55 816
30 juin 19X7	1 000	558	442	55 374
31 juillet 19X7	1 000	554	446	54 928
	12 000 $	6 928 $	5 072 $	

Travail à faire

a) Enregistrez les opérations du mois de juillet au journal général et au grand livre général. Il n'est pas nécessaire d'expliquer les écritures du journal.

b) Préparez les états financiers à partir de la feuille de travail qui suit.

c) Enregistrez, au journal général, les écritures de clôture des comptes (fermeture) même si nous sommes à la fin d'un mois d'opération seulement.

PROBLÈME 7 — FERN LTÉE
ÉTATS FINANCIERS, Y COMPRIS L'ÉTAT DES RECETTES ET DÉBOURS

Fern ltée est une agence de sécurité qui a été fondée au début de 19X1. Vous avez produit ses états financiers annuels au 31 décembre 19X1. Voici d'ailleurs le bilan sommaire à cette date :

FERN LTÉE
Bilan
au 31 décembre 19X1

ACTIF	
Encaisse	5 000 $
Clients	35 000
Loyer payé d'avance	10 000
Publicité payée d'avance	1 000
Terrain	20 000
Matériel roulant	80 000
Matériel de sécurité	25 000
	176 000 $
PASSIF	
Intérêts à payer	450 $
Produits reçus d'avance	1 000
Emprunt bancaire	8 550
Fournisseurs	8 000
Dividendes à verser	2 000
Emprunt hypothécaire	9 000
	29 000
AVOIR DES ACTIONNAIRES	
Capital-actions	50 000
Bénéfices non répartis	97 000
	147 000
	176 000 $

LES CROISIÈRES SABORD ENR.

Chiffrier
au 31 juillet 19X6

	Balance de vérification		État des résultats		État du capital		Bilan	
	Dt	Ct	Dt	Ct	Dt	Ct	Dt	Ct
111 Encaisse								
113 Clients								
114 Loyer payé d'avance								
115 Stock de carburant								
116 Publicité payée d'avance								
121 Bateau								
131 Placement								
211 Revenus reçus d'avance								
213 Versement exigible								
221 Billet à payer								
311 Capital Mme Sabord								
321 Prélèvements Mme Sabord								
411 Revenu de croisières								
511 Location de bateau								
513 Salaire								
515 Entretien du bateau								
516 Location du quai								
517 Publicité								
518 Carburant								
611 Revenu de placement								
Bénéfice net								
Capital à la fin								

Voici les transactions qui ont eu lieu en janvier 19X2 :

2 janvier   Recouvrement de comptes-clients pour un montant total de 18 000 $.

3 janvier   Paiement d'une prime d'assurance de 6000 $ pour les six prochains mois.

4 janvier   Facturation de 17 000 $ à des clients pour des services rendus en janvier.

7 janvier   Vente au comptant de la moitié du terrain au prix de 18 000 $.

9 janvier   Achat à crédit de 7000 $ de matériel de sécurité.

10 janvier   Versement des dividendes déclarés en décembre.

12 janvier   Règlement de comptes-fournisseurs : 6000 $. Ce compte concernait du matériel de sécurité.

15 janvier   Paiement des salaires : 8000 $.

15 janvier   Émission d'actions pour une somme de 10 000 $.

17 janvier   Facturation de services rendus à des clients en janvier : 29 000 $.

21 janvier   Déclaration de 3000 $ de dividendes payables en février.

23 janvier   Encaissement de comptes-clients : 17 000 $.

24 janvier   Les services ayant trait aux produits reçus d'avance montrés au bilan du 31 décembre 19X1 sont rendus.

25 janvier   Achat comptant d'une automobile de 10 000 $.

26 janvier   Parution de la dernière annonce touchée par la publicité payée d'avance en décembre. L'entreprise verse de nouveau 1000 $ pour des annonces à paraître en février.

27 janvier   Fern ltée doit toujours payer d'avance deux mois de loyer. Elle expédie donc un chèque de 5500 $ pour le loyer de mars 19X2.

28 janvier   Achat de 5000 $ d'actions de C.I.A. inc., une agence concurrente dont on désire prendre le contrôle.

29 janvier   Règlement de 2000 $ de comptes-fournisseurs concernant du matériel de sécurité.

31 janvier   Paiement des salaires : 8000 $.

31 janvier   L'entreprise fait parvenir un chèque à la banque pour régler une partie de l'emprunt hypothécaire conformément au tableau suivant :

DATE	VERSEMENT	INTÉRÊTS	PRINCIPAL	SOLDE
				9 000 $
31 janvier 19X2	1 540 $	540 $	1 000 $	8 000
31 juillet 19X2	1 540	480	1 060	6 940
31 janvier 19X3	1 540	416	1 124	5 816

De plus, la banque nous informe que l'intérêt à verser sur l'emprunt est maintenant de 86 $. Un chèque sera fait en février.

31 janvier   Un client nous fait parvenir un chèque de 9000 $ pour des services à lui rendre en février 19X2.

31 janvier   Paiement des charges courantes du mois :

Électricité	410 $
Frais d'automobile	935

31 janvier   Achat comptant de 10 615 $ de mobilier de bureau.

Le plan comptable suivant est utilisé :

Encaisse	111	Produits reçus d'avance	216
Clients	113	Hypothèque à payer	221
Loyer payé d'avance	115	Capital-actions	311
Publicité payée d'avance	116	Bénéfices non répartis	313
Assurance payée d'avance	117	Dividendes	315
Matériel de sécurité	120	Sommaire des résultats	316
Matériel roulant	121	Honoraires de protection	411
Mobilier de bureau	122	Salaires	511
Terrain	123	Frais d'automobile	513
Placement	125	Loyer	515
Fournisseurs	211	Intérêts	517
Emprunt bancaire	212	Électricité	519
Dividendes à verser	213	Assurance	521
Intérêts à payer	214	Publicité	523
Versement exigible de la dette hypothécaire	215	Gain sur aliénation d'actif	530

Travail à faire

a) Rédigez l'état des résultats pour le mois de janvier 19X2.

b) Rédigez l'état des recettes et débours pour la même période.

c) Rédigez l'état des bénéfices non répartis pour la même période.

d) Rédigez le bilan au 31 janvier 19X2.

Groupe B

PROBLÈME 1 — RELATION INC.
PROBLÈME EXPLORANT LES RELATIONS ENTRE LE BILAN ET LES AUTRES ÉTATS FINANCIERS

À l'assemblée annuelle des actionnaires de Relation inc. vous présentez le bilan au 31 décembre 19X6 avec chiffres comparatifs au 31 décembre 19X5. Les actionnaires examinent ces deux bilans. Ils tirent déjà quelques conclusions de l'examen de ces deux photos financières prises à un an d'intervalle.

RELATION INC.
Bilans

	au 31 décembre 19X6 Photo	← Film ←	au 31 décembre 19X5 Photo
Encaisse	90 000 $	← ? ←	50 000 $
Équipement	110 000	← ? ←	100 000
Immeuble	250 000	← ? ←	200 000
Terrain	40 000	← ? ←	30 000
Placement	30 000	← ? ←	20 000
	520 000 $		400 000 $
Emprunt bancaire	30 000 $	← ? ←	20 000 $
Emprunt hypothécaire	140 000	← ? ←	150 000
	170 000		170 000
Capital-actions	125 000	← ? ←	100 000
Bénéfices non répartis	225 000	← ? ←	130 000
	350 000		230 000
	520 000 $		400 000 $

Certains prétendent que le bénéfice net a été de 95 000 $ car les bénéfices non répartis ont augmenté de ce montant. D'autres prétendent que le bénéfice net a été de 120 000 $ car l'actif a augmenté de ce montant. Les uns disent que la performance a été bonne alors que d'autres affirment le contraire. Certains disent que les opérations n'ont pas généré les fonds escomptés car l'entreprise a emprunté alors que d'autres prétendent que l'augmentation des immobilisations a été financée par l'exploitation de 19X6 et qu'en plus l'entreprise a obtenu des surplus de fonds puisqu'elle a distribué 55 000 $ en dividendes en 19X6.

Bref, vous vous rendez compte de cette confusion et vous l'attribuez au fait que les bilans comparatifs sont deux photos et que la connaissance des faits précis qui se sont déroulés dans l'intervalle séparant ces deux photos exige la lecture d'états financiers qui sont de la nature de films.

Travail à faire

Présentez tous ces états financiers assimilés au *film* des événements qui se sont produits pendant 19X6 et qui pallient le caractère statique du bilan.

Exprimez graphiquement cette relation entre ces états financiers et les bilans.

(Les ventes furent de 1 500 000 $ en 19X6 et les salaires et autres frais d'exploitation furent respectivement de 200 000 $ et 100 000 $ alors que le coût des marchandises vendues fut de 1 050 000 $.)

PROBLÈME 2 — ABRACADABRANT
RECONSTITUTION DES BÉNÉFICES À PARTIR DES RECETTES ET DÉBOURS

Vous négociez avec M. Abracadabrant pour acheter son entreprise. Il vous remet l'état financier suivant, qu'il a lui-même rédigé. Selon son expression, sa compagnie « pète le feu » et la croissance du rendement est là pour le prouver. Il vous demande : « Faites-moi une offre que je ne pourrai refuser, par exemple cinq fois le bénéfice net de 19X7 ».

	19X5	19X6	19X7
Recettes provenant des ventes	45 000　$	55 000　$	65 000　$
Débours relatifs aux frais d'exploitation	(20 000)	(18 000)	(16 000)
Amortissement	(24 000)	(24 000)	(24 000)
Bénéfice net	1 000　$	13 000　$	25 000　$

Vous voulez en savoir plus et M. Abracadabrant vous apprend ceci : « Il ne reste plus que 5000 $ de comptes-clients à la fin de 19X7, donc pas de problème de recouvrement des comptes. Les ventes ont atteint un beau 60 000 $ en 19X6. Les comptes-clients étaient de 35 000 $ à la fin de 19X5, alors qu'ils étaient de 20 000 $ à la fin de 19X4, ce qui démontre la croissance des affaires. À la fin de 19X7, j'avais pour 15 000 $ de frais d'exploitation payés d'avance. En 19X5, les frais d'exploitation autres que l'amortissement étaient d'un petit 12 000 $ alors que j'avais commencé l'année avec 10 000 $ payés d'avance et 18 000 $ à payer. Mais, à la fin de 19X6, j'avais pour 17 000 $ de frais payés d'avance. L'amortissement qui, à mon avis, est exagéré en une telle période de chômage a été constant à 24 000 $ par année. »

Pour résumer, M. Abracadabrant veut vous vendre une entreprise dont les bénéfices augmentent, les frais d'exploitation diminuent, qui n'a pas de problème de recouvrement et qui vous permettra de vous mettre à l'abri du chômage. Avant de saisir l'occasion, vous désirez recalculer les bénéfices nets.

Travail à faire

a) Combien offririez-vous, selon les termes « 5 fois le bénéfice net de 19X7 » ?

b) Quel fut le bénéfice net de chacune des années ?

PROBLÈME 3 — ILÈCROCHE
RECONSTITUTION DES REVENUS PAR CONCILIATION DU CAPITAL

Vous venez de « décrocher » un emploi de vérificateur pour le fisc. Votre premier dossier concerne la déclaration fiscale de M. Ilècroche. Son bilan personnel se présentait ainsi au début de l'année fiscale :

Encaisse	20 000 $	
Placement	150 000	
Résidences	300 000	
Mobilier	75 000	
Automobiles	120 000	
Divers	25 000	690 000 $
Emprunt hypothécaire	180 000	
Capital Ilècroche	510 000	690 000 $

M. Ilècroche a déclaré 210 000 $ de revenus en 19X7. Votre enquête vous révèle les faits suivants : Un examen des trois comptes en banque montre que des dépôts de 380 000 $ ont été effectués. La saisie de documents révèle qu'un placement de 70 000 $ a été fait en juin lors de l'achat d'un duplex payé comptant. De plus, une résidence d'hiver, située en Floride, a été acquise pour la somme de 79 200 $ US alors que le taux de change était de 0,72 dollar américain pour un dollar canadien. On a contracté une hypothèque de 14 400 $ US à cette occasion.

Un authentique mobilier de salon style Louis XIV a été acquis pour la somme de 35 000 $. Les documents révèlent aussi qu'une cadillac de 30 000 $ a été achetée. Vous alliez clore votre dossier quand vous découvrez que M. Ilècroche a donné, en cadeau à son épouse, un diamant et un manteau de zibeline, le tout évalué à 15 000 $.

Finalement, en regagnant votre Lada pour rentrer à la maison, vous rencontrez la fille de M. Ilècroche. Comme elle regrette de ne pas vous avoir rencontré plus tôt pour recevoir des cours privés car elle suit présentement des cours de comptabilité. En outre, son papa lui avait promis une Ferrari si elle obtenait la note « A », mais comme elle n'a obtenu qu'un

« C », elle a dû se contenter d'une petite Porsche de 50 000 $. « Il faut payer pour ses erreurs » ajoute-t-elle. M. Ilècroche a également déboursé 50 000 $ pour les charges de la famille (nourriture, vêtements, loisirs ...).

Travail à faire

Reconstituez le revenu brut de M. Ilècroche, sachant qu'il est le seul à avoir procuré un revenu à la famille.

PROBLÈME 4 — ÉLECTRONIQUE TREMBLAY INC.
ENREGISTREMENT ÉTATS FINANCIERS

L'entreprise Électronique Tremblay inc., dont l'unique actionnaire est Georges Tremblay, se spécialise dans la réparation de radios, téléviseurs et systèmes de son.

Monsieur Tremblay a ouvert son atelier le 1er janvier 19X1. Il a consacré tout ce mois à l'organisation et, par conséquent, n'a effectué aucune activité générant des produits ou des charges.

Voici le bilan de l'entreprise au 31 janvier 19X1 :

ÉLECTRONIQUE TREMBLAY INC.
Bilan
au 31 janvier 19X1

ACTIF		PASSIF	
Encaisse	15 000 $		0 $
Camion	10 000		
		AVOIR DES ACTIONNAIRES	
		Capital-actions	
		Émis : 100 actions	25 000 $
	25 000 $		25 000 $

Les transactions du mois de février sont les suivantes :

5 février   Réparation d'un téléviseur. Encaissement immédiat de 200 $.

10 février   Réparation d'un système de son. La facture s'élève à 500 $ et est encaissable dans 30 jours.

20 février   Réception d'une facture de 150 $ payable dans 30 jours. Celle-ci représente les charges mensuelles relatives au camion : huile, carburant, etc.

23 février   Déclaration d'un dividende de 1 $ par action ordinaire. Il y a actuellement 100 actions ordinaires en circulation. Le dividende est payable le 10 mars 19X1.

25 février   Réception d'un chèque de 100 $ en guise de paiement partiel pour la réparation du système de son (10 février).

28 février   Paiement du salaire mensuel de l'employé : 300 $.

28 février   Réception de la facture pour le loyer du mois de février, 50 $, payable le 15 du mois suivant.

28 février   Paiement partiel de 100 $ pour les charges relatives au camion, soit celles enregistrées aux livres comptables le 20 février 19X1.

Travail à faire

a) Enregistrez les opérations financières du mois de février 19X1 au journal général.

b) Effectuez les reports au grand livre général. (Comptes en T.)

c) Vérifiez l'équilibre des comptes débiteurs et créditeurs en établissant une balance de vérification. Il n'est pas nécessaire de la produire dans la solution.

d) Rédigez l'état des résultats pour le mois de février 19X1.

e) Préparez l'état des bénéfices non répartis pour la même période.

f) Rédigez le bilan au 28 février 19X1.

g) Pourquoi le poste Dividendes n'apparaît-il pas à l'état des résultats ?

NOTE : Ne tenez pas compte de l'impôt sur le revenu dans ce problème.

PROBLÈME 5 — *RÉPARASON LTÉE*
 ENREGISTREMENT ÉTATS FINANCIERS

Au cours du mois de juin 19X6, M. Fernand Lacasse a mis sur pied son entreprise, Réparason ltée. Voici la balance de vérification au 30 juin 19X6.

RÉPARASON LTÉE
Balance de vérification
au 30 juin 19X6

	Débit	Crédit
Encaisse	30 000 $	
Fournitures de réparation en main	5 000	
Camion	12 000	
Matériel de réparation	20 000	
Fournisseurs		25 000 $
Capital-actions		42 000
	67 000 $	67 000 $

Les opérations suivantes ont été conclues en juillet 19X6 :

2 juillet   Emprunt de 10 000 $ à la Banque Nationale du Canada. Le prêt est remboursable en cinq mensualités.

3 juillet   L'entreprise quitte le sous-sol de la maison privée de M. Lacasse et emménage dans un atelier. L'entreprise verse 3000 $ pour le loyer du prochain trimestre.

7 juillet   Encaissement de 10 000 $ pour les réparations effectuées depuis le début de juillet.

15 juillet   Paiement du salaire bi-mensuel à l'unique employé : 600 $.

20 juillet   *Déclaration* de dividendes de 0,50 $ par action pour les 4000 actions en circulation.

23 juillet   Facturation d'un montant de 15 000 $ au Théâtre des improvisateurs pour la réparation de leur système de son en juillet. Un délai de crédit est accordé.

25 juillet   Versement de 10 000 $ pour du matériel acheté en juin 19X6.

28 juillet   L'entreprise encaisse 5000 $ pour un service d'installation devant avoir lieu en août 19X6.

31 juillet   Le Théâtre des improvisateurs leur fait parvenir un chèque de 3000 $.

31 juillet   Paiement du salaire de l'employé. Celui-ci demande également une avance de 300 $, laquelle lui est accordée.

31 juillet   Paiement des charges suivantes :

Frais de camion   300 $
Services publics   150

31 juillet   Versement d'une première mensualité sur l'emprunt bancaire conformément au tableau suivant :

DATE	VERSEMENT	INTÉRÊTS	PRINCIPAL	SOLDE
				10 000 $
19X6-07-31	2 125 $	200 $	1 925 $	8 075
19X6-08-31	2 125	162	1 963	6 112
19X6-09-30	2 125	122	2 003	4 109
19X6-10-31	2 125	82	2 043	2 066
19X6-11-30	2 107	41	2 066	0

31 juillet   Un inventaire nous apprend qu'il reste 2000 $ de fournitures de réparation.

Travail à faire

a) Enregistrez les opérations de juillet au journal général et reportez-les ensuite au grand livre général.

b) Préparez les états financiers.

PROBLÈME 6 — SOCIÉTÉ G. LEDROIT
ENREGISTREMENT ÉTATS FINANCIERS

Au début du mois de juillet 19X5, M. G. Ledroit, un avocat, fonde la Société immobilière G. Ledroit ltée qui offre des services de gestion immobilière. Voici les transactions du mois de juillet 19X5.

1er juillet M. G. Ledroit dépose 50 000 $ dans le compte en banque de Société immobilière G. Ledroit ltée et reçoit 50 000 actions ordinaires.

4 juillet Achat comptant de 3000 $ de fournitures de bureau. L'entreprise occupe la maison privée de M. Ledroit en attendant d'acheter ou de louer un immeuble.

10 juillet Facturation d'un client pour des honoraires de gestion. Ces services ont été rendus entre le 1er et le 10 juillet. La facture est de 20 000 $.

15 juillet Paiement du salaire de la secrétaire pour deux semaines de travail : 500 $.

20 juillet Achat au comptant d'actions d'Hydro-Québec. Ces titres négociables ont été payés 10 000 $.

25 juillet Déclaration d'un dividende de 0,10 $ par action à l'unique actionnaire de la Société immobilière G. Ledroit ltée.

27 juillet Facturation de 30 000 $ d'honoraires de gestion pour des services rendus en juillet.

31 juillet Encaissement de la moitié des honoraires de gestion facturés le 10 juillet.

31 juillet Paiement des charges d'exploitation suivantes :

Salaire de la secrétaire	500 $
Électricité	200
Téléphone	125
Entretien de l'immeuble	300

31 juillet La Société encaisse 10 000 $ d'honoraires pour des démarches qu'elle devra entreprendre en août, concernant l'achat d'immeubles, au nom d'un client important.

31 juillet Paiement d'un montant de 1200 $ à un grand journal pour cinq annonces parues en juillet et cinq annonces à paraître en août.

31 juillet   Il reste en stock 2000 $ de fournitures de bureau achetées le 4 juillet.

31   juillet   Encaissement de 500 $ de dividendes d'Hydro-Québec.

31   juillet   Achat d'un immeuble et d'un terrain coûtant respectivement 60 000 $ et 20 000 $. La Société verse 20 000 $ comptant et prend en charge l'hypothèque existante.

Voici le tableau d'amortissement de cette dette hypothécaire :

DATE	VERSEMENT	INTÉRÊTS	PRINCIPAL	SOLDE
19X5-07-31				60 000 $
19X6-07-31	10 000 $	6 000 $	4 000 $	56 000 $

31   juillet   Achats à crédit de 10 000 $ de mobilier de bureau et de 8000 $ d'équipement de bureau.

31   juillet   La Société cède immédiatement 10 % de la superficie de son terrain à une entreprise voisine. Un montant de 3000 $ est alors encaissé.

Travail à faire

a) Enregistrez les opérations du mois de juillet au journal général et au grand livre général. Il n'est pas nécessaire d'expliquer les écritures de journal.

b) Rédigez l'état des résultats et l'état des bénéfices non répartis.

c) Rédigez un bilan avec une présentation ordonnée.

PROBLÈME 7 — *TRANSPORT SÉCURITÉ LTÉE*
ENREGISTREMENT ÉTATS FINANCIERS FERMETURE ÉTAT DES RECETTES ET DÉBOURS

Au cours du mois de mars 19X7, Roger Latour et Thérèse Soucy fondent une entreprise de transport par autobus pour les écoliers et les ouvriers, qui aura pour raison sociale Transport sécurité ltée. Voici les transactions financières effectuées au cours du mois de mars 19X7 :

1er mars   Apport en argent de 37 000 $ et émission d'actions ordinaires.

3   mars   Réception d'une facture de 1200 $ pour la location de deux autobus au cours du mois de mars.

5   mars   Emprunt bancaire, payable sur demande, d'un montant de 10 000 $.

7   mars   Achat d'un terrain de 120 000 $. La Société a versé 30 000 $ comptant et le solde est payable dans cinq ans, sans aucun intérêt.

10 mars Facturation, à la commission scolaire de Saint-Antoine-de-Padoue, pour des services rendus au début de mars 19X7. Le montant de la facture s'élève à 3000 $.

12 mars Paiement du loyer du bureau pour le mois de mars 19X7 : 1500 $.

15 mars Achat à crédit de 2600 $ de fournitures pour la réparation des autobus.

17 mars Encaissement d'un chèque de 4600 $ en paiement d'un transport d'écoliers de la région de Waterloo et de Granby effectué au mois de mars.

20 mars Paiement de la moitié du montant de la facture reçue le 3 mars.

23 mars Paiement d'une facture de publicité de 1200 $ pour des annonces publicitaires devant paraître dans un grand journal de Sainte-Tite.

24 mars Déclaration d'un dividende de 800 $ payable le 15 avril prochain. Un dividende devient, pour l'entreprise, une dette légale au moment de sa déclaration.

25 mars Paiement des différentes charges d'exploitation engagées au mois de mars :

Salaires	1 700 $
Essence et entretien	400
Chauffage et électricité	300

28 mars Encaissement de la moitié du montant de la facture du 10 mars.

29 mars Encaissement d'un chèque de 1300 $ pour des transports d'écoliers qui seront effectués au mois d'avril 19X7.

30 mars Facturation à la société Hopel inc. pour le transport, au cours du mois de mars, de ses employés d'usine. La facture s'élève à 1900 $.

31 mars Achat à crédit de 6600 $ de mobilier de bureau. La facture est payable dans 30 jours.

31 mars Versement de 1100 $ à la banque, soit 100 $ pour les intérêts du mois de mars et 1000 $ en remboursement partiel de l'emprunt.

31 mars Vente au comptant d'un douzième du terrain acquis le 7 mars, pour la somme de 13 500 $.

31 mars Achat au comptant de 28 000 $ de titres négociables à court terme. Ce surplus d'encaisse temporaire a été investi dans des obligations d'Hydro-Québec et de la Banque Nationale du Canada. Ces obligations sont encaissables rapidement.

31 mars Il restait en stock 900 $ de fournitures de réparations à la fin du mois.

Travail à faire

a) Enregistrez les écritures comptables au journal général afin d'inscrire les transactions financières précédentes.

b) Reportez les écritures de journal au grand livre général.

c) Préparez les états financiers suivants :
   1) l'état des résultats pour le mois de mars 19X7 ;
   2) l'état des bénéfices non répartis pour le mois de mars 19X7 ;
   3) le bilan au 31 mars 19X7 ;
   4) l'état des recettes et débours pour le mois de mars 19X7.

Voici les titres des comptes du grand livre général et leur folio :

Encaisse	01	Bénéfices non répartis	67
Titres négociables	05	Dividendes	68
Clients	10	Chauffage et électricité	70
Stock de fournitures	12	Essence et entretien	72
Charge payée d'avance	15	Fournitures de réparations	74
Mobilier de bureau	25	Intérêts	76
Terrain	30	Location d'autobus	78
Emprunt bancaire	40	Location du bureau	80
Fournisseurs	45	Salaires	82
Dividendes à payer	50	Produits — transport d'écoliers	90
Produits reçus d'avance	55	Produits — transport d'ouvriers	92
Emprunt hypothécaire	60	Gain sur aliénation de terrain	98
Capital-actions ordinaires	65		

Chapitre 5

Les problèmes de mesure en fin d'exercice

5.1 ORIGINE DES PROBLÈMES DE MESURE EN FIN D'EXERCICE

5.1.1 La division de la vie de l'entreprise en exercices comptables

L'analyse de la rentabilité se rapporte à une notion de période. Ainsi, on parlera des produits, des charges, des bénéfices mensuels, trimestriels, annuels. On comparera le bénéfice net de cette année avec celui de l'an dernier. On comparera le bénéfice net du mois de juin avec une période de même durée : il pourra s'agir du mois précédent ou du mois de juin de l'an dernier. Les bénéfices nets des entreprises sont comparables entre eux parce que nous savons qu'il s'agit de bénéfices annuels, trimestriels, etc.

Mais les opérations se déroulent sans interruption. Saisir la situation financière à un moment précis dans le cadre de ce flot continu d'opérations devient donc difficile puisque, comme nous l'avons vu, chaque opération modifie la situation financière. Il faut établir la situation financière alors que *des produits sont en train d'être gagnés, des charges sont en train d'être encourues, des éléments d'actif et de passif sont en train de se constituer ou de se détériorer.*

Il faut donc déterminer le *temps d'arrêt des comptes* et faire une démarcation entre les éléments qui concernent l'exercice courant et ceux qui concernent l'exercice suivant. Le bilan doit répertorier tous les éléments d'actif et de passif existant à la date d'arrêt des comptes. L'état des résultats doit inclure tous les produits et toutes les charges courantes et *reporter aux périodes futures* les produits encaissés qui ne sont pas encore gagnés selon le principe comptable de la *réalisation* et les charges engagées qui ne se rapportent pas aux produits gagnés en vertu du principe du *rapprochement des produits et des charges.*

Par exemple, une société d'édition peut avoir encaissé, au début de l'année courante, la somme de 300 000 $ pour des abonnements de trois ans à une revue. En vertu de la *convention de l'indépendance des exercices*, ou principe de l'autonomie des exercices, ou encore de la spécialisation des exercices nous n'attendons pas trois ans pour savoir s'il est rentable de publier cette revue et, malgré la durée de l'opération, la vie de l'entreprise sera découpée par période d'un an. Bien que l'encaissement ait eu lieu au début de la première année, le principe de réalisation nous indique que les produits de ce premier exercice totaliseront environ

100 000 $. De la même façon, si on imprime en décembre du premier exercice la revue qui paraîtra en janvier du deuxième exercice, l'application stricte du principe du rapprochement des produits et des charges exige que l'on reporte les coûts de production de cette revue au mois de janvier du deuxième exercice et non qu'on les inclut dans l'état des résultats du premier exercice.

Voici un autre exemple qui tend à démontrer qu'une partie des *problèmes de mesure* que l'on rencontre en comptabilité tirent leur origine de cette *division nécessaire* de la vie de l'entreprise en périodes plus courtes. Supposons qu'une entreprise acquiert un camion de 50 000 $ au début de 19X0. Par hypothèse, ce camion rendra un service égal pendant chacun des cinq exercices comptables d'un an. Le problème à résoudre est : l'achat du camion a-t-il été une bonne décision et dans quelle mesure ? Supposons qu'il s'agit là de l'unique opération de l'entreprise.

Si nous disposions de cinq ans pour répondre à cette question, nous n'aurions pas de problème de mesure. En effet, il suffirait de vérifier si les entrées d'argent occasionnées par cette opération ont été supérieures aux sorties d'argent. Par exemple, il suffirait de lire la dernière colonne du tableau suivant :

	19X1	19X2	19X3	19X4	19X5	TOTAL
Recettes	**20 000 $**	**20 000 $**	**20 000 $**	**20 000 $**	**20 000 $**	**100 000 $**
Débours	**50 000**	**—**	**—**	**—**	**—**	**50 000**
Excédent	**(30 000 $)**	**20 000 $**	**20 000 $**	**20 000 $**	**20 000 $**	**50 000 $**

Cette façon de faire se nomme *méthode de la comptabilité par opérations*. Cette méthode était utilisée par les négociants au XVᵉ et XVIᵉ siècles puisque les opérations étaient peu nombreuses et les sources de financement plus rares. Aujourd'hui, il est impensable d'attendre la fin de la vie d'une société ou d'une opération pour rendre des comptes aux actionnaires et aux créanciers ou même aux autorités fiscales !

Dans notre exemple, la comparaison des recettes et des débours, à la fin de la cinquième année, nous montre que l'acquisition du camion a finalement été une bonne affaire. Mais il faudrait être en mesure de porter un jugement sur cette décision dès la fin de la première année. Pendant cette première année, on a encaissé 20 000 $ en rendant des services avec le camion, mais on a déboursé 50 000 $ pour son achat. L'excédent des débours sur les recettes s'élève à 30 000 $. Devons-nous en conclure que ces résultats indiquent que l'achat du camion a été une mauvaise affaire ? Le résultat de 19X1 a-t-il une bonne *valeur de prédiction* ? Ces résultats nous indiquent que l'on se dirige vers un déficit de 150 000 $ au bout des cinq ans (5 années × 30 000 $) ; ils n'ont donc pas de valeur. En effet, on a divisé la vie de cette entreprise en période d'un an, conformément à la convention de l'indépendance des exercices, mais on n'a pas appliqué le principe du rapprochement des produits et des charges qui en est la conséquence normale.

Il faut donc juger du nombre et du coût des services reçus grâce au camion chaque année. Il s'agit d'une *opération interne* qui exige la répartition du 50 000 $ entre les cinq exercices. Étant donné que nous ne recevrons pas chaque année un document externe pour nous indiquer les services reçus, il faut utiliser des données internes, tel le kilométrage parcouru, pour estimer le coût des services reçus. Ainsi, si le camion rend des services égaux à chaque année, le tableau suivant fournira des résultats valables :

	19X1	19X2	19X3	19X4	19X5	TOTAL
Produits	20 000 $	20 000 $	20 000 $	20 000 $	20 000 $	100 000 $
Charges	10 000	10 000	10 000	10 000	10 000	50 000
Bénéfice net	10 000 $	10 000 $	10 000 $	10 000 $	10 000 $	50 000 $

Ce tableau contient les produits, les charges et les bénéfices nets au lieu des recettes, débours et excédents. Le bénéfice net de la première année a une *valeur de prédiction* beaucoup plus grande. Un bénéfice net de 10 000 $ pour la première année nous indique, toutes choses égales d'ailleurs, que l'on obtiendra un bénéfice global de 50 000 $ pour les cinq années.

Il importe de conclure, de cette démonstration, que le besoin périodique d'information et la *division arbitraire de la vie de l'entreprise en exercices comptables* sont à l'origine de plusieurs *problèmes de mesure* en comptabilité ; par exemple, mesurer les services reçus des biens.

5.1.2 Le caractère continu des opérations

Nous avons reconnu le besoin périodique d'information ainsi que la nécessité de préparer périodiquement des états financiers pour satisfaire ce besoin. Cela ne poserait pas tellement de problèmes si toutes les transactions commençaient et se terminaient à l'intérieur d'une courte période. Il n'y aurait pas, à proprement parler, de problème de mesure. Par exemple, si une réparation mineure est effectuée au cours d'une journée de l'année financière 19X1, il est facile d'associer cette charge à l'exercice 19X1 pour l'entreprise qui a bénéficié de la réparation, le produit à l'exercice 19X1, pour l'entreprise qui a effectué la réparation, car la transaction a pris naissance et s'est terminée à l'intérieur d'une période plus courte (une journée) que l'année financière 19X1.

Mais il n'en va pas de même de toutes les opérations. En voici un exemple : Beaudépart ltée emprunte 100 000 $ à la Banque Nationale au début de 19X1. L'emprunt est remboursable dans dix-huit mois, soit le 30 juin 19X2, capital et intérêts à 12 %. Comme nous allons présenter plusieurs états financiers périodiques entre le 1er janvier 19X1 et le 30 juin 19X2 nous aurons, à chacun de ces moments, un *problème de mesure* car la transaction ne sera alors pas *achevée*. Nous devrons mesurer la portion de la transaction qui concerne notre exercice financier, dont la durée est plus courte que celle de la transaction elle-même ou encore qui se termine pendant que la transaction est en cours. Dans ce cas, le problème se pose car la transaction a un caractère continu. Le coût de l'utilisation des capitaux (la charge en intérêts) et le passif qui y correspond (l'intérêt couru à payer) se constituent à mesure que le temps passe.

La charge totale en intérêts et le passif total en intérêts augmentent à chaque journée qui s'écoule et pendant laquelle nous utilisons les capitaux ; nous pourrions même dire à chaque minute, chaque seconde, pour faire valoir le caractère continu de la transaction. Notre travail de mesure consiste donc à trancher, dans cette transaction continue, pour nous demander à quelle somme s'élève cette charge et ce passif à la date des états financiers.

Il est très important de constater qu'à cause du *caractère continu* de ces opérations il sera *impossible* de suivre dans les comptes la portion de l'opération qui se matérialisera puisque c'est un phénomène qui se déroule continuellement. Aussi bien renoncer dès maintenant à passer continuellement des écritures pour mettre les comptes à jour, admettre que les comptes n'expriment pas continuellement la réalité et remédier à la situation seulement d'une façon périodique en enregistrant la portion de l'opération qui s'est matérialisée. Ces écritures auront pour fonction de *régulariser* les comptes.

Voici, exprimé graphiquement, notre travail de mesure pour l'exemple donné ci-dessus :

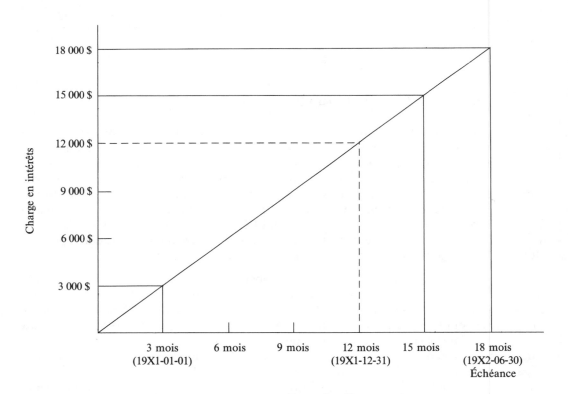

Lors de la production des premiers états financiers trimestriels, il faudra montrer une charge en intérêts de 3000 $ à l'état des résultats et un passif de 3000 $ en intérêts courus à payer au bilan. En effet, continuellement, soit chaque jour, une charge d'intérêts et un passif de 32,88 $ se constituent. Au bout d'un an, lors de la production des états financiers annuels, nous constatons très bien que les comptes ne traduisent plus la réalité depuis le premier jour de l'emprunt et que, plus le temps passe, plus la situation empire. En effet, nous avons renoncé à inscrire quotidiennement, dans les comptes, l'écriture suivante :

Fin d'une journée	Charge d'intérêts Intérêts courus à payer	32,88	
			32,88

Lors de la préparation des états financiers de fin d'exercice, une charge et un passif dont le montant est maintenant substantiel ne sont pas inscrits aux livres. Il n'est donc pas question de rédiger les états financiers à partir du solde des comptes au grand livre général avant d'avoir passé l'écriture de *régularisation* suivante :

Fin d'une année	Charge d'intérêts Intérêts courus à payer (Enregistrement d'un an d'intérêts courus)	12 000	
			12 000

Ce phénomène est également observable pour bien d'autres transactions ce qui, parfois, fera des *écritures de régularisation* un exercice de mesure assez compliqué. En voici un autre exemple : chez Beaudépart ltée on a fait l'acquisition, au début de 19X1, d'une machinerie qui a coûté 300 000 $; elle pourra fabriquer 150 000 unités au cours de sa vie utile. On fabrique ce produit continuellement au cours de l'année et chaque jour environ 40 unités sont produites. Allons-nous considérer quotidiennement qu'un montant de 40/150 000 de 300 000 $ correspond au service reçu de la machinerie et qu'un montant équivalent de service à recevoir n'existe plus ? Cela entraînerait l'écriture quotidienne suivante :

Fin d'une journée	Charge (Amortissement machinerie) Machinerie (Service à recevoir) (Pour inscrire le coût du service reçu de la machine pendant une journée en augmentant la charge, et réduire le montant des services à recevoir en diminuant l'actif machinerie, 300 000 $ (40 unités / 150 000 unités)	80	
			80

La réponse est évidemment négative. Mais alors il faut admettre qu'à la fin de l'exercice, les comptes ne traduiront plus la réalité depuis longtemps et qu'il faudra les régulariser avant de rédiger les états financiers. L'écriture globale sera :

Fin d'une année	**Charge (Amortissement machinerie)** **Machinerie** **(300 000 $ × 15 000 unités produites /** **150 000 unités à produire)**	**30 000**	**30 000**

Le graphique suivant correspond au caractère continu de l'utilisation de certains actifs.

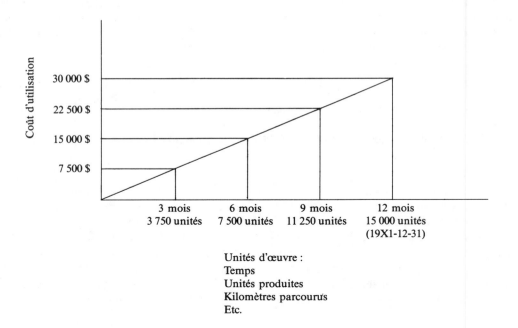

Unités d'œuvre :
Temps
Unités produites
Kilomètres parcourus
Etc.

Plusieurs autres charges, et parfois les produits d'exploitation qui y correspondent, pour les entreprises qui fournissent le service, ont un caractère continu. Il en est ainsi de la publicité, des assurances, des taxes foncières, de l'épuisement des stocks de fournitures et de marchandises, etc. Ces transactions devront faire l'objet d'une surveillance particulière car elles entraîneront l'obligation de régulariser les comptes.

Il est important de noter que, au jour de la régularisation, les comptes correspondront à la réalité du moment, mais que les soldes de ces comptes cesseront tout aussi rapidement de traduire la réalité car les opérations continueront de façon imperturbable à se matérialiser étant donné leur caractère continu. Elles n'arrêteront pas de se dérouler parce que nous avons décrété une fin d'exercice et un temps d'arrêt des comptes à une date donnée. Trancher dans un flot de transactions continues, mesurer afin d'établir la réalité le mieux possible, voilà un défi qui se pose au comptable lors de la rédaction des états financiers.

5.1.3 Les opérations qui chevauchent plusieurs exercices

Les deux observations précédentes peuvent se résumer ainsi : étant donné que certaines opérations se déroulent de façon continue sur une période plus ou moins longue et que la vie de l'entreprise est divisée par périodes relativement courtes, il appert que certaines opérations chevaucheront plusieurs exercices. Ce seront précisément ces opérations qui causeront des problèmes de mesure en fin d'exercice. Si une société édite un magazine auquel on souscrit par un abonnement de trois ans, nous faisons alors face à une opération (l'abonnement) qui chevauche trois exercices financiers. Il s'ensuit un problème de mesure.

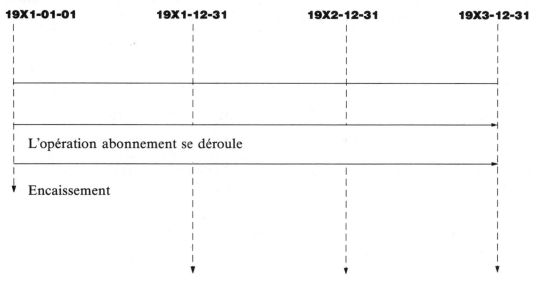

Montants des produits gagnés à mesurer
lors de la préparation des états financiers

5.2 LA COMPTABILITÉ D'EXERCICE ET LE BESOIN D'INFORMATION PÉRIODIQUE

Le concept d'exercice comptable a promu la notion de *comptabilité d'exercice*. Selon cette méthode, nous tiendrons compte, dans la détermination du bénéfice net, des produits et des charges d'un exercice si ces produits sont gagnés ou si ces charges sont engagées, mais sans considération du moment où ces produits et charges sont réglés par un encaissement ou un décaissement.

Par opposition, la *comptabilité de caisse* est une méthode qui consiste à ne comptabiliser les produits et les charges qu'au moment où les opérations en cause donnent lieu à des encaissements ou à des décaissements et cela sans se demander si les produits sont gagnés dans l'exercice ou si les charges peuvent être associées ou non à la création de ces produits gagnés.

Ce partage de la vie de l'entreprise en exercices comptables *crée la différence* entre les comptes d'actif et de charge. Par exemple, lors de l'achat d'un camion qui est supposé avoir une durée de cinq ans, le montant sera comptabilisé à l'actif (un réservoir de services à recevoir) puis, au cours des exercices suivants, il sera viré progressivement du compte actif vers un compte de charge intitulé Amortissement (coût de services reçus).

Le fractionnement de la vie de l'entreprise en exercices comptables et le concept de comptabilité d'exercice qui en découle nous obligent aussi à distinguer le moment de l'encaissement de celui du produit. Par exemple, si un service est rendu en décembre 19X6 et que l'encaissement a lieu en janvier 19X7, la comptabilisation du produit aura lieu en 19X6. L'encaissement de 19X7 sera également enregistré mais il ne s'agira que de la transformation d'un compte-client (un actif) en Encaisse (un autre compte d'actif).

Cette division artificielle et la comptabilité d'exercice nous obligent également à distinguer les charges des débours. Par exemple, si on règle en décembre 19X6 le loyer de janvier 19X7, la charge de loyer apparaîtra à l'état des résultats de 19X7, alors qu'au bilan du 31 décembre 19X6 nous verrons un loyer payé d'avance (services à recevoir).

La distinction nécessaire entre les notions de produit et d'encaissement ou entre les notions de charge et débours provient simplement du fait que la fin d'exercice que nous avons décrétée peut survenir entre le moment où le produit est gagné et celui où il est encaissé, ou entre le moment de la charge et celui où elle est réglée.

Voici un exemple :

Un avocat plaide une cause le 1er décembre 19X6. Une fois le service rendu, il facture son client le jour même pour un montant de 2000 $; l'encaissement a lieu le 31 janvier 19X7. Quant à l'exercice financier, il se termine le 31 décembre. Le graphique suivant illustre le *chevauchement* de l'opération, de deux exercices :

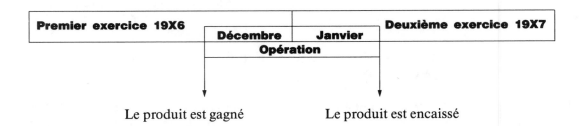

Voici maintenant les écritures selon les deux systèmes :

	COMPTABILITÉ D'EXERCICE	COMPTABILITÉ DE CAISSE
Premier exercice 19X6	1er déc. Clients 2 000 Honoraires 2 000	1er déc. Aucune

Deuxième exercice 19X7	31 janv. Encaisse 2 000
	         Clients 2 000
		31 janv. Encaisse 2 000
		        Honoraires 2 000

Selon la comptabilité d'exercice, l'écriture du 1er décembre 19X6 est nécessaire pour constater le produit en 19X6. Mais nous remarquons que la comptabilité d'exercice exige une écriture de plus puisque, comme avec la comptabilité de caisse, il faudra noter l'encaissement le 31 janvier 19X7. Nous prenons la peine de passer une écriture de plus parce que nous tenons à associer le produit à l'année 19X6. Sinon, nous aurions noté ce produit seulement lors de son encaissement, comme le fait la comptabilité de caisse. En effet, si on groupe les deux exercices, on s'aperçoit que les écritures ont finalement le même effet sur les comptes (les montants encadrés s'annulent).

Voici un deuxième exemple impliquant une charge :

Le 1er décembre 19X6, l'entreprise verse la somme de 3000 $ pour payer son loyer du prochain trimestre. L'exercice comptable se termine le 31 décembre.

L'opération chevauche deux exercices :

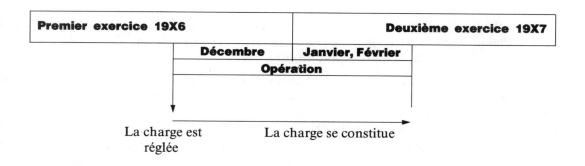

	COMPTABILITÉ D'EXERCICE	COMPTABILITÉ DE CAISSE
Premier exercice 19X6	1ᵉʳ déc. Loyer payé d'avance 3 000 Encaisse 3 000 31 déc. Loyer 1 000 Loyer payé d'avance 1 000	1ᵉʳ déc. Loyer 3 000 Encaisse 3 000
Deuxième exercice 19X7	31 janv. Loyer 1 000 Loyer payé d'avance 1 000 28 févr. Loyer 1 000 Loyer payé d'avance 1 000	

Encore une fois, la comptabilité d'exercice exige plus d'écritures, mais elles sont nécessaires pour associer la charge de loyer au bon exercice. Si on ne distingue pas les deux exercices et qu'on les groupe, les écritures ont finalement le même effet. La distinction entre le compte d'actif Loyer payé d'avance et le compte de charge Loyer est créée par l'existence d'exercices financiers distincts.

5.3 NÉCESSITÉ DE RÉGULARISER LES COMPTES AVANT DE PRÉPARER LES ÉTATS FINANCIERS

Au chapitre précédent, nous avons préparé les états financiers à partir de la balance de vérification du grand livre général en fin d'exercice. Nous posions donc l'hypothèse que les comptes correspondaient à la réalité en fin d'exercice.

Mais l'étude du caractère continu des opérations nous a convaincus que les comptes ne peuvent suivre les transformations continuelles que subissent les valeurs de l'entreprise. En conséquence, les états seraient inexacts. Il faudra donc ajouter une étape de *régularisation des comptes* à notre cycle comptable.

Ce problème vient en partie du fait que certains actifs non monétaires (les stocks, les frais payés d'avance, les immobilisations) se transforment en charge *graduellement*, à mesure qu'ils sont utilisés ou qu'ils rendent des services. Idéalement, les comptes devraient suivre graduellement ces transformations d'actif en charges, mais cela exigerait trop d'écritures comptables comme nous l'avons démontré. Reprenons l'exemple suivant, mais cette fois en observant que les régularisations doivent précéder la rédaction des états financiers.

Au début de 19X6, on fait l'acquisition d'une machinerie de 109 500 $ dont la durée est de trois ans. Allons-nous, chaque jour où la machine nous rend un service, considérer qu'une fraction de 1/1095 de l'actif s'est détériorée et que la charge correspondante doit être enregistrée ? Cela entraînerait l'écriture quotidienne suivante :

Fin d'une journée	Amortissement (Charge) Machine (109 500 $ × 1 / 1095 jours)	100	100

La réponse est évidemment négative. Mais il faut alors admettre qu'à la fin de l'exercice 19X6, il est impossible de préparer les états financiers à partir des soldes que l'on retrouve au grand livre général. Les comptes ayant perdu de leur actualité comme expression d'un actif ou d'une charge, ils doivent faire l'objet d'une *régularisation*.

Voici la régularisation à passer avant de rédiger les états financiers pour inscrire la dotation aux amortissements :

Fin d'une année	Amortissement (Charge) Machine (109 500 $ × 365 / 1095 jours)	36 500	36 500

D'autre part, nous avons également mentionné l'existence de certains actifs et passifs qui se constituent graduellement, à mesure que l'entreprise rend ou reçoit des services.

Par exemple, au début de 19X6, l'entreprise a prêté un montant de 100 000 $ à 13 %. Il n'est pas question d'enregistrer une écriture quotidienne de ce type :

Fin d'une journée	Intérêts à recevoir Produits d'intérêt	35,62	35,62

Comme ces écritures ne sont pas enregistrées, on constate, lors de la préparation des états financiers en fin d'exercice, que certains actifs et certains produits de même que certains passifs et charges ne sont pas inscrits. Une *régularisation des comptes* doit donc précéder la rédaction des états financiers. Nous parlerons alors de produits et charges *constatés par régularisation*. Dans notre exemple, la régularisation suivante sera inscrite au 31 décembre 19X6 :

Fin d'une année	Intérêts à recevoir Produits d'intérêt (100 000 $ × 0,13) ou 365 jours × 35,62 $	13 000	13 000

Dans le cycle comptable, une nouvelle phase vient alors s'insérer entre la balance de vérification et la rédaction de l'état des résultats : ce sont les *écritures de régularisation*.

Voici, illustrée graphiquement, cette nouvelle phase du cycle comptable :

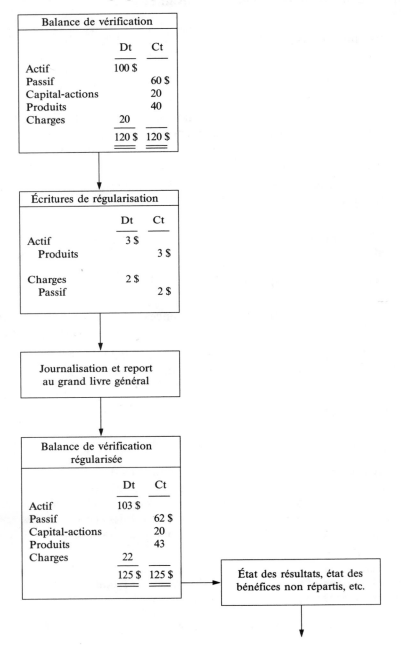

5.4 LES DEUX GRANDES CATÉGORIES DE RÉGULARISATION

Il ne faut pas aborder l'étude des écritures de régularisation en les traitant une à une. On commettrait la même erreur que si l'on étudiait la botanique en abordant les plantes une à une plutôt que de procéder suivant le système de classification. Il y a deux grandes catégories de régularisation. Quand nous traiterons de celles appartenant à une même catégorie, nous ferons, tout bien considéré, toujours le même travail, seuls les comptes affectés varieront. La première catégorie regroupe *les écritures de régularisation qui effectuent une répartition* et la deuxième, celles qui inscriront *les produits et les charges courus* qui n'ont pas encore été enregistrés aux livres. On qualifie également ces dernières de *produits et charges constatés par régularisation*.

5.5 PREMIÈRE CATÉGORIE : LES ÉCRITURES DE RÉGULARISATION QUI EFFECTUENT UNE RÉPARTITION

De cette catégorie, on peut extraire trois types d'écritures de régularisation qui effectuent :

1° Une ventilation entre un compte d'actif et de charge.

    a) Ventilation entre une charge payée d'avance et une charge ;
    b) Ventilation entre un compte d'immobilisation et d'amortissement. La dotation aux amortissements ;
    c) Ventilation entre un compte de stock et le coût des marchandises vendues ;
    d) Ventilation entre les comptes-clients et les créances irrécouvrables.

2° Une ventilation entre un compte de passif et de produits.

3° La régularisation qui partage la dette en ses portions à court terme et à long terme.

L'écriture de répartition la plus répandue est celle qui retire des comptes de l'actif les coûts ayant contribué à la réalisation des produits pendant la période courante. L'actif a déjà été comptabilisé ; il faut ensuite diminuer cet actif étant donné qu'il y a moins de services à recevoir de cet actif et il faut comptabiliser les services reçus dans un compte de charge.

Supposons que l'entreprise a payé d'avance, au début de 19X6, une assurance de 3000 $ destinée à la protéger pendant trois ans. De plus, elle a acheté, également au début de 19X6, une immobilisation de 10 000 $ qui devrait rendre des services pendant 10 ans. Elle a enfin acheté 5000 $ de marchandises dans le but de les revendre à profit ; on prévoit vendre 60 % de ces stocks en 19X6.

Voici l'écriture qui a été passée pour enregistrer ces acquisitions d'actif.

Début	Assurance payée d'avance	3 000	
de	Immobilisations	10 000	
19X6	Stock de marchandises	5 000	
	Encaisse ou dettes		18 000

Cette écriture a essentiellement pour but de reporter certains coûts à des exercices futurs. Fondamentalement, le débit à des comptes tels que Immobilisations et Stock de marchandises est un débit à un compte Charges payées d'avance. En fin d'exercice, ces comptes afficheront encore le même montant. Nous devrons intervenir afin d'effectuer une *répartition*, c'est-à-dire déterminer quels montants doivent continuer à faire partie de l'actif et quels montants doivent ête *absorbés* à titre de charge de l'année courante.

a) *Doivent continuer à faire partie de l'actif* : les montants qui représentent des avantages ou des services à recevoir pour les exercices futurs.

b) *Doivent être virés du compte d'actif au compte de charge* : les montants d'actif qui ont contribués à la réalisation des produits de l'exercice courant ou le coût des services reçus des biens pendant l'exercice courant.

Voici un graphique qui illustre ce travail en fin d'exercice. Ce graphique a été fait dans le but de démontrer que le travail de répartition est semblable bien que les comptes affectés aient des titres différents.

Graphique illustrant le travail de répartition en fin d'exercice

AU DÉBUT DE 19X6	AU 31 DÉCEMBRE 19X6	AU 31 DÉCEMBRE 19X7
Coût des services à recevoir dans le futur	Coût des services à recevoir dans le futur	Coût des services à recevoir dans le futur
Coûts utiles après le 19X6-01-01	Coûts utiles après le 19X6-12-31	Coûts utiles après le 19X7-12-31
Actif à présenter au bilan	Actif à présenter au bilan	Actif à présenter au bilan
Assurance payée d'avance 3 000 $	Assurance payée d'avance 2 000 $	Assurance payée d'avance 1 000 $
Immobilisations 10 000 $	Immobilisations 9 000 $	Immobilisations 8 000 $
Stock de marchandises 5 000 $	Stock de marchandises 2 000 $	Stock de marchandises 0 $
	Coût des services reçus durant l'année 19X6	Coût des services reçus durant l'année 19X7
	Coûts utilisés en 19X6	Coûts utilisés en 19X7
	Charges à présenter à l'état des résultats	Charges à présenter à l'état des résultats
	Charge d'assurance 1 000 $	Charge d'assurance 1 000 $
	Amortissement des immobilisations 1 000 $	Amortissement des immobilisations 1 000 $
	Coût des marchandises vendues 3 000 $	Coût des marchandises vendues 2 000 $

Les écritures de régularisation suivantes effectueront ce travail de répartition au 31 décembre 19X6 :

19X6 31 déc.	Charges d'assurance	1 000	
	Assurances payées d'avance		1 000
	(Pour absorber durant l'année courante un tiers d'une charge qui avait été payée d'avance pour trois ans, et pour reporter deux tiers du montant par le biais de l'actif aux deux années subséquentes)		

19X6 31 déc.	**Amortissement — Immobilisations** **Immobilisations** (Pour absorber dans l'année courante un dixième du coût d'une immobilisation dont la vie utile prévue est dix ans, et pour reporter par le biais de l'actif neuf dixièmes du montant aux années futures)	1 000	1 000

19X6 31 déc.	**Coût des marchandises vendues** **Stocks de marchandises** (Pour absorber le coût des marchandises qui ont été vendues et l'enregistrer dans un compte de charges représentatif et reporter, par l'intermédiaire de l'actif stock, un montant de 2000 $ à l'année future)	3 000	3 000

Voici maintenant une explication plus détaillée des quatre types de régularisations qui effectuent une ventilation entre un compte d'actif et de charge.

Mais auparavant, il est utile de faire l'analogie suivante :

Les éléments de l'actif non monétaire (frais payés d'avance, stocks, immobilisations) peuvent être perçus comme un réservoir de services à recevoir. Les charges présentées à l'état des résultats sont les éléments écoulés du réservoir ou encore les services reçus. Le comptable doit porter un jugement chaque fois qu'il rédige les états financiers, à savoir :

1) À quel montant s'élèvent les services à recevoir ? (Le niveau du réservoir dans notre analogie.)

2) À quel montant s'élèvent les services reçus ? (Les services écoulés du réservoir pendant l'exercice.)

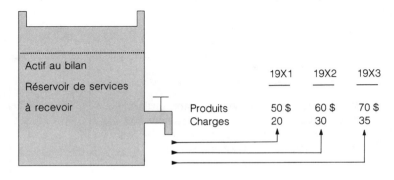

Jugement à porter sur le rythme selon lequel nous recevons les services.

5.5.1 Ventilation entre une charge payée d'avance et une charge

Les charges payées d'avance ont occasionné un débours avant que l'entreprise ait bénéficié du service. Il s'agit donc d'une *créance en nature*. Il s'agit d'un service à recevoir plutôt que d'une somme à recevoir comme les comptes-clients. Les écritures de régularisations viseront à ventiler le compte de charges payées d'avance pour en extraire la portion qui est devenue une charge et n'y laisser que la portion qui représente un service à recevoir dans un exercice ultérieur.

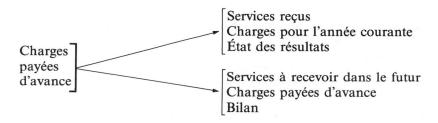

Voici un exemple :

Le 1er juillet 19X6, l'entreprise signe un contrat de publicité totalisant 12 000 $ afin que des annonces paraissent dans une revue hebdomadaire au cours des douze prochains mois. L'inscription a alors été :

1er juillet 19X6	Publicité payée d'avance Encaisse	12 000	
			12 000

À la fin de l'exercice 19X6, soit au 31 décembre, le compte Publicité payée d'avance présente le caractère à la fois d'un compte de valeurs et d'un compte de résultats. En effet, le compte Publicité payée d'avance contient un montant de 6000 $ qui est devenu une charge à cause des services reçus en 19X6. Il faut donc ventiler ce compte *mixte*, au solde de 12 000 $, en un véritable compte de résultats au solde de 6000 $ et en rectifiant le solde du compte mixte à 6000 $ afin qu'il présente le caractère véritable d'un compte de valeurs.

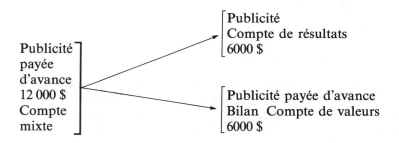

L'écriture de régularisation sera la suivante, au 31 décembre 19X6 :

31 déc. 19X6	Publicité Publicité payée d'avance	6 000	6 000

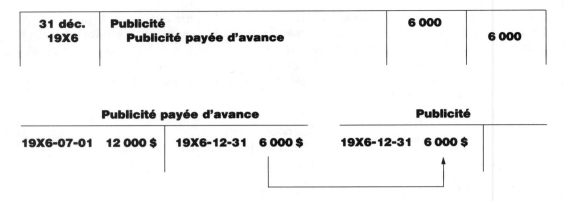

Lorsque des éléments payés d'avance deviendront entièrement des charges au cours du prochain exercice, il est d'usage de les comptabiliser directement comme charge au moment de l'acquisition. Par exemple, si l'entreprise paie son loyer d'avance au début du mois, il est préférable de passer cette écriture :

Début du mois	Loyer Encaisse	1 000	1 000

Sinon, il faudrait passer des écritures inutilement, telles :

Début du mois	Loyer payé d'avance Encaisse	1 000	1 000
Fin du mois	Loyer Loyer payé d'avance	1 000	1 000

D'ailleurs, il faut admettre que les travaux de tenue de livres sont facilités si l'usage est de débiter les comptes de charges lors du paiement plutôt que débiter les comptes de charges payées d'avance, même si le service est à recevoir sur plus d'un exercice, car cela évite un travail d'analyse constant en ce qui concerne la tenue des livres.

Par exemple, si le loyer trimestriel de 3000 $ est payé le 1er décembre 19X6, nous aurons :

1er déc. 19X6	Loyer Encaisse	3 000	
			3 000

Cela évite l'analyse de l'opération au moment de l'enregistrement aux livres du débours. Au 31 décembre 19X6, une personne expérimentée exécutera le travail d'analyse et passera l'écriture de régularisation suivante, qui aura pour but de retirer du compte de charge les coûts utiles aux périodes futures :

31 déc. 19X6	Loyer payé d'avance Loyer	2 000	
			2 000

Si l'on regroupe les deux écritures (à des fins de démonstration seulement), on remarque qu'un débours de 1000 $ a constitué une charge, alors qu'une fraction de 2000 $ du débours a consisté en la transformation d'un actif Encaisse en un autre actif Loyer payé d'avance.

	Loyer Loyer payé d'avance Encaisse	1 000 2 000	
			3 000

5.5.2 Ventilation entre un compte d'immobilisations et un compte d'amortissement

L'acquisition d'un actif immobilisé est l'équivalent du paiement d'avance d'une charge. Par exemple, l'achat d'un immeuble équivaut à payer le loyer longtemps d'avance. La différence réside dans le fait qu'un grand nombre d'exercices est en cause et qu'il y a échange du titre de propriété. Mais, comme la substance de l'opération prime sur sa forme, les deux sont identiques.

L'amortissement est un exemple type de régularisation visant à répartir le coût d'un bien sur plusieurs périodes, conformément au principe du rapprochement des produits et des charges. Le coût du bien est tout d'abord enregistré au bilan comme actif (comme charge payée d'avance). Par exemple, pour une machine qui coûte 30 000 $ et qui a une vie utile de 3 ans, nous aurons, entre les états des résultats et les bilans des trois prochaines années, les relations suivantes :

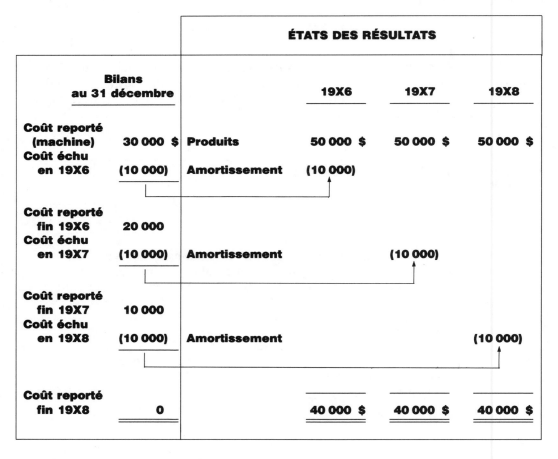

Ce tableau a montré que les immobilisations sont des coûts à répartir sur plusieurs périodes. Cette répartition s'accomplit progressivement.

Actif	=	Passif	+	Capitaux propres	+	Produits	−	Charges
Immobilisations							−	Amortissement
30 000 $				30 000 $				
19X6 − 10 000							−	10 000
19X7 − 10 000							−	10 000
19X8 − 10 000							−	10 000

La dotation à l'amortissement

La dotation à l'amortissement ne vise qu'une répartition des coûts sur les périodes pendant lesquelles les biens nous aideront à gagner des produits. Comme on a choisi de diviser la vie de l'entreprise par périodes, il devient nécessaire d'attribuer à une période donnée sa juste part des coûts et de reporter les coûts utiles aux périodes futures à titre d'actif au bilan. Dans notre exemple, nous estimons que le coût de la machine passe de 30 000 $ à zéro en trois ans. Mais comment peut-on partager cette *perte d'actif* sur les trois années ? En respectant le mieux possible le principe du rapprochement des charges et des produits, en absorbant les coûts qui ont rapporté des produits pendant l'année courante et en reportant, aux périodes subséquentes, les coûts qui nous aideront à gagner des produits dans le futur.

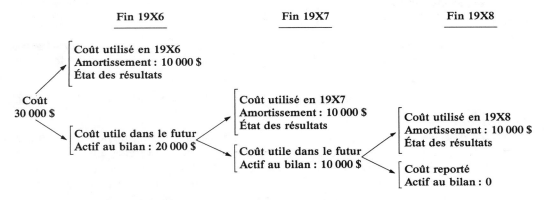

Le graphique qui suit nous permet d'observer la diminution progressive des services à recevoir de la machine et du montant présenté au bilan sous la rubrique Immobilisations.

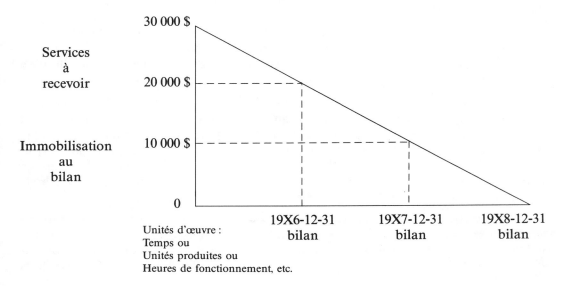

Le calcul de l'amortissement périodique découle donc du rapport suivant :

$$\frac{\text{Coût de l'immobilisation} \times \text{Services reçus pendant l'exercice}}{\text{Services à recevoir pendant la vie économique}}$$

ESTIMATIONS À FAIRE DANS LE CALCUL DE LA DOTATION AUX AMORTISSEMENTS

Dans le cas d'un stock de marchandises, il est relativement facile de déterminer la portion qui a été utilisée et la portion qui demeure en main en fin d'exercice. Dans le cas des immobilisations à long terme toutefois, l'apparence change très peu au cours d'un exercice et il devient difficile de mesurer la dépréciation ou la perte graduelle de valeur économique du bien.

Le calcul de l'amortissement exige trois estimations :

1. *La durée d'utilisation* ou le total des services à recevoir exprimée en *unité d'œuvre* telle que le nombre d'années, les unités produites, les heures de fonctionnement.

2. *L'assiette de l'amortissement* ou le coût des unités d'œuvre. L'assiette est le coût d'acquisition moins la valeur résiduelle.

3. *La méthode d'amortissement* qui doit refléter aussi justement que possible la quantité d'unités d'œuvre ou de services reçus au cours d'un exercice. Elle doit refléter aussi la qualité des services reçus. Les services reçus d'une immobilisation neuve valent-ils plus que ceux reçus d'une immobilisation usagée ? Si oui, l'amortissement devrait être plus élevé pendant les années les plus récentes.

La durée d'utilisation

Il est difficile de prévoir la durée d'utilisation d'un bien. Un comptable ne peut être blâmé s'il n'a pas su prévoir avec précision cette durée d'utilisation. Mais il exécute mal son travail s'il n'utilise pas les informations accessibles pour revoir la durée d'utilisation périodiquement.

La durée d'utilisation peut être exprimée en temps si les facteurs qui limitent l'utilisation sont reliés au passage du temps plutôt qu'à l'usure. C'est le cas d'un bâtiment qui est bien entretenu. Si c'est l'usure qui limite l'utilisation du bien, on choisira l'unité d'œuvre (nombre de produits fabriqués, kilomètres parcourus, heures-machines, etc.) pour exprimer la durée d'utilisation. Cette méthode est plus précise que celle basée sur le temps, en particulier si l'usage varie d'un exercice à l'autre. On aura recours alors à une méthode d'amortissement proportionnel à l'utilisation.

En plus de la *dépréciation physique* ou *l'usure*, il faut tenir compte de la *dépréciation fonctionnelle* dans l'étude des facteurs qui limitent l'utilisation. Un facteur de dépréciation fonctionnelle est *l'obsolescence* qui apparaît suite aux innovations technologiques ou à l'inadaptation aux nouveaux besoins. Par exemple, les premiers ordinateurs ont été mis hors service bien avant que leur durée matérielle n'ait été terminée. Un autre facteur de dépréciation fonctionnelle est l'*insuffisance*. Par exemple, si l'entreprise double sa *production* et qu'il faut changer les machines constituant la ligne de montage afin d'en placer des plus puissantes, nous dirons que c'est l'insuffisance qui a provoqué la mise hors service des machines.

L'assiette de l'amortissement

L'assiette de l'amortissement est le coût réel d'utilisation ou la portion du coût d'acquisition qui sera répartie en charge d'amortissement pendant la durée d'utilisation du bien. Cette assiette est calculée ainsi :

$$\text{Assiette de l'amortissement} = \text{Coût d'acquisition} - \text{Valeur résiduelle}$$

La valeur résiduelle est le montant estimatif que l'entreprise récupérera lorsqu'elle disposera du bien. C'est une *valeur de revente* ou d'échange si l'entreprise prévoit disposer du bien avant la fin de la durée normale d'utilisation. Par exemple, l'entreprise peut avoir comme politique de disposer des automobiles après trois ans d'usage ou 60 000 kilomètres afin d'éviter des ennuis ou encore de les renouveler annuellement pour une question d'image. La valeur résiduelle peut aussi être une *valeur de rebut* si le bien est gardé jusqu'à sa mise au rancart. Il faut parfois soustraire de la valeur résiduelle brute les frais de mise hors service tels que les frais de démolition.

La méthode d'amortissement

La méthode d'amortissement doit effectuer le mieux possible le rapprochement des charges aux produits. Le choix de la méthode d'amortissement doit tenir compte : 1) de la quantité des services utilisés, qui peut varier d'un exercice à l'autre ; 2) de la qualité ou du coût unitaire des services qui peut aussi varier d'un exercice à l'autre.

Par exemple, si une machine doit fabriquer 500 000 produits pendant sa vie utile et qu'elle coûte 500 000 $, le coût par produit est de 1 $. Ainsi, une machine neuve procure de meilleurs services. Avec l'usage, la machine procurera encore des services, mais au prix d'un entretien coûteux. Dans ce dernier cas, il serait souhaitable d'adopter une méthode d'amortissement accéléré qui attribuerait un coût plus élevé aux services reçus de la machine au cours des premières années.

Les différentes méthodes d'amortissement sont exposées au chapitre 12 du deuxième tome, portant sur les immobilisations. Pour l'instant, nous introduirons l'amortissement linéaire et l'amortissement proportionnel à l'utilisation.

1° L'amortissement linéaire

Selon cette méthode, la quantité et la qualité des services reçus sont présumées être les mêmes à chaque période. La dotation aux amortissements est réalisée en virant, à chaque période, une fraction identique du coût d'acquisition aux charges.

Par exemple, une entreprise acquiert un immeuble de 110 000 $ le 1er janvier 19X6. La durée d'utilisation prévue est de 50 ans et sa valeur résiduelle estimative est de 10 000 $. Chaque année, l'écriture suivante sera passée :

Chaque année	**Amortissement — Immeuble** **Immeuble** $$\frac{110\,000\,\$ \ - \ 10\,000\,\$}{50\ \text{ans}} = 2000\,\$ \text{ par an}$$	**2 000**	**2 000**

2°   L'amortissement proportionnel à l'utilisation

Selon cette méthode, la qualité des services reçus à chaque période est réputée être la même mais la quantité des services reçus varie. Le coût de l'unité d'œuvre est donc constant (0,50 $ du kilomètre parcouru) mais la dotation à l'amortissement dépend du nombre d'unités d'œuvre utilisées (10 000 kilomètres parcourus donne 5000 $ en 19X6 et 20 000 kilomètres parcourus donneront 10 000 $ en 19X7).

L'utilisation du compte Amortissement cumulé

Dans l'écriture de régularisation concernant l'immeuble, nous avions passé l'écriture :

Fin d'année	**Amortissement — Immeuble** **Immeuble**	**2 000**	**2 000**

Le débit au compte de charge Amortissement — Immeuble sera présenté à l'état des résultats. C'est le coût du service reçu pendant l'exercice. Le crédit au compte Immeuble diminue l'actif ou les services à recevoir. Le bilan présentera alors seulement 108 000 $ de services à recevoir et non 110 000 $. Au bout de 25 ans, le solde du compte Immeuble sera de 60 000 $ et ce solde se dirigera vers la valeur de rebut de 10 000 $.

En réalité toutefois, les bilans présenteront l'Immeuble au coût initial de 110 000 $ et les crédits seront portés au compte *Amortissement cumulé — Immeuble*. Ce compte créditeur est un compte de *contrepartie* qui viendra diminuer le compte Immeuble dans la présentation au bilan. En réalité, le résultat est le même, c'est-à-dire que le *même* montant net est additionné à l'actif. Ainsi, après 25 ans :

1ʳᵉ façon **Immeuble (Services à recevoir)**		**60 000 $**

2ᵉ façon (meilleure)
    Immeuble (Services à recevoir initialement)
    Amortissement cumulé (Services reçus
       depuis 25 ans)
	110 000 $
	
	50 000
		
		60 000 $

Le compte de contrepartie Amortissement cumulé permet de présenter le coût initial de l'actif (110 000 $), la portion amortie (50 000 $) et la portion non encore amortie (60 000 $). En comptabilité, les comptes de contrepartie permettent de fournir des informations supplémentaires. Dorénavant, nous utiliserons le compte Amortissement cumulé.

Si tout se passe comme prévu, nous passerons l'écriture suivante à la fin de la cinquantième année, lors de la mise hors service de l'immeuble.

Encaisse	**10 000**	
Amortissement cumulé — Immeuble	**100 000**	
Immeuble		**110 000**

5.5.3 Ventilation entre un compte de stock de marchandises et le coût des marchandises vendues

Les entreprises commerciales (marchés d'alimentation, pharmacies, merceries, etc.) achètent des marchandises et les revendent sans leur faire subir aucune transformation. Comme elles ont toujours des marchandises en inventaire, leur bilan comprendra, parmi l'actif, un poste intitulé Stock de marchandises.

Par contre, leur état des résultats présentera les postes suivants :

Ventes	**100 000 $**
Moins : coût des marchandises vendues	**60 000**
Bénéfice brut	**40 000**
Frais de vente	**10 000**
Frais administratifs	**5 000**
Bénéfice net	**25 000 $**

Si un marchand de meubles achète une table 60 $ et qu'il la vende 100 $, son état des résultats montrera un produit d'exploitation, intitulé Vente, de 100 $ et une charge d'exploitation, intitulée Coût des marchandises vendues, de 60 $. Par contre, s'il achète 100 tables à 60 $ chacune et qu'il en vende seulement 70 au prix de 100 $ chacune, son état des résultats montrera des ventes de 7000 $, un coût des marchandises vendues de 4200 $ (70 tables vendues qui lui avaient coûté 60 $ chacune) et enfin son bilan montrera un stock de marchandises de 1800 $ (30 tables achetées au coût de 60 $ chacune). Il a donc fallu faire une *répartition* entre le stock et le coût des marchandises vendues. Il s'agit d'une *régularisation de répartition* que l'on doit obligatoirement faire avant de rédiger l'état des résultats et le bilan pour effectuer un bon rapprochement entre les produits et les charges. Voici les écritures impliquées :

2 janv. 19X6 : Achat de 100 tables au coût de 60 $ chacune.

| 19X6-01-02 | **Achats** | **6 000** | |
| | **Encaisse** | | **6 000** |

Le compte de résultats Achats est utilisé même si, en réalité, l'entreprise a acquis un actif.

Pendant 19X6 : Vente de 70 tables au prix de 100 $ chacune.

| **19X6** | **Encaisse** | **7 000** | |
| | **Ventes** | | **7 000** |

En fin d'exercice, soit au 31 décembre 19X6, nous désirons rapprocher le coût des marchandises vendues des produits d'exploitation (ventes). Il est hors de question de rapprocher le poste Achats de 6000 $ aux ventes de 7000 $ car seulement une partie des tables achetées furent vendues. Il faut donc faire une ventilation du compte Achats qui est maintenant un compte mixte, c'est-à-dire qu'il contient un montant qui se rapporte à un compte de résultats (4200 $) et un montant qui se rapporte à un compte de valeur (1800 $).

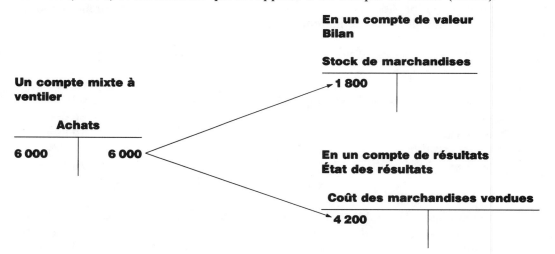

L'écriture de régularisation sera donc la suivante :

31 déc.	**Stock de marchandises**	**1 800**	
19X6	**Achats**		**1 800**
	Coût des marchandises vendues	**4 200**	
	Achats		**4 200**

Les états financiers se présenteront ainsi :

État des résultats (partiel)

Ventes	**7 000 $**
Coût des marchandises vendues	**4 200**
Bénéfice brut	**2 800**

Bilan (partiel)

ACTIF À COURT TERME	
Stock de marchandises	**1 800 $**

Nous reviendrons sur cette régularisation lors de l'étude de l'entreprise commerciale.

5.5.4   Ventilation entre les comptes-clients et les créances irrécouvrables

Une entreprise qui vend des marchandises ou qui rend des services en acceptant de faire crédit encourra tôt ou tard des pertes de créances. Même les entreprises prudentes qui ont mis sur pied un *Service du crédit* et qui analysent la solvabilité de leurs clients font face à ce problème.

Les entreprises doivent supporter du crédit, sinon elles perdront des clients qui présentent un risque acceptable. Donc, pour vendre, il faut faire crédit. Le coût du crédit en *créances irrécouvrables* doit être rapproché des ventes en conformité avec le principe du rapprochement des produits et des charges.

Un premier traitement comptable des créances irrécouvrables consisterait à les comptabiliser au moment où elles deviennent effectivement irrécouvrables. Cette méthode de *radiation directe* ne permet pas de rapprocher les produits et les charges de façon satisfaisante. Voici un exemple où, en 19X6, on réalise une vente à crédit :

19X6	Clients	10 000	
	Ventes		10 000

En 19X7, le client fait faillite :

19X7	Créances irrécouvrables (charge)	10 000	
	Clients		10 000

Ce traitement est inacceptable car le produit a été enregistré en 19X6 alors que le coût associé à ce produit, c'est-à-dire le coût relié au fait d'avoir consenti du crédit, est inscrit en 19X7. De plus, la créance est apparue au bilan de fin 19X6 alors qu'elle s'est avérée irrécouvrable. L'actif a donc été surévalué. Mais, au 31 décembre 19X6, était-ce possible d'estimer la probabilité de recouvrement de cette créance ?

Estimation des créances irrécouvrables

Pour éviter que l'actif Clients ne soit surévalué et pour effectuer correctement le rapprochement des charges en créances irrécouvrables avec les ventes d'une *année* donnée, il faudra *déterminer d'avance* le montant des comptes irrécouvrables. Ce travail d'estimation se fera au plan des écritures de régularisation de répartition. Par exemple, si la société a 100 000 $ de créances et que, après examen des comptes, on estime que 2000 $ de ces créances ne seront pas recouvrés, il faut ventiler ainsi entre un compte de charges et un compte d'actif :

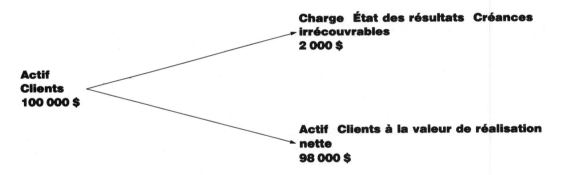

**Charge État des résultats Créances
irrécouvrables
2 000 $**

**Actif
Clients
100 000 $**

**Actif Clients à la valeur de réalisation
nette
98 000 $**

L'écriture de régularisation suivante, au 31 décembre 19X6, effectuera cette ventilation :

31 déc. 19X6	Créances irrécouvrables	2 000	
	Clients		2 000

L'utilisation du compte Provision pour créances irrécouvrables

Précédemment, lors de l'inscription de l'amortissement, nous avions utilisé un compte de contrepartie intitulé Amortissement cumulé au lieu de créditer directement le compte d'actif immobilisé. Nous adopterons le même traitement en ce qui concerne l'inscription des créances irrécouvrables. Nous créditerons le compte de contrepartie Provision pour créances irrécouvrables au lieu de créditer l'actif Client.

Bilan

Immobilisations	100 000 $	
Moins : amortissement cumulé	10 000	90 000 $
Clients	100 000 $	
Moins : provision pour créances irrécouvrables	2 000	98 000 $

Nous agissons ainsi parce que le montant des créances irrécouvrables découle d'une estimation et ne s'applique pas à tel ou tel compte précis d'un client. Le compte collectif Clients doit donc demeurer intact au grand livre général et correspondre à la somme des nombreux comptes individuels des clients à l'auxiliaire des clients.

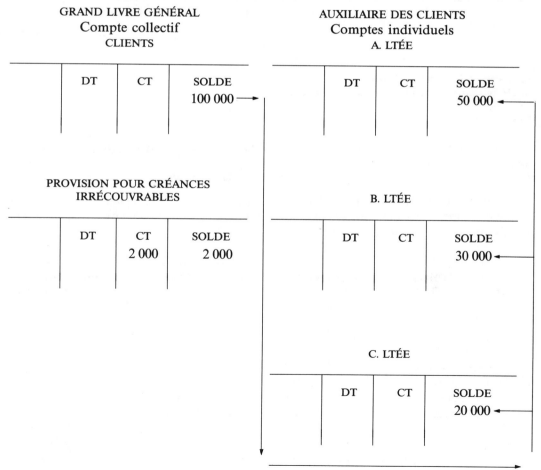

Les transactions notées à l'auxiliaire correspondent au *relevé de compte* expédié au client. Dorénavant, l'écriture de régularisation sera la suivante :

Fin d'exercice	Créances irrécouvrables Provision pour créances irrécouvrables	2 000	
			2 000

Méthode d'estimation des créances irrécouvrables

Une première façon d'estimer la *charge en créances irrécouvrables* est d'utiliser un *pourcentage des ventes à crédit* de l'année fondé sur l'expérience passée. Par exemple, si les ventes à crédit de l'année ont été de 1 000 000 $ et que l'expérience nous indique que les créances irrécouvrables s'élèvent à environ 1 % des ventes à crédit, nous aurons, parmi les régularisations :

Créances irrécouvrables Provision pour créances irrécouvrables	10 000	
		10 000

Si le rapport qui existe entre les ventes à crédit et les ventes au comptant est assez stable, l'estimation de la charge en créances irrécouvrables peut se fonder sur les ventes totales, à la condition d'ajuster le pourcentage en conséquence.

Une deuxième façon de procéder consiste à estimer la *provision pour créances irrécouvrables* en pourcentage des comptes-clients. Il faut tout d'abord classer chronologiquement les comptes-clients. Voici un exemple :

CLASSEMENT CHRONOLOGIQUE (SELON LA DATE D'ÉCHÉANCE)	MONTANT TOTAL	POURCENTAGE	PROVISION POUR CRÉANCES IRRÉCOUVRABLES
Comptes qui ne sont pas en souffrance	100 000	1 %	1 000 $
Comptes en souffrance			
31 à 60 jours	50 000	2 %	1 000
61 à 90 jours	30 000	5 %	1 500
91 à 120 jours	20 000	10 %	2 000
Plus de 120 jours	10 000	20 %	2 000
			7 500 $

La provision pour créances irrécouvrables présente déjà un solde créditeur de 3500 $. L'écriture de régularisation sera donc :

Créances irrécouvrables	**4 000**	
Provision pour créances irrécouvrables		**4 000**

Si, l'année suivante, un client déclare faillite, il faudra *radier* son compte et effacer la provision que l'on avait créée. Autrement dit, il faut effacer le compte de contrepartie et radier le compte-client lui-même. Par exemple, si ce client avait un compte de 2000 $:

Provision pour créances irrécouvrables	**2 000**	
Client		**2 000**

On retirera son compte de l'auxiliaire des clients puisqu'il est désormais inutile de lui expédier des relevés de compte.

5.5.5   Ventilation entre un compte de passif et de produits

Le cas des produits reçus d'avance est un autre exemple d'une régularisation de répartition qui découle de la division de la vie de l'entreprise en périodes. Admettons qu'une société théâtrale vende, le 1er décembre 19X6, des billets pour la somme de 140 000 $. La saison doit débuter le 1er décembre 19X6 et se terminer le 31 mai 19X7. Selon le principe de la *réalisation* des produits, ceux-ci seront gagnés entre le 1er décembre 19X6 et le 31 mai 19X7. L'exercice terminé le 31 décembre 19X6 ne se verra attribuer qu'une partie de ces produits. Au 1er décembre, le produit sera enregistré ainsi :

1er déc.	**Encaisse**	**140 000**	
	Produits d'admission		**140 000**

La régularisation au 31 décembre 19X6 a pour objet de reporter à 19X7 les produits encaissés en 19X6, mais non encore gagnés. Cela se fait par l'ouverture du compte de passif Produits reçus d'avance qui exprime une *créance en nature* ou une *dette en services à rendre*.

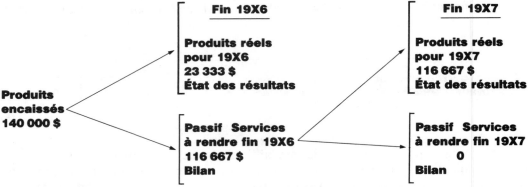

L'écriture de régularisation sera donc, au 31 décembre 19X6 :

31 déc. 19X6	Produits d'admission Produits reçus d'avance	116 667	
			116 667

Puis, pendant l'année financière 19X7, nous aurons :

31 mai 19X7	Produits reçus d'avance Produits d'admission	116 667	
			116 667

Si nous réunissons toutes ces écritures des deux exercices en une seule écriture synthèse *fictive*, nous avons :

Encaisse Produits d'admission	140 000	
		140 000

C'est l'écriture que nous avions passée le 1er décembre 19X6. Alors, pourquoi toutes ces écritures ? Simplement parce que la fin de l'exercice 19X6 est arrivée alors que l'opération n'était pas complétée.

	Actif	=	Passif	+	Avoir des propriétaires	+	Produits	−	Charge
19X6-12-01	+ 140 000 $	=					+140 000 $		
19X6-12-31			+116 667 $				−116 667		
19X7-01		=	− 23 333				+ 23 333		
19X7-02		=	− 23 333				+ 23 333		
19X7-03		=	− 23 333				+ 23 333		
19X7-04		=	− 23 333				+ 23 333		
19X7-05		=	− 23 334				+ 23 334		
	140 000 $	=	0				140 000 $		

L'équation comptable ci-dessus montre le processus continu de la réalisation du produit.

On aurait pu, le 1er décembre 19X6, inscrire directement :

1er déc. 19X6	**Encaisse**	140 000	
	Produits reçus d'avance		140 000

Mais cette façon de faire n'est pas pratique car elle oblige le service de tenue de livres à analyser constamment les recettes afin de distinguer les produits reçus d'avance des produits gagnés. Comme la majorité des montants reçus seront gagnés, cela entraînerait des analyses et des écritures inutiles. Mieux vaut intégrer le travail d'analyse aux travaux de fin d'exercice qui seront exécutés par une personne expérimentée. Mais, si cette écriture a été passée, la régularisation sera modifiée :

1er déc. 19X6	**Produits reçus d'avance**	23 333	
	Produits d'admission		23 333
	(Pour considérer comme gagné 1/6 des produits qui avaient été classés comme reçus d'avance au 1er décembre 19X6)		

5.5.6   Régularisation relative au versement exigible de la dette à long terme

En forçant un peu les choses à des fins de commodité, nous pouvons dire que la régularisation qui répartit la dette entre portion à long terme et portion à court terme appartient au genre « régularisation de répartition ».

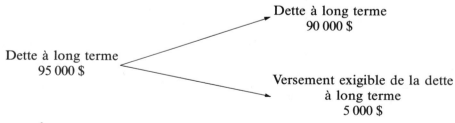

Dette à long terme
95 000 $

Dette à long terme
90 000 $

Versement exigible de la dette
à long terme
5 000 $

Étant donné que les dettes à court terme et à long terme sont classées séparément au bilan, il devient important de s'interroger, lors des régularisations, au sujet du montant de la dette à long terme qui est maintenant exigible.

Ainsi, la partie de la dette à long terme exigible dans les douze prochains mois doit être présentée dans les dettes à court terme et le solde dans les dettes à long terme. Il n'est pas nécessaire d'effectuer une écriture de régularisation pour diviser la dette à long terme entre ses portions à court et à long termes. Une simple répartition au bilan est suffisante. De même, il n'est pas nécessaire d'ouvrir un nouveau compte au grand livre général pour indiquer séparément le solde à court terme. Un seul compte au grand livre général peut suffire pour donner le solde total de la dette à long terme.

Toutefois, l'ouverture d'un tel compte est incontestablement pratique. Cela nous évite, lors de la préparation des états financiers, un retour fastidieux au dossier des dettes. Pourquoi ne pas régler ce travail d'analyse lors des régularisations ? Le cas échéant, la régularisation serait la suivante :

Dette à long terme	**5 000**	
Versement exigible de la dette à long terme		**5 000**

Mais, de toute façon, la préparation au bilan sera la suivante :

	19X8	**19X7**
Dettes à court terme		
Versement exigible de l'emprunt hypothécaire	**5 000 $**	**5 000 $**
Dettes à long terme		
Emprunt hypothécaire	**95 000**	**100 000**
Moins : versement exigible	**(5 000)**	**(5 000)**
	90 000 $	**95 000 $**

Il ne faut pas confondre le versement exigible de la dette à long terme avec les intérêts courus à payer. Voici un tableau d'amortissement d'une dette hypothécaire :

DATE	VERSEMENT	INTÉRÊTS	PRINCIPAL	SOLDE
				150 000 $
30 juin 19X4	22 650 $	21 000 $	1 650 $	148 350
30 juin 19X5	22 650	20 770	1 880	146 470
30 juin 19X6	22 650	20 506	2 144	144 326
30 juin 19X7	22 650	20 206	2 444	141 882

Au 31 décembre 19X6, les écritures de régularisation seront les suivantes :

a) Intérêts courus à payer

Intérêts	**10 103**	
Intérêts courus à payer		**10 103**
(Pour enregistrer les intérêts courus depuis le dernier versement le 30 juin 19X6 144 326 \$ × 0,14 × 6 mois/12 mois)		

b) Versement exigible de la dette à long terme

Emprunt hypothécaire	**2 444**	
Versement exigible de l'emprunt hypothécaire		**2 444**
(Pour classer le versement en principal exigible en deçà d'un an dans les dettes à court terme)		

5.6 DEUXIÈME CATÉGORIE : LES RÉGULARISATIONS RELATIVES AUX PRODUITS ET AUX CHARGES COURUS

On les désigne également par le terme de *produits et charges constatés par régularisation*. Dans la section sur le caractère continu des opérations, nous avons discuté des charges qui se constituent graduellement tels les salaires et les intérêts. Des produits comme les intérêts et les honoraires se constituent aussi graduellement, à mesure que l'entreprise rend des services. Ces charges ou ces produits n'ont pas encore été comptabilisés pour deux raisons :

1. La date du paiement n'est pas encore survenue ;

2. Les opérations se déroulent graduellement et il ne serait pas pratique de les comptabiliser au jour le jour ou régulièrement.

Il n'y a donc pas encore eu un événement qui ait *déclenché l'enregistrement* aux livres. Par exemple, on enregistre la charge en salaires lorsqu'on inscrit la paie car il y a alors un débours à effectuer. Le comptable n'enregistre pas la charge en salaires tous les jours même si l'entreprise a effectivement reçu des services et doit une somme à ses employés. La paie est l'événement déclencheur. Mais, si la fin d'exercice survient à l'intérieur d'une période de paie, il faudra constater par régularisation la charge et le passif couru.

5.6.1 Les régularisations relatives aux charges courues

La charge courue est une charge imputable à l'exercice courant à laquelle correspond une dette courue non encore *légalement exigible* et qui n'a pas encore été enregistrée aux livres.

Par exemple, l'entreprise a emprunté 150 000 \$ au taux de 13 % le 1er décembre 19X6 ; les intérêts sont payables semestriellement. Au 31 décembre 19X6, aucun intérêt n'a été payé et, en conséquence, aucun document précis n'a déclenché l'enregistrement aux livres. La régularisation visera donc à enregistrer le passif qui est en train de se constituer (un mois d'intérêts à payer) et, en contrepartie, une charge correspondante sera inscrite.

Charge d'intérêts	**1 625**	
Intérêts courus à payer		**1 625**
(150 000 $ × 0,13 × 1 mois / 12 mois)		

Voici un autre exemple du même type de régularisation. La période de paie couvre deux semaines de travail dont l'une a été effectuée en 19X6 et l'autre en 19X7. Comme les employés ont contribué à la réalisation de produits en 19X6, il est normal que le coût de leur salaire d'une semaine de 19X6 figure en déduction des produits de cette même année. La régularisation sera la suivante si la paye totale est de 50 000 $:

Salaires	**25 000**	
Salaires courus à payer		**25 000**

Dans les deux cas, la clôture des comptes est survenue entre le moment où l'on a reçu des services et le moment où l'on a réglé ces services. Une des régularisations relatives aux charges courues est celle impliquant l'impôt sur le revenu exigible.

5.6.2 Régularisation relative à l'impôt sur les bénéfices

Les impôts sur le revenu comptent parmi les charges les plus importantes auxquelles une entreprise doit faire face. Comme ils sont une charge au même titre que les autres charges d'exploitation, on appliquera les mêmes principes comptables au moment de leur calcul. Celui-ci doit s'inspirer du principe du rapprochement des produits et des charges et non du montant du débours destiné à acquitter les impôts pendant une période donnée.

Voici certains énoncés de l'*Institut canadien des comptables agréés* qui cernent la nature de la charge des impôts sur le revenu :

« À toutes fins utiles, l'impôt sur le revenu est considéré, dans les états financiers destinés aux actionnaires, comme un coût encouru dans le processus de réalisation du bénéfice net.

« Une des règles élémentaires de la détermination du revenu comptable consiste à imputer les coûts relatifs à la réalisation d'un revenu quelconque à l'exercice dans lequel celui-ci est comptabilisé. Dans le cas de l'impôt sur le revenu, il s'agit de choisir une méthode de calcul qui reflète adéquatement l'impôt applicable au revenu inscrit aux comptes. » [1]

De plus, lorsqu'on y songe, l'impôt est la facturation que la société adresse aux compagnies pour les services publics qu'elle leur rend.

Cela veut dire que la régularisation établissant la charge d'impôt devra être faite en tout dernier lieu, une fois qu'on connaîtra le montant du bénéfice net avant impôt. Le calcul de la charge d'impôt applicable à ce bénéfice net sera basé sur ce dernier, sans égard au montant de débours de la période ou au montant d'impôt exigible. La charge d'impôt est calculée à partir du bénéfice net comptable, tandis que l'impôt à payer est basé sur le bénéfice net imposable. Le calcul du bénéfice net imposable obéit à plusieurs facteurs qui n'ont rien à voir avec le principe du rapprochement de la juste charge d'impôt et des produits nets de la période.

Voici un exemple :

En 19X7 et en 19X8, une société par actions a réalisé, pour chaque exercice, un bénéfice net de 50 000 $ avant déduction de l'amortissement et de l'impôt. L'entreprise réalise ses produits d'exploitation en utilisant un système dépolluant qui a coûté 20 000 $ et qui a une vie utile de deux ans. Elle est imposée au taux de 40 %. Toutefois, posons l'hypothèse qu'afin d'encourager la dépollution, les gouvernements permettent de déduire le coût total de l'équipement dépolluant dès le premier exercice, même s'il est reconnu que celui-ci a généralement une vie utile de deux ans. Voici le calcul de la charge d'impôt et de l'impôt exigible :

1. Calcul de la charge d'impôt selon le juste rapprochement de la charge d'impôt et des produits de la période :

	19X7	19X8
Bénéfice avant déduction de l'amortissement et de l'impôt	50 000 $	50 000 $
Amortissement	10 000	10 000
Bénéfice avant impôt	40 000	40 000
Charge d'impôt, 40 %	16 000	16 000
Bénéfice net	24 000 $	24 000 $

2. Calcul de l'impôt à payer, sans égard à un juste rapprochement des produits et des charges, mais conformément à la déduction permise par les gouvernements :

---

(1) Institut canadien des comptables agréés. *Manuel de l'ICCA*, Toronto, 1972, par. 3470.03 et 3470.04.

	19X7	19X8
Bénéfice avant déduction de l'amortissement et de l'impôt	50 000 $	50 000 $
Amortissement fiscal	20 000	0
Bénéfice avant impôt	30 000	50 000
Impôt à payer, 40 %	12 000	20 000
	18 000 $	30 000 $

La deuxième façon de procéder convient parfaitement au calcul de l'impôt exigible, c'est-à-dire à la rédaction de la déclaration fiscale, mais on ne peut l'appliquer pour calculer la charge d'impôt. Pour chacune des années, les écritures de régularisation seront les suivantes :

19X7	Charge d'impôt	16 000	
	Impôt à payer		12 000
	Impôt reporté		4 000

19X8	Charge d'impôt	16 000	
	Impôt reporté	4 000	
	Impôt à payer		20 000

Dans chaque cas, la charge d'impôt de 16 000 $ a été indépendante des montants d'impôt à payer qui sont respectivement de 12 000 $ et de 20 000 $. Le poste Impôt reporté est généralement présenté au bilan entre le passif et l'avoir des actionnaires. Il signifie Impôt dont le paiement a été reporté à plus tard.

Le sujet de l'impôt reporté est traité plus en détail au chapitre 15 du deuxième tome.

5.6.3 Les régularisations relatives aux produits courus

Le produit couru est un produit gagné au cours de l'exercice courant qui a entraîné, pour l'entreprise, le droit de recevoir une somme sans toutefois qu'elle soit légalement exigible. Ce produit couru n'a pas encore fait l'objet d'une écriture. Il faut donc le constater par régularisation.

Le produit couru n'a pas encore donné lieu à une recette et il se matérialise petit à petit. Il est alors inutile de suivre son montant exact par une série d'écritures. En fin d'exercice, il faut donc inscrire l'actif qui est en train de se constituer et, en contrepartie, enregistrer le produit. Par exemple, si une entreprise facture tous les trimestres des services rendus sur une base contractuelle et que la fin d'exercice ne coïncide pas avec la fin du trimestre, il est certain que des services auront été rendus, mais aucune facture ni aucune recette n'auront donné lieu à un enregistrement à la fin de l'exercice. La régularisation doit donc veiller d'une part à l'enregistrement de l'actif, d'une rémunération à recevoir, lequel actif s'est constitué à mesure que les services étaient rendus et, d'autre part, à l'enregistrement du produit correspondant. La régularisation sera :

Produit couru à recevoir	**15 000**	
Produit		**15 000**

Cette deuxième catégorie de régularisation, relative aux produits et aux charges courus, exige une attention particulière parce qu'il ne s'agit plus de répartir des montants déjà inscrits dans les comptes ; elle exige une recherche d'événements non encore traduits par une affectation à des comptes.

En plus de ces produits non encore facturés en fin d'exercice, nous pouvons citer les intérêts courus à recevoir.

5.7 CYCLE COMPTABLE AVEC ÉCRITURES DE RÉGULARISATION

Les explications de la section précédente nous ont fait comprendre que la préparation des états financiers ne peut se faire à partir d'une simple balance de vérification tirée du grand livre général en fin d'exercice. Agir ainsi entraînerait l'exclusion de certains produits et de certaines charges et, en corollaire, la présentation de montants inexacts à l'actif et au passif.

Dans cette suite logique des opérations comptables que constitue le cycle comptable, les régularisations précèdent naturellement les écritures de fermeture parce qu'elles affectent des comptes de produits et charges. Sinon, le premier état des résultats produit serait inexact et, de plus, il faudrait répéter les fermetures pour les produits et charges issus des régularisations. L'état des résultats et l'état des bénéfices non répartis seront donc préparés à partir d'une *balance de vérification régularisée*. Une fois que les soldes régularisés des produits et des charges auront été utilisés, on pourra fermer ces comptes, c'est-à-dire qu'ils seront virés à l'avoir des propriétaires. Voici ce que donne, schématiquement, le cycle comptable au point où nous en sommes.

CYCLE COMPTABLE

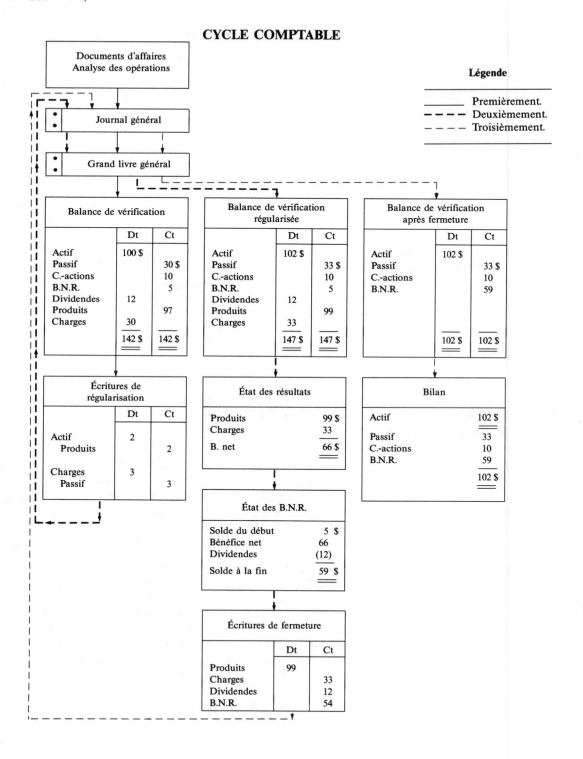

5.8 PROBLÈME RÉSOLU

Votre client « Aménagement paysager De La Rocaille ltée » a connu une saison remarquable en 19X4, grâce à cette fièvre du retour à la nature.

Le principal actionnaire, M. De La Rocaille, vous remet la balance de vérification non régularisée suivante ; l'exercice financier se termine le 31 décembre :

AMÉNAGEMENT PAYSAGER DE LA ROCAILLE LTÉE
Balance de vérification
au 31 décembre 19X4

	Débit	Crédit
Encaisse	62 800 $	
Clients	23 000	
Provision pour créances irrécouvrables		400 $
Billet à recevoir	8 000	
Terrain	40 000	
Bâtiment	150 000	
Amortissement cumulé — Bâtiment		23 500
Mobilier de bureau	50 000	
Amortissement cumulé — Mobilier		12 000
Matériel roulant	30 000	
Amortissement cumulé — Matériel roulant		20 000
Fournisseurs		18 000
Emprunt bancaire		6 000
Versement exigible de l'emprunt hypothécaire		1 180
Emprunt hypothécaire		95 236
Capital-actions, 10 000 actions émises		50 000
Bénéfices non répartis		20 000
Dividendes	2 500	
Honoraires professionnels		300 000
Publicité	22 000	
Téléphone	4 000	
Salaires	93 031	
Impôts fonciers	3 700	
Fournitures de bureau utilisées	21 000	
Frais de représentation	5 600	
Entretien matériel roulant	2 430	
Frais divers de bureau	4 570	
Électricité	2 400	
Intérêts	750	
Frais de déplacement	4 800	
Assurances	3 400	
Avantages sociaux	12 335	
	546 316 $	546 316 $

En examinant les registres comptables et en vous informant auprès de M. De La Rocaille, vous obtenez les renseignements utiles suivants :

1. Au 31 décembre 19X4, on a vendu le vieux matériel roulant pour 7500 $. Le même jour, on en a racheté du nouveau au coût de 35 000 $, payé comptant. Aucune écriture n'est encore enregistrée à cet effet.

2. L'ancien matériel roulant avait une vie utile de 5 ans et une valeur résiduelle estimée à 5000 $.

3. Le bâtiment a une valeur résiduelle prévue de 9000 $ après une vie utile estimée de 30 ans.

4. Le mobilier de bureau a une vie utile de 20 ans et une valeur résiduelle négligeable. Comme vous avez des doutes quant à l'exactitude du solde du poste Mobilier de bureau, vous vous proposez de faire une vérification.

5. Vous passez en revue, avec M. De La Rocaille, chacun des comptes à recevoir des clients au 31 décembre 19X4. Vous en concluez que la provision pour créances irrécouvrables devra être de 5 % des comptes-clients de 23 000 $.

6. Dans cette entreprise, le coût en fournitures de bureau est important à cause des travaux de design. Au 31 décembre 19X4, vous évaluez le stock de fournitures de bureau à 4000 $.

7. Le compte Publicité comprend 3000 $ pour des annonces à paraître au cours des mois de janvier et février 19X5 dans une revue spécialisée en horticulture.

8. En juin 19X4, on a aménagé un jardin de ville sur la terrasse d'un grand hôtel montréalais. Une partie des honoraires n'est pas encore encaissée. En fait, cet hôtel nous a remis un billet de 8000 $, daté du 1er juillet, portant intérêt au taux de 12 % encaissable principal et intérêts le 30 juin 19X5.

9. Le 1er juillet 19X4, on a souscrit une police d'assurance dont la prime s'élève à 2400 $ pour un an de protection. Aucune autre police d'assurance n'était en vigueur au 31 décembre 19X4.

10. Vous découvrez, en analysant le compte Frais de représentation, qu'une facture de 1000 $ concernant la réception donnée pour les fiançailles de M. De La Rocaille a été payée par la Société. Celui-ci reconnaît toutefois qu'il devra rembourser ce montant à la Société.

11. Un dividende de 0,50 $ par action fut déclaré le 31 décembre 19X4. Aucun enregistrement n'a encore été effectué relativement à cette transaction.

12. Une vérification nous permet de constater qu'un montant de 1200 $, versé à un fournisseur en règlement d'un compte, a été comptabilisé de façon incorrecte dans les livres, c'est-à-dire que l'on a enregistré 2100 $.

13. Voici le tableau d'amortissement de la dette hypothécaire.

DATE	MONTANT	INTÉRÊTS	PRINCIPAL	SOLDE
31 déc. 19X2	12 750 $	11 810 $	940 $	97 470 $
31 déc. 19X3	12 750	11 696	1 054	96 416
31 déc. 19X4	12 750	11 570	1 180	95 236
31 déc. 19X5	12 750	11 430	1 320	93 916

M. De La Rocaille, un homme à l'esprit fantaisiste, a tout simplement oublié de faire le chèque pour le versement du 31 décembre 19X4.

14. Vous trouvez que le solde du poste Frais divers de bureau est beaucoup plus élevé que l'an dernier. Une vérification vous permet donc de constater que l'achat d'une pièce de mobilier de bureau de 3000 $ fut comptabilisé comme frais divers de bureau au tout début de l'année 19X4.

15. Présumez que la Société est imposée au taux de 30 %. L'amortissement fiscal pour l'ensemble des immobilisations fut de 15 350 $ en 19X4.

16. L'équipe de M. De La Rocaille a terminé fin décembre les plans d'un aménagement. Le client est satisfait ; toutefois au 31 décembre 19X4, on ne lui avait pas encore facturé le 4000 $ pour les services rendus.

17. Le 20 décembre dernier, un client remettait 3000 $ comptant en main propre à M. De La Rocaille pour un travail à être fait en janvier 19X5. M. De La Rocaille a demandé au teneur de livres d'enregistrer l'écriture suivante (ce qui fut fait) :

Encaisse	**3 000**	
Honoraires professionnels		**3 000**

M. De La Rocaille a conservé ce montant pour ses *dépenses personnelles*.

18. Trois jours de salaire de 19X4 seront payés en 19X5. Un montant de 1100 $ est en cause. Par contre, en analysant le compte Salaires, vous réalisez que des employés ont reçu, en décembre 19X4, 1500 $ d'avances et que ce montant est inclus dans le compte Salaires.

Travail à faire

Rédigez les états financiers en bonne et due forme au 31 décembre 19X4 après avoir régularisé les comptes.

Écritures de régularisation au journal général.

a)	Amortissement — Matériel roulant	5 000	
	Amortissement cumulé — Matériel roulant		5 000
	(30 000 $ − 5 000 $) / 5 ans		
b)	Encaisse	7 500	
	Amortissement cumulé — Matériel roulant	25 000	
	Matériel roulant		30 000
	Gain sur aliénation d'immobilisation		2 500
c)	Matériel roulant	35 000	
	Encaisse		35 000
d)	Amortissement — Bâtiment	4 700	
	Amortissement cumulé — Bâtiment		4 700
	(150 000 $ − 9 000 $) / 30 ans		
e)	Mobilier de bureau	3 000	
	Frais divers de bureau		3 000
	(Transaction décrite au n° 14)		
f)	Amortissement — Mobilier de bureau	2 650	
	Amortissement cumulé — Mobilier de bureau		2 650
	(50 000 $ + 3 000 $) / 20 ans		
g)	Créances irrécouvrables	750	
	Provision pour créances irrécouvrables		750
	(23 000 $ × 0,05) − 400 $		
h)	Stock de fournitures de bureau	4 000	
	Fournitures de bureau utilisées		4 000
i)	Publicité payée d'avance	3 000	
	Publicité		3 000
j)	Intérêts courus à recevoir	480	
	Produits d'intérêts		480
	(8 000 $ × 0,12 × 6/12)		
k)	Assurance payée d'avance	1 200	
	Assurances		1 200
	(2 400 $ × 6/12)		
l)	À recevoir d'un actionnaire	1 000	
	Frais de représentation		1 000
m)	Dividendes	5 000	
	Dividendes à payer		5 000
	10 000 actions à 0,50 $		

n)	Encaisse	900	
	Fournisseurs		900
o)	Intérêts	11 570	
	Intérêts courus à payer		11 570
p)	Emprunt hypothécaire	1 320	
	Versement exigible de l'emprunt hypothécaire		1 320
q)	Clients	4 000	
	Honoraires professionnels		4 000
r)	Honoraires professionnels	3 000	
	Encaisse		3 000
s)	À recevoir d'un actionnaire	3 000	
	Honoraires reçus d'avance		3 000
t)	Salaires	1 100	
	Salaires courus à payer		1 100
u)	Avance à des employés	1 500	
	Salaires		1 500
v)	Impôt sur le revenu	33 568	
	Impôt sur le revenu à payer		32 668
	Impôt sur le revenu reporté		900

Bénéfice net avant impôts	111 894 $
Amortissement comptable	12 350
	124 244
Amortissement fiscal	15 350
Bénéfice imposable	108 894 $
Taux d'impôt	30 %
Impôt exigible	32 668 $

AMÉNAGEMENT PAYSAGER DE LA ROCAILLE LTÉE
État des résultats
pour l'exercice terminé le 31 décembre 19X4

Produits d'exploitation		
Honoraires professionnels		**301 000 $**
Charges d'exploitation		
Publicité	19 000 $	
Téléphone	4 000	
Salaires	92 631	
Impôts fonciers	3 700	
Fournitures de bureau utilisées	17 000	
Frais de représentation	4 600	
Entretien matériel roulant	2 430	
Frais divers de bureau	1 570	
Électricité	2 400	
Intérêts	12 320	
Frais de déplacement	4 800	
Assurances	2 200	
Avantages sociaux	12 335	
Amortissement — Matériel roulant	5 000	
Amortissement — Bâtiment	4 700	
Amortissement — Mobilier de bureau	2 650	
Créances irrécouvrables	750	192 086
Bénéfice avant impôt issu de l'exploitation		108 914
Autres produits		
Gain sur aliénation d'immobilisation	2 500	
Intérêts créditeurs	480	2 980
Bénéfice avant déduction des impôts		111 894
Impôt sur le revenu		33 568
Bénéfice net		**78 326 $**

AMÉNAGEMENT PAYSAGER DE LA ROCAILLE LTÉE
État des bénéfices non répartis
pour l'exercice terminé le 31 décembre 19X4

Bénéfices non répartis au 1er janvier 19X4	20 000 $
Plus : bénéfice net de l'exercice	78 326
	98 326
Moins : dividendes	7 500
Bénéfices non répartis au 31 décembre 19X4	90 826 $

AMÉNAGEMENT PAYSAGER DE LA ROCAILLE LTÉE
Bilan
au 31 décembre 19X4

ACTIF

Actif à court terme

Encaisse		33 200 $	
Clients	27 000 $		
Provision pour créances irrécouvrables	1 150	25 850	
Billet à recevoir		8 000	
À recevoir d'un actionnaire		4 000	
Avance à des employés		1 500	
Intérêts courus à recevoir		480	
Stock de fournitures de bureau		4 000	
Publicité payée d'avance		3 000	
Assurance payée d'avance		1 200	81 230 $

Immobilisations

Terrain		40 000	
Bâtiment	150 000		
Amortissement cumulé	(28 200)	121 800	
Mobilier de bureau	53 000		
Amortissement cumulé	(14 650)	38 350	
Matériel roulant		35 000	235 150
			316 380 $

PASSIF

Passif à court terme

Fournisseurs	18 900 $	
Emprunt bancaire	6 000	
Dividendes à payer	5 000	
Intérêts courus à payer	11 570	
Salaires courus à payer	1 100	
Impôts sur le revenu à payer	32 668	
Portion exigible de l'emprunt hypothécaire	2 500	
Honoraires reçus à l'avance	3 000	80 738 $

Passif à long terme

Emprunt hypothécaire		93 916
		174 654
Impôt sur le bénéfice reporté		900

AVOIR DES ACTIONNAIRES

Capital-actions	50 000	
Bénéfices non répartis	90 826	140 826
		316 380 $

5.9 L'UTILISATION DU CHIFFRIER

Nous avons introduit le chiffrier au chapitre précédent ; cette feuille de travail est surtout utile lorsque des écritures de régularisation sont en cause.

5.9.1 Définition

Le chiffrier est une feuille de travail, divisée par sections, où l'on retrouve la balance de vérification initiale non régularisée, les régularisations, la balance de vérification régularisée, et enfin deux colonnes réservées respectivement à l'état des résultats et au bilan (on peut également en réserver une à l'état des bénéfices non répartis).

Le travail de fin d'exercice s'y trouve récapitulé.

5.9.2 Raison d'être du chiffrier

Le chiffrier est donc une feuille de travail qui fait partie du dossier à constituer lorsqu'on désire rédiger des états financiers. Ce dossier appartient au comptable et n'est pas publié.

Il sera généralement rédigé sur une feuille à quatorze colonnes. Il s'agit d'un « brouillon » sur lequel on inscrit les régularisations à mesure qu'elles sont découvertes, traçant ainsi un premier jet des états financiers, sans faire les groupements de comptes que l'on observe dans les états financiers publiés.

Au lieu d'inscrire immédiatement les régularisations dans les livres, nous les inscrivons d'abord au chiffrier. Par la suite, notre vérification nous permettra sans doute de découvrir de nouvelles régularisations, des corrections à effectuer et nous apportera peut-être des faits nouveaux quant aux régularisations déjà inscrites au chiffrier. Alors, plutôt que d'inscrire constamment les régularisations au journal général et risquer d'avoir à en modifier certaines, il vaut mieux attendre l'achèvement des travaux de fin d'exercice. Quand nous serons entièrement satisfaits des états financiers qui apparaissent au chiffrier, il sera alors temps d'inscrire les régularisations dans les livres comptables ainsi que de passer les écritures de fermeture et de réouverture.

5.9.3 Préparation du chiffrier

Les étapes qui suivent sont celles qui ont été observées pour la rédaction du chiffrier de la société Aménagement paysager De La Rocaille ltée. Ce chiffrier est présenté plus loin.

Première étape : **Inscription de la balance de vérification**

Nous transcrivons le nom des comptes ainsi que leur solde directement du grand livre général. On totalise les colonnes débitrice et créditrice. Évidemment, cette balance de vérification préliminaire ne contient pas tous les comptes. En effet, certains comptes seront créés et ajoutés lors du travail de régularisation. Dans ce cas-ci, les totaux furent tous deux de 546 316 $.

Deuxième étape : **Enregistrement des écritures de régularisation**

Les deux colonnes suivantes sont consacrées aux écritures de régularisation. La portion débitrice de chaque écriture est associée à sa portion créditrice à l'aide d'une lettre de l'alphabet ou d'un chiffre. Des écritures de régularisation, et même de correction, seront ajoutées à mesure que les travaux de mesure, d'analyse et de vérification progresseront. Une fois ces écritures terminées, on totalise la colonne débitrice et la colonne créditrice. Dans notre exemple, les montants sont de 158 238 $. Notons que lorsqu'il s'agit d'un chiffrier de fin d'exercice, ces écritures de régularisation doivent être enregistrées au journal général et reportées au grand livre général.

Troisième étape : **Établissement de la balance de vérification régularisée**

L'addition des montants de la balance de vérification préliminaire à ceux des écritures de régularisation *simule* le report des régularisations dans les comptes. Nous obtenons ainsi, à l'intérieur du chiffrier, la balance de vérification régularisée qui servira à rédiger les états financiers. L'addition des colonnes débitrice et créditrice assurera de l'exactitude du travail d'addition des montants de la balance de vérification préliminaire et des écritures de régularisation. Ces montants sont de 593 534 $.

Quatrième étape : **Report des montants de la balance de vérification régularisée dans les colonnes des différents états financiers**

Les deux autres colonnes sont consacrées à l'état des résultats. Les montants de produits et de charges provenant de la balance de vérification régularisée y ont été reportés. Ensuite, deux autres colonnes peuvent être consacrées à l'état des bénéfices non répartis. Les montants suivants, provenant de la balance de vérification régularisée, y sont inscrits : les bénéfices non répartis au début et les dividendes.

Finalement, les deux dernières colonnes sont réservées au bilan. Les montants de l'actif, du passif et du capital-actions issus de la balance de vérification régularisée s'y retrouvent.

Cinquième étape : **Équivalence, à l'intérieur du chiffrier, des écritures de fermeture**

Il s'agit maintenant d'additionner la colonne débitrice et la colonne créditrice de la section état des résultats afin de déterminer le montant de bénéfice net. Le montant sera porté à la colonne débitrice à l'état des résultats et à la colonne de l'état des bénéfices non répartis (78 326 $ dans notre exemple).

	ÉTAT DES RÉSULTATS		ÉTAT DES BÉNÉFICES NON RÉPARTIS		BILAN	
	Dt	Ct	Dt	Ct	Dt	Ct
Revenus d'intérêts		480				
	192 086	303 980				
	111 894					
	303 980	303 980				
Bénéfice avant déduction des impôts		111 894				
Impôt sur les bénéfices	33 568					
Bénéfice net	78 326			78 326		
			7 500	98 326		
			90 826			90 826
	111 894	111 894	98 326	98 326	367 880	367 880

On additionne les colonnes de l'état des bénéfices non répartis. La colonne créditrice excède la colonne débitrice du montant des bénéfices non répartis à la fin (90 826 $). C'est ce qui nous permet de dire que cette dernière étape équivaut à *simuler* les écritures de fermeture. Le montant des bénéfices non répartis à la fin ainsi trouvé est porté à la colonne débitrice à l'état des bénéfices non répartis et à la colonne créditrice du bilan. Ce bilan, étant affecté du solde de la fin des bénéfices non répartis, devrait être en équilibre.

Il est à remarquer que le fait de porter au débit de l'état des résultats le montant du bénéfice net et au débit de l'état des bénéfices non répartis le montant des bénéfices non répartis à la fin entraîne la production d'un chiffrier « auto-équilibrant » qui constitue une vérification ultime.

S'il s'agit d'états financiers de la fin d'exercice, il faudra tout de même enregistrer les écritures de fermeture au journal général et au grand livre général.

5.10   CYCLE COMPTABLE AVEC CHIFFRIER

Avec ou sans chiffrier, le cycle comptable demeure le même. Toutefois, lorsque l'on rédige un chiffrier, on y incorpore certaines phases du cycle comptable, comme le démontre la comparaison suivante :

SANS CHIFFRIER	AVEC CHIFFRIER	ÉQUIVALENCE À LA MÉTHODE SANS CHIFFRIER
1 - Analyse des documents	1 - Analyse des documents	
2 - Enregistrement au journal général	2 - Enregistrement au journal général	
3 - Report (classement) au grand livre général	3 - Report (classement) au grand livre général	
4 - Balance de vérification	4 - Chiffrier contenant	
5 - Écritures de régularisation au journal général et report au grand livre général	a) balance de vérification b) écritures de régularisation c) balance de vérification régularisée	voir 4 voir 5 voir 6
6 - Balance de vérification régularisée	d) état des résultats e) état des bénéfices non répartis	voir 7 voir 8
7 - État des résultats	f) fermeture au chiffrier	voir 9
8 - État des bénéfices non répartis	g) bilan	voir 11
9 - Écritures de fermeture au journal général et report au grand livre général	5 - Enregistrement des régularisations au journal général et report au grand livre général	
10 - Balance de vérification après fermeture	6 - Enregistrement des fermetures au journal général et report au grand livre général	
11 - Bilan		
12 - Écritures de réouverture au journal général et report au grand livre général	7 - Écritures de réouverture au journal général et report au grand livre général	

Il est à remarquer que, dans le chiffrier, on effectue les phases normales numérotées 4, 5, 6, 7 8, 9 et 11 que l'on retrouvait dans la méthode sans chiffrier.

La 9e phase, tel que mentionné dans l'exemple précédent, joue un rôle équivalent à celui des écritures de fermeture à l'intérieur du chiffrier.

Voici maintenant le chiffrier d'Aménagement paysager De La Rocaille ltée :

AMÉNAGEMENT PAYSAGER DE LA ROCAILLE LTÉE
Chiffrier
au 31 décembre 19X4

NOM DES COMPTES	BALANCE DE VÉRIFICATION		ÉCRITURE DE RÉGULARISATION		BALANCE DE VÉRIFICATION RÉGULARISÉE		ÉTAT DES RÉSULTATS		BILAN	
	Débit	Crédit	Débit	Crédit	Débit	Crédit	Débit	Crédit	Débit	Crédit
Encaisse	62 800		b) 7 500	c) 35 000	33 200				33 200	
Clients	23 000		n) 900	r) 3 000	27 000				27 000	
Provision pour créances irrécouvrables		400	q) 4 000	g) 750		1 150				1 150
Billet à recevoir	8 000				8 000				8 000	
À recevoir d'un actionnaire			l) 1 000 s) 3 000		4 000				4 000	
Avances à des employés			u) 1 500		1 500				1 500	
Intérêts courus à recevoir			j) 480		480				480	
Stocks de fournitures de bureau			h) 4 000		4 000				4 000	
Publicité payée d'avance			i) 3 000		3 000				3 000	
Assurance payée d'avance			k) 1 200		1 200				1 200	
Terrain	40 000				40 000				40 000	
Bâtiment	150 000				150 000				150 000	
Amortissement cumulé — Bâtiment		23 500		d) 4 700		28 200				28 200
Mobilier de bureau	50 000		e) 3 000		53 000				53 000	
Amortissement cumulé — Mobilier		12 000		f) 2 650		14 650				14 650
Matériel roulant	30 000		c) 35 000	b) 30 000	35 000				35 000	
Amortissement cumulé — Matériel roulant		20 000	b) 25 000	a) 5 000						
Fournisseurs		18 000		n) 900		18 900				18 900
Emprunt bancaire		6 000				6 000				6 000
Dividendes à payer				m) 5 000		5 000				5 000
Intérêts courus à payer				o) 11 570		11 570				11 570
Salaires courus à payer				t) 1 100		1 100				1 100
Impôts sur le revenu à payer				v) 32 668		32 668				32 668
Versement exigible de l'emprunt hypothécaire		1 180		p) 1 320		2 500				2 500

Compte	Balance de vérif. Dt	Balance de vérif. Ct	Régularisations Dt	Régularisations Ct	Balance régularisée Dt	Balance régularisée Ct	État des résultats Dt	État des résultats Ct	Bilan Dt	Bilan Ct
Honoraires reçus à l'avance				s) 3 000		3 000				3 000
Emprunt hypothécaire		95 236	p) 1 320			93 916				93 916
Impôt reporté				v) 900		900				900
Capital-actions		50 000				50 000				50 000
Bénéfices non répartis		20 000				20 000				20 000
Dividendes	2 500		m) 5 000		7 500				7 500	
Honoraires professionnels		300 000	r) 3 000	q) 4 000		301 000		301 000		
Publicité	22 000			i) 3 000	19 000		19 000			
Téléphone	4 000				4 000		4 000			
Salaires	93 031		t) 1 100	u) 1 500	92 631		92 631			
Impôts fonciers	3 700				3 700		3 700			
Fournitures de bureau utilisées	21 000			h) 4 000	17 000		17 000			
Frais de représentation	5 600			l) 1 000	4 600		4 600			
Entretien de matériel roulant	2 430				2 430		2 430			
Frais divers de bureau	4 570			e) 3 000	1 570		1 570			
Électricité	2 400				2 400		2 400			
Intérêts	750		o) 11 570		12 320		12 320			
Frais de déplacement	4 800				4 800		4 800			
Assurances	3 400			k) 1 200	2 200		2 200			
Avantages sociaux	12 335				12 335		12 335			
Amortissement — Matériel roulant			a) 5 000		5 000		5 000			
Amortissement — Bâtiment			d) 4 700		4 700		4 700			
Amortissement — Mobilier de bureau			f) 2 650		2 650		2 650			
Créances irrécouvrables			g) 750		750		750			
Gain sur aliénation d'immobilisation				b) 2 500		2 500		2 500		
Revenu d'intérêt				j) 480		480		480		
	546 316	546 316	158 238	158 238	593 534	593 534	192 086	303 980	367 880	367 880
Bénéfice avant déduction des impôts			v) 33 568		33 568		111 894			
							303 980	303 980		
Impôt sur le bénéfice							33 568			
Bénéfice net							78 326	111 894		78 326
							111 894	111 894		

5.11 SOMMAIRE DES PRINCIPES COMPTABLES INTERVENANT LORS DES RÉGULARISATIONS

Les deux principaux principes comptables qui nous ont guidés pendant la régularisation étaient d'abord celui de la réalisation du produit, puis celui du rapprochement des produits et des charges. Ils ont évidemment été élaborés en réponse au besoin périodique d'information, c'est-à-dire qu'ils découlent de la convention de l'indépendance des exercices financiers.

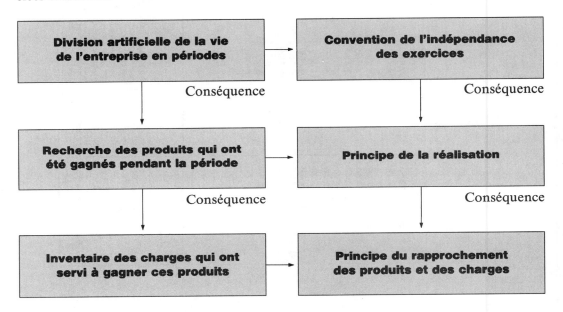

Le principe de la réalisation du produit trouve des applications parce que certaines transactions procurant un produit commencent au cours d'une certaine période financière, mais ne s'achèvent qu'à une période subséquente. Le produit est réalisé graduellement et nous devons pouvoir en quantifier la portion qui a été réalisée à un moment donné.

Le produit est considéré comme réalisé lorsqu'il est possible de déterminer objectivement la valeur marchande d'une marchandise ou d'un service. Dans la plupart des cas, cette preuve est acquise au moment de la vente. Connaissant le prix d'un bien, un client décide de l'acquérir et verse de l'argent en contrepartie ou reconnaît devoir au vendeur une certaine somme. Pour le vendeur, cette contrepartie reçue est une confirmation que la plus-value qu'il avait attribuée à sa marchandise est bien réelle. Mais c'est le moment de la vente qui a confirmé cette plus-value. Généralement donc, pour la majorité des entreprises, le moment de la vente est celui où le produit est réalisé. Voici un exemple qui illustre ce fait. Dans la colonne (a), l'entreprise se conforme au principe de la réalisation du produit et dans la colonne (b), nous supposerons le contraire, ce qui veut dire qu'elle enregistre la plus-value dès que la fabrication d'un bien est terminée bien que dans ce cas, rien ne le justifie.

Opération

10 décembre 19X6 :	**L'entreprise termine la fabrication d'un lot de biens valant 30 000 \$. Compte tenu des prix actuels sur le marché, ces biens devraient rapporter 40 000 \$.**			

(a)			**(b)**		
Aucune écriture			Stock de produits finis	10 000	
			Gain dû à la plus-value des stocks		10 000

Opération

10 janvier 19X7 :	**L'entreprise vend les biens au prix de 40 000 \$.**

(a)			**(b)**		
Clients	40 000		Clients	40 000	
Ventes		40 000	Ventes		40 000
Coût des marchandises vendues	30 000		Coût des marchandises vendues	40 000	
Stock de produits finis		30 000	Stock de produits finis		40 000

On note qu'en (a) le profit a été reconnu en 19X7, alors qu'en (b) il a été reconnu en 19X6. Le moment de la réalisation du produit est donc important. Ici, au 10 décembre 19X6, il n'existait pas de preuve irréfutable et objective de la réalité de la plus-value de 10 000 \$. Par exemple, le bien aurait pu devenir désuet par suite de l'introduction d'un bien concurrent, ou encore le prix de vente aurait pu chuter entre le 10 décembre 19X6 et le moment de la vente.

Toutefois, il survient des cas où la vente n'est pas le moment précis où le produit peut être considéré comme réalisé. Par exemple, si une entreprise de construction s'engage à ériger un immeuble et que les travaux doivent s'étaler sur deux ans, allons-nous considérer que les produits seront réalisés seulement pendant la période financière au cours de laquelle les travaux seront terminés ? ou allons-nous attribuer une partie des produits à la première période financière ? Il est évident que le montant réel du profit réalisé sur ce projet ne sera connu qu'à la fin du projet. Mais ce n'est pas un fondement théorique valable pour justifier le refus de tout profit à la première période. Imaginons, dans le cas qui nous occupe ici, que le coût du contrat soit de 2 000 000 $, alors que le prix de vente est de 2 500 000 $. Si, à la fin du premier exercice financier, l'entreprise a déjà encouru 1 000 000 $ de coûts sur une possibilité de 2 000 000 $, nous pourrions prétendre, à juste titre, que la moitié des travaux est terminée et qu'on a réalisé un produit net de 250 000 $.

Pour une entreprise dont l'objet commercial est la vente d'une revue ou d'un journal, le problème du moment de la réalisation du produit se pose également. Par exemple, les recettes provenant d'un abonnement d'un an ne peuvent être considérées comme un produit immédiat. Une entreprise qui loue de l'espace de stationnement pour des automobiles peut demander un paiement au début du mois, mais le produit n'en est pas pour autant matérialisé. Le principe de la matérialisation du produit veut que celui-ci soit considéré comme réalisé à partir du moment où le service a été rendu ou que le client a acheté ou reçu la marchandise.

Une fois que l'on a déterminé qu'un certain montant de produit a été réalisé, un deuxième principe comptable intervient : celui du rapprochement du coût et du produit. Chaque coût qui a été engagé pour gagner un produit doit être rapproché, au cours de la même période financière, de ce produit afin qu'on puisse relever un bénéfice net significatif.

C'est ce principe qui nous faisait enregistrer une régularisation de ce type pour 19X6 :

Salaires
    Salaires courus à payer

Comme les employés ont contribué à la réalisation du produit en 19X6, le coût qui y est associé, c'est-à-dire leurs salaires, doit être chargé à ce produit, bien que le débours n'aura lieu qu'en 19X7. En fait, un grand nombre de régularisations sont des applications de ce principe. L'amortissement est la fraction du coût d'un bien qui est associé au produit procuré par ce bien pendant une période financière donnée. Pourquoi doit-on considérer qu'un stock de marchandises (une charge payée d'avance, en somme) constitue le coût des ventes ? Tout simplement parce que ces marchandises ont été vendues et qu'un produit a été enregistré sous forme de ventes. Le coût correspondant, c'est-à-dire celui des marchandises vendues, doit être associé au produit des ventes. D'où la régularisation :

    Coût des marchandises vendues
        Stocks de marchandises

5.12 LES ÉCRITURES DE RÉOUVERTURE OU DE CONTREPASSATION

5.12.1 Raisons d'existence des écritures de réouverture

Nous avons vu que plusieurs régularisations étaient nécessaires parce qu'au cours du travail normal de tenue de livres, certaines charges et certains produits n'étaient enregistrés qu'au moment du débours ou de la recette alors qu'en réalité ces charges ou ces produits se constituaient de façon continue. Tel fut le cas des charges ou des produits d'intérêts courus, des salaires courus, etc.

Comme le travail *normal* de tenue de livres consiste bien souvent à enregistrer un montant de charge ou de produit égal au montant du débours ou de la recette, ce travail est perturbé par nos régularisations.

Par exemple, si une société emprunte 100 000 $ à 12 % le 1er décembre 19X1, remboursable principal et intérêt le 31 mai 19X2 et que la fin de l'exercice financier est le 31 décembre 19X1, nous savons très bien que la seule écriture qui sera enregistrée au cours du travail normal de tenue de livres sera :

31 mai 19X2	**Emprunt bancaire** **Intérêts** **Caisse** (Remboursement de l'emprunt et paiement de six mois d'intérêts ; décembre à mai)	100 000 6 000	106 000

Mais nous perturbons ce travail quand nous régularisons :

31 déc. 19X1	**Intérêts** **Intérêts courus à payer** **(100 000 $ × 0,12 × 1/12)** (Pour enregistrer un mois d'intérêts courus à payer ; décembre)	1 000	1 000

En effet, nous obligeons alors les préposés à la tenue de livres à s'interroger sur l'existence d'un éventuel compte de passif concernant les intérêts, à renoncer à l'écriture habituelle décrite ci-dessus au 31 mai 19X2 et à la remplacer par celle-ci :

31 mai 19X2	**Emprunt bancaire** **Intérêts courus à payer** **Intérêts** **Caisse**	100 000 1 000 5 000	106 000

Comment éviter ce travail d'analyse lorsqu'on fait la tenue de livres ? Simplement en passant, en date du premier jour de l'année 19X2, une écriture en sens contraire de la régularisation. Cette écriture porte le nom d'écriture de réouverture : elle efface les traces de notre intervention dans les livres lors du travail de régularisation et prépare les comptes à la tenue de livres habituelle.

De la même façon, lors du travail normal de tenue de livres, on n'a pas l'habitude de débiter des comptes de charges payées d'avance ou de créditer des comptes de produits reçus d'avance. L'usage est plutôt de considérer les recettes d'exploitation comme des produits d'exploitation et les débours d'exploitation comme des charges d'exploitation.

Par exemple, si une société éditrice d'une revue encaisse, le 1er septembre 19X1, la somme de 100 000 $ pour des abonnements d'un an et qu'elle verse 2000 $ à un journaliste pigiste pour un article qui paraîtra en janvier 19X2, nous sommes certains que les écritures qui seront enregistrées dans le cadre du travail normal de la tenue de livres seront :

1er sept. 19X1	Caisse	100 000	
	Produits d'abonnements		100 000
	Rémunération des journalistes	2 000	
	Caisse		2 000

Ces événements ont provoqué des écritures car il y a eu recettes et débours et, par conséquent, des documents (chèques reçus et expédiés) ont déclenché les écritures.

Tout aurait été parfait s'il n'y avait pas eu une fin d'exercice le 31 décembre 19X1. Ainsi, la convention de l'indépendance des exercices exige que nous passions les écritures de régularisation suivantes :

31 déc. 19X1	Produits d'abonnements	66 666	
	Produits reçus d'avance		66 666
	Rémunération versée d'avance	2 000	
	Rémunération des journalistes		2 000

Comme il n'y aura plus de recettes ou de débours concernant ces événements, il n'y aura plus aucun document *déclencheur d'une écriture* pour considérer ces produits et cette charge comme matérialisés en 19X2. Nous devons donc intervenir le premier jour de la nouvelle année financière en renversant ces écritures de régularisation. Sinon, le Service de la tenue de livres ne les enregistrera pas dans le cours normal de ses travaux. Nous passerons donc les écritures de réouverture suivantes :

1er janv. 19X2	Produits reçus d'avance	66 666	
	Produits d'abonnements		66 666
	Rémunération des journalistes	2 000	
	Rémunération versée d'avance		2 000

Nous aurons ainsi évité un travail d'analyse dans le cours habituel de la tenue de livres. Nous n'aurons pas à donner d'instructions spéciales pour ces événements particuliers.

5.12.2   Définition

Les écritures de réouverture sont donc des écritures passées au début d'un exercice pour qu'il soit possible d'inscrire, de la façon habituelle, les opérations ayant nécessité, à la fin de l'exercice précédent, la passation d'écritures de régularisation portant sur les charges à payer et les produits à recevoir. Ces écritures consistent généralement en des écritures identiques aux écritures de régularisation, mais elles sont passées en sens contraire, d'où leur nom d'écritures de contrepassation. Au lieu de passer ces écritures, on peut procéder à l'élimination des charges à payer et des produits à recevoir lors du règlement effectif des opérations ayant donné lieu aux écritures de régularisation. Les écritures de contrepassation sont aussi utiles dans le cas de sommes payées ou reçues d'avance qui, lors du décaissement ou de l'encaissement, sont portés dans des comptes de charges ou de produits plutôt que dans des comptes d'actif ou de passif.

5.12.3   Les écritures de régularisation qui amèneront des écritures de réouverture

Voici, présentées en cinq catégories, les écritures de régularisation qui entraîneront des écritures de réouverture.

Les frais courus qui ne seront réglés que plus tard

Ces écritures de régularisation ont créé un passif temporaire qui disparaîtra à l'exercice suivant lors de son règlement. Nous le ferons disparaître lors de la réouverture afin que le travail régulier de tenue de livres ne soit pas perturbé par ce compte lors de l'écriture enregistrant le règlement. Voici un exemple :

Une société a demandé un emprunt hypothécaire qui sera remboursé selon le tableau suivant :

DATE	VERSEMENT	INTÉRÊTS	PRINCIPAL	SOLDE
				100 000 $
30 juin 19X1	17 700 $	12 000 $	5 700 $	94 300
30 juin 19X2	17 700	11 316	6 384	87 916
30 juin 19X3	17 700	10 550	7 150	80 766

31 déc. 19X2   Régularisation

Intérêts	**5 275**	
Intérêts courus à payer		**5 275**
(87 916 $ × 0,12 × 6/12 année)		

Fermeture

Bénéfices non répartis	**5 275**	
Intérêts		**5 275**

1ᵉʳ janv. 19X3   Réouverture

Intérêts courus à payer	**5 275**	
Intérêts		**5 275**

1ᵉʳ janv. 19X3   Écriture régulière sans nécessité d'intervention

Emprunt hypothécaire	**7 150**	
Intérêts	**10 550**	
Caisse		**17 700**

Voici quel serait l'effet de ces écritures sur les comptes, au 30 juin 19X3, selon que les réouvertures aient été passées ou non :

Tableau 1

Avec les réouvertures   **Sans les réouvertures**

INTÉRÊTS   INTÉRÊTS

Date	Débit	Crédit	Solde		Date	Débit	Crédit	Solde	
19X2-12-31	5 275		5 275	Dt	19X2-12-31	5 275		5 275	Dt
19X2-12-31		5 275	0		19X2-12-31		5 275	0	
19X3-01-01		5 275	5 275	Ct	19X3-06-30	10 550		10 550	Dt
19X3-06-30	10 550		5 275	Dt					

INTÉRÊTS COURUS À PAYER

Date	Débit	Crédit	Solde	
19X2-12-31		5 275	5 275	Ct
19X3-01-01	5 275		0	

INTÉRÊTS COURUS À PAYER

Date	Débit	Crédit	Solde	
19X2-12-31		5 275	5 275	Ct

Avec les écritures de réouverture, le passif temporaire Intérêts courus à payer est éliminé dès le 1er janvier 19X3 plutôt que lors du règlement le 30 juin 19X3. Cela permet l'écriture habituelle lors du règlement le 30 juin 19X3 sans avoir à se soucier de ce compte de passif. La même remarque s'applique au compte de charge en intérêts qui présente un solde créditeur pour 6 mois d'intérêts après la réouverture. Le règlement d'un an d'intérêts porté au débit de ce compte provoque l'inscription d'un solde de 6 mois d'intérêts au débit, ce qui correspond aux intérêts effectifs de 19X3.

Les comptes sont inexacts sans écriture de réouverture. Ils pourraient être exacts si des directives spéciales avaient été données au Service de la tenue de livres afin qu'il passe, lors du règlement, au 30 juin 19X3, l'écriture suivante :

30 juin 19X3   Écriture non habituelle avec spécifications

Emprunt hypothécaire	**7 150**	
Intérêts courus à payer	**5 275**	
Intérêts	**5 275**	
Caisse		**17 700**

Voici l'effet que cette écriture, sans les écritures de réouverture mais avec une directive au Service de la tenue de livres, aurait sur les comptes :

Tableau 2

INTÉRÊTS

Date	Débit	Crédit	Solde	
19X2-12-31	5 275		5 275	Dt
19X2-12-31		5 275	0	
19X3-06-30	5 275		5 275	Dt

INTÉRÊTS COURUS À PAYER

Date	Débit	Crédit	Solde	
19X2-12-31		5 275	5 275	Ct
19X3-06-30	5 275		0	

Si nous comparons les résultats obtenus au tableau 2 aux résultats obtenus au tableau 1 avec les écritures de réouverture, nous constatons qu'ils sont identiques au 30 juin 19X3. Cela fait ressortir le caractère facultatif des écritures de réouverture. Retenons toutefois qu'elles sont utiles, surtout si l'on songe que plusieurs écritures peuvent être en cause, multipliant de ce fait les directives à donner au Service de la tenue de livres si l'on veut les éviter.

Les revenus courus qui ne seront encaissés que plus tard

Ces écritures de régularisation ont créé un actif temporaire qui n'aura plus sa raison d'être l'exercice suivant lors de son encaissement. Nous le ferons donc disparaître par la réouverture afin que le travail régulier de tenue de livres ne soit pas perturbé par ce compte lors de l'écriture enregistrant l'encaissement. Voici un exemple :

Une société prête 300 000 $ à une autre société. Le taux d'intérêt annuel est de 12 % ; les intérêts sont encaissables trimestriellement les 31 octobre, 31 janvier, 30 avril et 31 juillet. La fin de l'exercice financier est le 31 décembre 19X1.

31 déc. 19X1   Régularisation

Intérêts courus à recevoir	6 000	
Produits d'intérêts		6 000
(300 000 $ × 0,12 × 2/12 année ; intérêts de novembre et décembre)		

Fermeture

Produits d'intérêts	6 000	
Bénéfices non répartis		6 000

1er janv. 19X2   Réouverture

Produits d'intérêts	6 000	
Intérêts courus à recevoir		6 000

31 janv. 19X2   Écriture habituelle sans nécessité d'intervention

Caisse	9 000	
Produits d'intérêts		9 000

Voici également, avec cet exemple, quel serait l'effet de ces écritures sur les comptes en date du 31 janvier 19X2 selon que les réouvertures aient été passées ou non :

Tableau 3

Avec les réouvertures	Sans les réouvertures

INTÉRÊTS COURUS À RECEVOIR   INTÉRÊTS COURUS À RECEVOIR

Date	Débit	Crédit	Solde		Date	Débit	Crédit	Solde	
19X1-12-31	6 000		6 000	Dt	19X1-12-31	6 000		6 000	Dt
19X2-01-01		6 000	0						

PRODUITS D'INTÉRÊTS   PRODUITS D'INTÉRÊTS

Date	Débit	Crédit	Solde		Date	Débit	Crédit	Solde	
19X1-12-31		6 000	6 000	Ct	19X1-12-31		6 000	6 000	Ct
19X1-12-31	6 000		0		19X1-12-31	6 000		0	
19X2-01-01	6 000		6 000	Dt	19X2-01-31		9 000	9 000	Ct
19X2-01-31		9 000	3 000	Ct					

Ici également les écritures de réouverture ont pour effet d'éliminer, dès le 1er janvier 19X2, l'actif temporaire Intérêts courus à recevoir plutôt de l'éliminer lors de l'encaissement le 31 janvier 19X2. L'encaissement pourra être enregistré de la façon habituelle sans se soucier de ce compte d'actif. Quant au compte de produits en intérêts, il présente, après l'écriture de réouverture, un solde débiteur de 6000 $ pour 2 mois d'intérêts relatifs à l'année précédente. L'encaissement de 3 mois d'intérêts provoquera l'enregistrement d'un solde créditeur pour 1 mois d'intérêts, ce qui correspond aux intérêts effectivement gagnés en 19X2 au 31 janvier 19X2.

Nous observons aussi que les comptes sont inexacts sans les écritures de réouverture mais qu'ils pourraient l'être si des instructions spéciales avaient été données au Service de la tenue de livres afin de passer, lors de l'encaissement du 30 janvier 19X2, l'écriture suivante :

30 janv. 19X2   Écriture non habituelle avec spécifications

Caisse	**9 000**	
Intérêts courus à recevoir		**6 000**
Produits d'intérêts		**3 000**

Voici l'effet que cette écriture aurait sur les comptes :

Tableau 4

INTÉRÊTS COURUS À RECEVOIR

Date	Débit	Crédit	Solde	
19X1-12-31	6 000		6 000	Dt
19X2-01-31		6 000	0	

PRODUITS D'INTÉRÊTS

Date	Débit	Crédit	Solde	
19X1-12-31		6 000	6 000	Ct
19X1-12-31	6 000		0	
19X2-01-31		3 000	3 000	Ct

Enfin, nous pouvons constater le caractère facultatif des écritures de réouverture, malgré leur utilité évidente pour faciliter les travaux habituels de tenue de livres.

Les sommes payées d'avance qui ont été originairement comptabilisées dans des comptes de charge

La régularisation aura créé un compte d'actif temporaire de la nature d'un « service à recevoir » qui sera reçu au cours de l'exercice futur. Nous allons virer ce compte d'actif aux charges car aucun événement ni aucun document ne déclencheront ce virement au cours du travail régulier de tenue de livres. Voici un exemple :

Une société souscrit, le 1er octobre 19X1, une police d'assurance destinée à assurer une protection pour une période d'une année. L'entreprise paie 2400 $ et l'exercice se termine le 31 décembre.

31 déc. 19X1   Régularisation

Assurances payées d'avance	**1 800**	
Charge d'assurances		**1 800**
(2 400 $ × 9/12 année)		

Fermeture

Bénéfices non répartis	**600**	
Charge d'assurances		**600**

1er janv. 19X2   Réouverture

Charge d'assurances	**1 800**	
Assurances payées d'avance		**1 800**

Au cours de 19X2

> Traitement régulier. Aucun document n'est reçu et,
> en conséquence, aucune écriture n'est passée.

Sans l'écriture de réouverture, il aurait fallu donner des instructions en 19X2 pour créditer le compte Assurances payées d'avance et débiter le compte Charge d'assurances une fois les services de protection reçus.

Les sommes reçues d'avance qui ont été originairement comptabilisées dans des comptes de produits

La régularisation aura créé un compte de passif temporaire de la nature d'un « service à rendre », qui sera effectivement rendu au cours de l'exercice futur. Nous allons virer ce compte de passif aux produits, car aucun événement ni aucun document ne déclencheront ce virement au cours du travail de tenue de livres. Voici un exemple :

Une société publie une revue. Le 1er septembre 19X1 elle encaisse une somme totale de 24 000 $ pour des abonnements d'un an. L'année financière se termine le 31 décembre 19X1.

31 déc. 19X1   Régularisation

Produits d'abonnements	**16 000**	
Produits reçus d'avance		**16 000**
(24 000 $ × 8/12 année)		

31 déc. 19X1   Fermeture

Produits d'abonnements	**8 000**	
Bénéfices non répartis		**8 000**

1er janv. 19X2   Réouverture

Produits reçus d'avance	**16 000**	
Produits d'abonnements		**16 000**

Au cours de 19X2

> Traitement régulier. Aucun document n'est reçu et aucune écriture n'est passée.

Sans l'écriture de réouverture, il aurait fallu donner des instructions en 19X2 pour débiter le compte Produits reçus d'avance et créditer le compte Produits d'abonnements une fois les produits effectivement gagnés.

L'écriture de régularisation qui vise à inscrire la portion exigible de la dette à long terme

Un passif temporaire, Portion exigible de la dette à long terme, est créé lors des régularisations. Nous annulerons ce compte dans les réouvertures pour laisser la tenue de livres suivre son cours habituel, c'est-à-dire qu'un débit à la dette à long terme soit enregistré lors du versement.

Reprenons le tableau d'amortissement de la dette hypothécaire illustré précédemment.

DATE	VERSEMENT	INTÉRÊTS	PRINCIPAL	SOLDE
				100 000 $
30 juin 19X1	17 700 $	12 000 $	5 700 $	94 300
30 juin 19X2	17 700	11 316	6 384	87 916
30 juin 19X3	17 700	10 550	7 150	80 766

31 déc. 19X2   Régularisation

Emprunt hypothécaire	**7 150**	
Versement exigible de l'emprunt hypothécaire		**7 150**

1er janv. 19X3   Réouverture

Versement exigible de l'emprunt hypothécaire	**7 150**	
Emprunt hypothécaire		**7 150**

30 juin 19X3   Écriture régulière sans nécessité d'intervention

Emprunt hypothécaire	**7 150**	
Intérêts	**10 550**	
Caisse		**17 700**

Sans l'écriture de réouverture, il aurait fallu donner des instructions au Service de la tenue de livres afin que le débit de 7150 $ soit porté au compte Versement exigible de l'emprunt hypothécaire.

5.12.4 Caractère facultatif des écritures de réouverture

Comme nous l'avons vu dans les démonstrations précédentes, les écritures de réouverture sont facultatives. On peut toujours obtenir un résultat exact dans les comptes en donnant des instructions au Service de la tenue de livres pour prendre en considération les comptes ouverts par les écritures de régularisation.

Mais c'est précisément à partir du moment où le nombre de régularisations devient important que les écritures de réouverture seront appréciées. De plus, il faut songer que, sans les réouvertures, on reporte un travail d'analyse au niveau de la tenue de livres.

Or, lors de l'introduction aux régularisations, nous avions fait le raisonnement qui nous avait amené à conclure qu'il valait mieux, au moment de la tenue de livres, éviter un travail constant d'analyse et de mise à jour des comptes et réserver ce travail d'analyse et de mise à jour pour l'époque des travaux de fin d'exercice.

Renoncer aux écritures de réouverture qui, elles aussi, évitent de situer le travail d'analyse au moment de la tenue de livres, équivaudrait à contredire ce raisonnement.

5.13 QUESTIONS

1. Certaines opérations ont un caractère momentané ou épisodique, c'est-à-dire qu'elles commencent et s'achèvent à l'intérieur d'une courte période. Toutefois, de nombreuses transactions ont un caractère continu ou graduel, c'est-à-dire qu'elles s'accomplissent sur une période relativement longue. Énumérez six transactions ayant ce caractère continuel.

2. Démontrez comment les problèmes de mesure de fin d'exercice proviennent de la coexistence d'opérations à caractère continu et de la division nécessaire, de la vie de l'entreprise, en exercices comptables.

3. Expliquez comment le concept d'autonomie ou d'indépendance des exercices comptables a promu ou soutenu la notion de comptabilité d'exercice.

4. Pour connaître le bénéfice réel d'une entreprise, il faudrait, en principe, attendre la fin de son existence et faire le rapport entre ses coûts (débours) et ses produits (recettes). Toutefois, un système d'information comptable doit fournir des rapports périodiques beaucoup plus fréquents sur les résultats d'une entreprise (déterminer le bénéfice net annuel, etc.). Par exemple, les gestionnaires prennent des décisions importantes touchant l'acquisition de biens de production qui bénéficieront à plusieurs périodes financières et, pour pouvoir évaluer leurs décisions, ils désirent une information périodique (annuelle par exemple). Comment la comptabilité peut-elle fournir un résultat périodique (annuel) sur des décisions comme celles énoncées ci-dessus ?

Commentez le ou les principes qui ont dû être élaborés en comptabilité pour fournir des résultats périodiques.

5. Pourquoi les écritures de régularisation précèdent-elles les écritures de fermeture dans la séquence logique des travaux comptables ?

6. Certaines écritures de régularisation effectuent une répartition. De quelle répartition s'agit-il ?

7. Énumérez quatre opérations qui nécessitent des écritures de régularisation de répartition ou de ventilation. Passez les écritures relatives à vos exemples.

8. Donnez deux exemples de charges et de produits constatés par régularisation. Passez les écritures relatives à vos exemples.

9. Quelle est l'origine du poste Impôts sur le revenu reportés présenté entre le passif et l'avoir des actionnaires au bilan ? Donnez un exemple.

10. Si l'exercice financier ne durait qu'un jour, la plupart des coûts seraient des actifs immobilisés ; s'il durait trente ans, la plupart des coûts seraient des charges courantes. Expliquez cette affirmation.

11. En 19X1, l'éditeur d'une revue mensuelle a encaissé 875 000 $ d'abonnement alors que ses produits d'exploitation ne s'élevaient qu'à 820 000 $. À votre avis, quel principe comptable a été appliqué dans les circonstances et quelle a été l'écriture de régularisation ?

12. À l'état des résultats de Macadam ltée, on remarque qu'aucun amortissement ne fut considéré pour les camions en 19X5. Le propriétaire a expliqué au comptable qu'un effort avait été fait en 19X5 pour entretenir convenablement les camions et que, de plus, avec le chômage que nous subissons actuellement, le bénéfice net était déjà assez bas sans lui déduire un amortissement qui, après tout, découlait d'une décision interne.

Expliquez les défauts de ce raisonnement.

13. L'année dernière, en décembre 19X2, la société Econsult ltée rendait des services à ses clients. Toutefois, ils ne furent facturés qu'en janvier 19X3. Le comptable enregistra alors :

		DÉBIT	CRÉDIT
Janv. 19X3	**Clients**	**10 000**	
	Honoraires		**10 000**

Comme ce fait passa inaperçu en 19X2, le produit fut enregistré en 19X3.

On vous demande aujourd'hui, au 31 décembre 19X3, alors que vous connaissez les faits, d'enregistrer une écriture pour corriger la situation.

14. Chez Burocrate ltée les frais de fournitures de bureau sont importants. On a l'habitude d'enregistrer les frais de fournitures ainsi :

		DÉBIT	CRÉDIT
Pendant l'année	**Fournitures (charges)** **Encaisse**	**10 000**	**10 000**

Au 31 décembre 19X3, fin de l'exercice financier, le stock de fournitures de 7000 $ ne fut pas décompté.

Quel fut l'effet de cet oubli sur les états financiers ?

15. Voici les soldes que l'on retrouve à la fin de l'exercice financier de Bora ltée avant et après les écritures de régularisation.

	SOLDE NON RÉGULARISÉ		SOLDE RÉGULARISÉ	
a) Produits d'honoraires	100 000 $	Ct	95 000 $	Ct
b) Produits d'intérêts	10 000	Ct	12 000	Ct
c) Impôt sur le revenu à payer	20 000	Ct	30 000	Ct
Impôt sur le revenu reporté	0		5 000	Ct
d) Salaires administratifs	30 000	Dt	31 000	Dt
e) Amortissement cumulé — Matériel roulant	20 000	Ct	22 000	Ct
f) Provision pour créances irrécouvrables	500	Dt	2 000	Ct

Travail à faire

Présentez les écritures de régularisation qui furent enregistrées en fin d'exercice.

16. Voici des données tirées du bilan de Lubic ltée :

	31 décembre 19X1	31 décembre 19X0
Loyer payé d'avance	1 300 $	1 100 $
Produits reçus d'avance	15 324	8 776
Intérêts courus à payer	4 310	1 875

Voici maintenant les montants que l'on retrouvait à l'état des résultats de l'année 19X1 :

Loyer	13 200 $
Produits d'exploitation	156 998
Intérêts	2 435

Déterminez :

a) Les débours de 19X1 concernant le loyer ;

b) Les recettes de 19X1 concernant les produits d'exploitation ;

c) Les débours de 19X1 concernant les intérêts.

17. En comptabilité, on adopte l'unité monétaire comme unité de mesure (le dollar canadien par exemple). Les comptables posent comme hypothèse que, dans les états financiers traditionnels, on peut ignorer les variations de l'unité monétaire (variations du pouvoir d'achat du dollar). Dans l'exemple suivant, montrez comment les résultats (profits) varient selon que l'on applique ou non cette hypothèse au calcul de la charge d'amortissement.

L'entreprise acquiert, en 19X0 un bien de production de 250 000 $. Ce bien a une vie utile de 10 ans et on prévoit qu'il générera un produit annuel constant. En 19X5, on désire déterminer le bénéfice net. De 19X0 à 19X5 l'indice du niveau général des prix est passé de 100 à 150.

L'abandon du principe de la stabilité du pouvoir du dollar en comptabilité constitue-t-il une hypothèse fondée ou nécessaire ?

18. Trois personnes ont mis leurs économies en commun pour acheter une maison à logements multiples. Elles ont payé 200 000 $, au début de 19X1, pour cet immeuble neuf.

À la fin de cette première année, elles se réunissent afin de déterminer si leur décision a été bonne. À partir des mêmes données, qui sont exactes, chacune d'elles a présenté un rapport différent à cette réunion :

LA PREMIÈRE PERSONNE

Recettes des loyers	30 000 $
Paiement comptant de l'immeuble	(200 000)
Débours pour l'entretien, les taxes, les assurances, etc.	(15 000)
Perte nette	(185 000 $)

LA DEUXIÈME PERSONNE

Produits des loyers	29 000 $
Augmentation de la valeur marchande de la maison en 19X1	10 000
Charges de l'année pour l'entretien, les taxes, les assurances, etc.	(14 000)
Bénéfice net	25 000 $

Cette personne fait valoir, selon une offre récente sérieuse, que la maison vaudrait maintenant 210 000 $.

LA TROISIÈME PERSONNE

Produits des loyers	29 000 $
Augmentation de la valeur de la maison en 19X1	10 000
Charges de l'année pour l'entretien, les taxes, les assurances, etc.	(14 000)
	25 000
Moins : Montants égaux qu'il faut pour racheter une nouvelle maison dans cinquante ans (400 000 $ / 50 ans)	(8 000)
Bénéfice net	17 000 $

De plus, cette personne prétend qu'il y a un bénéfice seulement si on a réussi à mettre de côté l'argent pour renouveler la maison à la fin de sa vie utile. Elle prévoit qu'une maison semblable, neuve, coûtera 400 000 $ dans 50 ans.

Préparez un état des résultats conforme aux principes comptables actuels qui aidera ces trois personnes à déterminer si leur décision d'acheter la maison fut bonne.

Énumérez trois principes comptables que vous avez appliqués en rédigeant cet état et dites comment ils ont influencé le montant que vous avez retenu pour votre état financier.

Décrivez les mérites que pourraient avoir les rapports préparés par chacune des personnes. Ils en ont !

19. Cycle comptable avec écritures de régularisation.

Décrivez les phases du cycle comptable et inscrivez les chiffres qui manquent :

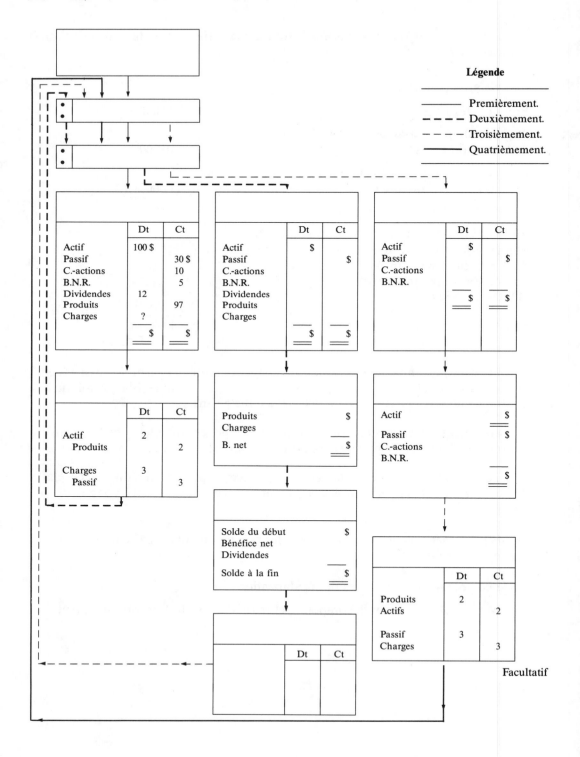

Légende

———— Premièrement.
— — — Deuxièmement.
– – – Troisièmement.
———— Quatrièmement.

	Dt	Ct
Actif	100 $	
Passif		30 $
C.-actions		10
B.N.R.		5
Dividendes	12	
Produits		97
Charges	?	
	$	$

	Dt	Ct
Actif	$	
Passif		$
C.-actions		
B.N.R.		
Dividendes		
Produits		
Charges		
	$	$

	Dt	Ct
Actif	$	
Passif		$
C.-actions		
B.N.R.		
	$	$

	Dt	Ct
Actif	2	
Produits		2
Charges	3	
Passif		3

Produits	$
Charges	
B. net	$

Actif	$
Passif	$
C.-actions	
B.N.R.	
	$

Solde du début	$
Bénéfice net	
Dividendes	
Solde à la fin	$

	Dt	Ct
Produits	2	
Actifs		2
Passif	3	
Charges		3

	Dt	Ct

Facultatif

20. Dans chacun des cas suivants, citez le ou les principe(s) comptable(s) qui fut(rent) négligé(s) s'il y a lieu. Expliquez les défauts des traitements comptables suggérés le cas échéant.

a) Malgré une hausse des ventes en 19X5, la société Crediteck ltée a réalisé un bénéfice net inférieur à celui de l'année dernière. Le « comptable » de la Société a donc décidé de n'inscrire aucune charge en créances irrécouvrables pour 19X5. Étant donné que les comptes-clients s'élèvent à 500 000 $ au 31 décembre 19X5 et que la provision pour créances irrécouvrables présente un solde presque nul, vous l'interrogez à ce sujet. Il répond que selon l'expérience passée, on perdra certains comptes mais comme la certitude de ces événements ne sera acquise qu'en 19X6 et que le bénéfice net est déjà faible cette année, il ne comptabilisera les créances irrécouvrables qu'au cours de 19X6.

b) Boprofil ltée publie mensuellement une revue sportive. Elle tire ses produits des abonnements et de la vente des annonces publicitaires à paraître dans la revue. Au cours de décembre 19X1, on a vendu pour 10 000 $ d'annonces publicitaires à paraître dans la revue de janvier 19X2. Ce montant apparaît à l'état des résultats de 19X1 sous la rubrique Vente d'annonces. Interrogé à cet effet, le « comptable » réplique qu'il s'agit bien d'annonces vendues en 19X1 et que selon lui, le produit est réalisé au moment de la vente.

c) À la fin de 19X2 on présente, à l'état des résultats, un bénéfice net de 200 000 $. Le propriétaire, étonné par l'importance de ce chiffre, fait une enquête. Il découvre que l'an dernier le « comptable » n'a pas enregistré les écritures de fermeture et que ce bénéfice net découle d'une accumulation, pendant deux ans, dans les comptes de résultats.

d) La société Gamma ltée vient de signer un bail de 30 ans pour louer un local dans un édifice à bureaux. Le prix de base est de 1 000 000 $ par an plus un montant fixé en fonction de l'inflation. Au bilan, le « comptable » ne montre aucun montant à l'actif ou au passif. Il a rédigé une note au bilan décrivant l'événement et les baux approximatifs des cinq prochaines années.

e) Chez Vantapression ltée, on a fait, en 19X1, une campagne de publicité monstre pour lancer le nouveau produit Boldair ; le coût fut de 1 000 000 $. Le « comptable » a passé l'écriture suivante :

Publicité	**50 000**	
Publicité payée d'avance	**950 000**	
Caisse		**1 000 000**

Il fonde ce traitement comptable sur son optimisme. Selon lui, la vaste campagne de publicité a fait en sorte que le produit Boldair se vende pendant au moins 20 ans. Dans son esprit, une bonne partie du 1 000 000 $ représente des coûts utiles aux périodes futures.

f) Chez Précision fatale inc., une entreprise dont le chiffre d'affaires est de 3 milliards de dollars, le « comptable » s'est toujours fait un point d'honneur d'appliquer rigoureusement les principes comptables. Ainsi, au début de 19X1, on a acheté 1000 $ de menus outils devant durer environ 15 mois. Il a passé les écritures suivantes :

2 janv. 19X1	Outillage	1 000	
	Caisse		1 000
	(Achat d'outillage)		
31 déc. 19X1	Amortissement — Outillage	800	
	Amortissement cumulé — Outillage		800
	(Régularisation)		

g) Chez Urgence ltée, c'est l'habitude d'exiger du comptable qu'il remette les états financiers aussitôt l'exercice terminé. Celui-ci a développé une telle rapidité qu'il prend une balance de vérification à partir du grand livre général et qu'il prépare les états financiers directement à partir de celle-ci, dans la journée même, tout en réglant les autres problèmes courants qui, est-il besoin de le mentionner, sont nombreux.

h) Bozo ltée est une entreprise très prospère ; 19X2 lui apporta encore une excellente nouvelle : en effet, le gouvernement du Canada venait de décréter des restrictions sur l'importation d'un produit concurrent à celui de Bozo ltée. Selon le « comptable », cette mesure à elle seule double la valeur de l'entreprise. Il se propose de passer l'écriture suivante :

| Usine et installations | 2 000 000 | |
| Gain sur plus-value de l'usine et des installations | | 2 000 000 |

i) Le « comptable » de « Votre Avenir ltée » découvre, en 19X8, que la vie utile de la principale machine de l'usine sera environ dix ans plus longue que prévue. Il continue cependant d'amortir sur la durée estimée initialement à vingt ans. Il justifie sa position en disant que de toute façon les amortissements sont des estimations et que lorsqu'il a pris la décision d'amortir sur vingt ans, il a fait de son mieux avec les informations dont il disposait alors.

21. Pour chacun des cas suivants, mentionnez le ou les principes comptables qui ont été appliqués ou négligés afin d'accorder le traitement comptable correct ou incorrect à la transaction.

a) Chez Pépinière Bélair ltée, on offre un service d'aménagement paysager. Au 30 juin 19X5, on avait aménagé les terrains de trois clients mais on n'avait pas encore procédé à la facturation de ces clients. Le comptable a donc passé l'écriture de régularisation suivante au 30 juin 19X5 :

Honoraires courus à recevoir	9 000	
Honoraires professionnels		9 000

b) Le Théâtre des curiosités ltée organise un grand spectacle qui doit se dérouler en janvier 19X3. En décembre 19X2, on a déjà engagé 50 000 $ pour monter ce spectacle. Tout le monde s'est précipité pour acheter son billet, si bien qu'ils se sont tous vendus au cours de décembre 19X2. Le comptable a passé les écritures de régularisation suivantes, au 31 décembre 19X2 :

Produits d'admission	150 000	
Produits reçus à l'avance		150 000
Frais payés d'avance	50 000	
Frais relatifs aux spectacles		50 000

c) Le comptable a procédé à la fermeture des comptes de résultats après la rédaction de l'état des résultats et de l'état des bénéfices non répartis.

d) L'Opportuniste ltée vient d'acquérir un stock de marchandises à un prix très avantageux au cours d'une vente aux enchères organisée en vue de liquider les biens d'un concurrent en faillite. Le comptable reçoit la facture de cet achat comptant qui s'élève à 50 000 $. Il reçoit également une note du propriétaire de l'entreprise l'avisant que ces stocks ont un coût de remplacement d'au moins 600 000 $. Le comptable ne bronche toutefois pas et enregistre :

Stock de marchandises	50 000	
Caisse		50 000

e) Le directeur de la Banque Nationale note un montant de 200 000 $ sous la rubrique Stock de produits en cours de fabrication au bilan de Cheminante ltée. Il interroge le comptable et ce dernier lui apprend qu'il s'agit d'un stock de chaises à demi terminées. Le directeur de la banque lui demande alors : « Pourquoi indiquez-vous ces produits a demi achevés au montant de 200 000 $, vous savez très bien que des chaises non utilisables ne valent rien ? »

22. Ces questions portent sur les principes comptables.

   a) Chez Réparations intégrales ltée, on utilise des fournitures pour effectuer la réparation d'appareils ménagers. On a l'habitude de passer l'écriture suivante lors de l'achat des fournitures :

Fournitures utilisées (charges)	**30 000**	
Encaisse		**30 000**

   Au 31 décembre 19X6, date d'arrêt des comptes, le stock de 12 000 $ de fournitures en mains ne fut pas décompté.

   1) Quelles furent les conséquences de cet oubli sur les états financiers ?
   2) Passez l'écriture de journal aujourd'hui, 15 janvier 19X7, alors que les comptes ont été fermés le 31 décembre 19X6, pour corriger les effets de cette erreur.

   b) Expliquez, en quelques lignes, les conséquences qu'aurait l'abandon de la convention de la continuité de l'exploitation (permanence de l'entreprise).

   c) Énumérez les répercussions que la convention de l'indépendance des exercices a sur le travail des comptables.

   d) Le président d'une entreprise considère que les valeurs marchandes devraient remplacer le coût d'acquisition dans le bilan de son entreprise. Présentez-lui deux arguments pour le convaincre que les coûts d'acquisition devraient continuer d'être utilisés.

   e) Boprofil ltée publie mensuellement une revue sportive. Elle tire ses revenus des abonnements et de la vente de publicité à paraître dans la revue. Au cours de décembre 19X6, on a vendu pour 10 000 $ d'annonces publicitaires à paraître dans la revue de janvier 19X7. Ce montant apparaît à l'état des résultats de 19X6 sous la rubrique Vente d'annonces.

   1) Quel traitement comptable suggérez-vous ?
   2) Sur quel principe comptable appuyez-vous ce traitement ?

   f) Expliquez simplement, à un non-initié, ce que sont les principes comptables généralement reconnus en lui citant les inconvénients que causerait leur absence.

   g) Tôt ou tard, les charges entraînent des débours et les produits entraînent des recettes. Pourquoi ne comptabilise-t-on pas les charges et les produits au moment du débours ou de la recette uniquement ?

23. À quel moment la charge d'amortissement pour un actif donné est-elle égale au solde du compte de valeur amortissement cumulé ? Quand en diffère-t-elle ?

24. Voici le tableau d'amortissement de la dette hypothécaire d'Endettée ltée :

DATE			VERSEMENT	INTÉRÊTS	PRINCIPAL	SOLDE
1er	janvier	19X6				100 000 $
30	juin	19X6	20 336 $	6 000 $	14 336 $	85 664
31	décembre	19X6	20 336	5 140	15 196	70 468
30	juin	19X7	20 336	4 228	16 108	54 360
31	décembre	19X7	20 336	3 262	17 074	37 286
30	juin	19X8	20 336	2 237	18 099	19 187
31	décembre	19X8	20 336	1 149	19 187	0

Travail à faire

Préparez toutes les écritures de régularisation concernant cette dette à la fin de l'exercice, le 30 novembre 19X7.

25. Au début de 19X1, on achète 100 000 $ de matériel de fabrication. Étant donné que l'entreprise est située dans une région défavorisée, les gouvernements permettent d'amortir ce matériel à 100 % le premier exercice, même s'il est reconnu que celui-ci a une vie utile de 2 ans. Voici l'état des résultats (incomplet) de Report ltée pour 19X1 et 19X2 :

	19X2	19X1
Ventes	1 200 000 $	1 000 000
Coût des marchandises vendues	(500 000)	(400 000)
Charges (sauf la charge d'amortissement et la charge d'impôt)	(500 000)	(400 000)
Bénéfice avant déduction de l'amortissement et de l'impôt	200 000 $	200 000 $

Travail à faire

a) Passez les écritures de régularisation pour enregistrer la charge d'impôt au 31 décembre 19X1 et au 31 décembre 19X2. Le taux d'impôt est de 50 %.

b) M. G. Toutevu, le comptable, suggère que dans le futur on augmente la charge d'amortissement aux livres sans égard à la vie utile des biens. Il déclare que tout bon comptable doit prendre des mesures pour épargner de l'impôt. Que pensez-vous de cette proposition ?

5.14 PROBLÈMES

Groupe A

PROBLÈME 1 — VENTILATION COMPLÈTE INC.
PROBLÈME COMPRENANT L'ENSEMBLE DES RÉGULARISATIONS
DE RÉPARTITION

Vous effectuez les travaux comptables d'exercice chez Ventilation complète inc. au 31 décembre 19X6. Comme point de départ de vos travaux, vous recueillez la balance de vérification non régularisée suivante :

VENTILATION COMPLÈTE INC.

Balance de vérification (sommaire)
au 31 décembre 19X6

	Débit	Crédit
Éléments d'actif à court terme	60 000 $	
Comptes-clients	50 000	
Provision pour créances irrécouvrables		1 000 $
Terrain	50 000	
Immeuble	210 000	
Amortissement cumulé — Immeuble		20 000
Équipement	105 000	
Amortissement cumulé — Équipement		40 000
Éléments de la dette à court terme		30 000
Éléments de la dette à long terme		50 000
Capital-actions		100 000
Bénéfices non répartis		177 000
Dividendes	10 000	
Ventes		400 000
Produits de loyer		14 000
Achats	240 000	
Publicité	7 000	
Autres charges d'exploitation	100 000	
	832 000 $	832 000 $

Renseignements additionnels

1. L'entreprise a payé 5000 $, le 1er décembre 19X6, pour une série d'annonces publicitaires devant paraître dans un grand journal pendant une période de cinq mois débutant le 1er décembre 19X6.

2. L'immeuble est amorti selon la méthode de l'amortissement linéaire. Sa valeur de rebut prévue est de 10 000 $ après une vie utile de 50 ans.

3. L'équipement est amorti suivant la méthode de l'amortissement proportionnel à l'usage. L'unité d'œuvre est le nombre d'heures de fonctionnement. On estime que cet équipement pourra fonctionner pendant 100 000 heures au cours de sa vie utile. En 19X6, il a fonctionné pendant 10 000 heures. Sa valeur de rebut prévue est de 5000 $.

4. L'entreprise loue une partie de son immeuble ce qui lui rapporte des produits de 1000 $ par mois. Elle exige que le loyer soit payé d'avance.

5. Un dénombrement des articles en stock et leur évaluation, au 31 décembre 19X6, nous indique que le stock de marchandises s'élève à 25 000 $.

6. Une analyse des comptes-clients nous apprend que l'entreprise espère recouvrer 45 000 $ par l'encaissement de ses comptes-clients.

Travail à faire

a) Enregistrez les écritures de régularisation au journal général.

b) Après avoir reporté ces écritures au grand livre général et dressé une balance de vérification régularisée (sans exposer ces étapes ici), présentez :

1) l'état des résultats pour 19X6 ;
2) l'état des bénéfices non répartis pour 19X6.

c) Après avoir enregistré les écritures de fermeture et préparé la balance de vérification après fermeture, sans les produire ici, rédigez le bilan au 31 décembre 19X6.

PROBLÈME 2 — L'AVENIR EST À L'OUEST
RECONSTITUTION DES RÉGULARISATIONS À PARTIR DES ÉTATS FINANCIERS

L'Avenir est à l'Ouest est un mensuel d'actualité qui a été fondé il y a quelques années. On peut souscrire à un abonnement annuel ou trisannuel ou encore l'acheter dans les kiosques. Jusqu'en 19X9, la revue avait confié sa comptabilité à une firme spécialisée dans la tenue de livres. Toutefois, cette même année, un teneur de livres à plein temps a été embauché. Celui-ci a fait un bon travail pendant l'année, mais au moment de la préparation de l'état des résultats pour l'année terminée le 31 décembre 19X9, il a éprouvé quelques difficultés. En fait, il ignore certains principes comptables et n'a effectué aucune régularisation des comptes. On a alors fait appel à un bureau d'experts-comptables pour refaire correctement l'état des résultats. Voici les deux états des résultats ; le premier est celui qui a été préparé par le bureau de comptables :

L'AVENIR EST À L'OUEST LTÉE
État des résultats
pour l'exercice terminé le 31 décembre 19X9

Produits d'exploitation
    Abonnements à la revue   525 000 $

Charges d'exploitation
    Coût de production de la revue

Papier journal utilisé	80 000 $	
Salaires, imprimerie	41 600	
Salaires, journalistes	43 680	
Amortissement — Équipement d'imprimerie	11 000	
Loyer, imprimerie	12 000	
Électricité, imprimerie	3 000	
Fournitures, imprimerie	3 000	
Assurances, imprimerie	2 000	196 280

Frais de vente

Publicité	30 000	
Téléphone, électricité	5 000	
Salaires des représentants	29 120	
Frais de camions	4 000	
Amortissement — Camions	6 000	
Loyer	2 400	
Assurance	1 000	77 520

Frais d'administration

Salaires	34 320	
Loyer	2 820	
Amortissement — Matériel de bureau	7 000	
Fournitures de bureau	1 900	
Téléphone, électricité	2 100	
Assurance	500	48 640
		322 440

Bénéfice d'exploitation avant impôts		202 560
Produits de location		10 800
Bénéfice avant impôts		213 360
Impôts sur le revenu		(102 413)
Bénéfice net		110 947 $

Voici maintenant l'état des résultats produit par le teneur de livres :

L'AVENIR EST À L'OUEST LTÉE
État des résultats
pour l'exercice terminé le 31 décembre 19X9

Produits d'exploitation

Abonnements à la revue		615 000 $
Charges d'exploitation		
Coût de production de la revue		
Papier journal utilisé	85 000 $	
Salaires, imprimerie	40 000	
Salaires, journalistes	42 000	
Loyer, imprimerie	13 000	
Électricité, imprimerie	3 000	
Fournitures, imprimerie	5 000	188 000
Frais de vente		
Publicité	35 000	
Téléphone, électricité	5 000	
Salaires des représentants	28 000	
Frais de camions	4 000	
Loyer	2 600	74 600
Frais d'administration		
Salaires	33 000	
Loyer	3 055	
Fournitures de bureau	2 720	
Téléphone, électricité	2 100	40 875
		303 475
Bénéfice d'exploitation avant impôts		311 525
Produits de location		11 700
Bénéfice avant impôts		323 225
Impôts sur le revenu		90 000
Bénéfice net		233 225 $

Travail à faire

Produisez, sous forme d'écritures de journal, les régularisations qui ont été enregistrées avant la préparation de l'état des résultats correct et qui avaient été oubliées lors de la préparation de l'état des résultats par le teneur de livres.

PROBLÈME 3 — GESNA INC.
RÉGULARISATIONS ÉTATS FINANCIERS

La société Gesna inc. est une entreprise de consultation en administration qui a commencé ses activités le 1er janvier 19X1. On vous soumet le solde des comptes du grand livre général non régularisés à la fin de l'exercice financier 19X5, soit le 31 décembre :

Amortissement cumulé — Automobiles	22 000 $
Amortissement cumulé — Mobilier de bureau	5 000
Automobiles	50 000
Bénéfices non répartis	28 100
Capital-actions ordinaires	28 000
Charges payées d'avance	18 000
Comptes-clients	194 500
Comptes-fournisseurs	86 200
Dividendes	9 000
Encaisse	22 900
Emprunt bancaire	38 000
Emprunt hypothécaire	72 000
Entretien et réparations	9 100
Essence et huile	3 700
Fournitures de bureau (charge)	14 600
Honoraires de consultation	309 900
Intérêts (charge)	10 800
Loyer	84 000
Mobilier de bureau	27 000
Provision pour créances irrécouvrables (solde débiteur)	800
Publicité	16 600
Salaires	92 700
Taxes foncières	3 500
Titres négociables	32 000

Renseignements additionnels

1. Les automobiles et le mobilier de bureau n'ont aucune valeur résiduelle et ont une vie utile respective de cinq et dix ans. Voir le n° 14.

2. Les salaires courus au 31 décembre 19X5 sont de 1700 $.

3. Le loyer mensuel est de 6000 $ et est payable au début de chaque trimestre. Le dernier paiement trimestriel a été effectué le 1er décembre 19X5.

4. L'emprunt bancaire porte intérêt au taux de 12 % ; les intérêts ont été payés jusqu'au 30 septembre 19X5.

5. Il restait un stock de fournitures de bureau évalué à 2700 $ au 31 décembre 19X5.

6. Un dividende de 3000 $ a été déclaré le 15 décembre 19X5, payable le 15 janvier 19X6. Ce dividende n'a pas été inscrit dans les livres comptables, même s'il devient une dette légale pour l'entreprise au moment de sa déclaration.

7. Le compte Charge payée d'avance comprend le paiement d'une prime d'assurance couvrant la période du 1er mai 19X5 au 31 octobre 19X6.

8. Le 23 décembre 19X5, un client a payé à l'avance, à la société Gesna inc., un montant de 4800 $ pour des services à être rendus en 19X6.

9. Les titres négociables sont constitués d'obligations de la Municipalité de Roberval et portent intérêt au taux de 14 % l'an. Ces obligations ont été acquises le 1er septembre 19X5. Aucun intérêt n'a été reçu au 31 décembre 19X5. Arrondissez à la centaine.

10. On estime la provision pour créances irrécouvrables à 6500 $ au 31 décembre 19X5.

11. L'entreprise est soumise à un taux d'impôt sur le bénéfice de 30 %. Le bénéfice comptable et le revenu imposable sont identiques, par hypothèse.

12. Le 31 décembre 19X5, l'entreprise a vendu au comptant, pour la somme de 6800 $, une automobile acquise le 1er janvier 19X4 pour 12 000 $. Cette transaction n'a pas été enregistrée dans les livres comptables de la Société. Aucune autre acquisition ou aliénation d'automobiles n'a eu lieu en 19X5.

13. Les honoraires afférents à des services rendus en 19X5, mais que l'entreprise n'a pas encore facturés et comptabilisés au 31 décembre 19X5, atteignent 18 600 $.

14. Tout le mobilier de bureau a été acquis le 1er janvier 19X1, sauf un élément acheté le 30 juin 19X5 au coût de 2000 $.

15. L'emprunt hypothécaire porte intérêt au taux de 15 % l'an et est remboursable à raison de 4000 $ par année. L'intérêt est payable le 31 octobre de chaque année.

Travail à faire

Rédigez, en bonne et due forme, les états financiers suivants pour l'exercice 19X5 :

a) L'état des résultats ;

b) L'état des bénéfices non répartis ;

c) Le bilan.

Vous pouvez utiliser la feuille de travail qui suit.

GESNA INC.
Chiffrier
pour l'exercice terminé le 31 décembre 19X5

	Balance de vérification		Régularisation		Balance de vérification régularisée		État des résultats		Bilan	
	Débit	Crédit	Débit	Crédit	Débit	Crédit	Débit	Crédit	Débit	Crédit
Encaisse	22 900									
Comptes-clients	194 500									
Provision pour créances irrécouvrables		800								
Titres négociables	32 000									
Charges payées d'avance	18 000									
Automobiles	50 000									
Amortissement cumulé — Automobiles		22 000								
Mobilier de bureau	27 000									
Amortissement cumulé — Mobilier		5 000								
Emprunt bancaire		38 000								
Comptes-fournisseurs		86 200								
Emprunt hypothécaire		72 000								
Capital-actions ordinaires		28 000								
Bénéfices non répartis		28 100								
Dividendes	9 000									
Honoraires de consultation		309 900								
Essence et huile	3 700									
Fournitures de bureau	14 600									
Intérêts	10 800									
Loyer	84 000									
Publicité	16 600									
Salaires	92 700									
Taxes foncières	3 500									
Entretien et réparations	9 100									
	589 200 $	589 200 $								
Amortissement — Mobilier de bureau										
Amortissement — Automobiles										
Loyer payé d'avance										
Intérêts courus à payer										
Fournitures de bureau (stock)										
Dividendes à payer										
Assurances										
Honoraires reçus d'avance										
Intérêts courus à recevoir										
Produits d'intérêts										
Salaires courus à payer										
Créances irrécouvrables										
Perte sur aliénation d'automobiles										
Honoraires courus à recevoir										
Impôt à payer										
Impôt										
Bénéfice net										

PROBLÈME 4 — DÉCORATION NATACHA LTÉE
RÉGULARISATIONS, ÉTATS FINANCIERS

Jean Latraverse, comptable, obtient une feuille de travail établissant le solde des comptes de Décoration Natacha ltée au 31 décembre 19X5.

Clients	35 000 $
Assurances payées d'avance	3 500
Terrain	15 000
Fournisseurs	12 100
Emprunt hypothécaire	44 471
Amortissement cumulé — Immeuble	3 000
Encaisse	7 936
Immeuble	60 000
Provision pour créances douteuses	1 500
Capital-actions	20 000
Bénéfices non répartis	24 543
Taxes foncières	5 100
Téléphone	4 300
Salaires	41 671
Honoraires	114 265
Amortissement cumulé — Mobilier de bureau	1 200
Fournitures de bureau — Charges	13 000
Chauffage et électricité	6 550
Dividendes	12 000
Intérêts sur hypothèque	522
Mobilier de bureau	12 000
Matériel roulant	4 500

Renseignements additionnels

1. Au 31 décembre 19X5, on estime ne pouvoir recouvrer que 31 500 $ de comptes-clients.

2. Les comptes de taxes foncières sont payables le 1er décembre de chaque année et couvrent la période allant du 1er mai au 30 avril ; le dernier compte de taxes s'élevait à 3900 $.

3. Voici le détail des polices d'assurances en vigueur au 31 décembre 19X5 :

N° DE POLICE	DURÉE	DATE D'EXPIRATION	PRIME
A1	2 ans	19X5-12-31	1 000 $
B2	3 ans	19X6-07-01	1 800 $
C3	3 ans	19X7-12-31	2 100 $

4. Les actifs immobilisés sont comptabilisés au coût et amortis selon la méthode linéaire :

- L'immeuble a une durée d'utilisation de 20 ans ;

- Le taux d'amortissement du mobilier est de 10 % ;

- Le solde du compte Matériel roulant est constitué du coût d'une automobile achetée le 1ᵉʳ mars 19X5. La durée d'utilisation est de 4 ans et la valeur de rebut de 900 $.

5. Le stock de fournitures de bureau est évalué à 1250 $ au 31 décembre 19X5.

6. Trois clients ont versé des dépôts totalisant 3500 $ afin de retenir les services de Natacha Tétrault, la directrice, en qualité de conseillère en décoration. Aucun de ces services n'avaient encore été rendus au 31 décembre 19X5.

7. Un client s'est plaint de l'inexactitude de son relevé de compte. Il semble qu'un versement de 1520 $ ait été comptabilisé à 1250 $. Aucune rectification n'avait été faite au 31 décembre 19X5.

8. L'emprunt hypothécaire a été effectué le 1ᵉʳ février 19X3, le taux d'intérêt est de 14 % et les remboursements annuels s'échelonnent sur 25 ans, selon le tableau suivant :

DATE	VERSEMENT	PRINCIPAL	INTÉRÊTS	SOLDE
1ᵉʳ février 19X3				45 000 $
1ᵉʳ février 19X4	6 547 $	247 $	6 300 $	44 753
1ᵉʳ février 19X5	6 547	282	6 265	44 471
1ᵉʳ février 19X6	6 547	321	6 226	44 150

Travail à faire

a) Effectuez les régularisations (sous forme d'écritures de journal) nécessaires à la préparation des états financiers au 31 décembre 19X5. Il n'est pas nécessaire de les reporter au grand livre général.

b) Sans avoir préparé formellement une balance de vérification régularisée, rédigez l'état des résultats de même que l'état des bénéfices non répartis pour l'exercice terminé le 31 décembre 19X5.

c) Faites comme si les écritures de fermeture avaient été enregistrées et préparez le bilan au 31 décembre 19X5.

NOTE : Ne tenez pas compte de l'impôt sur le revenu dans ce problème.

PROBLÈME 5 — TRANSPORT RAPIDEX LTÉE
RÉGULARISATION, ÉTATS FINANCIERS

Transport Rapidex ltée existe depuis *deux ans*. À la fin de la deuxième année, Paul Langlois, principal actionnaire et président de la petite entreprise, présente les états financiers suivants à la banque, à l'appui de sa demande de prêt :

TRANSPORT RAPIDEX LTÉE
État des résultats
pour l'exercice terminé le 31 décembre 19X9

Produits d'exploitation		
Transport		150 000 $
Charges d'exploitation		
Salaires des camionneurs	45 000 $	
Entretien des camions	18 000	
Frais de camions	20 000	
Salaires de l'administration	19 000	
Frais de bureau	1 500	
Loyer	11 000	114 500
Bénéfice net		35 500 $

TRANSPORT RAPIDEX LTÉE
Bilan
au 31 décembre 19X9

ACTIF		
Encaisse		500 $
Clients		5 400
Fournitures d'entretien		5 000
Frais payés d'avance		3 000
Camions	150 000 $	
Amortissement cumulé	(30 000)	120 000
Mobilier de bureau	25 000	
Amortissement cumulé	(2 500)	22 500
		156 400 $
PASSIF		
Fournisseurs	3 000	
Billets à payer	75 000	78 000 $
AVOIR DES ACTIONNAIRES		
Capital-actions	50 000	
Bénéfices non répartis	28 400	78 400
		156 400 $

Le directeur de la banque a refusé ces états financiers parce que, de toute évidence, ils sont inexacts. La révision des documents et des registres comptables a révélé les faits suivants :

1. Aucun amortissement n'a été considéré pendant l'année 19X9, ni sur les camions ni sur le mobilier de bureau. De tels amortissements avaient pourtant été calculés en 19X8. Ces biens ont fourni approximativement les mêmes services qu'en 19X8.

2. Les camionneurs sont payés toutes les deux semaines, le jeudi. La fin d'année a coïncidé avec le mardi précédant la paie. Celle-ci est de 1800 $ pour 10 jours ouvrables.

3. Les achats de matériel d'entretien pour les camions sont débités au compte Fournitures d'entretien. Quant aux stocks de fournitures, ils ne s'élevaient qu'à 1000 $ en fin d'exercice.

4. Une prime d'assurance-camions de 3000 $ a été payée au début de 19X8. Cette assurance accorde une protection de trois ans. Un montant de 2000 $ subsiste au bilan pour cette assurance.

5. Un contrat, signé l'an dernier, couvrant la location d'un espace utilisé à la fois pour le bureau et l'entrepôt, ainsi qu'un terrain de stationnement, est en cours. Le loyer est de 1000 $ par mois.

6. Le teneur de livres s'est trompé dans le traitement de certaines transactions. Par exemple, un montant de 30 000 $ pour des services de transport rendus en 19X8 n'a été facturé et enregistré qu'en 19X9. Toutefois, en 19X9, un contrat de services réguliers a été signé avec une grande entreprise, en vertu duquel Transport Rapidex ltée s'engage à transporter en priorité du matériel fragile. Une somme de 9000 $ a été encaissée en 19X9 alors que les services ne doivent débuter qu'en 19Y0. Ce montant a été enregistré dans les produits d'exploitation.

7. L'entreprise doit payer un impôt de 50 % sur les bénéfices nets. Aucun impôt n'a été payé en 19X9.

8. Un chèque de 410 $, adressé à un fournisseur, a été enregistré à 140 $ en 19X9. Le directeur de la banque a éprouvé de la difficulté à concilier le montant présenté à l'encaisse au bilan et le solde réel du compte.

9. L'emprunt sur billet a été contracté au début de 19X8. Les intérêts sont de 12 % et payables le 31 décembre. Toutefois, l'entreprise n'a pu effectuer le paiement en décembre 19X9.

Travail à faire

a) Corrigez les comptes apparaissant aux états financiers selon la feuille de travail suivante :

Postes	Montants actuels	Régularisations	Montants corrects

b) Rédigez un état des résultats et un bilan corrects qui pourront être présentés à la banque.

PROBLÈME 6 — SERVICES D'ENTRETIEN TESSIER ENR.
ENSEMBLE DES RÉGULARISATIONS

On vous fournit ci-dessous la balance de vérification de Services d'entretien Tessier enr. au 31 décembre 19X3.

SERVICES D'ENTRETIEN TESSIER ENR. **Balance de vérification** **au 31 décembre 19X3**		
Encaisse	650 $	
Clients	210	
Assurances payées d'avance	525	
Loyer payé d'avance	150	
Fournitures de nettoyage (stock)	815	
Équipement de nettoyage	2 750	
Amortissement cumulé — Équipement de nettoyage		1 410 $
Camions	6 680	
Amortissement cumulé — Camions		1 790
Fournisseurs		110
Produits d'entretien reçus d'avance		225
Capital, Rodolphe Tessier		6 435
Prélèvements, Rodolphe Tessier	6 600	
Produits de services d'entretien		18 245
Salaires	8 650	
Loyer	400	
Essence, huile et réparations des camions	785	
	28 215 $	28 215 $

Renseignements additionnels

1. L'assurance, pour une protection de deux ans, a été contractée le 1er juillet 19X2.

2. L'entreprise de M. Tessier loue un garage et un entrepôt. Au début de l'année, M. Tessier a payé d'avance trois mois de loyer, tel qu'indiqué à la balance de vérification. Le loyer pour les mois d'avril à novembre a été payé au début de chaque mois. Quant à celui de décembre, il n'était pas encore payé au 31 décembre 19X3.

3. Le stock de fournitures de nettoyage est évalué à 145 $ au 31 décembre.

4. L'amortissement annuel est de 320 $ pour l'équipement et de 845 $ pour les camions.

5. Le 1er novembre, l'entreprise de M. Tessier a signé un important contrat avec la firme Magnatum inc., par lequel elle s'engageait à nettoyer leurs locaux pour la somme de 75 $

par mois. Magnatum a payé d'avance trois mois d'entretien et cette somme a été créditée au compte Produits d'entretien reçus d'avance.

6. Services d'entretien Tessier enr. est aussi chargé de nettoyer les locaux de Clermont ltée pour la somme de 50 $ par mois. Les services rendus en décembre n'étaient pas encore facturés au 31 décembre 19X3.

7. Les employés sont payés toutes les deux semaines. La paie totalise 335 $ pour 10 jours ouvrables. Ainsi, au 31 décembre, six jours de travail n'étaient pas encore payés, la paie devant avoir lieu au début de janvier.

Travail à faire

a) Corrigez les comptes apparaissant aux états financiers selon la feuille de travail suivante, ou par écriture de journal, au choix :

Postes	Montants actuels	Régularisations	Montants corrects

b) Rédigez les états financiers.

PROBLÈME 7 — MAXI LTÉE
RÉGULARISATIONS ÉTATS FINANCIERS FEUILLE DE TRAVAIL

La société Maxi ltée, une société par actions, exploite un salon de massage dans une luxueuse bâtisse acquise à très bon prix. M. Massé, le seul actionnaire, est un bon vivant et a pour devise : « Un client bien relaxé est un client bien servi ».

Cependant, en feuilletant les registres comptables, M. Massé s'est aperçu que son comptable enregistrait les opérations d'une bien curieuse façon. Entretenant des doutes quant à la qualité des services de son comptable, il décide de vous consulter à ce sujet. Il vous soumet la balance de vérification non régularisée au 31 décembre 19X1 et vous demande de vérifier le travail de son comptable pour ensuite dresser les états financiers de la Société.

MAXI LTÉE
Balance de vérification non régularisée
au 31 décembre 19X1

	Débit	Crédit
Encaisse	1 000 $	$
Clients	17 000	
Valeurs négociables	10 000	
Terrain	5 000	
Immeuble	78 000	
Amortissement cumulé — Immeuble		7 800
Mobilier et équipement	9 500	
Amortissement cumulé — Mobilier		2 100
Comptes-fournisseurs		3 700
Emprunt hypothécaire		21 000
Capital-actions		4 000
Bénéfices non répartis		27 400
Dividendes	2 000	
Produits d'exploitation		150 000
Produits de loyer		4 200
Salaires	61 000	
Publicité	12 500	
Matériel et fournitures	6 000	
Téléphone	1 400	
Chauffage et électricité	4 500	
Entretien et réparations	7 200	
Frais de buanderie	3 500	
Intérêts, charge	1 600	
	220 200 $	220 200 $

En vérifiant les livres et d'après les explications fournies par M. Massé, vous notez les faits suivants au 31 décembre 19X1 :

1. La Société a acquis 15 000 $ d'équipement (3 nouvelles tables de massage) le 30 juin 19X1. Le comptable avait fait une erreur en enregistrant la transaction au journal général :

	Débit	Crédit
Clients	15 000	
Encaisse		15 000

Les tables avaient été payées comptant.

De plus, le comptable n'avait pas enregistré la vente de certaines vieilles tables de massage. Ces tables, qui avaient coûté 4500 $, ont été vendues le 1ᵉʳ janvier 19X1 pour la somme de 3800 $ comptant. À cette date, l'amortissement cumulé s'élevait à 700 $.

2. En examinant les factures d'achat, vous vous rendez compte qu'une facture de 1200 $, chargée au compte Entretien et réparations, présente uniquement des dépenses personnelles de M. Massé.

3. Vous vous apercevez également que M. Massé a prêté 5000 $ à son entreprise, la société Maxi ltée, et que la transaction avait été enregistrée de la façon suivante au journal général :

	Débit	Crédit
Valeurs négociables	**5 000**	
Produits d'exploitation		**5 000**

4. M. Massé vous informe que l'expérience lui a appris que 20 % des comptes-clients doivent faire l'objet d'une provision pour créances irrécouvrables.

5. Les valeurs négociables (le solde redressé) sont constituées par un dépôt à terme d'un an qui a été contracté le 1ᵉʳ juillet 19X1 et qui porte intérêt au taux de 12 %. Les intérêts sont payables à l'échéance.

6. Les immobilisations sont amorties comme suit, selon la méthode de l'amortissement linéaire :

Immeuble	5 %
Mobilier et équipement	10 %

M. Massé vous indique également que les nouvelles tables de massage ont une valeur de rebut de 2000 $. Toutes les autres immobilisations ont une valeur de rebut négligeable.

7. L'emprunt hypothécaire est remboursable par versements annuels, principal et intérêts, au 31 décembre de chaque année. Le taux d'intérêt est de 7,5 %.

DATE	VERSEMENT	PRINCIPAL	INTÉRÊTS	SOLDE
31 décembre 19X1	2 000 $	400 $	1 600 $	21 000 $
31 décembre 19X2	2 000	425	1 575	20 575

Le versement de l'année 19X1 a été effectué.

8. Maxi ltée loue une partie de sa bâtisse pour la modique somme de 300 $ par mois et exige que le loyer soit payé 2 mois à l'avance depuis le mois de janvier 19X1.

9. Maxi ltée a payé une facture de publicité de 2500 $, concernant des annonces qui paraîtront de janvier à mars 19X2.

10. Les salaires sont payés toutes les 2 semaines. La paie versée le 7 janvier 19X2 s'élevait à 1300 $.

11. M. Massé vous informe qu'il s'est déclaré des dividendes de 20 000 $, mais que Maxi ltée ne lui a versé que 2000 $ au 31 décembre 19X1. Le solde sera payable le 31 janvier 19X2.

Travail à faire

a) Effectuez les corrections et les régularisations au 31 décembre 19X1 en utilisant la feuille de travail ci-après.

b) Rédigez l'état des résultats ainsi que l'état des bénéfices non répartis de l'exercice terminé le 31 décembre 19X1.

c) Rédigez le bilan au 31 décembre 19X1.

MAXI LTÉE
Chiffrier partiel
pour l'exercice terminé le 31 décembre 19X1

Description	Balance de vérification		Écritures de régularisation		Balance de vérification régularisée	
	Dt	Ct	Dt	Ct	Dt	Ct
Encaisse	1 000					
Comptes-clients	17 000					
Valeurs négociables	10 000					
Frais payés d'avance						
Intérêts courus à recevoir						
Terrain	5 000					
Immeuble	78 000					
Amortissement cumulé — Immeuble		7 800				
Mobilier et équipement	9 500					
Amortissement cumulé — Mobilier et équipement		2 100				
Comptes-fournisseurs		3 700				
Intérêts courus à payer						
Emprunt hypothécaire		21 000				
Produits reçus d'avance						
Capital-actions		4 000				
Bénéfices non répartis		27 400				
Dividendes	2 000					
Dividendes courus à payer						
Dû à un actionnaire ou à recevoir						
Provision pour créances irrécouvrables						
Portion exigible de l'emprunt hypothécaire						
Salaires courus à payer						
Produits d'exploitation		150 000				
Produits de loyer		4 200				
Salaires	61 000					
Publicité	12 500					
Matériel et fournitures	6 000					
Téléphone	1 400					
Chauffage et électricité	4 500					
Entretien et réparations	7 200					
Frais de buanderie	3 500					
Intérêts, charge	1 600					
Intérêts, produits						
Créances irrécouvrables						
Amortissement — Immeubles						
Amortissement — Mobilier et équipement						
	220 200 $	220 200 $				

PROBLÈME 8 — AU COTON LTÉE
ENSEMBLE DES RÉGULARISATIONS

Vous travaillez chez Au Coton ltée. En tant que membre du comité de direction, vous recevez les états financiers ci-dessous. Toutefois, ces états vous semblent incorrects, car les comptes n'ont pas été régularisés. Vous désirez compléter le travail afin de mesurer adéquatement le bénéfice de l'entreprise.

AU COTON LTÉE
État des résultats
pour l'exercice terminé le 31 décembre 19X3

Ventes		**2 000 000 $**
Coût des marchandises vendues		
Stock de marchandises au début	200 000 $	
Achats	1 500 000	
Disponible à la vente	1 700 000	
Stock de marchandises à la fin	833 333	866 667
Bénéfice brut		1 133 333
Salaires des vendeurs		71 000
Location de camions		37 000
Salaires administration		51 600
Assurance		7 200
Frais d'administration divers		11 000
Publicité		45 900
Intérêts		36 000
Téléphone, électricité		5 150
		868 483
Autres produits		
Produits de location	26 000	
Produits d'intérêts	7 333	33 333
Bénéfice avant impôts		901 816
Impôts		450 908
Bénéfice net		450 908 $

AU COTON LTÉE
Bilan
au 31 décembre 19X3

ACTIF
Actif à court terme

Encaisse		17 600 $
Comptes-clients		199 333
Placement en Obligations du Québec		40 000
Stocks de marchandises		833 333
		1 090 266

Actif à long terme

Terrain		150 000
Immeuble	300 000 $	
Amortissement cumulé — Immeuble	(95 000)	205 000
Équipement	80 000	
Amortissement cumulé — Équipement	(14 750)	65 250
		420 250
		1 510 516 $

PASSIF
Passif à court terme

Comptes-fournisseurs		52 750 $
Emprunt bancaire		80 000
Impôts à payer		450 908
		583 658

Passif à long terme

Emprunt hypothécaire		357 000
		940 658

AVOIR DES ACTIONNAIRES

Capital-actions	100 000 $	
Bénéfices non répartis	469 858	569 858
		1 510 516 $

AU COTON LTÉE
État des bénéfices non répartis
pour l'exercice terminé le 31 décembre 19X3

Solde au début	118 950 $
Bénéfice net	450 908
	569 858
Dividendes	(100 000)
Solde à la fin	469 858 $

Renseignements additionnels

1. L'immeuble a une valeur de rebut de 50 000 $ et une vie utile de 50 ans. L'équipement a une vie utile de 10 ans et une valeur de rebut de 7500 $.

2. L'entreprise détient des Obligations du Québec dont le taux d'intérêt est de 20 %. Ces intérêts sont payables le 30 novembre et le 31 mai.

3. Au tout début de 19X3, on a vendu de l'équipement qui avait coûté 10 000 $ pour la somme de 10 000 $. Un amortissement cumulé de 2000 $ existait à cette date sur cet équipement. La transaction fut enregistrée ainsi :

Banque	**10 000**	
Équipement		**10 000**

4. Le paiement d'un compte à un fournisseur fut enregistré à 1500 $ alors que le montant réel du chèque était de 5100 $.

5. Les stocks de marchandises au 31 décembre 19X3 furent évalués au prix de vente à 833 333 $. Vous n'êtes pas d'accord car vous estimez que les stocks auraient dû être évalués au coût. Vous savez que l'entreprise réalise une marge de bénéfice brut de 40 %.

6. À cause des comptes-clients douteux vous estimez ne pouvoir recouvrer que 195 333 $ sur ces comptes.

7. La paie des vendeurs est versée tous les deux jeudis. Elle s'élève actuellement à 4000 $. La fin d'exercice a coïncidé avec le milieu de la période de paie.

8. Les camions sont loués. Tout au long de l'année il en a coûté 3000 $ par mois.

9. L'entreprise sous-loue une partie de son immeuble pour 2000 $ par mois.

10. L'entreprise fait paraître des annonces dans un journal quotidien à des fins de publicité. Le coût est de 100 $ par parution. On a payé d'avance, à la signature du contrat, pour faire paraître des annonces pendant 1 mois. Il reste 29 jours de parution à la fin de l'année en vertu de ce contrat.

11. On détient plusieurs polices d'assurance. On a payé pour une de ces polices une prime de 2400 $ pour une protection de deux ans. On a souscrit à cette assurance au début de 19X3.

12. Voici des informations concernant l'emprunt hypothécaire :

DATE	VERSEMENT	INTÉRÊTS	PRINCIPAL	SOLDE
				360 000 $
1er juillet 19X3	75 000 $	72 000 $	3 000 $	357 000 $
1er juillet 19X4	75 000	71 400	3 600	353 400
1er juillet 19X5	75 000	70 680	4 320	349 080
1er juillet 19X6	75 000	69 816	5 184	343 896

La Société paie des impôts de 50 %. Vous devez revoir le montant des impôts en fonction de vos nouveaux résultats. L'entreprise n'a pas encore effectué de versement sur ses impôts en 19X3.

Travail à faire

Refaites correctement :

a) L'état des résultats.

b) L'état des bénéfices non répartis.

c) Le bilan au 31 décembre 19X3.

NOTE : Répondez sur les feuilles de travail ci-après.

AU COTON LTÉE
État des résultats
pour l'exercice terminé le 31 décembre 19X3

1. **Ventes** $ _____ $

   Coût des ventes
2. **Stock au début** $ _____
3. **Achats**   _____

   Disponible à la vente
4. **Stock à la fin**   _____   _____

5. **Bénéfice brut**
6. **Créances irrécouvrables** $ _____
7. **Salaires des vendeurs**
8. **Location de camions**
9. **Salaires, administration**
10. **Assurance**
11. **Frais d'administration divers**
12. **Amortissement — Immeuble**
13. **Amortissement — Équipement**
14. **Publicité**
15. **Intérêts**
16. **Téléphone, électricité**   _____

    Autres produits
17. **Produits de location**
18. **Produits d'intérêts**
19. **Profit sur aliénation d'équipement** _____   _____

    Bénéfice avant impôts
20. **Impôts**   _____

    Bénéfice net $ _____

AU COTON LTÉE
État des bénéfices non répartis
pour l'exercice terminé le 31 décembre 19X3

21. **Solde au début** $ _____
22. **Bénéfice net**   _____

23. **Dividendes**   _____
24. **Solde à la fin** $ _____

AU COTON LTÉE
Bilan
au 31 décembre 19X3

ACTIF
Actif à court terme
25. **Encaisse** $
26. **Comptes-clients** $
27. **Provision pour créances irrécouvrables**   ( )

28. **Placement en Obligations du Québec**
29. **Stock de marchandises**
30. **Location payée d'avance**
31. **Assurance payée d'avance**
32. **Publicité payée d'avance**
33. **Intérêts courus à recevoir** $

Actif à long terme
34. **Terrain**
35. **Immeuble**
36. **Amortissement cumulé — Immeuble**   ( )

37. **Équipement**
38. **Amortissement cumulé — Équipement**   ( )

     $

PASSIF
Passif à court terme
39. **Comptes-fournisseurs** $
40. **Emprunt bancaire**
41. **Salaires courus à payer**
42. **Intérêts courus à payer**
43. **Produits reçus d'avance**
44. **Portion exigible de l'emprunt hypothécaire**
45. **Impôts à payer**

     $

Passif à long terme
46. **Emprunt hypothécaire**

AVOIR DES ACTIONNAIRES
47. **Capital-actions**
48. **Bénéfices non répartis**

     $

PROBLÈME 9 — LOUIS SAUVÉ ENR.
ENSEMBLE DES RÉGULARISATIONS

Vous désirez rédiger les états financiers de votre client, Louis Sauvé enr. M. Deschamps, le propriétaire, vous remet la balance de vérification non régularisée suivante ; l'exercice financier se termine le 31 décembre :

LOUIS SAUVÉ ENR.
Balance de vérification
au 31 décembre 19X1

Encaisse	7 850 $
Comptes-clients	22 300
Provision pour créances irrécouvrables	1 820
Taxe payée d'avance au 1ᵉʳ janvier 19X1	20
Assurances payées d'avance	2 390
Placements temporaires	20 000
Mobilier de bureau	8 400
Amortissement cumulé — Mobilier de bureau	1 680
Matériel roulant	15 300
Loyer payé d'avance	300
Comptes-fournisseurs	25 600
Emprunt bancaire	12 500
Capital	25 550
Apport	2 700
Produits de gestion	102 700
Publicité	12 900
Loyer	3 300
Téléphone	550
Taxes d'affaires	240
Papeterie	4 900
Frais de déplacement	10 800
Entretien et réparations	2 000
Frais divers de bureau	6 200
Frais de représentation	10 100
Salaires de bureau	42 600
Électricité	2 400

Renseignements additionnels

1. M. Deschamps paie un loyer mensuel de 300 $. Le locateur a exigé, au 1ᵉʳ janvier 19X1, le loyer du mois de décembre 19X3 comme mesure de protection.

2. Le 1ᵉʳ juin, M. Deschamps a acheté 20 000 $ d'Obligations d'épargne du gouvernement ; elles rapportent un taux d'intérêt annuel de 15 %. Ces intérêts sont encaissables le 1ᵉʳ juin de chaque année. M. Deschamps voulait ainsi placer temporairement un surplus de fonds de Louis Sauvé enr.

3. Le 15 novembre, l'entreprise a dû emprunter de l'argent à la banque. Un prêt fut consenti à l'entreprise pour trois mois à un taux d'intérêt de 16 %.

4. Le 2 janvier 19X2, l'entreprise a reçu un compte d'électricité de 230 $.

5. Le compte Frais de déplacement comprend un voyage personnel que M. Deschamps a effectué durant ses vacances ; ce voyage a coûté 2100 $.

6. Le 12 décembre dernier, un client versait 2700 $ pour du travail qui doit être fait en janvier 19X2. M. Deschamps a conservé l'argent pour ses dépenses personnelles et a enregistré la transaction comme suit :

Encaisse	2 700	
Apport		2 700

7. La taxe d'affaires est de 240 $ pour la période du 1er mars 19X1 au 1er mars 19X2.

8. Le compte Assurances payées d'avance s'analyse comme suit :

ASSURANCE	MONTANT	DATE D'ÉMISSION		DURÉE
Responsabilité	800 $	1er avril	19X1	1 an
Feu et vol	520	1er juin	19X1	1 an
Automobile	450	1er octobre	19X1	1 an

Il y a un an, les mêmes assurances avaient coûté, aux mêmes dates :

Responsabilité	600 $
Feu et vol	480
Automobile	360

9. Deux jours de salaires de 19X1 seront payés au début de 19X2. Il s'agit d'un montant de 680 $. Par contre, en analysant le compte Salaires de bureau, vous vous rendez compte que certains employés ont reçu des avances pour le mois de janvier 19X2, totalisant 680 $, et que ce montant y est inclus.

10. Le 1er septembre, M. Deschamps a acheté une automobile neuve pour l'entreprise. Il prévoit qu'il s'en servira 4 ans et qu'il pourra la revendre 4200 $ après cette utilisation.

11. Au début d'octobre M. Deschamps a déboursé 7200 $ pour une campagne publicitaire. Celle-ci prendra fin au début du mois de février 19X2.

12. Le stock de papeterie s'élève à 1750 $, au 31 décembre 19X1.

13. La durée prévue du mobilier de bureau est de 10 ans. La valeur de rebut est négligeable.

Description	Balance de vérification		Écritures de régularisation		Balance de vérification régularisée	
	Dt	Ct	Dt	Ct	Dt	Ct
Encaisse	7 850					
Comptes-clients	22 300					
Provision pour créances irrécouvrables		1 820				
Salaires payés d'avance						
Taxe payée d'avance	20					
Intérêts courus à recevoir						
Assurances payées d'avance	2 390					
Publicité payée d'avance						
Stock de papeterie						
Placements temporaires	20 000					
Mobilier de bureau	8 400					
Amortissement cumulé — Mobilier		1 680				
Matériel roulant	15 300					
Amortissement cumulé — Matériel roulant						
Loyer payé d'avance	300					
Comptes-fournisseurs		25 600				
Emprunt bancaire		12 500				
Loyer à payer						
Intérêt couru à payer						
Honoraires reçus d'avance						
Salaires courus à payer						
Capital		25 550				
Prélèvement						
Apport		2 700				
Produits de gestion		102 700				
Salaires de bureau	42 600					
Frais de représentation	10 100					
Frais de déplacement	10 800					
Frais divers de bureau	6 200					
Publicité	12 900					
Papeterie	4 900					
Loyer	3 300					
Électricité	2 400					
Entretien et réparations	2 000					
Téléphone	550					
Intérêt — Charge						
Taxe d'affaires	240					
Assurances						
Amortissement — Matériel roulant						
Amortissement — Mobilier de bureau						
Produit d'intérêt						
	172 550 $	172 550 $				

Travail à faire

a) Enregistrez les écritures de régularisation ; utilisez la feuille de travail fournie précédemment.

b) Rédigez les états suivants en bonne et due forme :

   1) l'état des résultats ;

   2) l'état de la variation du capital ;

   3) le bilan.

PROBLÈME 10 — LE CLAN PAQUETTE ENR.
RÉGULARISATIONS, ÉTATS FINANCIERS

Le Clan Paquette enr. est une entreprise de plomberie. M. Paquette a travaillé fort pour établir son commerce, mais maintenant il est connu de tous les entrepreneurs généraux de la région, lesquels s'arrachent littéralement ses services. Ses deux fils sont fortement intéressés dans l'affaire, de même que Mme Paquette qui veille aux affaires du bureau. La famille a été heureuse de constater les résultats financiers suivants :

CLAN PAQUETTE ENR.
État des résultats
pour l'exercice terminé le 31 décembre 19X4

Produits d'exploitation		
Installation	210 000 $	
Réparations	45 000	
Apports d'Émile Paquette	5 000	
Intérêts	960	260 960 $
Charges d'exploitation		
Loyer, atelier et bureau	5 500	
Frais des camions	7 300	
Intérêts et frais de banque	2 100	
Publicité	3 200	
Assurances	1 200	
Téléphone, électricité	850	
Salaires	79 500	
Retraits Léo Paquette	15 000	
Retraits Jean-Guy Paquette	5 000	
Retraits Danielle Paquette	4 000	
Frais de bureau	500	
Fournitures utilisées pour installations et réparations	84 000	208 150
Bénéfice net		**52 810 $**

CLAN PAQUETTE ENR.
Bilan
au 31 décembre 19X4

ACTIF

Encaisse		2 300 $
Valeurs négociables		15 000
Comptes-clients		56 000
Stock de fournitures		11 200
Frais payés d'avance		5 400
Camionnettes	49 000 $	
Amortissement cumulé	(17 000)	32 000
Outillage	12 000	
Amortissement cumulé	(6 000)	6 000
		127 900 $

PASSIF

Comptes-fournisseurs	13 200 $
Billet à payer	21 000
Emprunt bancaire	5 400
	39 600

AVOIR DES PROPRIÉTAIRES

Capital Léo Paquette	33 300
Capital Jean-Guy Paquette	22 000
Capital Danielle Paquette	17 000
Capital Émile Paquette	16 000
	88 300
	127 900 $

M. Paquette n'est pas satisfait de ces états financiers. Selon lui, il manque des « affaires » dans ces rapports financiers. Comme il est en train d'effectuer des réparations à votre domicile et qu'il sait que vous vous y connaissez, il vous demande de refaire les états financiers. Vous vous mettez à l'œuvre ; l'examen des documents de même que les conversations que vous avez avec M. Paquette vous fournissent les renseignements suivants :

1. Les membres de la famille intéressés dans l'affaire ont convenu qu'un salaire de 20 000 $ chacun serait raisonnable compte tenu des tâches à effectuer. Tout montant retiré en excédent est considéré comme un prélèvement ou un retrait.

2. Aucune politique précise n'est établie en ce qui concerne les retraits autres que le salaire. Ainsi, Émile Paquette a effectué 5000 $ de retraits l'année dernière. M. Léo Paquette, père et fondateur, a découvert le fait une fois les calculs effectués et les états financiers rédigés, soit le 31 décembre 19X3. Il a donc été convenu qu'Émile Paquette devait réinvestir 5000 $ en 19X4 ; c'est ce qui explique son apport.

3. En discutant avec Léo Paquette vous recueillez les propos suivants : « Ces jeunes font des retraits à tout bout de champ. Personnellement, j'ai dû me serrer la ceinture pour monter cette affaire. Je dois admettre toutefois que, cette année, j'ai effectué une réparation chez un ami qui m'a rapporté 3000 $, que celui-ci m'a payé sous la table. J'ai utilisé 1000 $ de matériel pour cette réparation et j'ai perdu les 3000 $ à la piste de course Le Poney rouge. Le moment était mal choisi pour subir cette perte car nous sommes en train d'accumuler les fonds nécessaires pour ouvrir un commerce de vente au détail d'accessoires de plomberie. »

4. Le 1er juillet 19X4, on a vendu une camionnette 3000 $. Elle avait un coût d'origine de 10 000 $ et 5000 $ d'amortissement cumulé. Cette transaction n'a pas été enregistrée. Une autre camionnette de 15 000 $ a été immédiatement rachetée. Cette dernière transaction a cependant été enregistrée parce que le teneur de livres a reçu une facture.

5. Aucun amortissement n'a été comptabilisé pour les camionnettes. Le commerce a obligatoirement besoin de trois camionnettes. Elles ont chacune une vie utile de cinq ans et 2000 $ de valeur de rebut si elles sont conservées pendant cinq ans. Aucun amortissement n'a été comptabilisé pour l'outillage : il a une vie utile de 10 ans et une valeur de rebut négligeable. Le mobilier de bureau a une valeur insignifiante.

6. Parmi les comptes-clients, un montant de 3000 $ est dû par un entrepreneur en construction dont les affaires vont très mal. En fait, on craint sérieusement de ne pas pouvoir récupérer cette somme.

7. Le billet à payer est au taux d'intérêt de 12 %. Il est remboursable dans trois ans. Les derniers intérêts ont été payés le 1er juillet 19X4.

   L'emprunt bancaire est remboursable en 4 versements semestriels, selon le tableau suivant :

DATE	VERSEMENT	INTÉRÊTS	PRINCIPAL	SOLDE
31 décembre 19X3				7 000 $
1er juillet 19X4	2 020 $	420 $	1 600 $	5 400
31 décembre 19X4	2 020	324	1 696	3 704
1er juillet 19X5	2 020	222	1 798	1 906
31 décembre 19X5	2 020	114	1 906	0

   Le dernier paiement en principal et intérêts a été retiré directement du compte en banque de l'entreprise. Cette transaction est passée inaperçue. Il y a également eu, au cours de l'année, d'autres petits emprunts qui ont été remboursés et correctement comptabilisés.

8. L'entreprise a connu un excellent dernier trimestre, ce qui lui a permis de mettre des fonds de côté. En fait, au début de décembre 19X4, on a acheté pour 15 000 $ d'Obligations du Canada. Les intérêts de 12 % sont payables le 30 avril et le 31 octobre de chaque

année. Il y a également eu certains autres placements au cours de l'exercice mais ceux-ci avaient été encaissés au 31 décembre 19X4. L'entreprise a pour politique d'enregistrer les produits d'intérêts au moment où elle les encaisse.

9. La banque a émis un relevé de compte daté du 31 décembre 19X4. Il indique un solde de 3810 $. La différence avec le solde du compte Encaisse au grand livre général s'explique ainsi : un chèque à un fournisseur, au montant réel de 1390 $, a été comptabilisé dans les comptes de l'entreprise au montant de 1930 $. La somme de 10 $ pour frais bancaires apparaît également sur ce relevé. Le remboursement de l'emprunt décrit plus haut n'avait pas été enregistré, tel qu'indiqué en 7, ni la vente de la camionnette (4).

10. Après un décompte et certaines estimations, vous en arrivez à la conclusion que le stock de fournitures devait être de 5000 $ au 31 décembre 19X4. Le montant de 11 200 $ présenté au bilan était basé sur le prix de vente pratiqué par l'entreprise. Léo Paquette ignorait qu'il fallait évaluer les stocks au coût.

11. Un contrat a été signé avec un entrepreneur de construction à la fin de 19X4. Comme l'entreprise avait eu de la difficulté à percevoir un précédent compte de ce même entrepreneur, elle a exigé un dépôt de 5000 $ avant de commencer les travaux. Ce montant a été comptabilisé comme produit même si, au 31 décembre 19X4, on avait effectué des travaux que pour une valeur approximative de 1000 $. Toutefois, des travaux effectués en 19X3, pour une valeur de 1000 $, n'ont été facturés qu'en 19X4.

12. Les camionnettes et les stocks de l'atelier sont assurés. Voici le détail des polices :

	ENTRÉE EN VIGUEUR	PÉRIODE COUVERTE	MONTANT
Camionnettes	1er juillet 19X3	3 ans	3 600 $
Atelier	1er janvier 19X4	2 ans	1 200

Seul le paiement du 1200 $ pour l'assurance de l'atelier a été considéré comme charge en 19X4.

13. L'entreprise a payé 3200 $ pour 32 annonces publicitaires dans les journaux régionaux. Chaque annonce coûte environ 100 $ et 12 ont paru en 19X4.

14. Les salaires sont payés le jeudi, toutes les deux semaines. Le 31 décembre 19X4 a coïncidé avec le premier jeudi postérieur à la dernière paie de 19X4. À la fin de 19X4, les paies s'élevaient à environ 3200 $ pour 10 jours ouvrables.

15. Le bénéfice net est partagé également entre les quatre personnes concernées.

Travail à faire

a) Présentez les écritures nécessaires pour régulariser les comptes.

b) Rédigez les états financiers suivants :

1) l'état des résultats pour l'exercice terminé le 31 décembre 19X4 ;

2) l'état des capitaux pour l'exercice terminé le 31 décembre 19X4 ;

3) le bilan au 31 décembre 19X4.

PROBLÈME 11 — CHEZ MON ONCLE INC.

Monsieur Ephrem Lavallée est comptable à la Société Chez mon oncle inc. et il vous présente l'état des résultats suivant pour l'exercice terminé le 31 décembre 19X8 :

Produits	
Ventes	**700 000 $**
Charges	
Coût des ventes	300 000
Salaires	200 000
Intérêts	20 000
Amortissement	10 000
Frais de représentation	20 000
Autres charges	50 000
	600 000
Bénéfice net	**100 000 $**

À la lecture de cet état financier, vous constatez l'absence totale de la charge Impôt sur le revenu. Suite à une brève enquête vous découvrez, avec un certain étonnement, que monsieur Lavallée n'était pas au courant que l'impôt sur le revenu existait et encore moins qu'il fallait le porter à l'état des résultats comme charge normale d'exploitaiton.

Sans perdre un instant vous faites appel au cabinet d'experts-comptables Rozon, Bénard et Associés afin d'élucider ce problème mineur (pour eux).

Au cours de l'enquête, les comptables professionnels recueillent les renseignements financiers suivants :

1. La charge d'amortissement de 10 000 $ se rapporte à une pièce de machinerie acquise le 1er janvier 19X7 au coût de 100 000 $. La Société utilise, à des fins comptables, la méthode de l'amortissement linéaire. Dans les registres comptables, ce bien est amorti sur neuf ans avec une valeur résiduelle de 10 000 $. Sur le plan fiscal, ce bien est amorti au taux annuel de 20 %.

2. Le coût des marchandises vendues se détaille ainsi :

Stocks de marchandises du début	70 000 $
Plus : achats de l'année	330 000
Stocks disponibles à la vente	400 000
Moins : stocks de marchandises de la fin	100 000
Coût des marchandises vendues	300 000 $

Sur les achats totaux de l'année, le tiers fut payé comptant.

3. Au cours des exercices antérieurs, les livres comptables et les rapports d'impôts sur le revenu de la Société furent tenus et rédigés correctement par René Uhaut. Le taux d'impôt sur le revenu est de 50 % l'an.

4. Des dividendes de 40 000 $ furent déclarés le 15 décembre 19X8, mais ils sont payables seulement le 17 janvier 19X9.

Travail à faire

a) Déterminez le montant d'impôts sur le revenu qui devra apparaître comme *charge d'exploitation normale* à l'état des résultats pour l'année 19X8 ; montrez séparément l'impôt exigible et l'impôt reporté.

b) En supposant que le solde actuel d'impôts sur le revenu à payer est nul, déterminez le montant qui devra apparaître à ce poste dans les dettes à court terme au 31 décembre 19X8.

Groupe B

PROBLÈME 1 — THÉÂTRE DES VARIÉTÉS DIFFÉRENTS TRAITEMENTS DES RÉGULARISATIONS

Voici les transactions effectuées par le Théâtre des variétés pour le mois d'avril 19X6 :

1. Le 1er avril, on a payé la prime d'une police d'assurance-incendie pour trois ans : 1800 $.

2. Le 1er avril, on a payé 7200 $ pour un système amplificateur dont la durée d'utilisation est estimée à six ans.

3. Le 2 avril, on a vendu 13 500 $ de billets pour la saison théâtrale. Cette saison comporte cinq pièces qui seront présentées dans l'ordre suivant : pièce A, du 10 au 17 avril ; pièce B, du 20 au 27 avril ; pièce C, du 4 au 10 mai ; pièce D, du 14 au 20 mai ; et pièce E, du 24 au 30 mai. Les pièces ont environ le même coût de production et rapportent les mêmes produits d'exploitation.

4. Le 3 avril, on a acheté pour 800 $ de maquillage ; l'inventaire du stock au 30 avril indique qu'il en restait pour 400 $.

5. Le 4 avril, on a signé un contrat avec le ténor Théophile Rossignol pour six soirées, du 28 avril au 3 mai inclusivement. Son cachet correspond à 20 % du montant brut des recettes pour les six soirées et sera payé en un seul versement, après la sixième représentation. Les recettes des trois représentations d'avril se sont élevées à 9000 $.

6. Le 15 avril, on a emprunté 10 000 $ de la Banque Nationale afin de présenter, au début de juin, la fameuse pièce « Deux cerises, deux concombres ». Le remboursement, capital et intérêt annuel de 6 %, doit être effectué dans deux mois. Un effet a été signé.

Travail à faire

Enregistrez les écritures de régularisation au journal général à la fin d'avril en tenant compte du fait que les écritures suivantes ont été passées pour enregistrer les transactions au cours d'exercice (2 hypothèses). Précisez la catégorie de régularisation pour chacune.

PREMIÈRE HYPOTHÈSE

1er avril	Assurances	1 800	
	Encaisse		1 800
1er avril	Équipement	7 200	
	Encaisse		7 200
2 avril	Encaisse	13 500	
	Produits d'admission		13 500
3 avril	Maquillage utilisé	800	
	Encaisse		800
4 avril	Aucune		
15 avril	Encaisse	10 000	
	Emprunt bancaire		10 000

SECONDE HYPOTHÈSE

1er avril	Assurances payées d'avance	1 800	
	Encaisse		1 800
1er avril	Équipement	7 200	
	Encaisse		7 200
2 avril	Encaisse	13 500	
	Produits reçus d'avance		13 500
3 avril	Stock de fournitures	800	
	Encaisse		800
4 avril	Aucune		
15 avril	Encaisse	10 000	
	Emprunt bancaire		10 000

PROBLÈME 2 — SALON DE QUILLES BOULABAT
PROBLÈME RÉSOLU AVEC EXPLICATION DÉTAILLÉE DES RÉGULARISATIONS

Le salon de quilles Boulabat a ouvert ses portes il y a un an, soit le 1er janvier 19X6. Toutes les opérations ont été enregistrées et vous extrayez la balance de vérification suivante du grand livre général, au 31 décembre 19X6 :

	DÉBIT	CRÉDIT
Encaisse	22 000 $	
Clients	3 000	
Terrain	30 000	
Immeuble	150 000	
Équipement	75 000	
Fournisseurs		2 500 $
Effet à payer		18 000
Dette hypothécaire		123 411
Capital — R. Bérubé		121 314
Retraits	12 500	
Produits d'admission		110 000
Salaires	51 600	
Entretien	10 400	
Taxes foncières	2 000	
Électricité, téléphone	1 800	
Frais d'administration	2 700	
Intérêts	10 625	
Assurances	3 600	
	375 225 $	375 225 $

Renseignements additionnels

1. Voici les détails relatifs aux immobilisations :

	Vie utile	Valeur de rebut
Immeuble	30 ans	30 000 $
Équipement	5 ans	5 000 $

2. La dette hypothécaire est remboursable en 25 versements annuels égaux de 12 214 $. Le taux d'intérêt annuel est de 8½ %. Les versements ont lieu au 31 décembre et celui de l'année courante a été fait.

ANNÉE	VERSEMENT	INTÉRÊTS	CAPITAL	SOLDE
				125 000 $
19X6	12 214 $	10 625 $	1 589 $	123 411
19X7	12 214	10 490	1 724	121 687
19X8	12 214	10 343	1 871	119 816
19X9	12 214	10 184	2 030	117 786
19Y0	12 214	10 012	2 202	115 584

3. On estime que la provision pour créances douteuses devrait être égale à 5 % des comptes-clients.

SALON DE QUILLES BOULABAT
Chiffrier
pour l'exercice terminé le 31 décembre 19X6

	Balance de vérification		Régularisation		Balance de vérification régularisée		État des résultats		Bilan	
	Débit	Crédit	Débit	Crédit	Débit	Crédit	Débit	Crédit	Débit	Crédit
Encaisse	22 000									
Comptes-clients	3 000									
Terrain	30 000									
Immeuble	150 000									
Équipement	75 000									
Comptes-fournisseurs		2 500								
Effet à payer		18 000								
Dette hypothécaire		123 411								
Capital R. Bérubé		121 314								
Retraits	12 500									
Produits d'exploitation		110 000								
Salaires	51 600									
Entretien	10 400									
Taxes foncières	2 000									
Électricité — Téléphone	1 800									
Frais d'administration	2 700									
Intérêts	10 625									
Assurances	3 600									
	375 225 $	375 225 $								
Amortissement — Immeuble										
Amortissement — Équipement										
Amortissement cumulé — Immeubles										
Amortissement cumulé — Équipement										
Portion exigible de la dette hypothécaire										
Provision pour créances irrécouvrables										
Mauvaises créances										
Produits reçus d'avance										
Salaires à payer										
Assurances payées d'avance										
Intérêts courus à payer										
Bénéfice net										

4. L'effet à payer a été signé le 2 janvier et est remboursable le 1ᵉʳ juin 19X7, capital et intérêt annuel de 12 %.

5. Un montant de 500 $ pour des travaux exécutés sur la maison de M. Bérubé est compris dans les charges d'entretien.

6. Parmi les produits, un montant de 1000 $ a été versé par un centre de loisir afin de réserver des allées pour l'année prochaine.

7. Les salaires sont de 1000 $ par semaine. La dernière paie a été préparée le mercredi, alors que le 31 décembre est un vendredi.

8. Voici le détail des polices d'assurance :

POLICE	MONTANT	ENTRÉE EN VIGUEUR	DURÉE
1001	1 200 $	1ᵉʳ juillet 19X6	1 an
1002	2 400	1ᵉʳ octobre 19X6	3 ans

Travail à faire

Complétez le cycle comptable.

a) Enregistrez les écritures de régularisation au journal général. (Il n'est pas nécessaire de reporter au grand livre général.) Utilisez la feuille de travail qui précède.

b) Préparez l'état des résultats et l'état du capital pour l'exercice terminé le 31 décembre 19X6.

c) Préparez le bilan au 31 décembre 19X6.

PROBLÈME 3 — L'IMPROVISATEUR INC.
RÉGULARISATIONS, ÉTATS FINANCIERS

Vous tirez la balance de vérification suivante des livres du théâtre L'improvisateur inc., au 30 septembre 19X3 :

L'IMPROVISATEUR INC.
Balance de vérification
au 30 septembre 19X3

	DÉBIT	CRÉDIT
Caisse	12 900 $	
Clients	25 000	
Provision pour créances irrécouvrables		300 $
Billet à recevoir	5 000	
Terrain	40 000	
Bâtiment	125 000	
Amortissement cumulé — Bâtiment		10 000
Mobilier	50 000	
Amortissement cumulé — Mobilier		5 000
Matériel de projection	30 000	
Amortissement cumulé — Matériel de projection		2 000
Emprunt bancaire		20 000
Fournisseurs		15 000
Billet à payer		10 000
Emprunt hypothécaire		79 000
Capital-actions		86 200
Bénéfices non répartis		30 000
Dividendes	6 100	
Vente de billets d'admission		100 000
Salaires	45 000	
Assurances	5 000	
Taxes foncières	3 000	
Fournitures d'entretien utilisées	3 900	
Électricité et chauffage	6 500	
Publicité	4 000	
Intérêts	1 600	
Entretien du bâtiment	4 500	
Produits de redevances		10 000
	367 500 $	**367 500 $**

Renseignements additionnels

1. Après un examen des comptes-clients totalisant 25 000 $, vous estimez que seulement 24 000 $ pourront être recouvrés.

2. Le billet à recevoir fut signé par un client le 1er juillet 19X3. Il porte intérêt au taux annuel de 12 %.

3. Après un inventaire, il s'avère que le stock de fournitures d'entretien s'élève à 300 $.

4. Voici le détail d'une police d'assurance encore en vigueur au 30 septembre 19X3 :

Entrée en vigueur	Montant	Protection
1er juillet 19X3	1 200 $	Jusqu'au 30 juin 19X4

5. Le théâtre a signé un contrat de publicité avec un grand quotidien. On a versé, le 1er septembre, 1500 $ pour des annonces publicitaires à paraître du 1er septembre au 30 novembre 19X3.

6. Le bâtiment a une vie utile de 50 ans et une valeur de rebut estimée de 25 000 $.

7. Le mobilier a une vie utile de 10 ans et une valeur de rebut négligeable.

8. Le matériel de projection a une vie utile de 5 ans et une valeur de rebut négligeable.

9. L'emprunt bancaire est à un taux d'intérêt annuel de 10 %. Les intérêts furent payés le 30 juin la dernière fois.

10. Une vérification vous permet de constater qu'un chèque de 410 $, adressé à un fournisseur, fut enregistré à 140 $ aux livres.

11. Le billet à payer est au taux d'intérêt annuel de 12,5 %. Les intérêts furent payés le 30 septembre 19X3.

12. Voici le tableau d'amortissement de la dette hypothécaire :

DATE	VERSEMENT	INTÉRÊTS	PRINCIPAL	SOLDE
				80 000 $
30 septembre 19X2	9 000 $	8 000 $	1 000 $	79 000
30 septembre 19X3	9 000	7 900	1 100	77 900
30 septembre 19X4	9 000	7 790	1 210	76 690

Le directeur du théâtre, un artiste ayant bien des choses en tête, a oublié de faire le paiement hypothécaire du 30 septembre 19X3.

13. Le teneur de livres n'a pas enregistré le dernier dividende trimestriel de 2300 $, n'ayant pu obtenir le registre des procès-verbaux de l'assemblée des administrateurs. Après vérification vous apprenez que ces dividendes furent déclarés le 20 septembre et qu'ils sont payables le 20 octobre 19X3.

14. Le produit provenant de la vente de billets d'admission comprend un montant de 2000 $ pour les billets d'un spectacle qui aura lieu en octobre 19X3.

15. Les redevances sont constituées d'un pourcentage de 20 % des ventes exigé de l'exploitant du casse-croûte situé dans le théâtre. Pour septembre 19X3 le calcul n'a pas encore été fait. Après vérification, vous déterminez que le casse-croûte a vendu pour 2000 $ en septembre 19X3.

16. Un prêt à court terme de 1000 $ fut consenti à l'actionnaire principal à la fin de septembre 19X3. Aucun enregistrement ne fut effectué.

17. Après vérification, vous découvrez qu'un montant de 120 $ de chauffage fut comptabilisé au poste Entretien du bâtiment.

18. La Société est imposée à un taux de 25 %.

Travail à faire

a) Corrigez les comptes apparaissant aux états financiers selon la feuille de travail suivante :

Postes	Montants actuels	Régularisations	Montants corrects

b) Rédigez ensuite les états financiers suivants :

1) l'état des résultats pour l'exercice terminé le 30 septembre 19X3 ;

2) l'état des bénéfices non répartis pour l'exercice terminé le 30 septembre 19X3 ;

3) le bilan au 30 septembre 19X3.

PROBLÈME 4 — BEAU, BON, TRÈS CHER INC.
LES DEUX CATÉGORIES DE RÉGULARISATIONS, LE VERSEMENT EXIGIBLE DE LA DETTE ET L'IMPÔT REPORTÉ

Vous êtes appelé en consultation chez Beau, bon, très cher inc. Cette Société a présenté ses états financiers à la banque à l'appui d'une demande d'emprunt mais, malheureusement, le directeur de la banque les a refusés. Ce dernier prétend qu'ils sont incorrects car les régularisations de fin d'exercice n'ont manifestement pas été faites en entier. Il y a de plus quelques erreurs. Voici ces états financiers :

BEAU, BON, TRÈS CHER INC.
Résultats
pour l'exercice terminé le 31 décembre 19X5

Ventes		3 000 000 $
Coût des marchandises vendues		
Stock de marchandises au début	300 000 $	
Achats	2 250 000	
Marchandises disponibles à la vente	2 550 000	
Stock de marchandises à la fin	600 000	1 950 000
Bénéfice brut		1 050 000
Salaires des vendeurs		106 500
Location de camions		55 500
Salaires administratifs		77 400
Assurances		10 800
Frais d'administration divers		16 500
Publicité		68 850
Intérêts et frais bancaires		54 000
Téléphone, électricité		7 725
		397 275
		652 725
Autres produits et (charges)		
Produits de location	38 500	
Produits d'intérêts	11 500	
Escompte sur achat	3 000	
Escompte sur vente	(2 000)	51 000
Bénéfice avant déduction des impôts		703 725
Impôts sur le bénéfice, 50 %		351 863
Bénéfice net		351 862 $

BEAU, BON, TRÈS CHER INC.
Bilan
au 31 décembre 19X5

ACTIF
Actif à court terme

Encaisse		26 400 $
Clients		299 000
Placement en obligations		60 000
Stock de marchandises		600 000
		985 400

Immobilisations

Terrain		225 000
Immeuble	450 000 $	
Amortissement cumulé — Immeuble	(142 500)	307 500
Équipement	120 000	
Amortissement cumulé — Équipement	(22 125)	97 875
		630 375
		1 615 775 $

PASSIF
Dettes à court terme

Fournisseurs		79 125 $
Emprunt bancaire		117 000
Impôts sur le revenu exigibles		351 863
		547 988

Dettes à long terme

Emprunt hypothécaire		467 000
		1 014 988

AVOIR DES ACTIONNAIRES

Capital-actions	150 000 $	
Bénéfices non répartis	450 787	600 787
		1 615 775 $

BEAU, BON, TRÈS CHER INC.
Bénéfices non répartis
pour l'exercice terminé le 31 décembre 19X5

Solde au début	98 925 $
Bénéfice net	351 862
Solde à la fin	450 787 $

Renseignements additionnels

1. Le 20 décembre 19X5, la Société a déclaré des dividendes de 20 000 $. Le teneur de livres n'a rien enregistré étant donné que ces dividendes sont payables le 15 janvier 19X6.

2. Le compte Frais d'administration divers comprend un montant de 2000 $ pour un voyage (de vacances) effectué par M. Lebeau, principal actionnaire. Celui-ci s'est engagé à le rembourser à la Société après que vous lui en ayez souligné l'existence.

3. Le 20 décembre 19X5, M. Lebon, un actionnaire, vendait 3000 $ de marchandises à un client. Il encaissa cette somme en main propre et l'utilisa à des fins personnelles. Il s'est toutefois engagé à rembourser le montant à la Société. Au 31 décembre, les marchandises n'étaient toujours pas expédiées car elles n'étaient pas en stock. L'écriture suivante a été enregistrée le 20 décembre :

Clients	**3 000 $**	
Ventes		**3 000 $**

4. En 19X6, on paiera deux jours de salaire de 19X5 aux vendeurs ; il s'agit d'un montant de 820 $. D'autre part, en analysant le compte Salaires administratifs, vous découvrez que des employés ont reçu des avances totalisant 1000 $ et que ce montant a été porté au débit du compte Salaires administratifs.

5. L'immeuble a une vie utile de 50 ans et une valeur de rebut de 75 000 $. L'équipement a une vie utile de 20 ans et une valeur de rebut de 11 250 $.

6. La Société détient des obligations du Québec dont le taux d'intérêt est de 15 %. Ces intérêts sont encaissables les 30 novembre et 31 mai.

7. Le paiement d'un compte à un fournisseur fut enregistré à 7600 $ alors que le montant réel était de 6700 $.

8. Les stocks de marchandises au 31 décembre 19X5 furent évalués au prix de vente. Toutefois, vous estimez que les stocks auraient dû être évalués au coût pour Beau, bon, très cher inc. Ce coût était de 450 000 $.

9. Vous estimez que vous ne pourrez encaisser que 290 000 $ de comptes-clients.

10. Les frais de location de camions s'élèvent à 4500 $ par mois. Ces frais ont été constants en 19X5.

11. L'entreprise loue une partie de son immeuble 3000 $ par mois. Cependant, en 19X6, la Société doit réduire son loyer.

12. L'entreprise a souscrit plusieurs polices d'assurances ; le 1er juillet 19X5, on a versé 3600 $ pour une police destinée à nous protéger pendant deux ans.

13. Voici le tableau d'amortissement de la dette hypothécaire :

DATE	VERSEMENT	INTÉRÊTS	PRINCIPAL	SOLDE
				470 000 $
1er juillet 19X5	50 000 $	47 000 $	3 000 $	467 000
1er juillet 19X6	50 000	46 700	3 300	463 700
1er juillet 19X7	50 000	46 370	3 630	460 070

14. L'emprunt bancaire a été négocié à la fin de l'année 19X5.

15. La Société est imposée au taux de 50 %. Vous devez revoir la charge d'impôt en fonction du nouveau bénéfice et de plus vous devez tenir compte du fait que l'amortissement fiscal excède l'amortissement comptable de 10 000 $.

16. Un client intente une poursuite de 100 000 $ contre la Société, alléguant qu'il s'était blessé avec un produit qu'elle lui a vendu en 19X4. Selon les conseillers juridiques de la Société, elle ne devrait pas être tenue responsable.

17. Le 31 décembre 19X5 on a vendu, pour 10 000 $, de l'équipement qui avait coûté 20 000 $ et sur lequel un amortissement cumulé de 5800 $ existait. Le teneur de livres n'a pas enregistré cette transaction.

Travail à faire

Refaites correctement :

a) L'état des résultats ;

b) L'état des bénéfices non répartis ;

c) Le bilan au 31 décembre 19X5.

Utilisez la feuille de travail qui suit.

BEAU, BON, TRÈS CHER INC.
Résultats
pour l'exercice terminé le 31 décembre 19X5

Ventes			$
Coût des marchandises vendues			
Stock de marchandises au début		$	
Achats		_____	
Marchandises disponibles à la vente			
Stock de marchandises à la fin		_____	_____
Bénéfice brut			_____
Salaires des vendeurs			
Location de camions			
Salaires administratifs			
Assurances			
Frais administratifs divers			
Publicité			
Intérêts			
Téléphone, électricité			
Amortissement — Immeuble			
Amortissement — Équipement			
Créances irrécouvrables		_____	
			_____
Autres produits et (charges)			
Produits de location		$	
Produits d'intérêts			
Escompte sur achat			
Perte sur aliénation d'équipement			
Escompte sur vente		_____	_____
Bénéfice avant déduction des impôts			
Impôt sur le bénéfice			_____
Bénéfice net			$

BEAU, BON, TRÈS CHER INC.
Bénéfices non répartis
pour l'exercice terminé le 31 décembre 19X5

Solde au début	$
Plus : bénéfice net	_____
Moins : dividendes	_____
Solde à la fin	$

BEAU, BON, TRÈS CHER INC.
Bilan
au 31 décembre 19X5

ACTIF
Actif à court terme
    Encaisse $
    Clients $
    Provision pour créances irrécouvrables   _____

    Placement en obligations
    À recevoir des actionnaires
    Avance à des employés
    Location payée d'avance
    Assurances payées d'avance
    Intérêts courus à recevoir
    Stock de marchandises   _____

    _____

Immobilisations
    Terrain $
    Immeuble
    Amortissement cumulé   _____

    Équipement
    Amortissement cumulé   _____

    _____

     $

PASSIF
Dettes à court terme
    Fournisseurs $
    Emprunt bancaire
    Impôt exigible
    Dividendes à verser
    Avance d'un client
    Salaires courus à payer
    Produits reçus à l'avance
    Intérêts courus à payer
    Versement exigible de la dette   _____

    _____

Dettes à long terme
    Emprunt hypothécaire   _____

Impôt sur le revenu reporté   _____

    _____

AVOIR DES ACTIONNAIRES
    Capital-actions $
    Bénéfices non répartis   _____

     $

NOTE : Passif éventuel

_____

_____

_____

_____

_____

_____

_____

_____

PROBLÈME 5 — THÉÂTRE DES SUBTILITÉS LTÉE
ENSEMBLE DES RÉGULARISATIONS, IMPÔTS REPORTÉS

Le comptable du Théâtre des subtilités ltée a brusquement démissionné alors qu'il effectuait les travaux de fin d'exercice au 31 décembre 19X5. En fait, il avait commencé la feuille de travail qui vous est fournie ci-après. Il avait également commencé les régularisations et son travail est digne de confiance. Toutefois, quelques régularisations sont à faire. Votre tâche est donc de terminer le cycle comptable.

Travail à faire

Terminez la feuille de travail suivante jusqu'à la balance de vérification régularisée en tenant compte des informations additionnelles fournies dans le texte et rédigez ensuite les états financiers suivants :

1) l'état des résultats pour l'exercice terminé le 31 décembre 19X5 ;

2) l'état des bénéfices non répartis pour l'exercice terminé le 31 décembre 19X5 ;

3) le bilan au 31 décembre 19X5.

NOM DES COMPTES	BALANCE DE VÉRIFICATION		ÉCRITURES DE RÉGULARISATION		BALANCE DE VÉRIFICATION RÉGULARISÉE	
	DÉBIT	CRÉDIT	DÉBIT	CRÉDIT	DÉBIT	CRÉDIT
Encaisse	81 640					
Comptes-clients	29 900					
Provision pour créances irrécouvrables		520				
À recevoir d'un actionnaire						
Avance à des employés						
Stock de fournitures d'entretien du bâtiment						
Publicité payée d'avance						
Assurances payées d'avance			c) 1 560			
Terrain	72 000					

NOM DES COMPTES	BALANCE DE VÉRIFICATION		ÉCRITURES DE RÉGULARISATION		BALANCE DE VÉRIFICATION RÉGULARISÉE	
	DÉBIT	CRÉDIT	DÉBIT	CRÉDIT	DÉBIT	CRÉDIT
Bâtiment	195 000					
Amortissement cumulé — Bâtiment		30 550		a) 6 110		
Mobilier	65 000					
Amortissement cumulé — Mobilier		15 600		b) 3 900		
Matériel de projection	39 000					
Amortissement cumulé — Matériel de projection		26 000				
Comptes-fournisseurs		23 400				
Emprunt bancaire		7 800				
Dividendes à payer						
Intérêts courus à payer				d) 15 040		
Salaires courus à payer						
Impôts sur le revenu à payer						
Versement exigible de l'emprunt hypothécaire				e) 1 720		
Revenus reçus à l'avance						
Emprunt hypothécaire		123 000	e) 1 720			
Impôt reporté		4 200				
Capital-actions		65 000				
Bénéfices non répartis		43 445				
Dividendes	4 800					
Revenus d'admission		310 000				
Publicité	28 600					
Téléphone, électricité	4 100					
Salaires et avantages sociaux	87 000					
Impôts fonciers	3 900					
Fournitures d'entretien utilisées	18 000					

NOM DES COMPTES	BALANCE DE VÉRIFICATION		ÉCRITURES DE RÉGULARISATION		BALANCE DE VÉRIFICATION RÉGULARISÉE	
	DÉBIT	CRÉDIT	DÉBIT	CRÉDIT	DÉBIT	CRÉDIT
Fournitures d'entretien utilisées	18 000					
Frais de représentation et de déplacement	16 200					
Intérêts	975		d) 15 040			
Assurances	3 400			c) 1 560		
Amortissement — Immobilisations			a) 6 110 b) 3 900			
Créances irrécouvrables						
Gain sur aliénation d'immobilisations						
Bénéfice avant déduction des impôts						
Impôt sur le bénéfice						
Bénéfice net						
	649 515 $	649 515 $				

Renseignements additionnels

1. Le comptable n'a considéré aucun amortissement du matériel de projection en 19X5 puisqu'il a découvert qu'une transaction effectuée le 1er juillet 19X5 n'avait pas été inscrite.

   À cette date, on a vendu une partie du matériel que l'on utilisait depuis deux ans et demi et que l'on avait payé 7000 $. On a alors encaissé 4500 $ et on a aussitôt racheté pour 9000 $ de nouveau matériel. L'achat n'a pas été enregistré non plus, même s'il avait été fait au comptant.

   Le matériel de projection a une vie utile de 5 ans et une valeur de rebut négligeable à la fin de cette vie utile.

2. Vous passez en revue chacun des comptes-clients au 31 décembre 19X5. Vous en concluez que la provision pour créances irrécouvrables devra égaler 5 % des comptes-clients qui s'élèvent à 29 900 $.

3. Le stock de fournitures d'entretien atteint 5000 $ au 31 décembre 19X5.

4. Le compte Publicité comprend 3200 $ pour des annonces publicitaires à paraître au cours des mois de janvier et février 19X6.

5. Lors de votre vérification, vous découvrez que le compte Frais de représentation et de déplacement contient un montant de 3000 $ déboursé à l'occasion d'une petite fête familiale donnée par le principal actionnaire en l'honneur du baptême de son cinquième enfant. Il s'était engagé à rembourser l'entreprise.

6. La dernière déclaration de dividendes du 31 décembre 19X5 n'a pas été enregistrée, ni payée. Ces dividendes sont de 0,50 $ pour chacune des 10 000 actions en circulation.

7. Le 20 décembre 19X5, le principal actionnaire et président encaisse 5000 $ comptant d'un client pour une représentation théâtrale qui doit avoir lieu en janvier 19X6. Le comptable a alors passé l'écriture suivante :

Encaisse	**5 000**	
Produits d'admission		**5 000**

   Toutefois, ce montant ne figure pas parmi les dépôts bancaires de la Société. Vous apprenez que le président et actionnaire a conservé ce montant pour ses dépenses personnelles.

8. Trois jours de salaires de 19X5 seront payés en 19X6 ; un montant de 1200 $ est en cause. Par contre, en analysant le compte Salaires, vous constatez que des employés ont reçu, en décembre 19X5, des avances pour un montant total de 1800 $ et que ce montant est inclus dans le compte Salaires.

9. Une vérification vous permet de constater qu'un montant de 1500 $, versé à un fournisseur en règlement d'un compte, a été comptabilisé à 5100 $ dans les livres.

10. Présumez que la Société est imposée à un taux de 30 %. L'amortissement fiscal pour l'ensemble des immobilisations fut de 20 000 $ en 19X5.

PROBLÈME 6 — SERVICE DE DÉMÉNAGEMENT ET D'ENTREPOSAGE INC.
ENSEMBLE DES RÉGULARISATIONS

Vous êtes appelé en consultation auprès de votre client Service de déménagement et d'entreposage inc. Son exercice financier se termine le 31 octobre 19X3. Vous établissez la balance de vérification non régularisée suivante :

SERVICE DE DÉMÉNAGEMENT ET D'ENTREPOSAGE INC. Balance de vérification au 31 octobre 19X3	DÉBIT	CRÉDIT
Caisse	16 484 $	
Comptes-clients	4 500	
Provision pour créances irrécouvrables	200	
Effet à recevoir	2 500	
Assurances payées d'avance	3 316	
Mobilier de bureau	3 000	
Amortissement cumulé — Mobilier de bureau		750 $
Matériel roulant	36 000	
Amortissement cumulé — Matériel roulant		12 000
Emprunt bancaire		2 800
Comptes-fournisseurs		2 450
Effet à payer		1 500
Capital-actions		20 000
Bénéfices non répartis		6 140
Produits de déménagement		48 600
Produits d'entreposage		15 500
Fournitures de bureau	800	
Électricité et chauffage	650	
Téléphone	480	
Loyer de l'entrepôt	5 200	
Publicité	675	
Intérêt et frais bancaires	275	
Entretien et réparations camions	780	
Carburant	7 030	
Salaires — Chauffeurs	27 850	
	109 740 $	109 740 $

M. Boulanger tient lui-même les livres comptables. Vous recueillez, à la fin de l'exercice, certains renseignements qui pourront vous aider à régulariser les comptes :

1. M. Boulanger a fait une analyse détaillée de ses comptes-clients au 31 octobre 19X3, et il estime qu'il y a un montant total de 620 $ qui ne sera jamais récupéré.

2. Le matériel roulant comprend deux camions qui ont été acquis le 1er novembre 19X0. Leur durée de vie utile a alors été estimée à 6 ans et leur valeur de rebut est négligeable selon les estimations.

3. Le mobilier de bureau a été acquis le 1er novembre 19X0 et a une durée de vie utile de 8 ans. La valeur de rebut est également négligeable.

4. Le loyer que l'on paie pour l'entrepôt est de 400 $ par mois. On n'a pas eu d'augmentation de loyer depuis juillet 19X1.

5. Le compte Assurances payées d'avance comprend les polices suivantes :

   Pour les camions :
   la police couvre la période s'étendant du 1er novembre 19X2 au 31 décembre 19X3 pour un coût de 2380 $.

   Pour le feu-vol et responsabilité :
   la police couvre la période allant du 1er novembre 19X2 au 30 avril 19X4 pour un montant de 936 $.

6. L'effet à recevoir a été signé le 30 juin 19X3 et est encaissable le 31 décembre 19X3, principal et intérêt. Le taux d'intérêt annuel est de 13 %.

7. Trois clients ont déjà payé leur facture d'entreposage pour le mois de novembre 19X3, soit 100 $ chacun.

8. La fin de l'exercice n'a pas coïncidé avec la période de paie et, au 31 octobre, on a reçu pour 150 $ de services des chauffeurs que l'on n'a pas encore payés.

9. On évalue le stock de fournitures de bureau à 240 $ au 31 octobre 19X3.

10. Le compte Publicité comprend 125 $ pour des annonces publicitaires devant paraître au cours des mois de novembre et décembre 19X3.

11. Une vérification vous permet de constater que l'encaissement d'un compte-client a été enregistré aux livres à 250 $ alors que le chèque reçu était de 205 $.

12. L'effet à payer a été signé le 1er juin 19X3 à un taux d'intérêt de 14 % par année. Il est remboursable le 31 mai 19X4.

13. M. Boulanger, principal actionnaire, a payé, au cours du mois d'octobre, 60 $ de carburant et 100 $ de réparations pour le camion. Il a cependant oublié de se faire rembourser ces montants.

14. La Société est imposée à un taux de 30 %.

15. Un dividende de 1000 $ a été déclaré le 20 octobre 19X3 et sera payable le 31 décembre 19X3. Aucune écriture n'a été enregistrée jusqu'à présent, car M. Boulanger n'ayant pas reçu de facture n'a pas songé à cet enregistrement.

16. L'emprunt bancaire payable sur demande a été contracté le 1er janvier 19X3. L'intérêt doit être calculé au taux de 15 % et est payable le 1er juillet 19X3 et le 1er janvier 19X4.

17. M. Boulanger se rend compte que, par erreur, un de ses comptes de téléphone pour sa maison privée a été payé par la Société. Ce compte était de 45 $.

18. Suite à un mauvais report, le compte Carburant a été augmenté de 50 $, alors que le compte qui aurait dû être affecté est Entretien et réparations.

19. M. Boulanger a reçu, quelques jours après la fermeture de ses livres, son compte de taxes d'affaires qui s'élève à 200 $. Ce compte couvre l'exercice financier qui se termine le 31 octobre 19X3. Rien n'a encore été enregistré.

Travail à faire

Complétez la feuille de travail suivante en tenant compte des régularisations et rédigez les états financiers.

PROBLÈME 7 — JEAN NARACHE ENR.
RÉGULARISATIONS, ÉTATS FINANCIERS

Le 3 janvier 19X5, M. Jean Narache, propriétaire d'une entreprise de décoration intérieure du même nom, vous présente la balance de vérification préliminaire en plus de certains renseignements.

Renseignements additionnels

1. Le 1ᵉʳ juillet 19X4, on a vendu une partie du matériel roulant que l'on utilisait depuis trois ans et demi. On l'avait payé 15 000 $ et on l'a revendu 5250 $. On a aussitôt racheté pour 10 000 $ de nouveau matériel roulant (ce nouveau matériel a une valeur de rebut négligeable et une vie utile de 4 ans). M. Narache n'a enregistré aucune de ces transactions de vente et d'achat de matériel roulant. Le matériel roulant que l'on détenait au 1ᵉʳ janvier 19X4 était composé de quatre automobiles ayant chacune une valeur résiduelle de 1250 $.

2. Le bâtiment a une valeur de rebut prévue de 5000 $ après une vie utile de 50 ans.

3. Le mobilier de bureau a une vie utile de 20 ans et une valeur de rebut négligeable.

4. Vous passez en revue chacun des comptes-clients au 31 décembre 19X4. Vous en arrivez à la conclusion que la provision pour créances irrécouvrables devra égaler 5 % du montant redressé des comptes-clients.

5. Dans cette entreprise, l'utilisation des fournitures de bureau est importante à cause des travaux de design. Au 31 décembre 19X4, M. Narache a évalué le stock de fournitures de bureau à 3000 $.

6. Le compte à recevoir résulte d'une vente au prix coûtant de mobilier de bureau (cette transaction a été enregistrée). L'acheteur devait payer sa dette à Jean Narache enr. le 30 novembre 19X4. Si la date d'échéance n'était pas respectée, un intérêt de 1,5 % par mois s'ajoutait à son compte.

Description	Balance de vérification		Écritures de régularisation		Balance de vérification régularisée	
	Dt	Ct	Dt	Ct	Dt	Ct
Encaisse	16 484					
Comptes-clients	4 500					
Provision pour créances irrécouvrables	200					
Effet à recevoir	2 500					
Intérêts courus à recevoir						
Stock de fournitures						
Assurances payées d'avance	3 316					
Loyer payé d'avance						
Publicité payée d'avance						
Mobilier de bureau	3 000					
Amortissement cumulé — Mobilier de bureau		750				
Matériel roulant	36 000					
Amortissement cumulé — Matériel roulant		12 000				
Emprunt bancaire		2 800				
Comptes-fournisseurs		2 450				
Effet à payer		1 500				
Dû à un administrateur						
Dividendes à payer						
Intérêts courus à payer						
Salaires à payer						
Impôt sur le revenu à payer						
Produits reçus à l'avance						
Capital-actions		20 000				
Bénéfices non répartis		6 140				
Dividendes						
Produits de déménagement		48 600				
Produits d'entreposage		15 500				
Amortissement — Mobilier						
Amortissement — Matériel roulant						
Mauvaises créances						
Assurances						
Taxes d'affaires						
Fournitures de bureau	800					
Électricité et chauffage	650					
Téléphone	480					
Loyer de l'entrepôt	5 200					
Publicité	675					
Intérêts et frais bancaires	275					
Entretien et réparations	780					
Carburant	7 030					
Salaires chauffeurs	27 850					
Intérêts produits						
Impôts sur le revenu						
	109 740 $	109 740 $				

7. Au cours de votre vérification, vous découvrez que le compte Frais de représentation contient un montant de 2000 $ qui, en réalité, est un prêt de *Jean Narache enr.* au fils de M. Narache. Le fils s'est engagé à rembourser la somme à l'entreprise.

8. Le compte Assurances s'analyse comme suit :

ASSURANCE	MONTANT	DATE D'ÉMISSION	DURÉE
Feu et vol	2 100 $	1er juin 19X4	1 an
Automobile	1 200	1er octobre 19X4	1 an
Responsabilité	5 400	1er mars 19X4	2 ans

Il y a un an, les mêmes assurances avaient été contractées aux conditions suivantes :

ASSURANCE	MONTANT	DATE D'ÉMISSION	DURÉE
Feu et vol	1 800 $	1er juin 19X3	1 an
Automobile	900	1er octobre 19X3	1 an
Responsabilité	2 400	1er mars 19X3	1 an

9. Le 23 décembre, lors d'une réception, un client a remis 5000 $ personnellement à M. Narache pour un travail à être effectué en janvier 19X5. Vous apprenez que M. Narache a conservé l'argent pour lui et que le montant ne figure pas parmi les dépôts bancaires. Toutefois, il a enregistré la transaction comme suit :

Encaisse   **5 000 $**
    Honoraires professionnels   **5 000 $**

10. Une vérification vous permet de constater qu'un montant de 3100 $, reçu d'un client en règlement d'un compte, a été comptabilisé dans les livres à 1300 $.

11. Au cours de l'année, M. Narache a fait effectuer certains travaux à sa résidence privée des Laurentides par les employés de son entreprise. Un montant de 1100 $ de salaire est en cause et M. Narache n'a rien enregistré à cet effet. Les travaux ont été effectués un jour ouvrable pour Jean Narache enr.

12. Le compte Placements temporaires est constitué d'Obligations du gouvernement du Canada, échéant dans 15 ans. Les intérêts, au taux annuel de 16 %, sont payables semestriellement les 1er mars et 1er septembre.

13. Le compte Frais divers comprend les impôts fonciers, le téléphone, l'entretien du matériel roulant, l'électricité, les frais divers de bureau, la publicité et les frais de déplacement.

14. Voici le tableau d'amortissement de la dette hypothécaire.

DATE	VERSEMENT	INTÉRÊTS	PRINCIPAL	SOLDE
31 déc. 19X2	12 750 $	11 810 $	940 $	97 470 $
31 déc. 19X3	12 750	11 696	1 054	96 416
31 déc. 19X4	12 750	11 570	1 180	95 236
31 déc. 19X5	12 750	11 430	1 320	93 916

M. Narache a oublié de faire le versement du 31 décembre 19X4.

15. L'entreprise personnelle n'est pas directement imposée, le contribuable étant son propriétaire. Donc, ne tenez pas compte de l'impôt.

JEAN NARACHE ENR.
Balance de vérification

	DÉBIT	CRÉDIT
Encaisse		7 500 $
Placements temporaires	12 000 $	
Comptes-clients	26 000	
Provision pour créances irrécouvrables		700
Compte à recevoir	1 000	
Intérêts courus à recevoir		
Stock de fournitures de bureau		
Assurances payées d'avance		
Terrain	50 000	
Bâtiment	200 000	
Amortissement cumulé — Bâtiment		11 700
Mobilier de bureau	50 000	
Amortissement cumulé — Mobilier		7 500
Matériel roulant	60 000	
Amortissement cumulé — Matériel roulant		33 000
Comptes-fournisseurs		8 000
Emprunt bancaire		8 000
Intérêts courus à payer		
Portion exigible de l'emprunt hypothécaire		1 180
Produits reçus à l'avance		
Effets à payer		215 000
Emprunt hypothécaire		95 236
Capital — Jean Narache		10 794
Apports		21 720
Prélèvements	25 000	
Honoraires professionnels		200 000
Salaires	105 335	
Fournitures de bureau utilisées	25 000	
Frais de représentation	5 600	
Frais divers	49 900	
Intérêts	1 250	
Assurances	10 525	
Amortissement — Matériel roulant		
Amortissement — Bâtiment		
Amortissement — Mobilier de bureau		
Créances irrécouvrables		
Produits d'intérêt		1 280
Perte sur aliénation d'immobilisation		
	621 610 $	621 610 $

JEAN NARACHE ENR.
Chiffrier
pour l'exercice terminé le 31 décembre 19X4

	Balance de vérification		Régularisation		Balance de vérification régularisée		État des résultats		Bilan	
	Débit	Crédit	Débit	Crédit	Débit	Crédit	Débit	Crédit	Débit	Crédit
Encaisse	12 000									
Placements temporaires		7 500								
Comptes-clients	26 000									
Provision pour créances irrécouvrables		700								
Compte à recevoir	1 000									
Intérêts courus à recevoir										
Stock de fournitures de bureau										
Assurances payées d'avance										
Terrain	50 000									
Bâtiment	200 000									
Amortissement cumulé — Bâtiment		11 700								
Mobilier de bureau	50 000									
Amortissement cumulé — Mobilier		7 500								
Matériel roulant	60 000									
Amortissement cumulé — Matériel roulant		33 000								
Comptes-fournisseurs		8 000								
Emprunt bancaire		8 000								
Intérêts courus à payer										
Portion exigible de l'emprunt hypothécaire		1 180								
Produits reçus à l'avance										
Effets à payer		215 000								
Emprunt hypothécaire		95 236								
Capital — Jean Narache		10 794								
Apports		21 720								
Prélèvements	25 000									
Produits professionnels		200 000								
Salaires	105 335									
Fournitures de bureau utilisées	25 000									
Frais de représentation	5 600									
Frais divers	49 900									
Intérêts	1 250									
Assurances	10 525									
Amortissement — Matériel roulant										
Amortissement — Bâtiment										
Amortissement — Mobilier de bureau										
Créances irrécouvrables										
Revenu d'intérêt		1 280								
Perte sur aliénation d'immobilisation										
Perte										
	621 610 $	621 610 $								

Travail à faire

Complétez la feuille de travail précédente en tenant compte des régularisations et rédigez les états financiers.

PROBLÈME 8 — SAMY INC.
DEUX CATÉGORIES DE RÉGULARISATIONS.
PRODUITS ET CHARGES COURUES ET RÉPARTITION

La société Samy inc. est une entreprise se spécialisant dans le dressage et la tonte de chiens de race. Selon le président de l'entreprise, monsieur Sam Pacioli, l'exercice financier annuel se terminant le 30 juin 19X5 en fut un de consolidation et de croissance continues.

Il est tout à fait heureux de vous fournir le solde des comptes individuels du grand livre général, non régularisés, au 30 juin 19X5 :

Amortissement cumulé — Camion	4 000 $
Amortissement cumulé — Mobilier et équipement	6 500
Bénéfices non répartis	4 400
Camion	11 000
Capital-actions ordinaires	10 400
Charge payée d'avance	6 000
Comptes-clients	29 400
Comptes-fournisseurs	29 000
Dividendes	4 000
Électricité et chauffage	7 600
Emprunt hypothécaire	30 000
Encaisse	3 900
Essence et entretien — Camion	2 800
Intérêts (charge)	6 200
Loyer	39 000
Mobilier et équipement	34 000
Nourriture pour chiens utilisée	19 600
Produits — Dressage	87 300
Produits — Tonte	58 500
Provision pour créances irrécouvrables (solde débiteur)	500
Publicité	1 800
Salaires	38 000
Stock de fournitures diverses (savon, brosses, corde, vitamines, pesticides, etc.)	14 000
Taxes et assurances	2 300
Titres négociables	10 000

Renseignements additionnels

1. La vie utile et la valeur résiduelle des actifs à long terme de l'entreprise sont les suivantes :

	Vie utile	Valeur résiduelle
Camion	**5 ans**	**1 000 $**
Mobilier et équipement	**10 ans**	**4 000**

   L'entreprise utilise la méthode de l'amortissement linéaire. Aucune acquisition ou disposition ne fut effectuée au cours du dernier exercice financier.

2. Au 30 juin 19X5, il y avait pour 900 $ de salaires courus à payer non inscrits aux livres comptables.

3. La charge payée d'avance représente une prime d'assurance générale couvrant la période de 12 mois débutant le 1er avril 19X5. Cette prime fut payée le 1er juin 19X5 seulement et le montant total de 6000 $ fut inscrit au compte d'actif en question.

4. Un client a versé à Samy inc. un montant de 1600 $ au mois de juin 19X5 pour des services de dressage à être rendus à partir du 1er juillet 19X5 seulement.

5. Le 1er mai 19X5, l'entreprise a payé à l'avance son loyer pour trois mois commençant le 1er mai 19X5. Le paiement du loyer trimestriel a été de 9000 $.

6. Un dividende de 1500 $ fut déclaré le 15 juin 19X5 mais n'a pas été inscrit aux registres comptables. Il est seulement payable le 15 juillet 19X5.

7. Voici, après dénombrement, le solde des comptes de stocks au 30 juin 19X5 :

Fournitures diverses	**1 700 $**
Nourriture pour chiens	**5 200**

8. Les titres négociables ont été acquis le 1er janvier 19X5. Ils portent intérêt au taux annuel de 10 %, encaissables le 1er janvier de chaque année.

9. Le 15 décembre 19X4, l'entreprise a émis pour 1500 $ d'actions ordinaires. Par inadvertance, le crédit de cette transaction a été porté au compte Produits — Tonte.

10. L'emprunt hypothécaire porte intérêt au taux de 12 % l'an. Le dernier paiement d'intérêt a eu lieu le 31 mars 19X5. Le capital sur cet emprunt est remboursable à raison de 3000 $ par semestre.

11. Le président de l'entreprise estime à 1300 $ la provision pour créances irrécouvrables au 30 juin 19X5.

Travail à faire

a) Enregistrez, avec calculs à l'appui, au journal général les écritures de régularisation au 30 juin 19X5.

b) Rédigez, en bonne et due forme, les états financiers suivants pour l'exercice terminé le 30 juin 19X5.

  1) état des résultats ;
  2) état des bénéfices non répartis ;
  3) bilan.

NOTE : Ne tenez pas compte de l'impôt sur le bénéfice.

PROBLÈME 9 — EXCURSIONS HURLEVENT ENR. RÉGULARISATIONS ET CORRECTIONS

M. Sacha Daoust est retraité depuis deux ans. Il s'est retiré dans une des plus belles régions touristiques de la province, qu'il n'a pas tardé à visiter de fond en comble. Maintenant, il désire acquérir une petite entreprise pour ne pas rester inactif. En apprenant qu'un homme d'affaires désire vendre un de ses commerces, il précipite sa décision. Il s'agit d'une entreprise qui organise des visites et des excursions dans la région, été comme hiver. Cela convient si bien à M. Daoust qu'il entreprend des pourparlers avec l'homme d'affaires.

Celui-ci est prêt à céder son entreprise pour un montant équivalant au triple du bénéfice net de l'année courante terminée le 31 octobre 19X5. Il présente l'état des résultats suivant à M. Daoust :

EXCURSIONS HURLEVENT ENR.
État des résultats
pour l'exercice terminé le 31 octobre 19X5

Produits d'exploitation		
Voyages organisés		152 000 $
Commissions		17 000
		169 000
Charges d'exploitation		
Amortissement — Matériel roulant	32 000 $	
Charges — Matériel roulant	27 000	
Publicité	1 200	
Salaires	31 000	
Assurance	4 000	
Intérêts	2 800	
Frais de bureau	2 000	
Loyer, bureau	1 200	
Nourriture et boissons	7 800	109 000
Bénéfice net		60 000 $

M. Daoust s'informe auprès d'un vérificateur de la justesse de cet état des résultats et les faits suivants ressortent :

1. Les produits des voyages organisés proviennent de la vente de billets. Le montant inscrit comprend une somme de 12 000 $ encaissée lors de la vente de billets pour une excursion qui doit avoir lieu du 24 au 31 décembre 19X5.

2. Les commissions proviennent d'un pourcentage que les hôteliers accordent sur le chiffre d'affaires réalisé directement grâce aux excursions. On estime qu'un montant de 3000 $ est à recevoir. On ne considérait ces produits qu'au moment où ils étaient encaissés.

3. Le propriétaire de l'entreprise vendeuse conduisait lui-même un autobus. Il ne comptabilisait aucun salaire puisqu'il retirait de l'argent du compte bancaire à volonté. Il a retiré 40 000 $ en 19X5. Les conducteurs sont ordinairement payés 15 000 $ pour cette tâche.

4. En juillet 19X5, les moteurs de deux autobus ont été remplacés. Ces réparations ont coûté 7000 $. Les autobus en question auront une vie utile de 5 ans à partir de juillet 19X5 et on estime que les moteurs serviront pendant toute cette période s'ils sont bien entretenus. Le coût des réparations a été considéré comme une charge courante sur le matériel roulant.

5. Le local servant de bureau a été loué le 1er décembre 19X4 pour 100 $ par mois. Avant cela, l'affaire était trop peu importante pour justifier un tel local.

6. L'ancien propriétaire amenait fréquemment des membres de sa famille et de ses proches en excursion et ne leur demandait rien. On estime qu'ainsi, environ 6000 $ de produits n'a pas été enregistré.

7. Les salaires des conducteurs d'autobus sont payés tous les deux jeudis. Le 31 octobre était un mercredi postérieur à la dernière paie. Cette paie s'élève actuellement à 1200 $ pour 10 jours ouvrables.

8. L'assurance concerne les véhicules. La dernière prime, qui s'élevait à 2400 $, couvre une période allant du 1er juillet 19X5 au 30 juin 19X6. Le montant de la prime a été considéré comme charge courante en totalité.

9. Le 15 novembre 19X5, on a reçu une facture de 3000 $ pour de la nourriture et des boissons. Certaines excursions en plein air comprennent les repas ; Excursions Hurlevent enr. est alors facturé par le fournisseur. Cette facture a trait à quelques excursions qui ont eu lieu en septembre et en octobre 19X5.

10. Le 1er novembre 19X4, on paie une facture de publicité qui s'élève à 200 $. Cette facture porte sur l'impression d'une brochure annonçant un voyage qui a eu lieu le 20 octobre 19X4.

11. En novembre 19X4, une organisation de scouts paie un compte de 2000 $ pour un voyage ayant lieu en octobre 19X4. Ce montant a été traité comme un produit de la période courante.

Travail à faire

a) Enregistrez les écritures de journal qui devraient être faites pour corriger les comptes d'Excursions Hurlevent enr.

b) Selon les termes de l'accord, combien M. Sacha Daoust devrait-il payer pour acquérir l'entreprise ?

PROBLÈME 10 — RAYMOND LABELLE, PHOTOGRAPHE
ENSEMBLE DES RÉGULARISATIONS

Monsieur Raymond Labelle, photographe, exploite un petit commerce appelé La Belle Photo inc. L'exercice financier couvre la période allant du 1er mars au 28 février. Voici la liste des comptes et leur solde avant régularisation au 28 février 19X3.

Assurance	2 200 $
Amortissement cumulé — Immeuble	6 000
Amortissement cumulé — Équipement photographique	9 000
Amortissement cumulé — Matériel roulant	8 000
Bénéfices non répartis	12 400
Capital-actions ordinaires	10 000
Comptes-clients	22 200
Comptes-fournisseurs	6 700
Dividendes	5 000
Équipement photographique	18 000
Électricité, chauffage	3 800
Encaisse	1 950
Fournitures photographiques (papier, pellicule, etc.)	12 700
Hypothèque à payer	46 775
Immeuble	80 000
Intérêts sur hypothèque	2 425
Matériel roulant	12 000
Provision pour créances irrécouvrables (solde créditeur)	600
Publicité	4 000
Salaires	38 500
Produits — Photo (particuliers)	60 300
Produits — Photo (commercial)	62 800
Taxes foncières	2 400
Téléphone	2 400
Terrain	10 000
Valeurs négociables	5 000

Renseignements additionnels

1. La prime d'assurance a été payée au début de mars 19X2 et couvre une période de deux ans.

2. La méthode de l'amortissement linéaire est utilisée pour les actifs suivants :

Immeuble (40 ans)
Équipement photographique (6 ans)
Matériel roulant (3 ans)

3. Après une étude minutieuse de ses comptes-clients, Monsieur Labelle estime les récupérer dans une proportion de 90 %.

4. Voici le tableau partiel de remboursement de la dette hypothécaire.

DATE	VERSEMENT	INTÉRÊTS	CAPITAL	SOLDE
30 juin 19X1	9 000 $	7 500 $	1 500 $	48 500 $
30 juin 19X2	9 000	7 275	1 725	46 775
30 juin 19X3	9 000	7 016	1 984	44 791

5. Les valeurs négociables rapportent un rendement de 15 % et ont été acquises au début du mois d'octobre 19X2. À la date de présentation des états financiers, aucun intérêt n'a encore été encaissé.

6. Le compte Publicité inclut 250 $ pour des annonces devant paraître en mars et avril 19X3.

7. Le paiement d'un compte-fournisseur a été enregistré aux livres à 120 $ alors que le chèque expédié était de 210 $.

8. Monsieur Labelle a considéré comme produit de la période une somme de 200 $ encaissée comme avance pour la photographie des événements du prochain carnaval local devant avoir lieu en mars 19X3.

9. En fin d'exercice, il reste en stock 600 $ de papier photographique et 200 $ de pellicule photographique.

10. Le compte de taxe foncière (1800 $) couvre la période allant du 1er juillet 19X2 au 30 juin 19X3.

11. Monsieur Labelle emploie occasionnellement un photographe à la pige pour couvrir les événements sportifs. Il doit à ce dernier 250 $ en guise de salaire de janvier et février 19X3 non inscrit aux livres.

12. Le taux d'impôt sur le bénéfice est de 45 %.

Travail à faire

Préparez les états financiers suivants pour l'exercice se terminant le 28 février 19X3.

a) État des résultats.

b) État des bénéfices non répartis.

c) Bilan.

PROBLÈME 11 — KATO INC.
ENSEMBLE DES RÉGULARISATIONS. ÉTATS FINANCIERS

La société Kato inc. est une entreprise se spécialisant dans la réparation de rasoirs et d'aspirateurs électriques. Monsieur Henri Katola, président et directeur général, vous remet le solde, avant régularisations, de tous les comptes du grand livre général au 31 mars 19X5, date de la fin de l'exercice de l'entreprise.

Terrain au coût d'origine	25 000 $
Emprunt bancaire payable sur demande	80 000
Dividendes	24 000
Publicité	26 000
Intérêts	37 000
Encaisse	24 500
Produits — Réparations de rasoirs	210 400
Électricité et chauffage	18 400
Placements temporaires	40 000
Immeuble au coût d'origine	270 000
Salaires	52 000
Comptes-clients	126 000
Mobilier et équipement au coût d'origine	40 000
Produits — Réparations de balayeuses	127 800
Amortissement cumulé — Immeuble	20 000
Capital-actions ordinaires	30 000
Comptes-fournisseurs	58 000
Obligation à payer	200 000
Amortissement cumulé — Mobilier et équipement	18 800
Bénéfices non répartis	24 400
Fournitures et accessoires (charge)	52 000
Provision pour créances irrécouvrables (solde débiteur)	3 000
Impôt sur le revenu à payer (solde débiteur)	8 000
Taxes assurances	23 500

Renseignements additionnels

1. Le taux annuel d'impôt sur le revenu de l'entreprise est de 30 %. Arrondissez à la centaine.

2. Le taux d'intérêt annuel de l'emprunt bancaire est de 20 % et les intérêts furent payés jusqu'au 31 janvier 19X5. Arrondissez à la centaine de dollars.

3. La provision pour créances irrécouvrables a été estimée à 8500 $ au 31 mars 19X5.

4. Un dividende de 5000 $ fut déclaré le 15 mars 19X5 et payable le 15 avril 19X5.

5. L'entreprise utilise la méthode de l'amortissement linéaire. On a estimé la vie utile de l'immeuble à 50 ans, avec une valeur résiduelle de 20 000 $, et celle du mobilier et de l'équipement à 10 ans, sans aucune valeur résiduelle. Voir l'information 8.

6. L'obligation à payer porte intérêt au taux de 18 % l'an. Le capital (5000 $) et les intérêts sont remboursables par tranche semestrielle les 1er juin et 1er décembre de chaque année. Le dernier versement aura lieu le 31 décembre 19X24.

7. Les salaires courus à payer s'élevaient à 1500 $ au 31 mars 19X5.

8. Le 1er avril 19X4, l'entreprise a disposé d'une pièce d'équipement dont le coût d'origine était de 9000 $ et l'amortissement cumulé de 6400 $ au moment de la transaction. Le comptable de l'entreprise a effectué l'écriture de journal suivante au moment de la vente de l'actif :

Encaisse	**1 000**	
Mobilier et équipement		**1 000**

9. Le 23 décembre 19X4, la société Siger a versé 12 000 $ à l'entreprise Kato en paiement de services à recevoir au cours de l'année civile commençant le 1er janvier 19X5. Le comptable a crédité le compte Produits — Réparations de balayeuses lors de l'encaissement de ce montant. Les services sont rendus uniformément pendant l'année.

10. Les placements temporaires sont composés de certificats de dépôts émis par une banque et portent intérêt au taux de 16 % l'an. Ces certificats furent acquis le 1er janvier 19X5.

11. Une prime d'assurance de 6000 $, couvrant la période du 1er juillet 19X4 au 30 juin 19X5, fut débitée entièrement au compte de charge Taxes et assurances.

Travail à faire

a) Effectuez les écritures de régularisations qui s'imposent au 31 mars 19X5. Fournissez le détail de vos calculs.

b) Rédigez, en bonne et due forme, les états financiers suivants pour l'exercice 19X5 :

   1) état des résultats,

   2) état des bénéfices non répartis,

   3) bilan.

PROBLÈME 12 — RONRON INC.
ENSEMBLE DES RÉGULARISATIONS ÉTATS FINANCIERS

Ronron inc. est une entreprise qui se spécialise dans la réparation de balayeuses électriques. On vous soumet la balance de vérification, avant régularisations, au 30 juin 19X4, date de la fin de l'exercice financier de l'entreprise. La société Ronron inc. fut fondée le 1er juillet 19X1 par monsieur et madame Ronronsky.

Amortissement cumulé — Matériel roulant	3 000 $
Amortissement cumulé — Mobilier	3 400
Bénéfices non répartis	7 500
Capital-actions ordinaires	5 000
Comptes-clients	90 200
Comptes-fournisseurs	35 600
Dividendes	2 000
Électricité et chauffage	8 200
Emprunt bancaire	12 000
Emprunt hypothécaire	60 000
Encaisse	19 000
Entretien et réparations — Camion	4 800
Fournitures de réparations — Charges	22 700
Frais payés d'avance	10 800
Intérêts	8 500
Loyer	19 500
Matériel roulant	10 000
Mobilier	17 000
Provision pour créances irrécouvrables (solde créditeur)	1 400
Publicité	9 300
Produits — Réparations au détail	49 000
Produits — Réparations au gros	78 000
Salaires	22 600
Taxes et assurances	2 300
Titres négociables	8 000

Renseignements additionnels

1. L'entreprise amortit le matériel roulant et le mobilier selon la méthode de l'amortissement linéaire. On prévoit une valeur résiduelle de 1000 $ à la fin de la vie utile du matériel roulant et aucune valeur résiduelle pour le mobilier. Ces biens ont été acquis le 1er juillet 19X1 et il n'y a eu aucune autre acquisition ou aliénation depuis ce moment.

2. La provision pour créances irrécouvrables est estimée à 4000 $ le 30 juin 19X4.

3. L'emprunt bancaire porte intérêt au taux de 15 % l'an et les intérêts sur cet emprunt ont été payés jusqu'au 31 mars 19X4.

4. Le 15 juin 19X4, l'entreprise a encaissé 4000 $ de services de réparations au gros à rendre à compter du 1er juillet 19X4.

5. La Société est soumise à un taux d'impôt sur le bénéfice de 40 %. Le bénéfice net comptable est identique au revenu imposable.

6. Il restait 3600 $ de stocks de fournitures de réparations en magasin le 30 juin 19X4.

7. Le 15 juin 19X4, l'entreprise a déclaré un dividende de 1500 $ payable le 15 juillet 19X4. Tout dividende devient une dette légale pour l'entreprise à compter du moment où il est déclaré. Ce dividende n'a pas été enregistré dans les livres comptables.

8. L'emprunt hypothécaire est remboursable de la façon suivante :

DATE		INTÉRÊTS	CAPITAL	TOTAL	SOLDE
30 avril	19X4	3 679 $	1 321 $	5 000 $	60 000 $
31 octobre	19X4	3 600	1 400	5 000	58 600
30 avril	19X5	3 516	1 484	5 000	57 200
31 octobre	19X5	3 432	1 568	5 000	55 800

9. Les frais payés d'avance sont constitués des éléments suivants :

Publicité	6 000 $	versé le 31 janvier 19X4 pour des services à recevoir sur une période de six mois.
Taxes foncières	4 800 $	versé le 30 avril 19X4 pour des services à recevoir sur une période de douze mois.
	10 800 $	

10. Le loyer est payable trimestriellement à l'avance les 1er mai, 1er août, 1er novembre et 1er février de chaque année. Le loyer trimestriel est de 4500 $.

11. Il y avait 1600 $ de salaires courus à payer au 30 juin 19X4.

12. Les titres négociables sont constitués d'Obligations d'épargne du Québec. Elles ont été acquises le 1er février 19X4 et portent intérêt au taux de 13 % l'an. Un intérêt de 520 $ sera encaissé le 1er août 19X4.

13. Le 3 janvier 19X4, l'entreprise a émis pour 1800 $ d'actions ordinaires. Le comptable a alors débité le compte Encaisse et crédité le compte Produits — Réparations au détail pour un montant de 1800 $.

Travail à faire

Préparez les états financiers suivants pour l'exercice se terminant le 30 juin 19X4 :

a) État des résultats.

b) État des bénéfices non répartis.

c) Bilan.

PROBLÈME 13 — PRESSEBEC LTÉE
IMPÔT SUR LE REVENU

Voici un extrait des résultats financiers de l'année 19X9 de la société Pressebec ltée, manufacturier de métal en feuille.

Solde de certains comptes au 31 décembre 19X9

Impôt sur le revenu exigible	10 035 $	
Impôt sur le revenu reporté	30 015	
Actif immobilisé (au coût)		
Terrain	30 000 $	
Immeuble	200 000	Vie utile 40 ans
Machinerie	325 000	Vie utile 10 ans

Aucun actif immobilisé ne fut acquis durant l'année 19X9. La Société utilise, à des fins comptables, la méthode de l'amortissement linéaire. Aucune valeur de rebut n'est prévue.

À des fins fiscales, le coût en capital non amorti, au 1er janvier 19X9, était le suivant :

Catégorie 3 — Immeuble	132 000 $	Taux 5 %
Catégorie 4 — Machinerie	119 000 $	Taux 20 %

Le bénéfice comptable avant impôt pour l'année 19X9 fut de 106 280 $ et le taux d'impôt était de 40 %.

Travail à faire

a) Calculez la charge en impôt sur le revenu pour l'année 19X9 en distinguant l'impôt exigible de l'impôt reporté.

b) Quel était le montant d'impôt sur le revenu exigible au 1er janvier 19X9 en supposant que la Société a effectué, au cours de 19X9, des versements d'impôt totalisant 40 000 $?

c) Quel était le montant d'impôt sur le revenu reporté au 1er janvier 19X9 ?

d) Qu'adviendra-t-il au montant d'impôt sur le revenu reporté en supposant que la Société soit liquidée au début de 19Y0 ?

Chapitre 6
La comptabilité des entreprises commerciales

6.1 L'ENTREPRISE COMMERCIALE

Dans le chapitre précédent, nous avons étudié les problèmes de mesure des bénéfices dans le contexte des entreprises de services. Les problèmes étudiés portaient sur les entreprises ayant pour fonction de rendre des services professionnels, des services de réparations, de louer des biens quelconques ou d'organiser des activités de loisir. Toutefois, une bonne partie de l'activité économique se déroule au niveau des entreprises commerciales ; leur rôle principal ou exclusif est de distribuer en gros ou en détail des biens ou des marchandises. L'une des principales charges d'exploitation de ces entreprises sera le coût des marchandises vendues.

L'entreprise purement commerciale achète des marchandises et les revend dans le même état, c'est-à-dire sans les transformer. Les produits d'exploitation seront enregistrés dans un compte de ventes, tandis que le coût de ces marchandises apparaîtra dans un compte intitulé Coût des marchandises vendues. Citons, à titre d'exemple d'entreprises commerciales, les supermarchés d'alimentation, les magasins de vente au détail de vêtements, les pharmacies, les brasseries, les restaurants, etc. Les capitaux exigés pour distribuer ces biens sont souvent plus importants que l'investissement requis dans une entreprise de service. À titre d'exemple, l'entreprise commerciale doit financer ses stocks. De plus, les grossistes doivent consentir du crédit.

6.2 L'ÉTAT DES RÉSULTATS D'UNE ENTREPRISE COMMERCIALE

Voici la forme générale de l'état des résultats d'une entreprise commerciale :

DISTRIBUTION MULTIPLE LTÉE
État des résultats
pour l'exercice terminé le 31 décembre 19X8

Ventes		1 000 000 $
Coût des marchandises vendues		600 000
Bénéfice brut		400 000
Frais d'exploitation		
Frais de vente	120 000 $	
Frais d'administration	80 000	200 000
Bénéfice avant impôts		200 000
Impôts sur le revenu		100 000
Bénéfice net		100 000 $

Les produits d'exploitation sont les ventes. Ce produit est considéré comme réalisé lorsque la propriété des marchandises est passée du vendeur à l'acheteur. Une fois que le montant des ventes a été déterminé, il faut déduire le coût des marchandises vendues afin de faire ressortir la marge de bénéfice brut. Par exemple, ici, la marge de bénéfice brut en pourcentage est de 400 000 $/1 000 000 $ = 40 %. Cela signifie que pour chaque dollar de vente, l'entreprise débourse en moyenne 60 cents pour l'acquisition des marchandises seulement. Les autres charges sont classées parmi les frais de vente et d'administration. Ce classement est utile parce qu'il donne un aperçu des charges de ces deux grandes fonctions et, éventuellement, permet un meilleur contrôle de ces frais. Le rapprochement entre le bénéfice net et le montant des ventes fournit la marge de bénéfice net. Ici, l'entreprise réalise en moyenne 10 cents de bénéfice net sur chaque dollar de vente (100 000 $/1 000 000 $). Cette marge varie beaucoup d'une industrie à l'autre.

6.3 LA COMPTABILISATION DES ACHATS

6.3.1 Le compte Achats

Le compte Achats est réservé aux coûts occasionnés par l'acquisition de marchandises destinées à la vente. Il ne faut pas y inclure les achats d'immobilisations ou de fournitures. Le compte Achats est un compte de résultat où seront cumulés tous les achats de la période comptable. Toutefois, le total du compte Achats ne sera pas présenté à l'état des résultats, il faudra d'abord lui faire subir une *régularisation* pour en extraire le coût des stocks non encore vendus en fin d'exercice.

Dans notre exemple, la comptabilisation de l'achat se fera en passant l'écriture de journal suivante :

1ᵉʳ mai	**Achats**	35 000	
	Fournisseurs		35 000
	(Pour inscrire l'achat de 35 000 rasoirs chez Gillette inc.)		

Dans cette écriture, le compte collectif Fournisseurs était crédité au grand livre général. Pour obtenir le détail de nos créances, il faut ouvrir un compte individuel pour chaque fournisseur au grand livre auxiliaire des fournisseurs.

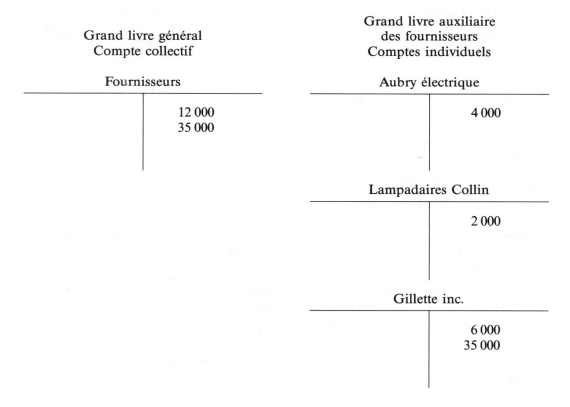

Grand livre général
Compte collectif

Fournisseurs

12 000
35 000

Grand livre auxiliaire
des fournisseurs
Comptes individuels

Aubry électrique

4 000

Lampadaires Collin

2 000

Gillette inc.

6 000
35 000

6.3.2 Le fret à l'achat

Le *fret*, ou transport à l'achat, doit être additionné au montant des achats dans le calcul du coût des marchandises vendues. Ces frais de transport sont payés par l'acheteur si la facture porte la mention *F.A.B. point d'expédition* (franco à bord). Par contre, si on y lit *F.A.B. point de livraison*, c'est le fournisseur qui assume les frais de transport.

Les frais de transport à l'achat entrent dans le coût des marchandises achetées, car si le fournisseur assumait ces frais, son prix de vente serait plus élevé. La distinction entre le fret à l'achat et le montant même des achats est donc artificielle. Toutefois, il importe de connaître ce montant puisqu'il peut influencer la décision sur le choix du mode de transport ou du fournisseur ; c'est pourquoi un compte distinct est utilisé.

Par exemple la mention F.A.B. Québec nous indique que l'acheteur de Montréal devra payer les frais de transport. L'écriture suivante sera donc passée :

1er mai	**Fret à l'achat** **Fournisseurs** (Pour inscrire les frais de transport afférents aux marchandises achetées chez Gillette inc.)	**500**	**500**

Si Gillette inc. avait fixé les conditions F.A.B. Montréal, elle aurait sans doute facturé ses marchandises au coût de 35 500 $ afin de récupérer le montant des frais de transport.

6.3.3 Les rendus et rabais sur achats

Lorsque l'entreprise reçoit des marchandises en mauvais état ou qui ne répondent pas exactement aux spécifications de la commande, elle peut les retourner au fournisseur. Cette marchandise retournée constitue un *rendu*. D'autre part, l'entreprise peut accepter de garder la marchandise endommagée, mais à la condition que le fournisseur réduise son prix ; cette baisse de prix est appelée un *rabais*. Le compte Rendus et rabais sur achats est créditeur puisqu'il s'agit de l'annulation complète ou partielle d'un achat. Ce montant diminuera celui des achats. Un compte distinct du compte Achats est utilisé afin de permettre le contrôle du montant des rendus et rabais par l'acheteur. Le compte Rendus et rabais sur achats est un compte de contrepartie au compte Achats.

Le document qui déclenche l'enregistrement d'un rendu ou rabais est la *note de crédit* reçue du fournisseur. Ce document signifie « nous avons crédité votre compte de tel montant ». Rappelons que dans les livres du vendeur il s'agit de diminuer un compte-client qui présente un solde débiteur. Le créditer équivaut à le diminuer. De là vient le nom note de crédit.

Par exemple, si nous recevons une note de crédit de 1000 $, nous l'enregistrerons ainsi au journal :

10 mai	**Fournisseurs** **Rendus et rabais sur achats** (Note de crédit de Gillette inc. pour marchandises retournées)	**1 000**	**1 000**

Le fournisseur débitera le compte Rendus et rabais sur ventes et créditera le compte Clients.

6.3.4 Les escomptes sur achats

Si l'acheteur paie sa facture à l'intérieur du délai d'escompte, il bénéficie d'un escompte de caisse. L'acheteur ne doit pas régler ses comptes avant l'expiration de ce délai, mais il doit s'assurer de bénéficier de cet escompte car il lui procure un rendement de l'ordre de 36 %. Le calcul suivant, dans le cas où le fournisseur accorde les conditions 2/10, n/30 (2 % d'escompte si payé en deça de 10 jours, sinon le montant complet dans 30 jours), le démontre :

Calcul

L'option est la suivante :

Payer 98 $ (100 $ − 2 $) au bout de 10 jours ou payer 100 $ au bout de 30 jours.

Conclusion

Pour bénéficier des fonds pendant 20 jours de plus, il en coûte 2 $ pour chaque 100 $:

$$2 \% \quad \text{pour} \quad 20 \text{ jours}$$
$$x \% \quad \text{pour} \quad 365 \text{ jours}$$

$$\frac{0,02}{20 \text{ jours}} = \frac{x}{365 \text{ jours}} \quad x = 36,5 \% \text{ annuel}$$

Si l'acheteur a vraiment besoin de ces fonds pendant 20 jours, il pourra facilement emprunter à un meilleur taux que 36,5 %. Donc, il vaut mieux bénéficier de l'escompte en payant au bout de dix jours.

Une fois approuvées, les factures devraient être classées dans un fichier échéancier. Par exemple, une facture datée du 5 mars portant les conditions 2/10, n/30 devrait être classée dans la filière n° 15 qui correspond au 15ᵉ jour du mois. Ainsi, en réglant les factures le 15 mars le préposé retirera toutes les factures de la filière n° 15 ; le 16 mars il règlera les factures de la filière n° 16 ; etc.

Voici un exemple de comptabilisation de l'escompte. Le 1ᵉʳ mars l'entreprise achète pour 1000 $ de marchandises. Les conditions de règlement sont 2/10, n/30.

| 1ᵉʳ mars | Achats | 1 000 | |
| | Fournisseurs | | 1 000 |

On choisit de régler le compte le 10 mars pour bénéficier de l'escompte.

10 mars	Fournisseurs	1 000	
	Encaisse		980
	Escomptes sur achats		20

Remarquons que le débit à Fournisseurs doit être de 1000 $ car la créance est réglée au complet même si le chèque est de 980 $. Le compte *Escomptes sur achats* est créditeur car il s'agit d'un produit ou du contraire d'un achat (la réduction du coût d'achat à première vue).

Toutefois, l'escompte sur achats ne devrait pas faire partie du calcul du coût des marchandises vendues ou être diminué du coût des achats. En effet, le coût des achats ne devrait pas varier simplement parce que l'acheteur a choisi de payer rapidement son compte, c'est-à-dire à l'intérieur du délai d'escompte. Il s'agit d'une décision d'ordre financier. On a décidé d'utiliser les fonds pour régler les fournisseurs plutôt que de les investir ailleurs. Pour payer le fournisseur rapidement, il a fallu emprunter ou se priver d'un rendement sur les fonds investis ailleurs. L'escompte sur achats est donc un produit d'ordre financier qui devrait contrebalancer les frais d'intérêts engagés pour se procurer les fonds qui ont servi à régler plus tôt le compte-fournisseur. Il est illogique qu'une entreprise réalise une marge de bénéfice brut plus élevée parce qu'elle règle plus rapidement ses achats. Cela ne devrait pas changer le rapport entre le coût des marchandises et les ventes. Agir autrement équivaut à attribuer aux fonctions vente et achat un produit qui découle plutôt d'un usage judicieux des fonds par le Service de la trésorerie. Certains prétendent que l'escompte ne devrait pas apparaître parmi les produits car il s'agit d'une économie. En somme, le compte Escomptes sur achats n'est pas un compte de contrepartie au compte Achats.

Il faut distinguer les escomptes de caisse des escomptes d'usage ou rabais de gros. On inscrit alors l'achat au montant net car le grossiste accorde justement cet escompte pour ajuster son prix aux conditions du marché. Le même traitement est accordé aux escomptes de quantité dont bénéficie un acheteur de grosses quantités.

6.3.5   La comptabilisation des escomptes perdus

En utilisant un compte Escomptes sur achats distinct du compte Achats, la gestion est informée de l'importance des escomptes et de la vigilance accordée à en bénéficier. La baisse des montants d'escompte peut révéler une inefficacité dans ce domaine. Toutefois, certaines entreprises vont plus loin en comptabilisant les achats au montant net et en faisant ressortir le montant des *escomptes perdus*.

EXEMPLE

Le 1er mars l'entreprise achète 1000 $ de marchandises aux conditions 2/10, n/30. La comptabilisation de l'achat est faite au montant net.

1er mars	**Achats**	980	
	Fournisseurs		980
	(Pour inscrire les achats de marchandises chez Gillette inc. au coût net d'escompte)		

Si l'entreprise paie à l'intérieur du délai d'escompte nous aurons :

10 mars	**Fournisseurs**	980	
	Encaisse		980
	(Règlement de la facture du 1er mars de Gillette inc. compte tenu de l'escompte de 2 %)		

Si l'entreprise paie au bout de 30 jours, sans bénéficier de l'escompte, nous aurons :

30 mars	**Fournisseurs**	980	
	Escomptes de caisse perdus	20	
	Encaisse		1 000
	(Règlement de la facture du 1er mars de Gillette inc. et de l'escompte perdu suite à un paiement après l'expiration du délai d'escompte)		

La perte d'escompte est alors portée à l'attention de la direction. Les tenants de cette méthode présentent la charge d'exploitation à l'état des résultats, mais en dehors du calcul du bénéfice brut ou des achats. Ils soutiennent que le coût des achats est véritablement le coût net. Le montant additionnel à verser (20 $) est une pénalité d'ordre financier à ceux qui ne règlent pas leur compte promptement ; elle doit donc apparaître dans les frais d'exploitation au même titre qu'une charge d'intérêt.

6.4 L'ENREGISTREMENT DU COÛT DES MARCHANDISES VENDUES : UNE RÉGULARISATION DE RÉPARTITION

Nous avons vu que l'état des résultats d'une entreprise commerciale se présentait ansi :

Ventes	100 000 $
Moins : coût des marchandises vendues	60 000
Bénéfice brut	40 000 $

Le principe du rapprochement des produits et des charges exige que l'on détermine avec précision le coût des marchandises qui ont été vendues afin de déduire celui-ci des ventes. Ce coût des marchandises vendues sera rarement égal au montant des achats parce que l'entreprise gardera continuellement un certain stock, c'est-à-dire qu'une partie des achats n'aura pas été revendue à un moment donné.

Par exemple, si le montant des achats a été de 1 000 000 $ pendant l'année, l'écriture suivante résume l'enregistrement des achats

Année 19X1	Achats	1 000 000	
	Fournisseurs		1 000 000

Si les ventes de l'année 19X1 avaient été de 1 700 000 $, nous pourrions affirmer que le résultat suivant est exact uniquement dans la mesure où il ne reste aucune marchandise en stock en fin d'exercice.

Ventes	1 700 000 $
Coût des marchandises vendues	1 000 000
Bénéfice brut	700 000 $

Dans ces conditions, la seule écriture de régularisation nécessaire serait celle qui virerait le montant du compte Achats au compte Coût des marchandises vendues.

31 déc. 19X1	Coût des marchandises vendues	1 000 000	
	Achats		1 000 000

Au moment où les achats sont effectués, le compte Achats est débité. Toutefois, ce débit à un compte de résultats présuppose que les achats seront des charges. Or, comme nous l'avons mentionné, une partie des achats demeure en stock en fin d'exercice. Le compte Achats est donc *mixte* en fin d'exercice puisqu'une partie de son solde constitue une charge véritable, Coût des marchandises vendues, et l'autre partie constitue un actif, Stock de marchandises. Il faudra donc effectuer une écriture de régularisation de répartition à la fin de l'exercice pour ventiler le compte Achats.

Dans notre exemple, nous supposerons qu'un stock de marchandises de 400 000 $ est décompté au 31 décembre 19X1 :

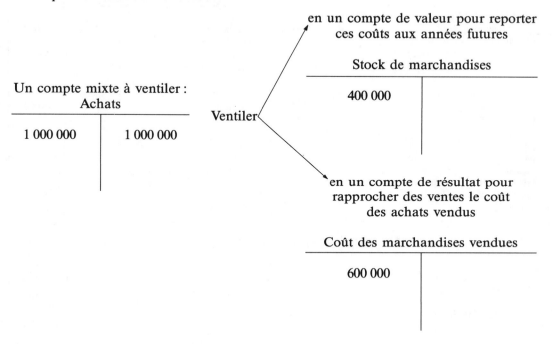

L'écriture de régularisation sera donc la suivante :

31 déc. **19X1**	**Stock de marchandises** **Achats**	**400 000**	**400 000**
	Coût des marchandises vendues **Achats**	**600 000**	**600 000**

Afin de bien démontrer que la détermination du coût des marchandises vendues constitue une régularisation normale de répartition, comparons l'achat de marchandises à l'acquisition de services d'assurance.

Comparaison des achats avec une charge quelconque					
Achats			Assurances		

Achats
   Encaisse
(Achat de biens à écouler
sur une certaine période)
	1 000 000	1 000 000	Assurances
			   Encaisse
			(Souscription à une police
			d'assurance pour une
			protection de trois ans)
				9 000	9 000

Achats payés d'avance
   (Stocks)
   Achats
	400 000	400 000	Assurances payées d'avance
			   Assurances
				6 000	6 000

Achats payés d'avance est synonyme de Stock de mar- chandises ; il regroupe le coût des marchandises qui n'ont pas été écoulées durant la période			Assurances payées d'avance regroupe les coûts qui ne peu- vent être absorbés pendant la période, car ils se rapportent à des périodes subséquentes, soit les deux prochaines années		

L'état des résultats se présenterait ainsi dans la deuxième hypothèse de notre exemple

Ventes	1 700 000 $
Coût des marchandises vendues	600 000
Bénéfice brut	1 100 000 $

Poursuivons maintenant notre exemple en supposant qu'au cours de l'année suivante (19X2) les achats ont été de 1 500 000 $ et que les stocks de marchandises s'élevaient à 600 000 $ au 31 décembre 19X2. Notre travail de mesure sera donc le suivant :

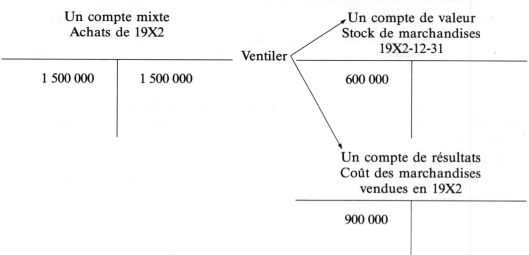

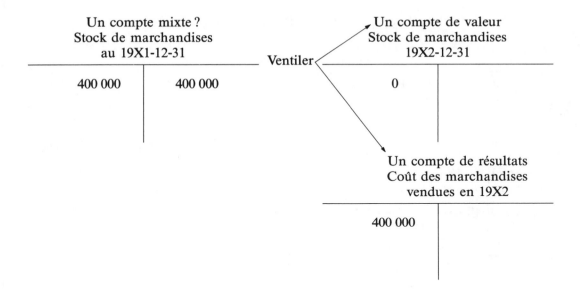

Les écritures de régularisation seront les suivantes au 31 décembre 19X2 :

a)	**Fin 19X2**	**Coût des marchandises vendues** **Stocks de marchandises**	**400 000**	**400 000**
		(Régularisation visant à faire absorber à l'exercice 19X2 le coût des marchandises encore en stock à la fin de 19X1 et qui ont été vendues en 19X2)		
b)	**Fin 19X2**	**Coût des marchandises vendues** **Achats**	**900 000**	**900 000**
		(Régularisation visant à regrouper sous le coût des marchandises vendues le montant des marchandises achetées et vendues en 19X2)		
c)	**Fin 19X2**	**Stocks de marchandises** **Achats**	**600 000**	**600 000**
		(Régularisation visant à reporter à l'année 19X3 le coût des marchandises achetées, mais non vendues, en 19X2)		

Si les ventes ont été de 2 000 000 $ en 19X2, nous aurons, à l'état des résultats de l'année 19X2 :

Ventes	2 000 000 $
Coût des marchandises vendues	1 300 000
Bénéfice brut	700 000 $

Un calcul indépendant du coût des marchandises vendues se présenterait ainsi :

Stock au début	400 000 $
Plus : achats	1 500 000
Marchandises disponibles à la vente	1 900 000
Moins : stock à la fin	600 000
Coût des marchandises vendues	1 300 000 $

D'ailleurs, on présente parfois l'état des résultats en montrant ce détail plutôt qu'uniquement le solde du compte de résultats Coût des marchandises vendues. Cela ne doit pas inciter les lecteurs à penser que les comptes d'actif Stock de marchandises sont des comptes de l'état des résultats ; ils ne figurent à l'état des résultats que pour expliquer le coût des marchandises vendues. Cette façon de détailler le poste Coût des marchandises vendues à l'état des résultats permet simplement de retracer l'origine des variations de ce compte, comme on peut le constater à son examen.

Coût des marchandises vendues

	Débit	Crédit	Solde
Virement des coûts du stock au début (écriture a)	**400 000**		
Virement du coût des achats, 1 500 000 $ moins le stock à la fin, 600 000 $ (écriture b)	**900 000**		**1 300 000**

6.4.1 Graphique du coût des marchandises vendues

Le graphique suivant aidera à visualiser le cheminement des coûts qui détermineront le coût des marchandises vendues.

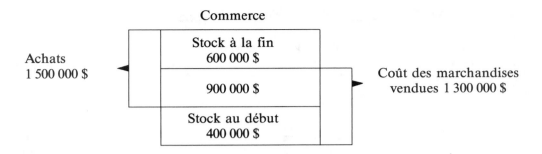

6.5 SOMMAIRE DE LA COMPTABILISATION DES ACHATS

Le schéma suivant passe en revue les écritures relatives aux achats :

Opération	Documents d'affaires	Comptes affectés Grand livre général				Comptes affectés Grand livre auxiliaire des fournisseurs
Achats à crédit	Facture d'achat	**Achats** 1 200		**Fournisseurs** 1 200		**Gillette inc.** 1 200
Fret à l'achat	Facture du transporteur	**Fret à l'achat** 100		**Fournisseurs** 100		**Rimouski transport** 100
Rendus et rabais sur achat	Note de crédit	**Rendus et rabais sur achat** 200		**Fournisseurs** 200		**Gillette inc.** 200 | 1 200
Escompte sur achat	Facture Talon de chèque	**Escomptes sur achats** 20	**Encaisse** 980	**Fournisseurs** 1 000		**Gillette inc.** 200 | 1 200 1 000
Fin d'exercice	Chiffriers Feuilles d'inventaire	**Coût des marchandises vendues** ⓐ 3 000 ⓑ 10 000	**Achats** 15 000 | 10 000 ⓑ 5 000 ⓒ	**Stock** 3 000 | 3 000 ⓐ ⓒ 5 000		

L'entreprise commerciale doit gérer des stocks de marchandises. Cela pose le problème du choix de la méthode d'inventaire. Ce sujet est traité au chapitre 11 du deuxième tome.

6.6 LA COMPTABILISATION DES VENTES

Plusieurs comptes de produits *Ventes* peuvent être ouverts si l'on veut conserver le détail des ventes par régions ou par produits dans le but de fournir une information sectorielle.

15 mai	**Clients**	120 000	
	Ventes — Région 1 produit A		**70 000**
	Ventes — Région 2 produit B		**50 000**

Bien que les comptes-clients n'amènent l'ouverture que d'un seul compte collectif au grand livre général, le détail des montants à recevoir de chaque client doit être fourni par un *grand livre auxiliaire des clients*. Ce grand livre auxiliaire contient les comptes individuels de chaque client.

Grand livre général
Compte collectif

Clients

120 000 |

Grand livre auxiliaire des clients
Comptes individuels

Distribution éclair

40 000 |

Ferland électrique

30 000 |

Jasmin luminaire

50 000 |

6.6.1 Les rendus et rabais sur ventes

Une vente n'est vraiment complétée que lorsque le client a reçu la marchandise en bon état. Il arrive que des clients retournent des marchandises reçues en mauvais état ou qui ne correspondent pas entièrement à leurs spécifications : cette transaction se nomme un *rendu*. Mais il arrive également que les clients consentent à conserver les marchandises, moyennant un *rabais* ; ces rabais ou ces rendus sont en quelque sorte des diminutions ou des annulations de ventes. On pourrait songer à débiter le compte Ventes, mais l'usage est de maintenir un compte de contrepartie *Rendus et rabais sur ventes* distinct des ventes, afin d'évaluer à quel montant s'élèvent ces rendus et rabais. Cela permet de contrôler ce montant et, éventuellement, d'intervenir pour remédier à la situation s'il devient important. Ce compte est débiteur puisqu'il s'agit de la réduction ou de l'annulation de ventes.

| 20 mai | Rendus et rabais sur ventes | 1 000 | |
| | Clients | | 1 000 |

Ce compte de contrepartie apparaîtra en déduction des ventes brutes à l'état des résultats. L'entreprise expédiera une note de crédit au client.

6.6.2 Les escomptes sur ventes

Pour accélérer le recouvrement des comptes-clients, certaines entreprises accordent un escompte aux débiteurs qui acquittent leur dette avant l'échéance à l'intérieur d'une période définie que l'on nomme le *délai d'escompte*. Contrairement aux achats où l'on comptabilise parfois ceux-ci au montant net, les ventes sont comptabilisées au montant brut. Les conditions de crédit peuvent varier selon la nature des biens vendus.

EXEMPLE

Le 20 septembre, une vente à crédit de 1000 $ a lieu avec les conditions 2/10, n/30.

| 20 sept. | Clients | 1 000 | |
| | Ventes | | 1 000 |

Le client choisit de régler son compte le 30 septembre et de bénéficier de l'escompte :

30 sept.	Encaisse	980	
	Escomptes sur ventes	20	
	Clients		1 000

Le solde du compte du client est donc nul puisqu'il était convenu qu'il réglait sa dette en payant 98 % du montant de la facture.

Conformément au raisonnement exposé pour les escomptes sur achats, les escomptes sur ventes sont des charges financières car ils sont engagés dans l'espoir d'accélérer les entrées de fonds provenant des clients. Le paiement plus ou moins prompt du client ne devrait pas modifier la marge de bénéfice brut. En somme, le compte Escomptes sur ventes n'est pas un compte de contrepartie au compte Ventes.

Quant au fret à la vente, il constitue un frais d'exploitation à classer sous la section Frais de ventes et non dans le calcul du bénéfice brut, à moins que le prix de vente ne contienne les frais de transport.

6.6.3 La taxe sur les ventes

Au Québec, en vertu des articles 6 et 14 de la Loi sur l'impôt sur la vente au détail, les détaillants doivent agir comme mandataire du ministre du Revenu et percevoir une taxe de 9 ou 10 % sur le prix de détail, tenir compte des montants ainsi perçus et les remettre au Ministre au plus tard le quinzième jour de chaque mois.

L'écriture pour enregistrer les ventes sera :

15 mai	**Clients ou Encaisse**	**1 090**	
	Taxe sur les ventes à payer		**90**
	Ventes		**1 000**
	(Pour inscrire une vente de 1000 $ assujettie à la taxe de vente de 9 %)		

Et lors de la remise :

15 juin	**Taxe sur les ventes à payer**	**90**	
	Encaisse		**90**
	(Remise de la taxe de vente au détail au ministre du Revenu du Québec)		

Si on accorde un escompte de caisse au client, on peut le calculer sur le montant de la vente (1000 $) ou sur le montant du compte (1090 $). Normalement le calcul devrait se faire sur 1090 $, car l'escompte a pour but d'accélérer le règlement de ce montant et non seulement 1000 $.

Les fabricants ne perçoivent pas la taxe de vente provinciale au détail, mais le gouvernement fédéral leur demande de recueillir une taxe de vente générale et une taxe d'accise s'il y a lieu. Au fédéral, la Loi sur la taxe d'accise stipule que les fabricants ou producteurs de marchandises imposables doivent demander une licence de taxe de vente et une licence de taxe d'accise s'il y a lieu. Cette taxe de vente touche toutes les marchandises fabriquées au Canada ainsi que celles importées au Canada. La taxe de vente est calculée sur le prix de vente du fabricant ou sur le montant acquitté à l'importation. Le taux de la taxe d'accise est précisé dans la loi et il varie selon la nature des biens imposés. La comptabilisation de la perception et de la remise de ces taxes est semblable à celle de la taxe de vente au détail provinciale.

6.7 SOMMAIRE DE LA COMPTABILISATION DES VENTES

Le schéma suivant passe en revue les écritures relatives aux ventes :

Opération	Documents d'affaires	Comptes affectés Grand livre général			Comptes affectés Grand livre auxiliaire des clients
Ventes au comptant	Rubans de Caisse	**Encaisse** 109	**Ventes** 100	**Taxe de vente à payer** 9	
Ventes à crédit	Facture de ventes	**Clients** 10 900	**Ventes** 10 000	**Taxe de vente à payer** 900	**Distribution éclair** 4 360
					Ferland électrique 6 540
Rendus et rabais sur ventes	Note de crédit expédiée	**Rendus et rabais sur ventes** 200	**Clients** 218	**Taxe de vente à payer** 18	**Distribution éclair** 4 360 | 218
Escompte sur ventes	Facture Chèque encaissé	**Encaisse** 4 066	**Escompte sur ventes** 76	**Clients** 4 142	**Distribution éclair** 4 360 | 218 4 142

6.8 L'INVENTAIRE PÉRIODIQUE

L'inventaire périodique est une méthode de comptabilisation des stocks qui présente les caractéristiques suivantes :

1) À l'achat des marchandises, le compte de résultats Achat est débité. On ne débite pas le compte Stock de marchandises car on ne désire pas suivre les variations de ce compte d'actif au fur et à mesure des entrées de marchandises.

1er déc.	**Achats**	**10 000**	
	Fournisseurs		**10 000**
	(Achat de 100 tondeuses à 100 $)		

2) Au moment de la vente de marchandises, on ne comptabilise pas la sortie de stock car, nous l'avons déjà dit, on ne désire pas suivre les variations du compte d'actif Stock de marchandises.

On enregistre simplement la vente :

20 déc.	**Clients**	**20 000**	
	Ventes		**20 000**
	(Vente de 100 tondeuses au prix de 200 $)		

3) À la fin de l'exercice comptable, on détermine la quantité et la valeur des articles stockés en procédant à un *dénombrement* matériel et en valorisant les articles décomptés. On obtient, par différence, le coût des marchandises vendues en ajoutant au stock initial les achats de l'exercice et en retranchant de ce total le stock final. Dans notre exemple :

Stock initial	2 000 $
Achats	10 000
Stock final	4 000

31 déc.	**Coût des marchandises vendues**	**2 000**	
	Stock de marchandises (initial)		**2 000**
	Coût des marchandises vendues	**10 000**	
	Achats		**10 000**
	Stock de marchandises	**4 000**	
	Coût des marchandises vendues		**4 000**

Cette écriture est quelque peu différente de celle que nous avions introduite précédemment, mais elle donne le même résultat. On ignore donc, au moment de la vente, le calcul du coût des marchandises vendues en inventaire périodique.

Le dénombrement doit inclure certaines marchandises en circulation ou en consignation. Si les marchandises sont entre les mains d'un transporteur, elles appartiennent généralement à celui qui, du vendeur ou de l'acheteur, paie le transporteur. Les marchandises en consignation appartiennent encore à l'entreprise, bien qu'elles se trouvent physiquement chez un distributeur appelé consignataire.

6.9 L'INVENTAIRE PERMANENT

L'inventaire permanent est une méthode de comptabilisation des stocks qui présente les caractéristiques suivantes :

1) À l'achat des marchandises, le compte de valeur *Stock de marchandises* est débité, ceci dans le but de suivre les variations de ce compte d'actif occasionnées par les entrées et les sorties de marchandises.

1ᵉʳ déc.	**Stock de marchandises** **Fournisseurs**	**10 000**	**10 000**
	(Achat de 100 tondeuses à 100 $)		

Pour suivre le niveau des stocks, il faut consacrer une *fiche d'inventaire* à chaque article. On y inscrira le nombre d'unités reçues et vendues ainsi que le solde.

Article : Tondeuse		Code : X-440					Minimum : 125 Maximum : 375		
	Achats			Ventes			Solde		
Date	Quantité	Coût unitaire	Coût total	Quantité	Coût unitaire	Coût total	Quantité	Coût unitaire	Coût total
1ᵉʳdéc.	100	100 $	10 000 $				200 300	100 $ 100 $	20 000 $ 30 000 $

L'ensemble de ces fiches de stocks forme le *grand livre auxiliaire des stocks*.

2) Au moment de la vente des marchandises, on comptabilise la sortie de stock et le coût des marchandises vendues.

20 déc.	**Clients**	20 000	
	Ventes		20 000
	(Vente de 100 tondeuses au prix de 200 $)		

Le coût unitaire des articles vendus nous est fourni par la fiche de stock (100 $). Nous enregistrons dans ce grand livre auxiliaire des stocks la sortie des 100 articles.

Article : Tondeuse			Code : X-440				Minimum : 125 Maximum : 375		
		Achats			Ventes			Solde	
Date	Quantité	Coût unitaire	Coût total	Quantité	Coût unitaire	Coût total	Quantité	Coût unitaire	Coût total
							200	100 $	20 000 $
1er déc.	100	100 $	10 000 $				300	100 $	30 000 $
20 déc.				100	100 $	10 000 $	200	100 $	20 000 $

L'écriture suivante accompagne alors l'enregistrement de la vente :

20 déc.	**Coût des marchandises vendues**	10 000	
	Stock de marchandises		10 000
	(Pour enregistrer le coût des tondeuses vendues)		

3) À la fin de l'exercice comptable, on effectue un dénombrement des articles stockés, non pas pour connaître le montant des stocks et, par différence, le coût des marchandises vendues, mais pour effectuer un *récolement* des quantités réellement en stock et de celles indiquées aux livres.

Avec l'aide de l'informatique, il est possible de maintenir un inventaire permanent pour des entreprises tels des supermarchés ou des magasins de vente au détail où les articles sont nombreux et de faible valeur. Ainsi, à l'aide d'un lecteur électronique, il suffit de lire l'étiquette du bien vendu. À ce moment, on procédera à l'enregistrement de la sortie du bien ainsi qu'aux détails qui le concernent.

Cette méthode de l'inventaire permanent permet d'exercer un meilleur contrôle sur les stocks. En effet, cela indique en tout temps la quantité en main et permet de déceler les différences entre les quantités réellement en stock et celles montrées aux livres. Cela peut même permettre de déceler les vols par exemple. La méthode de l'inventaire permanent permet de dénombrer les articles en stock de façon successive à un moment autre que la fin de l'exercice ; il n'est pas nécessaire de dénombrer l'ensemble des stocks à la même date. Cette méthode permet également de dresser des états financiers périodiques sans avoir à effectuer un dénombrement. Il suffit de s'assurer, à un moment donné, que les registres correspondent bien à la réalité. Ce moment peut être choisi pour coïncider avec une période de faible activité.

6.10   EXEMPLE PRATIQUE

Le président du Roi des prix ltée, un magasin spécialisé dans la vente de meubles au détail, apprend que vous êtes étudiant en comptabilité et il vous demande, à la fin de l'exercice financier 19X7, de préparer ses états financiers.

Vous obtenez une liste des comptes tels qu'ils apparaissent avant *les régularisations* au 31 décembre 19X7. De plus, le président vous fournit quelques renseignements supplémentaires.

Achats	**500 000 $**
Amortissement cumulé — Bâtisse	**100 000**
Amortissement cumulé — Matériel roulant	**2 000**
Amortissement cumulé — Mobilier	**15 000**
Bâtisse	**420 000**
Capital-actions	**100 000**
Bénéfices non répartis	**46 552**
Caisse	**30 000**
Chauffage	**7 000**
Fournisseurs	**53 000**
Clients	**100 000**
Fournitures de bureau utilisées	**1 000**
Dividendes	**6 000**
Électricité	**9 000**
Emprunt bancaire sur demande	**75 000**
Frais payés d'avance	**8 500**
Intérêts sur emprunt bancaire	**8 000**
Intérêts sur hypothèque	**14 847**
Matériel roulant	**6 000**
Mobilier	**30 000**
Hypothèque à payer, 10 % payable en 25 versements annuels égaux et consécutifs de 33 050 $ chacun, le 30 juin de chaque année	**293 595**
Provision pour créances irrécouvrables	**3 000**
Publicité	**14 000**
Salaires	**70 000**
Stock de marchandises au 1ᵉʳ janvier 19X7	**75 000**
Téléphone	**2 000**
Terrain	**80 000**
Ventes	**700 000**
Voyages	**6 800**

Renseignements additionnels

1. Le président de la Société évalue les stocks de la fin à 85 000 $.

2. La provision pour créances irrécouvrables est estimée à 5 % des comptes-clients.

3. Les frais payés d'avance apparaissant au grand livre sont les suivants :

Assurance-responsabilité
1ᵉʳ janvier 19X7 au 31 décembre 19X9 900 $

Assurance-incendie
1ᵉʳ juillet 19X7 au 30 juin 19X9 4 000

Taxes foncières
1ᵉʳ mai 19X7 au 30 avril 19X8 3 600

8 500 $

4. Le taux estimatif sur le revenu est de 50 %.

5. Les intérêts sur hypothèque sont payés le 30 juin de chaque année. Voici le tableau d'amortissement de cette dette :

DATE	VERSEMENT	PRINCIPAL	INTÉRÊTS	SOLDE
				300 000 $
30 juin 19X6	33 050 $	3 050 $	30 000 $	296 950
30 juin 19X7	33 050	3 355	29 695	293 595
30 juin 19X8	33 050	3 690	29 360	289 905

6. Renseignements sur les immobilisations :

	Valeur de rebut (résiduelle)	Vie utile
Bâtisse	**20 000 $**	**40 ans**
Mobilier	**5 000**	**5 ans**
Matériel roulant	**—**	**3 ans**

Les immobilisations sont amorties selon la méthode de l'amortissement constant ou linéaire.

7. La prochaine paie, totalisant 6000 $, aura lieu le 7 janvier 19X8, en règlement de la dernière semaine de 19X7 et de la première semaine de 19X8.

Travail à faire

Présentez les états financiers, au 31 décembre 19X7, en effectuant les calculs nécessaires.

Solution — Le Roi des prix ltée

1. Écritures de régularisation

a)

Coût des marchandises vendues	75 000	
Stock au début		75 000
Coût des marchandises vendues	500 000	
Achats		500 000
Stock à la fin	85 000	
Coût des marchandises vendues		85 000

b)

Mauvaises créances	2 000	
Provision pour créances irrécouvrables		2 000
(100 000 $ × 0,05) − 3000 $		

c)

Assurances	1 300	
Taxes	2 400	
Frais payés d'avance		3 700

Responsabilité	900 $	× ⅓	=	300 $
Incendie	4000	× ¼	=	1000
Taxes	3600	× 8/12	=	2400

d) L'impôt sera calculé en dernier, une fois le bénéfice connu.

e)

| Intérêts | 14 680 | |
| Intérêts courus à payer | | 14 680 |

Intérêts sur hypothèque
Du 1er janvier 19X7 au 30 juin 19X7
$$- \ 29\ 695\$/2 \ = \ 14\ 847\ \$$$
Du 30 juin 19X7 au 31 décembre 19X7
$$- \ 29\ 360\ \$/2 \ = \ 14\ 680\ \$$$
Total = 29 528 $

f)

Amortissement — Bâtisse	10 000	
Amortissement — Mobilier	5 000	
Amortissement — Matériel roulant	2 000	
Amortissement cumulé — Bâtisse		10 000
Amortissement cumulé — Mobilier		5 000
Amortissement cumulé — Matériel roulant		2 000

Bâtisse (420 000 $— 20 000 $)/40 ans = 10 000 $
Mobilier (30 000 $ — 5000 $)/5 ans   =   5 000
Matériel roulant (6000 $/3 ans)   =   2 000

g)

Salaires	3 000	
Salaires courus à payer		3 000
(6000 $ × ½)		

h)

Impôts — Charge	18 486	
Impôts à payer		18 486
(36 972 $ × 50 %)		

LE ROI DES PRIX LTÉE
État des résultats
pour l'exercice terminé le 31 décembre 19X7

Ventes		700 000 $
Coût des marchandises vendues		
Stock du début	75 000 $	
Achats	500 000	
Marchandises disponibles à la vente	575 000	
Stocks de la fin	(85 000)	490 000
Bénéfice brut		210 000
Frais d'exploitation		
Chauffage	7 000	
Fournitures de bureau	1 000	
Assurances	1 300	
Taxes	2 400	
Électricité	9 000	
Intérêts sur emprunt bancaire	8 000	
Intérêts sur hypothèque	29 528	
Publicité	14 000	
Salaires	73 000	
Téléphone	2 000	
Voyages	6 800	
Mauvaises créances	2 000	
Amortissement — Bâtisse	10 000	
Amortissement — Mobilier	5 000	
Amortissement — Matériel roulant	2 000	173 028
Bénéfices avant impôts		36 972
Impôts sur le revenu		18 486
Bénéfice net		18 486 $

LE ROI DES PRIX LTÉE
État des bénéfices non répartis
pour l'exercice terminé le 31 décembre 19X7

Solde au 1er janvier 19X7	46 552 $
Plus : bénéfice net	18 486
	65 038
Moins : dividendes	6 000
Solde au 31 décembre 19X7	59 038 $

LE ROI DES PRIX LTÉE
Bilan
au 31 décembre 19X7

ACTIF
Actif à court terme

Encaisse		30 000 $
Clients	100 000 $	
Provision pour créances irrécouvrables	(5 000)	95 000
Stock de marchandises		85 000
Frais payés d'avance		4 800
		214 800

Actif à long terme

	Coût	Amortissement cumulé	
Bâtisse	420 000 $	(110 000) $	310 000
Mobilier	30 000	(20 000)	10 000
Matériel roulant	6 000	(4 000)	2 000
Terrain	80 000		80 000
			402 000
	536 000 $	134 000 $	616 800 $

PASSIF
Dettes à court terme

Emprunt bancaire		75 000 $
Fournisseurs		53 000
Intérêts courus à payer		14 681
Salaires courus à payer		3 000
Impôt à payer		18 486
Versement exigible de la dette		3 690
		167 857

Dettes à long terme

Hypothèque à payer	293 595 $	
Portion exigible	(3 690)	289 905
		457 762

AVOIR DES ACTIONNAIRES

Capital-actions ordinaires	100 000	
Bénéfices non répartis	59 038	159 038
		616 800 $

6.11   QUESTIONS

1. Expliquez l'effet de *chacune* de ces erreurs sur le bénéfice net de l'année courante et sur celui du prochain exercice financier.

   a) Le stock de marchandises du début de l'année courante était surévalué de 50 000 $.

   b) On a oublié de comptabiliser une facture d'achat de marchandises de 25 000 $ pendant l'année courante. Toutefois, ces marchandises étaient en stock à la fin de l'exercice visé.

   c) On a décompté et évalué deux fois un stock de marchandises de 30 000 $ qui se trouvait en entrepôt à la fin de l'année courante.

2. Expliquez l'effet de l'erreur décrite ci-après sur le bénéfice net de l'année courante (19X1), sur celui du prochain exercice financier (19X2) et sur celui terminé le 31 décembre 19X3.

   On a décompté et évalué deux fois un stock de marchandises de 30 000 $ qui se trouvait en entrepôt le 31 décembre 19X1.

3. La marge de bénéfice brut d'une société est passée de 50 % à 47 % de 19X7 à 19X8. Identifiez les causes possibles de cette baisse.

4. Plutôt que de traiter le coût du transport à l'achat de marchandises comme faisant partie du coût de ces marchandises, une entreprise les considère comme des frais d'administration. Quelles erreurs cela peut-il entraîner ?

5. Si une entreprise a conservé, en 19X8 et 19X7, une marge de bénéfice brut de 40 % mais que sa marge de bénéfice net soit passée de 8 % à 6 % de 19X7 à 19X8, où se situe le problème ?

6. Voici un graphique représentant le cheminement des coûts dans une entreprise commerciale :

DÉPANNEUR *CHEZ MON ONCLE LTÉE*

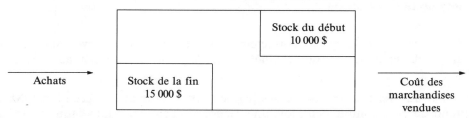

Les ventes de l'année furent de 100 000 $ et la marge de bénéfice brut fut de 40 %.

Travail à faire

Calculez le montant des achats de l'année.

7. Voici quelques montants extraits de la balance de vérification de Musique Charlot Dutoît inc. au 31 décembre 19X6.

Ventes	**1 500 000 $**
Achats de marchandises	**850 000**
Rendus et rabais sur achats	**35 000**
Transport sur achats	**22 000**
Escomptes sur achats	**45 000**
Stock de marchandises	**50 000**

De plus, à la fin de l'année dernière, soit au 31 décembre 19X5, une erreur s'est produite dans le décompte des stocks. On a compté deux fois une section de l'entrepôt qui contenait 5000 $ de marchandises. Vous réalisez ce fait aujourd'hui et les comptes ne sont pas encore redressés. Cette année, au 31 décembre 19X6, le stock a été inventorié correctement à 63 000 $.

Tous les coûts de transport concernent des marchandises qui ont été vendues au cours de 19X6.

Travail à faire

a) Préparez les écritures de régularisation avec explications, afin de déterminer le coût des marchandises vendues.

b) Expliquez pourquoi la détermination du coût des marchandises vendues est un travail de mesure exécuté lors des régularisations. Pour ce faire, comparez cette régularisation à une autre régularisation de répartition.

8. Afin de rédiger les états financiers de Distributech inc. au 31 décembre 19X9, vous obtenez la balance de vérification suivante (elle n'est montrée que partiellement ici) :

	DÉBIT	**CRÉDIT**
Stock de marchandises (31 décembre 19X8)	150 000	
Ventes		1 000 000
Achats de marchandises	700 000	

Le décompte des stocks, qui fut correctement effectué sous votre surveillance, a montré qu'un stock de marchandises évalué à 250 000 $ est en entrepôt au 31 décembre 19X9.

Toutefois, une vérification rapide des feuilles d'inventaire au 31 décembre 19X8 vous apprend qu'on a compté deux fois une section de l'entrepôt dans laquelle il y avait 40 000 $ de stock. Vous trouvez cette situation fâcheuse mais vous ne travailliez pas pour Distributech inc. l'an dernier, vous ne pouvez donc que regretter ce fait.

Travail à faire

a) Enregistrez l'écriture de correction au 31 décembre 19X9 pour redresser les comptes erronés à cause du mauvais décompte de 19X8.

b) Enregistrez les écritures de régularisation au 31 décembre 19X9 concernant le coût des marchandises vendues de 19X9.

9. Un de vos confrères vous mentionne qu'en virant le stock de marchandises initial au coût des marchandises vendues de l'année, nous faisons parfois une erreur car rien ne nous assure que toutes ces marchandises ont été vendues. Commentez avec l'exemple suivant :

Stock initial	**105 000 $**
Achats	**500 000**
Stock final	**125 000**

6.12 PROBLÈMES

Groupe A

PROBLÈME 1 — MEUBLES PIERRE LABELLE LTÉE
        RÉGULARISATIONS Y COMPRIS CELLES RELATIVES AUX STOCKS
        ÉTATS FINANCIERS

M. Pierre Labelle est propriétaire d'un commerce de meubles. À la fin de son année d'exploitation, soit le 31 décembre 19X4, il vous présente le solde des comptes du grand livre général, avant régularisation.

Achats	**761 000 $**
Amortissement cumulé — Immeuble	**24 000**
Amortissement cumulé — Mobilier de bureau	**8 000**
Assurances payées d'avance	**6 000**
Bénéfices non répartis	**80 000**
Caisse	**83 300**
Capital-actions ordinaires	**50 000**
Commissions et salaires des vendeurs	**44 600**
Fournisseurs	**118 200**
Clients	**110 000**
Dividendes	**20 000**
Dividendes à payer	**8 000**
Emprunt bancaire	**87 500**
Entretien et réparations	**28 800**
Hypothèque à payer	**120 000**
Intérêts (sur hypothèque et emprunt bancaire)	**17 300**
Immeuble	**150 000**
Mobilier de bureau	**20 000**
Provision pour créances irrécouvrables	**4 300**
Publicité	**12 000**
Salaires de bureau	**27 200**
Stocks de marchandises (au 1ᵉʳ janvier 19X4)	**115 000**
Taxes foncières	**8 800**
Terrain	**30 000**
Transport à la vente (Frais de camion)	**16 000**
Ventes	**950 000**

Les comptes débiteurs et créditeurs, apparaissant dans cette liste, indiquent chacun un solde de 1 450 000 $.

Vous compilez par ailleurs les renseignements qui suivent à l'aide des documents commerciaux, des livres comptables ainsi que des explications fournies par le propriétaire.

1. Stock de marchandises
   Le décompte physique des stocks de marchandises vous indique qu'ils s'établissaient à 120 000 $ au 31 décembre 19X4.

2. Amortissement de l'année

   a) L'immeuble a été acquis le 1er janvier 19X0 au prix de 150 000 $. Sa durée estimative est de 20 ans avec une valeur de rebut de 30 000 $. L'amortissement linéaire ou constant est utilisé.

   b) Quant au mobilier de bureau, l'amortissement devra être calculé sur le coût, au taux annuel de 10 %, linéaire ou constant.

3. Impôts sur le revenu
   Le taux d'imposition sur le revenu de la société s'élève à 50 %. Arrondissez à la centaine.

4. Assurances payées d'avance
   L'examen des polices d'assurance vous révèle les détails suivants :

N° DE POLICE	DATE D'ÉMISSION	PRIME	DURÉE
43	19X4-01-01	3 000 $	3 ans
54	19X4-06-31	3 000 $	1 an
		6 000 $	

5. Comptes-clients
   Après examen des comptes-clients avec le propriétaire et suivant son expérience, vous convenez que la provision pour créances irrécouvrables, au 31 décembre 19X4, doit égaler 5 % des comptes-clients.

6. Hypothèque à payer
   L'hypothèque est remboursable à raison de 10 000 $ le 30 juin de chaque année. Le prochain remboursement échoit le 30 juin 19X5. Les intérêts ont été payés les 30 juin et 31 décembre 19X4.

7. Commission des vendeurs
   En majeure partie, les vendeurs sont payés à la commission au taux de 5 % des ventes effectuées. Ces commissions leur sont versées quinze jours après la fin du mois. Ainsi, les ventes du mois de décembre se sont élevées à 58 000 $ et les commissions seront payées le 15 janvier 19X5.

Travail à faire

a) Présentez, avec calculs à l'appui, les écritures de régularisation au 31 décembre 19X4. Il n'est pas nécessaire de les reporter au grand livre général.

b) Préparez les états financiers suivants, au 31 décembre 19X4, après régularisation :

1) l'état des résultats ;
2) l'état des bénéfices non répartis ;
3) le bilan.

PROBLÈME 2 — AMEUBLEMENT AUDET LTÉE
RÉGULARISATIONS Y COMPRIS CELLES RELATIVES AUX STOCKS
ÉTATS FINANCIERS

L'exercice financier d'Ameublement Audet ltée se termine le 31 décembre 19X6. Il s'agit d'une société qui exerce la vente de meubles. Son président, Paul Audet, vous fournit la liste des comptes apparaissant au grand livre général de la Société. Les soldes des comptes au 31 décembre 19X6, avant régularisation, étaient les suivants :

Achats	**500 000 $**
Amortissement cumulé — Mobilier au 1ᵉʳ janvier 19X6	**20 000**
Amortissement cumulé — Bâtiment au 1ᵉʳ janvier 19X6	**40 000**
Assurances payées d'avance	**1 400**
Bénéfices non répartis au 1ᵉʳ janvier 19X6	**70 000**
Fournisseurs	**117 000**
Capital-actions	**150 000**
Clients	**100 000**
Dividendes	**5 000**
Électricité et chauffage	**6 000**
Bâtiment	**220 000**
Encaisse	**20 000**
Stocks de marchandises au 1ᵉʳ janvier 19X6	**150 000**
Mobilier	**50 000**
Emprunt bancaire à demande	**30 000**
Intérêts sur emprunt bancaire	**3 300**
Ventes	**700 000**
Salaires	**50 000**
Taxes et permis	**4 000**
Terrain	**20 000**
Provision pour créances irrécouvrables	**3 700**
Fournitures de bureau	**1 000**

M. Audet vous fournit également les renseignements suivants :

1. Immobilisations (amorties en ligne droite)

	Vie utile	Valeur de rebut
Bâtiment	**50 ans**	**20 000 $**
Mobilier	**10 ans**	**0**

2. Les assurances payées d'avance correspondent aux primes d'assurances payées en 19X6, pour la période du 1er janvier 19X6 au 31 décembre 19X7.

3. M. Audet estime que la provision pour créances irrécouvrables devrait être égale à 5 % des comptes-clients de façon à couvrir les pertes possibles.

4. L'emprunt bancaire a été consenti à un taux d'intérêt annuel de 12 %. Les derniers intérêts payés à la banque couvraient les intérêts dus au 30 novembre 19X6.

5. M. Audet vous apprend que les stocks de marchandises étaient évalués à 100 000 $ au 31 décembre 19X6.

6. Ne tenez pas compte de l'impôt sur le revenu.

Travail à faire

a) Préparez les écritures de régularisation au 31 décembre 19X6 (soumettez vos calculs).

b) Préparez les états financiers suivants au 31 décembre 19X6 :

1) l'état des résultats ;
2) l'état des bénéfices non répartis.

c) Rédigez le bilan au 31 décembre 19X6.

PROBLÈME 3 — FERRONNERIE BEAULIEU INC.
RÉGULARISATIONS Y COMPRIS CELLES RELATIVES AUX STOCKS
ÉTATS FINANCIERS

Au 31 décembre 19X8, le grand livre général de la Ferronnerie Beaulieu inc. indique les soldes suivants, avant les régularisations :

Achats de marchandises	**87 000 $**
Amortissement cumulé — Camion	**4 500**
Amortissement cumulé — Équipement	**2 000**
Amortissement cumulé — Immeuble	**4 000**
Assurance payée d'avance	**1 500**
Bénéfices non répartis	**41 050**
Camions, au coût	**15 000**
Capital-actions	**30 000**
Chauffage et éclairage	**1 500**
Fournisseurs	**8 000**
Clients	**10 100**
Frais de vente	**1 000**
Dividendes	**6 000**
Dividendes à verser	**2 000**
Effets à recevoir	**1 000**
Emprunt bancaire	**3 000**
Encaisse	**20 740**
Entretien des camions	**1 100**
Équipement, au coût	**10 000**
Essence et huile	**2 500**
Frais de bureau	**650**
Hypothèque à payer	**15 000**
Immeuble, au coût	**30 000**
Intérêts sur hypothèque	**960**
Provision pour créances irrécouvrables	**1 000**
Publicité	**2 000**
Salaires	**32 000**
Stocks de marchandises au 1ᵉʳ janvier 19X8	**35 000**
Taxes foncières	**2 500**
Terrain	**10 000**
Ventes de marchandises	**160 000**

On vous fournit les informations suivantes dans le but de régulariser les comptes du grand livre :

1. Au 31 décembre 19X8, les stocks de marchandises s'établissent à 32 000 $.

2. Le solde du compte Assurance payée d'avance représente les primes sur une police d'assurance feu et vol payées le 1ᵉʳ juillet 19X8. Cette police sera échue le 30 juin 19Y1.

3. Des salaires à payer totalisant 1200 $ pour les 30 et 31 décembre 19X8 n'ont pas été enregistrés aux livres, la fin de l'exercice financier n'ayant pas coïncidé avec la journée de la paie.

4. L'hypothèque à payer de 15 000 $ comporte un taux d'intérêt annuel de 12 % payable le 30 juin de chaque année. Le remboursement du capital s'effectue également le 30 juin de chaque année à raison de 1000 $ par versement.

5. Pour l'année 19X8, l'amortissement à être enregistré aux livres s'établit comme suit :

• sur l'immeuble	2 000 $
• sur l'équipement	1 000
• sur les camions	3 000

6. L'effet à recevoir ne porte aucun intérêt.

7. L'emprunt bancaire a été contracté le 31 décembre 19X8 et comporte un taux d'intérêt annuel de 14 %.

8. La provision pour créances irrécouvrables devrait s'établir à 1 % des ventes totales au 31 décembre 19X8.

9. L'impôt pour l'année est estimé à 8000 $.

Travail à faire

a) Rédigez les écritures de régularisation au 31 décembre 19X8.

b) Présentez, en bonne et due forme, les états financiers suivants au 31 décembre 19X8 :

   1) l'état des résultats ;
   2) l'état des bénéfices non répartis ;
   3) le bilan.

PROBLÈME 4 — MARSOUIN INC.

Voici le solde des comptes non régularisés du grand livre général de Marsouin inc. au 30 septembre 19X4, date de la fin de son exercice financier. La société Marsouin inc. vend au détail les fameuses piscines « Marsouin » qu'elle offre en deux modèles : le modèle économique « Marsouin » et le modèle de luxe « Marsouk ».

Salaires	**48 200 $**
Fournisseurs	**31 100**
Ventes — Piscines Marsouin	**226 300**
Capital-actions ordinaires	**10 000**
Encaisse	**59 200**
Loyer	**26 000**
Matériel roulant — Au coût	**48 000**
Publicité	**8 700**
Stocks de marchandises au 1ᵉʳ octobre 19X3	**70 000**
Intérêts	**18 000**
Provision pour créances irrécouvrables (solde débiteur)	**1 500**
Emprunt hypothécaire	**160 000**
Taxes et assurances	**5 100**
Amortissement cumulé — Matériel roulant	**12 000**
Mobilier — Au coût	**54 000**
Clients	**80 000**
Emprunt bancaire payable sur demande	**25 000**
Dividendes	**9 000**
Électricité et chauffage	**24 600**
Ventes — Piscines Marsouk	**189 800**
Bénéfices non répartis	**47 000**
Amortissement cumulé — Mobilier	**10 800**
Charges payées d'avance	**27 600**
Placements temporaires	**15 000**
Achats de marchandises	**217 100**

Renseignements additionnels

1. Le 1ᵉʳ septembre 19X4, la Société a reçu d'un client un dépôt de 4500 $ en paiement partiel d'une piscine à être livrée au mois de mars 19X5. Le comptable a crédité le compte Ventes — Piscines Marsouk au moment de l'encaissement de ce versement.

2. Un dividende de 3000 $ a été déclaré le 15 septembre 19X4 et sera payé le mois suivant. Ce dividende n'a pas été inscrit aux registres comptables de la société Marsouin inc.

3. Voici le tableau de remboursement de l'emprunt hypothécaire :

DATE	VERSEMENT	INTÉRÊTS	PRINCIPAL	SOLDE
30 juin 19X4				160 000 $
30 juin 19X5	18 000 $	16 000 $	2 000	158 000
30 juin 19X6	18 000	15 800	2 200	155 800
30 juin 19X7	18 000	15 600	2 400	153 400

4. L'entreprise utilise un système d'inventaire périodique et évalue ses stocks selon la méthode de l'épuisement successif. Les stocks de marchandises ont été évalués à 90 000 $ au 30 septembre 19X4.

5. Après un examen de ses comptes-clients au 30 septembre 19X4, le président de la société Marsouin prévoit que 5 % ne seront jamais recouvrés.

6. L'entreprise utilise la méthode de l'amortissement linéaire pour son matériel roulant (vie utile prévue 6 ans) et son mobilier (vie utile prévue 10 ans). On ne prévoit aucune valeur résiduelle pour ces actifs à la fin de leur vie utile.

7. Voici le détail des charges payées d'avance apparaissant à la balance de vérification du 30 septembre 19X4 :

RUBRIQUE	ENTRÉE EN VIGUEUR	PÉRIODE COUVERTE	MONTANT
Taxes	1er mai 19X4	1 an	14 400 $
Assurances	1er décembre 19X3	1 an	13 200
			27 600 $

8. Les placements temporaires sont composés de certificats de dépôts acquis le 31 mai 19X4. Aucun intérêt, au taux de 10 % l'an, n'a été encaissé depuis l'acquisition de ces placements.

9. Les salaires courus à payer s'élèvent à 3600 $ au 30 septembre 19X4.

10. L'entreprise est assujettie à un taux d'impôt sur le bénéfice de 30 %.

11. L'emprunt bancaire porte intérêt au taux de 11 % l'an ; les intérêts ont été versés jusqu'au 30 septembre 19X4.

12. Le loyer, payable bimestriellement, est de 2000 $ par mois. Le dernier paiement a eu lieu le 1er septembre 19X4.

Travail à faire

a) Inscrivez les écritures de régularisation au 30 septembre 19X4.

b) Rédigez, en bonne et due forme, les états financiers suivants pour l'exercice 19X4 :

  1) l'état des résultats ;
  2) l'état des bénéfices non répartis ;
  3) le bilan.

PROBLÈME 5 — OCTO LTÉE

La société Octo ltée est une entreprise commerciale exerçant la vente au détail d'appareils électriques. Le président de cette Société vous demande de l'aide à la fin de son exercice financier, le 31 décembre 19X7.

Il vous a fourni une liste, par ordre alphabétique, des comptes apparaissant au grand livre général avant régularisations, au 31 décembre 19X7.

Achats	**400 000 $**
Amortissement cumulé — Immeuble	**68 000**
Amortissement cumulé — Matériel roulant	**5 000**
Amortissement cumulé — Mobilier de bureau	**15 000**
Assurances payées d'avance	**10 750**
Bénéfices non répartis	**52 900**
Encaisse	**15 450**
Capital-actions	**120 000**
Chauffage	**8 000**
Comptes-fournisseurs	**60 000**
Comptes-clients	**75 000**
Dividendes	**5 000**
Dividendes à payer	**2 500**
Électricité	**11 000**
Immeuble	**360 000**
Intérêts sur obligations	**5 200**
Matériel roulant	**21 000**
Mobilier de bureau	**28 000**
Obligations à payer	**250 000**
Publicité	**16 000**
Salaires	**55 000**
Stocks de marchandises au 1ᵉʳ janvier 19X7	**70 000**
Téléphone	**3 000**
Terrain	**70 000**
Transport à l'achat (fret à l'achat)	**20 000**
Ventes	**600 000**

Renseignements additionnels

1. Les immobilisations sont amorties selon la méthode de l'amortissement linéaire.

	Vie utile	Valeur de rebut
Immeuble	40 ans	20 000 $
Mobilier de bureau	5 ans	3 000
Matériel roulant	3 ans	—

Le 30 juin 19X7, la Société a acheté un camion (matériel roulant) pour la somme de 6000 $.

2. Les frais d'assurances se répartissent ainsi :

Nº DE POLICE	DATE	MONTANT
R-846	1ᵉʳ janvier 19X6 au 31 décembre 19X8	1 000 $
I-238	1ᵉʳ juillet 19X6 au 30 juin 19X8	3 750
I-421	1ᵉʳ avril 19X7 au 31 mars 19Y0	6 000
		10 750 $

3. Les obligations à payer portent intérêt au taux de 8 % annuellement, payable le 31 mars de chaque année. Les obligations sont remboursables en 25 versements égaux et consécutifs de 10 000 $ chacun, en même temps que l'intérêt.

4. La provision pour créances irrécouvrables est estimée à 5 % des comptes-clients de la fin de 19X7.

5. Les stocks de marchandises au 31 décembre 19X7 ont été estimés à 130 000 $.

6. Le taux d'imposition sur le revenu est de 50 %.

Travail à faire

a) Enregistrez au journal général les écritures de régularisation au 31 décembre 19X7. Remettez le détail de vos calculs.

b) Préparez les états financiers suivants :

  1) l'état des résultats pour l'exercice terminé le 31 décembre 19X7 ;
  2) l'état des bénéfices non répartis pour l'exercice terminé le 31 décembre 19X7 ;
  3) le bilan au 31 décembre 19X7.

Groupe B

PROBLÈME 1 — PIGNON LTÉE
PRÉPARATION DES ÉTATS FINANCIERS APRÈS RÉGULARISATION DES COMPTES

La société Pignon ltée est une entreprise spécialisée dans la vente au détail de charpentes de toits. Le président de la Société, connaissant vos aptitudes, vous demande de préparer les états financiers pour l'exercice terminé le 30 avril 19Y0.

Vous obtenez donc les soldes de chacun des comptes du grand livre général, avant régularisation, au 30 avril 19Y0 :

Achats	**320 000 $**
Amortissement cumulé — Bâtiment	**13 750**
Amortissement cumulé — Matériel roulant	**7 000**
Amortissement cumulé — Mobilier	**7 500**
Assurances	**3 600**
Assurances payées d'avance	**5 960**
Bâtiment	**250 000**
Bénéfices non répartis	**60 010**
Capital-actions	**150 000**
Fournisseurs	**32 000**
Clients	**60 000**
Dividendes	**8 000**
Dividendes à verser	**2 500**
Électricité	**14 000**
Emprunt bancaire, sur demande	**30 000**
Encaisse	**37 000**
Entretien	**10 000**
Frais divers	**5 750**
Hypothèque à payer	**220 000**
Intérêts — Charges	**23 250**
Intérêts — Produits	**8 800**
Loyer — Produits	**20 000**
Loyer reçu d'avance	**6 000**
Matériel roulant	**22 000**
Mobilier	**25 000**
Placement à long terme	**80 000**
Provision pour créances irrécouvrables	**2 000**
Publicité	**12 000**
Salaires	**45 000**
Stocks de marchandises	**80 000**
Téléphone	**8 000**
Terrain	**50 000**
Ventes	**500 000**

Renseignements additionnels

1. Le détail des polices d'assurances se lit comme suit :

	DATE		ÉCHÉANCE		MONTANT
Police-incendie n° 1	1er déc.	19X7	30 nov.	19X9	560 $
Police-incendie n° 2	1er déc.	19X9	30 nov.	19Y2	3 600
Police-vol	1er août	19X8	31 juil.	19Y1	5 400

2. La provision pour créances irrécouvrables, au 30 avril 19Y0, est estimée à 5 % des comptes-clients de la fin de l'exercice.

3. L'hypothèque à payer porte intérêt au taux de 15 % l'an. Le remboursement du capital est exigé à raison de 20 000 $ par année, payable en deux versements de 10 000 $ chacun, les 1er janvier et 1er juillet. Les intérêts sont également payables à ces mêmes dates.

4. Les immobilisations se détaillaient ainsi au 30 avril 19X9

	Coût	Vie utile	Valeur résiduelle
Bâtiment	250 000 $	40 ans	30 000 $
Matériel roulant	15 000	3 ans	3 000
Mobilier	25 000	5 ans	0

De plus, le 1er février 19Y0, la compagnie a fait l'acquisition d'un camion de 7000 $; la vie utile de ce camion est estimée à 3 ans et sa valeur résiduelle à 1000 $.

On utilise la méthode de l'amortissement linéaire.

5. La Société a encaissé, le 1er mars, un chèque de 6000 $ en paiement du loyer pour les trois prochains mois à savoir, mars, avril et mai 19Y0.

6. Le placement à long terme rapporte des intérêts de 12 % l'an, qui sont payés les 1er octobre et 1er avril de chaque année.

7. Les stocks de marchandises ont été évalués à 100 000 $ au 30 avril 19Y0 .

8. Le taux d'imposition de la compagnie est de 50 %.

Travail à faire

Préparez, en *bonne et due forme*, les états financiers suivants :

a) L'état des résultats pour l'exercice terminé le 30 avril 19Y0.

b) L'état des bénéfices non répartis pour l'exercice terminé le 30 avril 19Y0.

c) Le bilan au 30 avril 19Y0.

PROBLÈME 2 — BOBOULE INC.
PRÉPARATION DES ÉTATS FINANCIERS APRÈS CORRECTIONS

Il y a déjà trois ans que Jules Belhumeur a fondé son entreprise, Boboule inc., spécialisée dans la vente en gros de produits de beauté. Lui qui avait lancé ce commerce dans le but de faire fortune rapidement a dû, hélas ! se contenter de petits profits au cours des deux premières années. Dans le but d'améliorer la gestion quotidienne de son entreprise, M. Belhumeur a embauché, au début du dernier exercice, M.D. Brouillard qui se prétendait un comptable expérimenté après avoir suivi quelques cours par correspondance. « Je vais vous régler vos problèmes » avait-il affirmé alors.

À la fin de l'exercice financier 19X0, M.D. Brouillard prépare les états financiers suivants et, pour la première fois dans l'histoire de son entreprise, M. Belhumeur voit celle-ci réaliser des bénéfices substantiels :

BOBOULE INC.
Bilan
pour l'exercice terminé le 31 décembre 19X0

ACTIF		
Mobilier et équipement au coût		60 000 $
Stock de marchandises		
Stocks au 1ᵉʳ janvier 19X0	40 000 $	
Stocks au 31 décembre 19X0	50 000	90 000
Caisse		10 000
Matériel roulant		12 000
Clients		67 200
Assurances payées d'avance		4 800
		244 000 $
PASSIF		
Obligations à payer		80 000 $
Fournisseurs		50 000
Emprunt bancaire, payable sur demande		20 000
Bénéfices non répartis		
Solde au début de l'année	3 000 $	
Plus : bénéfice net de 19X0	72 000	75 000
Capital-actions		5 000
Amortissement cumulé		
Mobilier et équipement	10 000	
Matériel roulant	4 000	14 000
		244 000 $

BOBOULE INC.
État des résultats
au 31 décembre 19X0

Produits d'exploitation	
Ventes	240 000 $
Émission supplémentaire d'actions ordinaires en 19X0	10 000
Produit sur disposition de mobilier	3 200
	253 200
Charges d'exploitation	
Achats	160 000
Moins : stocks de marchandises au 31 décembre 19X0	50 000
	110 000
Intérêts	10 000
Salaires	28 200
Loyer	12 000
Dividendes	2 000
Essence et entretien du camion	9 000
Chauffage et électricité	4 000
Publicité	6 000
	181 200
Bénéfice net	72 000 $

Au cours du traditionnel *party de fin d'année*, M. Jules Belhumeur, P.-D.G. de Boboule inc., rend un vibrant hommage au mérite : « Chers employés, soyez fiers de Boboule inc. car c'est à force de travail et de talent que cette entreprise a grandi. J'ai l'honneur de vous annoncer que dès l'an prochain, je me propose d'acquérir un fabricant de produits de beauté, soit *Lancôme* ou *Christian Dior*, et de déménager le siège social de l'entreprise, non pas à Toronto, mais sur la rue du Faubourg Saint-Honoré à Paris. Je voudrais également profiter de l'occasion pour vous dire combien je suis fier de notre nouveau comptable. Je le considère comme un artiste dans son genre ».

Alors que M. Belhumeur prend des vacances bien méritées à Miami, il reçoit un télégramme de son gérant de banque.

« États financiers de votre entreprise erronés. Stop. Ne pouvons accorder crédit demandé. Stop. Exigeons renégociation immédiate du prêt actuel. Stop. N'avons pu rejoindre comptable. Stop. »

En rentrant au bercail, M. Belhumeur fait appel à un nouveau comptable et le charge de rectifier les états financiers. Celui-ci recueille les informations supplémentaires suivantes afin d'être en mesure de préparer les états financiers en bonne et due forme :

1. La prime d'assurance de 4800 $ a été versée en 19X0 et couvre une période de deux ans, soit du 1er juillet 19X0 au 1er juillet 19X2.

2. Le 31 décembre 19X0, l'entreprise a vendu au comptant, pour un montant de 3200 $, du mobilier acquis trois ans plus tôt pour 4800 $. Au moment de la disposition, le comptable a passé l'écriture de journal suivante :

Caisse	**3 200**	
Produit sur disposition de mobilier		**3 200**

3. L'obligation à payer porte intérêt au taux de 10 % l'an. Le capital, à raison de 10 000 $ par versement, et l'intérêt sont payables annuellement le 30 septembre. L'intérêt et le capital ont bien été payés le 30 septembre de chaque année. L'intérêt couru sur l'emprunt bancaire a été payé au complet le 31 décembre 19X0.

4. Monsieur Belhumeur estimait la provision pour créances irrécouvrables à 4600 $ au 31 décembre 19X0. Au grand livre général, la provision indique actuellement un solde de zéro au 31 décembre 19X0.

5. Le taux d'imposition sur le revenu de l'entreprise est de 50 %. Aucune provision n'a été inscrite aux livres pour l'année 19X0.

6. On estime la vie utile de tout le mobilier et de l'équipement à 12 ans et celle du matériel roulant à 6 ans. La compagnie utilise la méthode de l'amortissement linéaire ou constant. Aucun amortissement n'a été inscrit aux registres comptables pour l'année 19X0.

Travail à faire

Préparez les états financiers de Boboule inc. en bonne et due forme, pour l'année financière terminée le 31 décembre 19X0 ;

a) L'état des résultats.

b) L'état des bénéfices non répartis.

c) Le bilan.

PROBLÈME 3 — BOUTIQUE ÉLÉGANTE ENR.
RÉGULARISATIONS Y COMPRIS CELLES RELATIVES AUX STOCKS, ÉTATS FINANCIERS, ESTIMATION DES STOCKS PAR LA MARGE DE BÉNÉFICE BRUT

Jacqueline Richard est propriétaire d'une mercerie. Son entreprise fonctionne sous le nom de Boutique élégante enr. À la fin de l'année d'exploitation, le 31 décembre 19X3, le solde des comptes du grand livre général se lit comme suit :

Caisse	**15 500 $**
Capital au 1ᵉʳ janvier 19X3	73 930
Commissions des vendeurs	42 700
Clients	32 000
Fournisseurs	22 000
Emprunt bancaire	12 000
Achats	210 000
Escomptes sur achats	2 400
Rendus et rabais sur achats	3 900
Terrain	20 000
Immeuble	120 000
Hypothèque à payer	100 000
Mobilier et agencement de magasin	35 000
Amortissement cumulé — Mobilier et agencement	7 000
Amortissement cumulé — Immeuble	10 000
Salaires de bureau	12 000
Intérêts sur emprunt bancaire	480
Provision pour créances irrécouvrables	1 500
Publicité et emballage	16 000
Éclairage et chauffage	5 000
Taxes municipales et scolaires	3 600
Téléphone	600
Entretien — Immeuble	1 300
Fournitures de bureau et papeterie — Charges	2 700
Transport à l'achat	2 200
Ventes au comptant	140 000
Ventes à crédit	220 000
Stocks de marchandises au 1ᵉʳ janvier 19X3	48 000
Assurances payées d'avance	4 800
Prélèvement J. Richard	20 000
Apport J. Richard	2 000
Retenues à la source à payer	1 450
Avantages sociaux — Charges	4 300

Vous compilez les renseignements qui suivent à l'aide des documents commerciaux, des livres comptables ainsi que des explications fournies par la propriétaire :

1. L'amortissement du mobilier et agencement est de 10 % par année (linéaire et constant). L'immeuble a été acquis le 1ᵉʳ janvier 19X1 pour 120 000 $. Sa durée estimative est de 20 ans avec une valeur de rebut de 20 000 $.

2. Le stock Fournitures de bureau, au 31 décembre 19X3, s'élève à 600 $.

3. Mme Richard vous indique que, selon son expérience, la charge en créances irrécouvrables doit égaler 1 % des ventes à crédit des douze derniers mois.

4. L'emprunt bancaire a été contracté le premier jour ouvrable de janvier 19X3 au taux annuel de 8 %. L'intérêt a été payé pour la période de janvier à fin juin 19X3. Cet emprunt est remboursable sur demande.

5. L'hypothèque contractée en janvier 19X1, au moment de l'acquisition de l'immeuble, est remboursable ou renouvelable le 31 décembre 19X5. Le taux d'intérêt annuel est de 9 %. L'intérêt est payable annuellement au début de janvier de chaque année.

6. Un examen de la police d'assurance indique ce qui suit :

Date d'émission	1er juillet 19X2
Date d'échéance	30 juin 19X5
Prime totale	5760 $
Risques	Incendie, vol, vitrines, responsabilités, clause de 80 % coassurances

7. Les vendeurs sont payés à la commission à raison de 14 % des ventes effectuées. Les commissions leur sont versées 10 jours après la fin du mois. Les ventes du mois de décembre 19X3 atteignaient 55 000 $.

8. Mme Richard vous apprend que, faute de temps, elle n'a pas effectué le décompte physique des stocks de marchandises au 31 décembre 19X3. Par contre, elle vous dit que la marge de bénéfice brut de son commerce correspond à 40 % des ventes brutes.

Travail à faire

a) Présentez, avec calculs à l'appui, les écritures de régularisation au 31 décembre 19X3.

b) Préparez les états financiers suivants, au 31 décembre 19X3 :

   1) l'état des résultats ;
   2) l'état du capital ;
   3) le bilan.

PROBLÈME 4 — DISTRIBUTION ÉCLAIR LTÉE
RÉGULARISATIONS Y COMPRIS CELLES RELATIVES AUX STOCKS ÉTATS FINANCIERS

Distribution éclair ltée vient tout juste de terminer sa première année d'activité. La direction désire connaître les résultats exacts de sa gestion et vous êtes appelé à rédiger les états financiers. Voici la balance de vérification qui est extraite du grand livre général au 30 avril 19X5 :

Caisse	**81 830 $**
Fournisseurs	**4 992**
Dividendes	**1 000**
Achats	**20 900**
Équipement de magasin	**10 000**
Camions	**18 000**
Clients	**23 000**
Ventes	**170 000**
Capital-actions	**28 930**
Salaires de vente	**18 000**
Frais de camion	**2 000**
Salaires d'administration	**15 000**
Loyers	**13 900**
Assurances	**1 500**
Escomptes sur ventes	**800**
Frais d'administration divers	**992**
Publicité	**12 800**
Emprunt bancaire	**18 000**
Rendus et rabais sur ventes	**1 000**
Téléphone, électricité	**1 200**

Renseignements additionnels

1. L'inventaire du 30 avril 19X5 indique que le stock en entrepôt a une valeur de 3000 $.

2. L'équipement de magasin a une vie utile de cinq ans et une valeur de récupération de 2000 $. En ce qui concerne les deux camions de livraison, le propriétaire entend en disposer après un usage de 80 000 kilomètres. Ils auront alors chacun une valeur de récupération de 2000 $. Ils ont roulé chacun 20 000 kilomètres cette année. Ces actifs ont été acquis dès le début des activités.

3. On estime pouvoir recouvrer seulement 95 % des comptes.

4. Des dividendes de 100 $ furent déclarés au dernier trimestre. Aucune écriture n'a été passée.

5. Les loyers sont de 1133 $ par mois.

6. Après examen de la police d'assurance, vous découvrez que la prime de 1500 $ concerne une protection de trois ans. On a souscrit cette police le 1er novembre.

7. Le directeur estime qu'il y a eu pour 200 $ de vol à l'étalage dans son magasin. Vous voulez reconnaître cette perte dans un poste distinct du prix coûtant des marchandises vendues.

8. L'emprunt bancaire, contracté le 1er mai 19X4, est payable selon les termes suivants :

DATE	VERSEMENT	INTÉRÊTS	CAPITAL	SOLDE
				18 000 $
1er mai 19X5	7 000 $	2 000 $	5 000 $	13 000
1er mai 19X6	7 000 $	1 500 $	5 500 $	7 500
1er mai 19X7	7 000 $	950 $	6 050 $	1 450
1er mai 19X8	1 795 $	345 $	1 450 $	0

9. Il y a 420 $ de salaires à payer au 30 avril, dont 320 $ concerne les ventes et 100 $ l'administration.

10. Un chèque de 410 $ a été enregistré à 140 $ au journal. Il s'agit d'un achat.

11. L'impôt sur le revenu est calculé au taux de 50 %.

Travail à faire

a) Enregistrez les écritures de régularisation au journal général.

b) Préparez l'état des résultats et l'état des bénéfices non répartis.

c) Préparez le bilan.

PROBLÈME 5 — LABRADOR LTÉE

Voici les soldes que vous retrouvez dans le grand livre général de la société Labrador ltée, au 31 décembre 19X3 :

Achats	802 000 $
Amortissement cumulé — Immeuble	25 000
Amortissement cumulé — Machinerie et équipement	19 700
Amortissement — Immeuble	5 600
Amortissement — Machinerie et équipement	3 400
Assurances	3 000
Assurances payées d'avance	1 000
Bénéfices non répartis au 1ᵉʳ janvier 19X3	136 000
Avantages sociaux	14 800
Capital-actions	145 000
Comptes-fournisseurs	108 000
Comptes-clients	100 000
Dividendes à payer	6 000
Dividendes	6 000
Encaisse	17 000
Escomptes sur ventes	18 000
Escomptes sur achats	1 500
Entretien et réparations	23 000
Effets à payer	10 000
Emprunt bancaire	7 500
Frais généraux d'administration	18 500
Hypothèque à payer	80 300
Immeuble	205 000
Intérêts débiteurs	1 700
Machinerie et équipement	89 700
Placements à long terme	6 500
Créances irrécouvrables	2 000
Provision pour créances irrécouvrables	5 000
Publicité	23 300
Rendus et rabais sur ventes	2 000
Rendus et rabais sur achats	2 800
Salaires — Administration	97 000
Stocks de marchandises au 1ᵉʳ janvier 19X3	110 500
Salaires des vendeurs	103 000
Terrain	339 000
Transport à l'achat	8 000
Versement sur la dette à long terme à effectuer en deçà d'un an	5 700
Ventes	1 447 500

La balance de vérification indique des soldes débiteur et créditeur de 2 millions de dollars chacun.

Les écritures de régularisation ont été passées, sauf celles qui se rapportent aux stocks de marchandises. Après l'inventaire, vous estimez les stocks à 84 000 $ au 31 décembre 19X3.

Travail à faire

a) Enregistrez l'écriture de régularisation relative aux stocks, au 31 décembre 19X3, au journal général.

b) Rédigez, en bonne et due forme, les états financiers suivants :

1) l'état des résultats ;
2) l'état des bénéfices non répartis ;
3) le bilan au 31 décembre 19X3.

PROBLÈME 6 — BRAVO LTÉE

Le président de la société Bravo ltée vous remet la liste des comptes apparaissant à son grand livre général au 31 décembre 19X6, date de la fin de son exercice financier, avant les régularisations de fin d'exercice :

Achats	**130 000 $**
Assurances payées d'avance	**2 900**
Amortissement cumulé — Bâtisses	**20 000**
Amortissement cumulé — Mobilier de bureau	**4 000**
Bâtisses	**60 000**
Bénéfices non répartis	**32 400**
Comptes-clients	**100 000**
Comptes-fournisseurs	**30 000**
Capital-actions	**29 000**
Commissions aux vendeurs	**8 000**
Dividendes	**7 000**
Dividendes à payer	**3 000**
Emprunt bancaire, sur demande	**75 000**
Électricité et chauffage	**4 000**
Encaisse	**20 000**
Hypothèque à payer	**50 000**
Intérêts débiteurs	**10 500**
Mobilier de bureau	**11 000**
Provision pour créances irrécouvrables	**3 000**
Publicité	**6 000**
Stock de marchandises au 1ᵉʳ janvier 19X6	**55 000**
Salaires	**15 000**
Terrain	**12 000**
Téléphone	**5 000**
Ventes	**200 000**

Renseignements additionnels

1. Le poste Assurances payées d'avance, au 31 décembre 19X6, se détaille comme suit :

Assurances-incendie 1er janvier 19X6 — 31 décembre 19X7	2 000 $
Assurance-responsabilité 1er janvier 19X6 — 30 juin 19X7	900
	2 900 $

2. Les stocks de marchandises au 31 décembre 19X6 s'élèvent à 60 000 $.

3. La provision pour créances irrécouvrables devrait s'établir à 5000 $ au 31 décembre 19X6.

4. Immobilisations :

	Coût	Vie utile	Valeur de rebut
Bâtisses	60 000 $	30 ans	
Mobilier de bureau	11 000 $	5 ans	1 000 $

L'entreprise utilise la méthode d'amortissement linéaire ou constant.

5. L'hypothèque est remboursable par tranches annuelles de 10 000 $ le 1er juillet de chaque année. L'intérêt, au taux annuel de 10 %, est payable semestriellement le 1er janvier et le 1er juillet de chaque année.

6. Le taux d'imposition estimé sur le revenu de la compagnie est de 50 %.

Travail à faire

a) Montrez les écritures de régularisation au 31 décembre 19X6 (remettez le détail de vos calculs).

b) Préparez, en bonne et due forme, les états financiers suivants au 31 décembre 19X6 :

1) l'état des résultats ;
2) l'état des bénéfices non répartis;

c) Le bilan au 31 décembre 19X6.

Chapitre 7
Les registres auxiliaires

7.1 LACUNES D'UN SYSTÈME COMPTABLE FONDÉ UNIQUEMENT SUR UN JOURNAL GÉNÉRAL ET UN GRAND LIVRE

Jusqu'à maintenant, les seuls registres comptables que nous avons étudiés sont le journal général, consacré aux écritures d'enregistrement des transactions, et le grand livre général, destiné à la classification de ces transactions. Théoriquement, toute entreprise pourrait fonctionner avec un journal général et un grand livre général. Toutefois, un tel système comporte des lacunes.

1) Chaque opération est enregistrée au journal général par une écriture distincte. Donc, si l'entreprise effectue mille achats, il faudra réécrire mille fois le nom des comptes affectés au journal général ainsi que les montants.

2) Il faudra effectuer une multitude de reports au grand livre général. Deux mille dans notre exemple.

3) Comme le journal général contient les transactions de toute nature classées par ordre chronologique, il est difficile de diviser la tâche d'enregistrement entre plusieurs personnes.

4) Le report continuel du journal général au grand livre général permet de maintenir le solde des comptes au montant exact. Cependant, une telle précision est inutile puisque la consultation périodique du solde des comptes pour rédiger les états financiers et faire le point n'exige pas cette mise à jour continuelle des comptes.

5) Le maintien de comptes collectifs au grand livre pour l'ensemble des clients et des fournisseurs ne permet pas de connaître individuellement nos débiteurs et les montants qu'ils nous doivent, pas plus que nos créanciers et les montants qu'on leur doit. Un compte collectif de stocks de marchandises au grand livre ne nous indique pas non plus le solde de chaque catégorie de marchandises.

7.2 LE GRAND LIVRE AUXILIAIRE DES CLIENTS

La nécessité de détailler les comptes collectifs du grand livre général a amené la création de grands livres auxiliaires dont les comptes individuels constituent une explication du compte collectif. La somme des soldes des comptes individuels du grand livre auxiliaire doit égaler le solde du compte collectif.

Admettons que, au cours d'un mois, une entreprise effectue cinq transactions : elle réalise trois ventes à crédit et encaisse deux paiements. Les écritures au journal général seront donc les suivantes :

		Débit	Crédit	
3 oct.	Clients	10 000		
	Ventes		10 000	
	(Vente à crédit à Variétés Duclos)			
10 oct.	Clients	25 000		
	Ventes		25 000	
	(Vente à crédit à Mirabel ltée)			
15 oct.	Banque	6 000		
	Clients		6 000	
	(Encaissement partiel du compte de Variétés Duclos)			
20 oct.	Clients	18 000		
	Ventes		18 000	
	(Vente à crédit à Mercerie Allen inc.)			
30 oct.	Banque	8 000		
	Clients		8 000	
	(Encaissement partiel du compte de Mirabel ltée)			

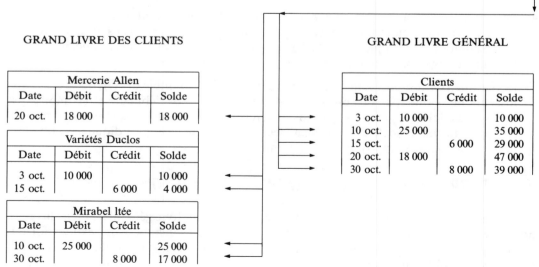

GRAND LIVRE DES CLIENTS

Mercerie Allen			
Date	Débit	Crédit	Solde
20 oct.	18 000		18 000

Variétés Duclos			
Date	Débit	Crédit	Solde
3 oct.	10 000		10 000
15 oct.		6 000	4 000

Mirabel ltée			
Date	Débit	Crédit	Solde
10 oct.	25 000		25 000
30 oct.		8 000	17 000

GRAND LIVRE GÉNÉRAL

Clients			
Date	Débit	Crédit	Solde
3 oct.	10 000		10 000
10 oct.	25 000		35 000
15 oct.		6 000	29 000
20 oct.	18 000		47 000
30 oct.		8 000	39 000

Le compte général ou collectif Clients au grand livre général permet de connaître le montant total des comptes-clients. Ainsi, lors de la préparation du bilan, c'est ce montant qui sera utilisé. Mais à des fins de gestion, il faut connaître le montant à recevoir de chaque client. De plus, ce montant devrait être constamment mis à jour si l'on veut pouvoir s'en servir dans les relations avec les clients. Voilà pourquoi, en plus du compte collectif du grand livre général, on doit ouvrir des comptes individuels dans un grand livre des clients et que le report à ce grand livre auxiliaire doit être continuel.

Il faut noter que seul le montant du grand livre général entre dans la balance de vérification et les états financiers. On aurait pu songer à ouvrir un compte pour chaque client au grand livre général, mais cela aurait chargé ce registre inutilement. Par ailleurs, la méthode des comptes auxiliaires permet de consulter les comptes des clients sans accaparer le grand livre général, tandis que le compte général Clients sert à contrôler l'exactitude du total des montants à recevoir de chaque client. Ainsi, on peut dresser une liste des comptes-clients individuels, les additionner et vérifier si le total correspond avec le compte de contrôle du grand livre général.

**Liste des comptes-clients
au 31 octobre 19X1**

Mercerie Allen	**18 000 $**
Variétés Duclos	**4 000**
Mirabel ltée	**17 000**
Total à comparer avec le compte collectif du grand livre général	**39 000 $**

Avant d'expédier des relevés de comptes aux clients, il est bon de s'assurer de leur exactitude. Le relevé de compte adressé à un client n'est qu'une copie des transactions que l'on retrouve inscrites à son compte individuel, au grand livre auxiliaire des clients.

7.3 LE GRAND LIVRE AUXILIAIRE DES FOURNISSEURS

Le même phénomène se produit avec les comptes-fournisseurs. Le compte collectif du grand livre général ne nous permet pas de distinguer à qui doivent être payées les sommes dues et combien on doit à chacun des fournisseurs. Un grand livre auxiliaire permettra donc de dresser des comptes individuels pour chaque fournisseur. Encore une fois, ces comptes du grand livre des fournisseurs sont auxiliaires au compte du grand livre général, en ce sens qu'ils n'entrent pas dans la balance de vérification ou dans les états financiers. Additionner à la fois le compte collectif et les comptes auxiliaires individuels occasionnerait un double comptage à la balance de vérification.

Voici cinq transactions qui se sont déroulées au cours du mois d'octobre. Trois achats à crédit et deux versements ont été effectués et ont donné lieu aux écritures suivantes au journal général :

		Débit	Crédit	
4 oct.	Achats	20 000		
	Fournisseurs		20 000	
	(Achat à crédit chez Patenaude inc.)			
12 oct.	Achats	35 000		
	Fournisseurs		35 000	
	(Achat à crédit chez Ravary ltée)			
17 oct.	Fournisseurs	7 000		
	Banque		7 000	
	(Versement partiel à Patenaude inc.)			
22 oct.	Achats	22 000		
	Fournisseurs		22 000	
	(Achat à crédit chez Santos ltée)			
31 oct.	Fournisseurs	16 000		
	Banque		16 000	
	(Versement partiel à Ravary ltée)			

GRAND LIVRE DES FOURNISSEURS

Patenaude inc.

Date	Débit	Crédit	Solde
4 oct.		20 000	20 000
17 oct.	7 000		13 000

Ravary ltée

Date	Débit	Crédit	Solde
12 oct.		35 000	35 000
31 oct.	16 000		19 000

Santos ltée

Date	Débit	Crédit	Solde
22 oct.		22 000	22 000

GRAND LIVRE GÉNÉRAL

Comptes-fournisseurs

Date	Débit	Crédit	Solde
4 oct.		20 000	20 000
12 oct.		35 000	55 000
17 oct.	7 000		48 000
22 oct.		22 000	70 000
31 oct.	16 000		54 000

La mise à jour quotidienne des comptes individuels est nécessaire pour contrôler les montants et les dates de paiement. Elle prévient les contestations avec les fournisseurs au sujet des montants et des échéances des comptes-fournisseurs. La somme des comptes individuels devra être égale au montant du compte collectif, car les affectations à ces deux types de comptes ont la même origine. Comme pour les comptes-clients, il est possible de dresser périodiquement la liste des comptes-fournisseurs.

**Liste des comptes-fournisseurs
au 31 octobre 19X1**

Patenaude inc.	**13 000 $**
Ravary ltée	**19 000**
Santos ltée	**22 000**
Total à comparer avec le compte collectif du grand livre général	**54 000 $**

Le grand livre auxiliaire des fournisseurs pourra permettre de vérifier l'exactitude des relevés de comptes reçus des fournisseurs.

7.4 LE GRAND LIVRE AUXILIAIRE DES STOCKS

Nous avons vu que le système d'inventaire permanent exige le maintien de comptes individuels pour chaque catégorie d'articles. Ces comptes individuels forment le grand livre auxiliaire des stocks. Ce registre doit être maintenu à jour. Les entrées de stocks doivent y être inscrites dès la réception des marchandises et les sorties, dès la vente des biens. On doit donc pouvoir utiliser ce registre fréquemment. Le grand livre auxiliaire des stocks constitue un des plus beaux exemples de la nécessité de ne pas inclure les comptes individuels dans le grand livre général. En effet, le préposé à la mise à jour des comptes individuels de stocks accaparerait régulièrement le grand livre général si ces comptes individuels ne constituaient pas un registre distinct du grand livre général. Si le système est informatisé, un code doit être attribué à chaque catégorie de biens si l'on veut pouvoir comptabiliser les entrées et les sorties pour chacun des comptes individuels.

Vous trouverez plus loin quelques transactions se rapportant à ce grand livre auxiliaire.

Grâce à l'utilisation de ce grand livre auxiliaire, il devient possible d'établir une liste des articles en stock. Cette liste donne un total qui peut être comparé au solde cumulé au compte collectif au grand livre général, mais elle est surtout utile pour faire un récolement avec le total de chaque article en stock établi après un dénombrement réel des unités.

**Liste des articles en stock
au 31 octobre 19X1**

		Quantité	Coût	Total
Ambrex	**(À comparer avec le**	**250**	**104 $**	**26 000 $**
Néofix	**nombre réel en stock)**	**60**	**100**	**6 000**
Rapidgo		**50**	**30**	**1 500**
À comparer avec le compte collectif au grand livre général (voir page suivante)				**33 500 $**

		Débit	Crédit
5 oct.	Stocks de marchandises	25 000	
	Fournisseurs		25 000
	(Achat de 250 unités du produit Ambrex)		
12 oct.	Stocks de marchandises	10 000	
	Fournisseurs		10 000
	(Achat de 100 unités du produit Néofix)		
19 oct.	Clients	15 000	
	Ventes		15 000
	Coût des marchandises vendues	10 000	
	Stocks de marchandises		10 000
	(Vente de 100 unités du produit Ambrex)		
22 oct.	Stocks de marchandises	1 500	
	Fournisseurs		1 500
	(Achat de 50 unités du produit Rapidgo)		
25 oct.	Clients	6 400	
	Ventes		6 400
	Coût des marchandises vendues	4 000	
	Stocks de marchandises		4 000
	(Ventes de 40 unités du produit Néofix)		
31 oct.	Stocks de marchandises	11 000	
	Fournisseurs		11 000
	(Achat de 100 unités du produit Ambrex)		

GRAND LIVRE GÉNÉRAL

Stocks de marchandises			
Date	Débit	Crédit	Solde
5 oct.	25 000		25 000
12 oct.	10 000		35 000
19 oct.		10 000	25 000
22 oct.	1 500		26 500
25 oct.		4 000	22 500
31 oct.	11 000		33 500

GRAND LIVRE AUXILIAIRE DES STOCKS

Article : Ambrex							Maximum 250 Minimum 50		
Date	Entrée			Sortie			Solde		
	Unités	Coût	Total	Unités	Coût	Total	Unités	Coût	Total
5 oct.	250	100	25 000				250	100	25 000
19 oct.				100	100	10 000	150	100	15 000
31 oct.	100	110	11 000				250	104	26 000

Article : Néofix							Maximum 100 Minimum 25		
Date	Entrée			Sortie			Solde		
	Unités	Coût	Total	Unités	Coût	Total	Unités	Coût	Total
12 oct.	100	100	10 000				100	100	10 000
25 oct.				40	100	4 000	60	100	6 000

Article : Rapidgo							Maximum 50 Minimum 20		
Date	Entrée			Sortie			Solde		
	Unités	Coût	Total	Unités	Coût	Total	Unités	Coût	Total
22 oct.	50	30	1 500				50	30	1 500

Au besoin, on peut utiliser d'autres types de grands livres auxiliaires. Entre autres, on pourra trouver utile d'ouvrir un grand livre auxiliaire des immobilisations et un des dettes à long terme. Ainsi, un compte collectif Machinerie peut figurer au grand livre général, mais un compte ou une fiche distincte peut également être dressé pour chaque machine en vue de consigner son coût, les détails nécessaires à l'amortissement, etc. Chaque emprunt amènera l'ouverture d'un compte au grand livre auxiliaire des dettes où l'on retrouvera toutes les indications pertinentes à son taux d'intérêt particulier, son échéance, etc.

7.5 LES JOURNAUX AUXILIAIRES

L'introduction des grands livres auxiliaires a amélioré grandement le système comptable que nous élaborons. Toutefois, le système actuel présente encore des lacunes. Chaque opération exige encore une écriture au journal. Le report du journal général au grand livre général se fait encore écriture par écriture, montant par montant. La seule raison qui nous inciterait à un report écriture par écriture de façon aussi fréquente serait le besoin d'une mise à jour continuelle des comptes. Or, on observe que la consultation du solde des comptes est plutôt périodique et qu'elle ne s'effectue, sauf exception, que dans des occasions comme la préparation de rapports périodiques. Il est donc possible :

1. de retarder le report du journal général au grand livre général ;
2. de reporter en bloc au grand livre, c'est-à-dire de reporter plusieurs opérations semblables, comme si elles ne constituaient qu'une seule opération.

Ce report en bloc exige toutefois une recherche à travers les différentes opérations en vue de grouper celles qui affectent le même compte. En effet, plusieurs opérations sont toujours imputables aux mêmes comptes ; tels sont les ventes à crédit, les achats à crédit, les débours, les recettes, les salaires.

Cette idée a amené la création de *journaux spécialisés*, à raison d'un pour chaque catégorie de transactions de nature répétitive. Voici, illustrées schématiquement, les observations successives qui nous ont permis de concevoir l'utilité des journaux auxiliaires.

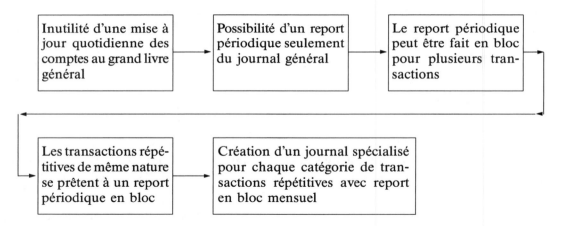

Dans chacun de ces journaux, une colonne sera ouverte pour chaque compte affecté fréquemment et seul le montant total de chaque compte (le total de la colonne consacrée au compte) sera reporté mensuellement au grand livre général. Une multitude de reports seront ainsi évités de même que l'obligation de réécrire constamment le titre des comptes, comme cela se produit dans le cas du journal général.

D'autre part, il faut maintenir les avantages offerts par les grands livres auxiliaires. Ces avantages provenaient particulièrement du report fréquent qui était effectué du journal général aux grands livres auxiliaires. Les comptes des grands livres auxiliaires étaient ainsi constamment à jour. Il faudra donc maintenir la fréquence du report des journaux spécialisés aux grands livres auxiliaires. De plus, le report du journal spécialisé aux comptes des grands livres auxiliaires devra se faire opération par opération puisque les comptes des grands livres auxiliaires sont individuels et non collectifs. Par exemple, si on ouvre un journal spécialisé pour les ventes à crédit, le débit au compte collectif Clients du grand livre général peut être mensuel, mais le report aux comptes individuels des clients au grand livre auxiliaire des clients doit être effectué pour chaque opération si l'on veut maintenir l'actualité du solde des comptes de chaque client.

Un autre point qui milite en faveur du journal spécialisé pour chaque catégorie de transactions est que ces journaux permettent la *division des tâches*. Ainsi, toutes les factures de ventes à crédit pourront être acheminées vers une personne préposée à la tenue du journal des ventes. Ces journaux spécialisés porteront dès lors le nom de journaux auxiliaires et le journal général sera utilisé pour l'enregistrement des transactions non répétitives.

7.6 LE JOURNAL DES VENTES

Parmi les transactions répétitives, on retrouve les ventes. Contrairement aux ventes au comptant qui peuvent être reportées en une seule écriture, chaque vente à crédit doit être enregistrée séparément au journal afin de permettre le report individuel au grand livre auxiliaire des clients. Un journal particulier sera donc consacré aux ventes à crédit. Le tableau 7.1 illustre un journal des ventes.

La première colonne est utilisée pour inscrire la date de la transaction ; les journaux sont les seuls registres qui suivent l'ordre chronologique des transactions. Vient ensuite le nom des clients ; les noms doivent être inscrits afin de permettre le report aux comptes individuels du grand livre auxiliaire des clients, ces derniers étant classés par ordre alphabétique. La colonne suivante permet l'enregistrement du numéro de la facture de vente. Ainsi, il sera possible de consulter cette facture au besoin, le nom du client étant associé à la facture. Les numéros de facture se suivent, ce qui certifie que toutes les ventes à crédit ont été enregistrées et que chaque client a bien été facturé. La colonne Folio (F°) est réservée au pointage (crochet ou x) ; ce pointage indique que le report quotidien aux comptes du grand livre auxiliaire des clients a été fait. Au journal général, dans la colonne Folio, apparaissait le numéro du compte au grand livre général : ici, il ne peut s'agir d'un numéro puisque les comptes individuels sont classés par ordre alphabétique au grand livre auxiliaire. Le montant de la transaction est ensuite enregistré sur une seule colonne. Le total de cette colonne sera reporté à la fin du mois au débit du compte collectif Clients et au crédit du compte Ventes. Il est inutile d'ouvrir deux colonnes si le total est le même pour les deux comptes.

Les entreprises sont appelées à agir comme intermédiaires entre les gouvernements provinciaux et les consommateurs en ce sens qu'elles doivent percevoir une taxe sur les ventes. Cette taxe, correspondant à un certain pourcentage du prix de vente, n'est pas un revenu pour l'entreprise. Une entrée d'actif doit être enregistrée aux comptes-clients, mais un passif intitulé *Taxe sur les ventes à payer* doit être inscrit simultanément. Les tableaux 7.2 et 7.3 présentent la forme que prendra alors le journal des ventes. Le débit aux comptes-clients sera différent du crédit au compte Ventes : deux nouvelles colonnes devront être ouvertes en plus de celle qui sera utilisée pour la taxe sur les ventes à payer.

TABLEAU 7.1 : Journal des ventes

Date	Comptes à débiter	N° de facture	F°	Montant
3 nov.	Variétés Duclos ltée	1091	✔	5 000
8 nov.	Mirabel ltée	1092	✔	8 100
12 nov.	Mercerie Allen inc.	1093	✔	17 000
17 nov.	Fabrication Perfectat ltée	1094	✔	6 000
23 nov.	Distribution Rapidex inc.	1095	✔	7 500
29 nov.	Construction Canabec ltée	1096	✔	13 200
30 nov.	DT — Comptes-clients ; CT — Ventes			56 800
				(110 / 500)

GRAND LIVRE GÉNÉRAL

Report mensuel en total

Comptes-clients			110
Date	Débit	Crédit	Solde
30 nov.	56 800		56 800

Ventes			500
Date	Débit	Crédit	Solde
30 nov.		56 800	56 800

Report quoti- dien individuel

GRAND LIVRE AUXILIAIRE DES CLIENTS

Mercerie Allen inc.			
Date	Débit	Crédit	Solde
12 nov.	17 000		17 000

Construction Canabec ltée			
Date	Débit	Crédit	Solde
29 nov.	13 200		13 200

Variétés Duclos ltée			
Date	Débit	Crédit	Solde
3 nov.	5 000		5 000

Mirabel ltée			
Date	Débit	Crédit	Solde
8 nov.	8 100		8 100

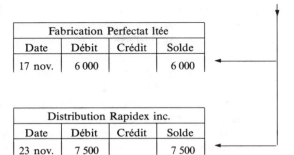

Fabrication Perfectat ltée			
Date	Débit	Crédit	Solde
17 nov.	6 000		6 000

Distribution Rapidex inc.			
Date	Débit	Crédit	Solde
23 nov.	7 500		7 500

TABLEAU 7.2 : Journal des ventes

Date	Comptes à débiter	N° de facture	F°	Débit Comptes-clients	Crédit Taxe sur les ventes à payer	Crédit Ventes
15 nov.	Ibidem ltée	1120	✔	1 090	90	1 000

TABLEAU 7.3 : Journal des ventes

JOURNAL DES VENTES   Page 12

	Date	Nom du client	Référence	Numéro de la facture	Comptes-clients Dt	Ventes Ct	Taxe de vente Ct	Rendus et rabais Dt	
1									1
2									2
3									3
4									4
5									5
6									6
7									7
8									8
9									9
10									10
11									11
12									12
13									13
14									14

7.7 LE JOURNAL DES RECETTES

Les recettes sont également des transactions répétitives auxquelles il est nécessaire de consacrer un journal spécial. Les recettes provenant de l'encaissement des comptes-clients devront faire l'objet d'un report individuel quotidien aux comptes du grand livre auxiliaire des comptes-clients. Le tableau 7.4 démontre la forme que peut prendre un journal auxiliaire des recettes. La première colonne est utilisée pour la date afin de conserver la suite chronologique des transactions et faciliter la consultation. On trouve ensuite une colonne réservée aux noms des comptes à créditer par référence aux noms des clients. Viennent ensuite les explications sur la provenance des recettes et la colonne Folio, laquelle sera pointée après le report au grand livre auxiliaire des clients ou dans laquelle on inscrira le numéro du compte du grand livre général s'il s'agit d'un report individuel d'une transaction moins fréquente au grand livre général. Les colonnes suivantes sont d'abord consacrées aux comptes à créditer. On peut réserver la première colonne aux comptes divers à créditer puisqu'alors les montants voisineront avec les numéros de compte, facilitant ainsi les reports de ces montants qui doivent être effectués individuellement puisque chaque transaction est de nature différente. Les colonnes suivantes sont consacrées aux comptes-clients et aux comptes Ventes, puisque les encaissements les plus fréquents proviennent des clients qui règlent leur compte régulièrement ou des ventes au comptant. Parmi les comptes à débiter, une colonne pourra être utilisée pour les escomptes sur ventes si le cas est fréquent, mais il faudra absolument conserver une colonne pour le débit au compte Banque.

Lorsqu'un montant est perçu d'un client, un crédit est enregistré à la colonne Clients et un débit est inscrit sous la colonne Banque. Les montants figurant dans ces colonnes seront additionnés à la fin du mois et reportés en total au grand livre général. Les crédits aux comptes-clients doivent être reportés quotidiennement au grand livre auxiliaire des clients. Une fois ce report terminé, un pointage à la colonne Folio en témoignera.

Les ventes au comptant sont inscrites au journal des recettes, à la fin de chaque journée, par un débit dans la colonne Banque et un crédit dans la colonne Ventes. Le total des colonnes sera reporté mensuellement au grand livre général. On peut également inscrire un pointage dans la colonne Folio, même si aucun report à un grand livre auxiliaire n'a été effectué. Ceci évitera au préposé de revenir constamment à cette ligne et de s'interroger sur l'absence de pointage pour finalement conclure qu'il n'y avait pas de report à faire.

Étant donné que le journal des recettes a plus d'une colonne, il devient nécessaire, après avoir totalisé chaque colonne, de vérifier si l'équilibre entre le total des colonnes débitrices est égal au total des colonnes créditrices avant d'effectuer le report au grand livre général.

TABLEAU 7.4 : Journal des recettes

Date	Comptes à créditer	Explications	F°	Crédit comptes divers	Crédit comptes-clients	Crédit ventes	Débit banque
7 déc.	Mirabel ltée	Facture du 8 nov.	✔		8 100		8 100
8 déc.	Ventes	Ventes au comptant	✔			10 500	10 500
10 déc.	Variétés Duclos ltée	Facture du 3 nov.	✔		5 000		5 000
13 déc.	Emprunt bancaire	Banque Nationale	310	15 000			15 000
15 déc.	Ventes	Ventes au comptant	✔			12 000	12 000
17 déc.	Valeurs négociables	Ventes de titres	120	6 000			6 000
20 déc.	Capital-actions	Émission d'actions	500	20 000			20 000
22 déc.	Ventes	Ventes au comptant	✔			13 000	13 000
24 déc.	Mercerie Allen	Facture du 12 nov.	✔		17 000		17 000
27 déc.	Distribution Rapidex	Facture du 23 nov.	✔		7 500		7 500
29 déc.	Ventes	Ventes au comptant	✔			15 000	15 000
31 déc.	Fabrication Perfectat	Facture du 17 nov.	✔		3 000		3 000
				41 000	40 600	50 500	132 100
				✔	(110)	(600)	(100)

Reports individuels quotidiens	Report au fur et à mesure	Report mensuel

GRAND LIVRE AUXILIAIRE DES CLIENTS

Mercerie Allen inc.

Date	Débit	Crédit	Solde
12 nov.	17 000		17 000
24 déc.		17 000	0

Construction Canabec ltée

Date	Débit	Crédit	Solde
29 nov.	13 200		13 200

Variétés Duclos ltée

Date	Débit	Crédit	Solde
3 nov.	5 000		5 000
10 déc.		5 000	0

Mirabel ltée

Date	Débit	Crédit	Solde
8 nov.	8 100		8 100
7 déc.		8 100	0

GRAND LIVRE GÉNÉRAL

Banque   100

Date	Débit	Crédit	Solde
30 nov.			27 000
31 déc.	132 100		159 100

Comptes-clients   110

Date	Débit	Crédit	Solde
30 nov.			56 800
31 déc.		40 600	16 200

Valeurs négociables   120

Date	Débit	Crédit	Solde
30 nov.			10 000
17 déc.		6 000	4 000

Emprunt bancaire   310

Date	Débit	Crédit	Solde
13 déc.		15 000	15 000

Fabrication Perfectat ltée			
Date	Débit	Crédit	Solde
17 nov.	6 000		6 000
31 déc.		3 000	3 000

Capital-actions			500
Date	Débit	Crédit	Solde
30 nov.			100 000
20 déc.		20 000	120 000

Distribution Rapidex inc.			
Date	Débit	Crédit	Solde
23 nov.	7 500		7 500
27 déc.		7 500	0

Ventes			600
Date	Débit	Crédit	Solde
30 nov.			480 000
31 déc.		50 500	530 500

Les recettes diverses sont comptabilisées dans leur colonne Comptes divers. Le report peut être fait immédiatement au grand livre général. Le numéro de compte du grand livre général est alors inscrit dans la colonne Folio. Il faudra se rappeler, à la fin du mois, qu'il ne faut pas reporter le total de la colonne Comptes divers au grand livre général puisque les reports ont déjà été effectués individuellement. Les reports des crédits aux comptes divers accompagnés d'un seul report mensuel de la colonne Banque provoquent un déséquilibre temporaire des comptes au grand livre général. Le tableau 7.5 (page 425) illustre un journal des recettes différent.

7.8 LE JOURNAL DES ACHATS

Les achats sont également des transactions qui se répètent fréquemment. Cependant, ce sont les achats à crédit qui causent la répétition des écritures, car chaque achat doit être noté séparément étant donné que le nombre de fournisseurs peut être très important. Cet enregistrement individuel est nécessaire pour connaître les fournisseurs à qui l'on doit de l'argent ainsi que les sommes qui leur sont dues. Les achats au comptant, quant à eux, peuvent être enregistrés en bloc. Un journal des achats sera donc utilisé pour les achats à crédit.

Un exemple de journal des achats est donné au tableau 7.6 (page 425). Comme pour le journal des ventes, la date de la transaction est tout d'abord enregistrée ; viennent ensuite le nom du fournisseur, la date de la facture, les conditions de règlement, une colonne Folio indiquant que le report a été fait au grand livre auxiliaire des comptes-fournisseurs et, finalement, le montant de la transaction qui correspond à la colonne de débit du compte général Achats et au crédit du compte collectif Comptes-fournisseurs au grand livre général. Rappelons que seuls les totaux des colonnes Débit et Crédit seront reportés, en fin de mois, au grand livre général.

Les dates de facturation et les conditions de paiement déterminent l'échéance des factures. Comme pour le grand livre auxiliaire des comptes-clients, le report au grand livre auxiliaire des comptes-fournisseurs se fera au fur et à mesure, montant par montant, tandis que le report au compte Fournisseurs au grand livre général se fera à partir du montant total cumulé à la fin d'un mois donné. Il en va aussi de même du report au compte Achats du grand livre général.

Il est toujours possible de dresser la liste des comptes-fournisseurs à un moment donné, mais la vérification de l'équilibre du total des comptes individuels avec le solde du compte collectif au grand livre général ne peut être faite qu'à la fin du mois après le report du journal des achats au compte collectif.

Un journal des achats différent est présenté au tableau 7.7 (page 427).

7.9 LE JOURNAL DES DÉBOURS

Les débours sont également des transactions très fréquentes. Encore une fois, nous aurons avantage à reporter en bloc, en fin de mois, le crédit au compte Banque et le débit aux Comptes-fournisseurs. Toutefois, le débit aux comptes individuels des fournisseurs du grand livre auxiliaire devra être quotidien, montant par montant, si le solde de ces comptes doit servir dans les relations courantes avec les fournisseurs. Le tableau 7.8 (page 427) donne un exemple de journal des débours. Les règles de l'enregistrement et du report sont semblables à celles qu'on a appliquées au journal des recettes. On remarquera toutefois que tous les débours sont faits par chèque et que l'ordre numérique des chèques doit être continu, sans aucune omission, afin de s'assurer que tous les chèques ont bien été enregistrés.

Un journal des débours différent est présenté au tableau 7.9 (page 429).

7.10 LE JOURNAL DES SALAIRES

La paie est également une opération répétitive (hebdomadaire, aux quinzaines, bimensuelle ou mensuelle). Le tableau 7.10 (page 429) présente un journal de salaires.

La colonne Date apparaît tout d'abord. Il s'agit de la date de la fin de la période de paie et non la date à laquelle la paie fut préparée. Vient ensuite, suivant la disposition du journal des salaires qui peut varier d'une entreprise à l'autre, le numéro d'assurance sociale et le nom de l'employé suivi enfin du nombre d'heures de travail.

Les deux colonnes suivantes servent à enregistrer les débits aux comptes de charges des salaires. Viennent ensuite les retenues à la source enregistrées par crédit à divers comptes de passif. En effet, l'employeur a alors un passif envers le Receveur général du Canada, le ministre des Finances du Québec et d'autres organismes car il doit remettre les retenues effectuées.

Les trois premières colonnes de retenues sont consacrées à l'Assurance-chômage, au Régime de rentes du Québec, au Régime enregistré d'épargne retraite privé et parfois même il y a une quatrième colonne pour les cotisations à un Régime enregistré d'épargne logement. Ces colonnes apparaissent en premier lieu car les salaires bruts (colonnes 1 et 2) seront diminués des montants de ces colonnes afin d'établir le montant assujetti à l'impôt (colonne 6). En effet, les montants de ces diverses cotisations ne sont pas assujettis à l'impôt.

À partir du salaire assujetti à l'impôt et à l'aide des tables de retenues d'impôt provincial et fédéral, les montants des retenues d'impôt provincial (colonne 7) et fédéral (colonne 8) sont inscrits au journal des salaires. Viennent ensuite les autres déductions facultatives.

Le montant du salaire net est enregistré sous la colonne Banque-salaires suivi du numéro du chèque remis à l'employé. Rappelons que le compte Banque-salaires avait été débité par le journal des débours. Il est crédité ici et son solde devrait ensuite être nul une fois le report effectué au grand livre général. À la fin du mois, le report du journal des salaires au grand livre général affecte les comptes suivants :

DES DÉBITS

Salaires — Ventes
Salaires — Administration, etc.

DES CRÉDITS

Retenues fédérales à la source et charges sociales à payer	Pour les colonnes : Assurance-chômage Impôt fédéral
Retenues provinciales à la source et charges sociales à payer	Pour les colonnes : Régime de rentes du Québec Impôt provincial

Assurance-groupe à payer

Régime enregistré de retraite à payer

Banque-salaires ou Salaires à payer

Le crédit à Salaires à payer se rencontre si le nombre d'employés est petit et que les chèques de paie sont enregistrés au journal des débours ou registre des chèques. Dans ces cas, les chèques sont tirés sur le compte de banque régulier. Un débit au compte Salaires à payer apparaît alors au journal des débours ou au registre des chèques.

Il n'est pas nécessaire d'ouvrir un compte de passif pour chacune des retenues fédérales et provinciales. Il suffit d'avoir deux comptes dont un fait référence au passif envers le gouvernement fédéral (Retenues fédérales à la source et charges sociales à payer) et un autre au passif envers le gouvernement provincial (Retenues provinciales à la source et charges sociales à payer). Les contributions de l'employeur viendront également augmenter ces deux comptes de passif.

TABLEAU 7.5 : Journal des recettes

JOURNAL DES RECETTES   Page 12

	Date	Nom du client	Référence	Banque	Comptes-clients	Ventes	Taxe de vente	Escompte sur ventes	Autres comptes	Référence	
				Dt	Ct	Ct	Ct	Dt	Ct		
1											1
2											2
3											3
4											4
5											5
6											6
7											7
8											8
9											9
10											10
11											11
12											12
13											13
14											14
15											15
16											16
17											17
18											18
19											19
20											20
21											21

TABLEAU 7.6 : Journal des achats

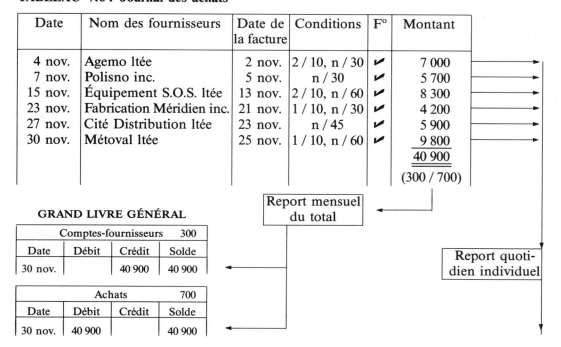

Date	Nom des fournisseurs	Date de la facture	Conditions	F°	Montant
4 nov.	Agemo ltée	2 nov.	2 / 10, n / 30	✔	7 000
7 nov.	Polisno inc.	5 nov.	n / 30	✔	5 700
15 nov.	Équipement S.O.S. ltée	13 nov.	2 / 10, n / 60	✔	8 300
23 nov.	Fabrication Méridien inc.	21 nov.	1 / 10, n / 30	✔	4 200
27 nov.	Cité Distribution ltée	23 nov.	n / 45	✔	5 900
30 nov.	Métoval ltée	25 nov.	1 / 10, n / 60	✔	9 800
					40 900
					(300 / 700)

Report mensuel du total

Report quotidien individuel

GRAND LIVRE GÉNÉRAL

Comptes-fournisseurs			300
Date	Débit	Crédit	Solde
30 nov.		40 900	40 900

Achats			700
Date	Débit	Crédit	Solde
30 nov.	40 900		40 900

**GRAND LIVRE AUXILIAIRE
DES FOURNISSEURS**

Agemo ltée			
Date	Débit	Crédit	Solde
4 nov.		7 000	7 000

Cité Distribution ltée			
Date	Débit	Crédit	Solde
27 nov.		5 900	5 900

Fabrication Méridien inc.			
Date	Débit	Crédit	Solde
23 nov.		4 200	4 200

Métoval ltée			
Date	Débit	Crédit	Solde
30 nov.		9 800	9 800

Polisno inc.			
Date	Débit	Crédit	Solde
7 nov.		5 700	5 700

Équipement S.O.S. ltée			
Date	Débit	Crédit	Solde
15 nov.		8 300	8 300

TABLEAU 7.7 : Journal des achats

JOURNAL DES ACHATS — Page 12

	Date	Nom du fournisseur	Date de la facture	Conditions de règlement	Référence	Comptes-fournisseurs Ct	Autres créditeurs Ct	Achats Dt	Rendus et rabais Ct	Transport sur achats Dt	Autres comptes Dt	Référence	
1													1
2													2
3													3
4													4
5													5
6													6
7													7
8													8
9													9
10													10
11													11
12													12
13													13
14													14
15													15
16													16
17													17
18													18
19													19
20													20
21													21
22													22
23													23
24													24

TABLEAU 7.8 : Journal des débours

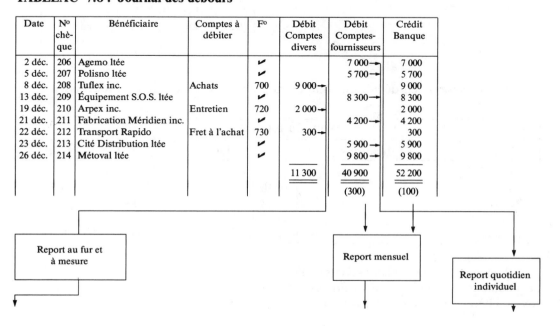

Date	N° chèque	Bénéficiaire	Comptes à débiter	F°	Débit Comptes divers	Débit Comptes-fournisseurs	Crédit Banque
2 déc.	206	Agemo ltée		✔		7 000 →	7 000
5 déc.	207	Polisno ltée		✔		5 700 →	5 700
8 déc.	208	Tuflex inc.	Achats	700	9 000 →		9 000
13 déc.	209	Équipement S.O.S. ltée		✔		8 300 →	8 300
19 déc.	210	Arpex inc.	Entretien	720	2 000 →		2 000
21 déc.	211	Fabrication Méridien inc.		✔		4 200 →	4 200
22 déc.	212	Transport Rapido	Fret à l'achat	730	300 →		300
23 déc.	213	Cité Distribution ltée		✔		5 900 →	5 900
26 déc.	214	Métoval ltée		✔		9 800 →	9 800
					11 300	40 900	52 200
						(300)	(100)

Report au fur et à mesure

Report mensuel

Report quotidien individuel

GRAND LIVRE GÉNÉRAL

Banque			100
Date	Débit	Crédit	Solde
30 nov.			►100 000
31 déc.		52 200	47 800

Comptes-fournisseurs			300
Date	Débit	Crédit	Solde
30 nov.			40 900
31 déc.	40 900		0

Achats			700
Date	Débit	Crédit	Solde
30 nov.			40 900
8 déc.	9 000		49 900

Entretien			720
Date	Débit	Crédit	Solde
30 nov.			12 000
19 déc.	2 000		14 000

Fret à l'achat			730
Date	Débit	Crédit	Solde
30 nov.			3 000
22 déc.	300		3 300

GRAND LIVRE AUXILIAIRE

Agemo ltée			
Date	Débit	Crédit	Solde
4 nov.			7 000
2 déc.	7 000		0

Cité Distribution ltée			
Date	Débit	Crédit	Solde
27 nov.			5 900
23 déc.	5 900		0

Fabrication Méridien inc.			
Date	Débit	Crédit	Solde
23 nov.			4 200
21 déc.	4 200		0

Métoval ltée			
Date	Débit	Crédit	Solde
30 nov.			9 800
26 déc.	9 800		0

Polisno inc.			
Date	Débit	Crédit	Solde
7 nov.			5 700
5 déc.	5 700		0

Équipement S.O.S. ltée			
Date	Débit	Crédit	Solde
15 nov.			8 300
13 déc.	8 300		0

Voici, présenté en détail, un compte du grand livre auxiliaire des fournisseurs :

Nom du fournisseur					
Date	Explications	F°	Débit	Crédit	Solde
1988					
5 nov.		A-10		7 700	7 700
29 nov.		A-13		8 000	15 700
10 déc.		D-17	15 700		0
28 déc.		A-18		9 000	9 000

L'examen du journal des achats où l'on retrouve les dates des factures et les conditions de paiement ainsi qu'une vérification avec le journal des débours où sont inscrits les numéros de chèques peuvent aider à résoudre bien des problèmes.

Un journal des débours différent est présenté au tableau 7.9.

TABLEAU 7.9 : Journal des débours

JOURNAL DES DÉBOURS   Page 25

	Date	Nom du fournisseur	Numéro du chèque	Banque Ct	Comptes-fournisseurs		Escompte à l'achat Ct	Achats comptant Dt	Banque — Salaires Dt	Entretien Dt	Autres comptes Dt	Référence	
					Montant Dt	Référence							
1													1
2													2
3													3
4													4
5													5
6													6
7													7
8													8
9													9
10													10
11													11
12													12
13													13
14													14
15													15

TABLEAU 7.10 : Journal des salaires

Date	Nom de l'employé	Salaires Ventes Dt	Salaires Administration Dt	Assurance chômage Ct	Régime de rentes du Québec Ct	Régime de retraite Ct	Assujetti à l'impôt	Impôt provincial Ct	Impôt fédéral Ct	Assurance groupe Ct	Autres déductions Ct	Folio	✔	Banque Salaires Ct	Numéro de chèque
30 nov. 19X4	Armand Frappier	435,00		10,22	7,08	21,75	395,95	33,60	29,80	5,00				327,55	101
	Claude Bernard	550,00		10,81	9,15	27,50	502,54	34,30	25,45	5,00				437,79	102
	Pierre Lévesque	2 000,00		10,81	35,20	50,00	1 903,99	485,50	412,55	2,50				1 003,44	103
	Céline Lafrance		500,00	10,81	8.25	25,00	455,94	49,50	39,65	5,00				361,79	104
	René Trudeau		200,00	4,70	2,80	10,00	182,50	11,05	8,50	2,50				160,45	105
		2 985,00	700,00	47,35	62,48	134,25		613,95	515,95	20,00				2 291,02	

7.11   QUESTIONS

1. Paulette Malarmée vient d'être promue au poste de responsable du recouvrement des comptes-clients. Un client l'appelle au sujet de son compte. Il prétend devoir 79 584 $ à

l'entreprise alors que le relevé de compte qu'il vient de recevoir indique un solde de 97 584 $. Mademoiselle Malarmée consulte l'auxiliaire des comptes-clients où un solde de 97 584 $ est effectivement inscrit ; sans plus chercher, elle déclare au client : « Monsieur, il ne peut s'agir de notre erreur car à la fin du mois, avant d'expédier les états de compte, nous nous assurons toujours que le total du compte collectif Comptes-clients au grand livre général soit égal à la somme totale des comptes des clients au grand livre auxiliaire des comptes-clients ». Impressionné par la confiance de Paulette Malarmée, le client demande quelques instants de réflexion. Décrivez au moins deux types d'erreurs qui pourraient avoir été commises et qui accorderaient raison au client.

2. Expliquez comment l'idée de l'inutilité d'une mise à jour quotidienne des comptes au grand livre général peut conduire à l'introduction de journaux auxiliaires.

3. Pourquoi le report aux grands livres auxiliaires doit-il se faire au fur et à mesure ?

4. Comment les journaux auxiliaires réduisent-ils le travail de report ?

5. Quelles sont les lacunes comblées par l'introduction des grands livres auxiliaires ? Donnez quelques exemples.

6. Le 15 novembre, le nouveau préposé à la comptabilité vérifie l'exactitude du compte collectif Comptes-clients au grand livre général en additionnant le solde des comptes de chaque client ; il ne peut concilier les deux montants. À votre avis, quelle en est la raison ?

7. Pourquoi vérifie-t-on l'ordre numérique des chèques au journal des débours ?

8. Quand utilise-t-on un grand livre auxiliaire des stocks ? Quelle est son utilité ?

9. Voici le nombre de comptes que l'on retrouve dans les registres comptables de l'entreprise X.

Comptes d'actif, incluant le compte collectif Comptes-clients	29
Comptes-clients	600
Comptes de passif, incluant le compte collectif Comptes-fournisseurs	11
Comptes-fournisseurs	75
Comptes de l'avoir des actionnaires	3
Comptes de produits et charges	100
Nombre de comptes	818

Combien de comptes feront partie de la balance de vérification et pourquoi ?

10. Vous désirez vérifier l'exactitude d'un relevé de compte reçu d'un fournisseur ; comment devez-vous procéder ?

11. Voici certains événements qui ont donné lieu à des erreurs.

1° Un client qui nous devait 1000 $ a payé son compte à l'intérieur du délai de 10 jours, bénéficiant ainsi de l'escompte. Au journal des recettes on a enregistré :

Date	Client	F°	Banque	Comptes-clients
			Dt	Ct
20 juillet			980	980

2° On oublie complètement d'enregistrer une vente à crédit dans le journal des ventes. On a perdu la facture.

3° En reportant le journal des débours à la fin du mois on a reporté le total de la colonne « entretien » à 625,75 $ au lieu de 675,25 $, tel qu'il apparaît au journal des débours.

4° Au début de juillet 19X9 on inscrit une vente à crédit dans le journal des ventes. La facture est inscrite correctement au journal des ventes à 1070 $, mais le report au grand livre auxiliaire des comptes-clients a été fait à 7010 $. Les conditions sont net/30 jours.

5° On enregistre un chèque de 500 $ au journal des débours. On a reporté ce montant au débit du compte de Dupont enr. alors qu'il s'agissait d'un paiement à Dupras inc.

6° Un client nous paie le solde de son compte de 1995 $ à l'intérieur du délai de 10 jours, bénéficiant ainsi de l'escompte. L'inscription est faite ainsi au journal des recettes :

Date	Client	F°	Banque	Comptes-clients	Escompte sur ventes
			Dt	Ct	Dt
2 juillet			1945,10	1995	39,90

7° Au cours de juillet, on enregistre le chèque n° 480 au journal des débours au montant inexact de 859 $. Toutefois, ce même chèque a été reporté au grand livre auxiliaire à 895 $, soit le montant exact. Il s'agit d'un chèque expédié à un fournisseur en paiement partiel de notre compte.

8° En reportant le journal des débours à la fin du mois, on a reporté le total de la colonne Publicité au montant de 675,25 $ dans le compte Entretien.

9° On enregistre une facture de 20 000 $ qui provient d'un fournisseur pour la livraison de 2000 bouteilles de Beaujolais, mais on a reçu seulement 1900 bouteilles. Personne n'est préposé à la réception afin de vérifier les marchandises reçues avant de les entreposer. Le bon de livraison du fournisseur indiquait 2000 bouteilles.

Choisissez le moment le *plus probable* où vous découvrirez chacune des erreurs susmentionnées :

a) On ne s'en apercevra jamais ;

b) En prenant une balance de vérification ;

c) En balançant horizontalement les journaux auxiliaires avant d'en faire le report au grand livre général à la fin du mois ;

d) Suite à un appel d'un client mentionnant que le solde de son relevé de compte est inexact ;

e) En rédigeant la conciliation bancaire à la fin de juillet ;

f) Lors de l'analyse du compte entretien au cours de la vérification avant de rédiger les états financiers ;

g) En vérifiant la suite de l'ordre numérique des factures de ventes à crédit au journal des ventes ;

h) Il y a de fortes chances pour que l'on ne s'en aperçoive jamais ;

i) Suite à une réclamation d'un fournisseur à l'effet que nous n'avons pas payé complètement notre compte de la façon convenue ;

j) Lors de l'examen des relevés de compte reçus des fournisseurs ;

k) En comparant le solde du compte collectif Comptes-clients au grand livre général avec la somme des comptes individuels des clients ;

12. Voici un graphique représentant des journaux auxiliaires et le report aux grands livres auxiliaires. Identifiez ces registres comptables en associant leur nom aux lettres du graphique.

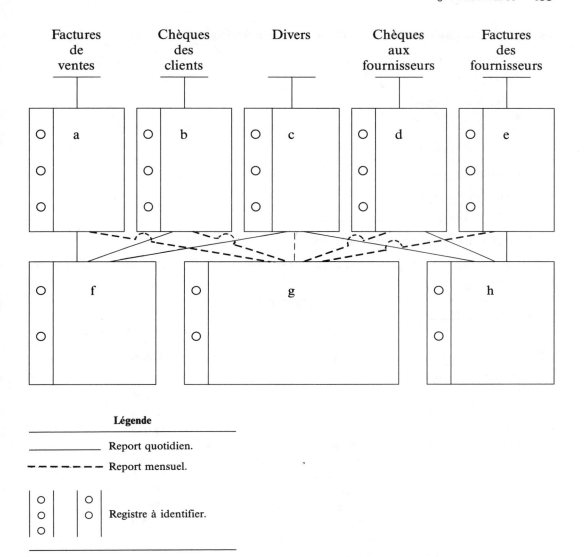

Factures de ventes	Chèques des clients	Divers	Chèques aux fournisseurs	Factures des fournisseurs
a	b	c	d	e

f   g   h

Légende

_____ Report quotidien.

— — — — — — Report mensuel.

Registre à identifier.

7.12 PROBLÈMES

Groupe A

PREMIÈRE MONOGRAPHIE : AUTOMAX LTÉE

Automax ltée est une entreprise commerciale spécialisée dans la vente au détail de pièces et accessoires d'autos. L'exercice financier de la Société se termine le 31 décembre.

Le système comptable de l'entreprise se compose des registres suivants :

Journal général

Journal des ventes

Journal des achats

Journal des débours

Journal des recettes

Journal des salaires

Grand livre général

Grand livre auxiliaire des clients

Grand livre auxiliaire des fournisseurs

Au 30 novembre 19X4, le grand livre général et les grands livres auxiliaires se détaillaient comme suit :

GRAND LIVRE GÉNÉRAL

N° compte	Description des comptes	Montant	
		Débit	Crédit
	Actif		
100	Caisse	600 $	
105	Banque	4 000	
110	Clients	35 000	
115	Provision pour créances irrécouvrables		
120	Effet à recevoir	6 000	
125	Intérêts courus à recevoir		
130	Stocks de marchandises au 1er janvier	65 000	
135	Assurances payées d'avance	5 000	
140	Immeuble — Coût	60 000	
145	Amortissement cumulé — Immeuble		5 000 $
150	Mobilier — Coût	9 000	
155	Amortissement cumulé — Mobilier		4 000
160	Camion — Coût	6 500	
165	Amortissement cumulé — Camion		2 000
	Dettes		
200	Fournisseurs		39 000
205	Déductions à la source et charges sociales à payer		256
210	Effet à payer		8 000
215	Intérêts courus à payer		
225	Impôts à payer		

230	Taxe de vente à payer		1 300
235	Obligations à payer		30 000
	Avoir des actionnaires		
300	Capital-actions ordinaires		40 000
305	Bénéfices non répartis		23 000
310	Dividendes	4 000	
320	Sommaire des résultats		—
	Produits		
400	Ventes		320 450
405	Escomptes sur achats		2 744
410	Intérêts créditeurs		—
	Charges		
500	Coût des marchandises vendues	—	
501	Achats	221 627	
505	Transport à l'achat	4 118	
515	Escomptes sur ventes	2 130	
520	Publicité	8 728	
525	Frais de ventes	9 847	
530	Intérêts et frais bancaires	738	
535	Chauffage et électricité	6 784	
540	Assurances		
545	Frais généraux d'administration	10 322	
550	Salaires	12 000	
555	Charges sociales	1 056	
560	Perte sur disposition — Camion	500	
565	Intérêts sur dette à long terme	2 800	
570	Mauvaises créances		
575	Amortissement — Immeuble		
580	Amortissement — Mobilier		
585	Amortissement — Camion		
590	Charge d'impôts		
		475 750 $	475 750 $

GRAND LIVRE AUXILIAIRE DES CLIENTS

N° compte	Date	Nom du client	Montant
V-1	15 octobre 19X4	Jacques Bélanger	300 $
V-2	12 novembre 19X4	Garage Lajeunesse enr.	19 400
V-3	27 novembre 19X4	Auto Vimont ltée	15 300
			35 000 $

GRAND LIVRE AUXILIAIRE DES COMPTES-FOURNISSEURS

Compte	Date	Nom du fournisseur	Montant
A-1	8 novembre 19X4	Pièces d'auto Wilson ltée	16 400 $
A-2	13 novembre 19X4	Pièces d'auto Lebrun inc.	13 900
A-3	29 novembre 19X4	Transmission Picard enr.	8 700
			39 000 $

Les opérations suivantes ont été effectuées au cours du mois de décembre 19X4 :

4 décembre Vente à crédit au Garage Légaré inc. Le montant total est de 4360 $ mais il comprend la taxe de vente au détail de 9 %, soit 360 $. Facture n° 1350.

6 décembre Enregistrement du chèque n° 624 fait à Transmission Picard enr. en règlement complet du compte. L'entreprise a bénéficié d'un escompte de 2 %.

6 décembre Auto Vimont ltée paie la totalité de son compte du 27 novembre 19X4, bénéficiant ainsi des conditions 2/10, n/30.

9 décembre Réception d'une facture de Pièces d'auto Lebrun inc. pour l'achat de 6210 $ de marchandises.

12 décembre Enregistrement du chèque n° 625 de 4000 $ en paiement partiel du compte dû à Pièces d'auto Lebrun inc.

12 décembre Encaissement de 5000 $ résultant de l'émission de 500 actions ordinaires.

13 décembre Vente à crédit au Garage Lajeunesse enr. Le montant de la facture n° 1351 est de 3270 $ incluant la taxe de vente au détail.

13 décembre Préparation de la paie.

Nom de l'employé	Ding Lafleur	Willie Ouellette
Numéro du chèque salaire	101	102
Salaire brut	250,80 $	324,90 $
Assurance-chômage	5,89	7,64
Régime des rentes du Québec	3,72	5,05
Impôt provincial	7,90	35,10
Impôt fédéral	4,00	28,45
Salaire net	229,29 $	248,66 $

L'employeur verse en charges sociales une cotisation égale à 1,4 fois celle de l'employé en ce qui concerne l'assurance-chômage, plus une contribution égale à celle de l'employé pour le

Régime des rentes du Québec et un montant égal à 3 % du salaire brut pour le Régime d'assurance-maladie du Québec. Ces charges seront payées le 15 du mois suivant. Elles seront inscrites à la fin du mois (voir le 31 décembre) au journal général.

13 décembre   Émission des chèques suivants :

N° chèque	Bénéficiaire	Montant

626	Ministère du revenu
	(déductions à la source et contribution)
	Détails :
	    Impôt 86 $
	    Rentes du Québec 33
	    Assurance-maladie 16
	                                                  135 $
		135 $

627	Receveur général du Canada
	(déductions à la source et contribution)
	Détails :
	    Impôt 104 $
	    Assurance-chômage 17
	                                                  121 $
		121

628	Ministère du Revenu (taxe de vente provinciale)	1 300
629	La Presse (publicité)	53
630	Gaz naturel (chauffage)	68

13 décembre   Remise des chèques de paie aux employés.

16 décembre   Achat à crédit de 5230 $ de marchandises de Pièces d'auto Wilson ltée.

20 décembre   Encaissement du compte de Jacques Bélanger.

25 décembre   Réception d'une facture de Pièces d'auto Tellier ltée pour l'achat de 4140 $ de pièces d'auto.

27 décembre   Enregistrement des ventes au comptant du mois, soit 9810 $. Ce montant inclut la taxe de vente provinciale de 810 $. Factures n° 1200 à 1430.

31 décembre   Préparation de la paie pour la période se terminant le 31 décembre et remise des chèques aux employés.

Nom de l'employé	Ding Lafleur	Willie Ouellette
Numéro du chèque salaire	103	104
Salaire brut	401,28 $	406,13 $
Assurance-chômage	9,43	9,54
Régime des rentes du Québec	6,43	6,51
Impôt provincial	34,80	52,55
Impôt fédéral	25,85	41,60
Assurance-groupe	4,00	2,00
Salaire net	320,77 $	293,93 $

31 décembre   Calcul des charges sociales de l'employeur pour le mois. L'employeur contribue à part égale à l'assurance-groupe. L'écriture sera la suivante :

Charges sociales (n° 555)
    Déductions à la source et charges sociales à payer (n° 205)

Renseignements additionnels

1. Le détail de l'actif à long terme au 30 novembre 19X3 se lit comme suit :

Description	Date d'achat	Coût	Vie utile	Valeur de rebut
Immeuble	19X2-01-01	60 000 $	20 ans	10 000 $
Mobilier	19X0-01-01	6 000	5 ans	1 000
Mobilier	19X4-03-01	3 000	4 ans	600
Camion	19X3-01-01	6 500	3 ans	500

La Société utilise la méthode de l'amortissement constant ou linéaire.

2. L'effet à recevoir est un billet émis le 1er mars 19X4 échéant en entier dans 1 an (c'est-à-dire le 1er mars 19X5) et portant intérêt au taux annuel de 10 %.

3. Les assurances payées au cours de l'exercice se détaillent ainsi :

N° police	Date de paiement	Durée	Prime
B-624	1er avril 19X4	1 an	2 000 $
L-213	1er juillet 19X4	2 ans	3 000

4. Il a été établi que la provision pour créances irrécouvrables devra être de 600 $ au 31 décembre 19X4.

5. L'effet à payer est un billet de 90 jours portant intérêt à 6 % et daté du 30 novembre 19X4.

6. La charge d'impôt est estimée à 5000 $.

7. Les stocks de marchandises, au 31 décembre 19X4, sont évalués à 50 000 $.

8. Les renseignements suivants ont trait à la dette à long terme :

Date d'échéance : 31 décembre 19X0.
Taux d'intérêt : 8 %.
Date d'échéance des intérêts : 30 juin et 31 décembre.
Tranche de capital remboursable annuellement : 5000 $.
Aucun actif de la Société ne sert à garantir les obligations.

9. Les escomptes sur achats diminueront le coût des marchandises vendues.

Travail à faire

a) Enregistrez les opérations dans les journaux appropriés.

b) Faites le report des journaux au grand livre général et aux grands livres auxiliaires.

c) Enregistrez les écritures de régularisation et effectuez le report au grand livre général.

d) Dressez :

1) un état des résultats pour l'exercice terminé le 31 décembre 19X4 ;

2) un état des bénéfices non répartis pour la même période.

e) Enregistrez les écritures de fermeture et effectuez le report au grand livre général.

f) Préparez le bilan au 31 décembre 19X4.

DEUXIÈME MONOGRAPHIE : DISTRIBUTION UNIC LTÉE

Distribution unic ltée est une entreprise commerciale spécialisée dans la vente en gros d'articles de plomberie. L'entreprise a commencé ses opérations le 1er janvier 19X1 et son exercice financier se termine le 31 décembre.

Le système comptable de l'entreprise se compose des registres suivants :

Journal général

Journal des achats à crédit

Journal des ventes à crédit

Journal des recettes

Journal des débours

Journal des salaires

Grand livre général

Grand livre auxiliaire des clients

Grand livre auxiliaire des fournisseurs

Au 30 novembre 19X2, le grand livre général et les grands livres auxiliaires se détaillaient ainsi :

GRAND LIVRE GÉNÉRAL

N° compte	Nom des comptes	Montant
100	Banque	14 000 $
110	Clients	35 000
115	Provision pour créances irrécouvrables (solde créditeur)	100
120	Effet à recevoir	6 000
130	Stocks de marchandises au 1er janvier 19X2	65 000
135	Assurance payée d'avance	5 000
150	Immeuble	50 000
151	Amortissement cumulé — Immeuble	2 000
155	Mobilier	10 000
156	Amortissement cumulé — Mobilier	1 000
200	Emprunt bancaire	14 000
210	Fournisseurs	39 000
220	Dividendes à payer	1 500
250	Obligations à payer	60 000
300	Capital-actions ordinaires, sans valeur nominale : 4000 actions émises	40 000
305	Bénéfices non répartis	900
310	Dividendes	4 000
400	Ventes	325 000
500	Achats	225 000
510	Publicité	16 000
520	Chauffage et électricité	14 000
530	Salaires	30 000
535	Charges sociales	5 000
540	Intérêts	4 500

Le plan comptable de l'entreprise comprend également les comptes suivants :

125	Intérêts courus à recevoir
225	Impôts à payer
230	Intérêts courus à payer
235	Retenues à la source et charges sociales à payer
320	Sommaire des résultats
410	Intérêts — Produits
505	Coût des marchandises vendues
550	Assurances
560	Créances irrécouvrables
570	Amortissement — Immeubles
580	Amortissement — Mobilier
590	Impôts sur le revenu

GRAND LIVRE AUXILIAIRE DES COMPTES-CLIENTS

N° compte	Nom du client	Montant
1	Plomberie Émard inc.	1 000 $
2	Module construction ltée	20 000
3	Étienne Labonté	14 000
		35 000 $

GRAND LIVRE AUXILIAIRE DES COMPTES-FOURNISSEURS

N° compte	Nom du fournisseur	Montant
1	Crane du Canada ltée	17 000 $
2	Plomberie d'Amérique ltée	15 000
3	Pionnier de l'Ouest ltée	7 000
		39 000 $

Les transactions suivantes ont eu lieu au cours du mois de décembre 19X2.

4 décembre	Vente à crédit de 5000 $ à la Plomberie Lagacé inc. Facture 216.
6 décembre	Réception d'un chèque de 15 000 $ de Module Construction ltée.
10 décembre	Paiement du solde dû à Pionnier de l'Ouest ltée. Chèque 510.
15 décembre	Paiement du dividende à payer à l'actionnaire. Chèque 511.
16 décembre	Achat à crédit de 6000 $ de marchandises chez Importations IKKO ltée. Facture 815.

17 décembre	Déclaration d'un dividende de 1 $ par action ordinaire payable le 15 janvier 19X3.
18 décembre	Paiement des charges suivantes, chèques 512 et 513 respectivement à *Publico* et *Shell* :

Publicité	1 000 $
Chauffage	2 000 $

19 décembre	Vente à crédit de 10 000 $ à Dubeau et Duclos inc. Facture 217.
20 décembre	Achat à crédit de 5000 $ de marchandises chez Crane du Canada ltée. Facture 1001.
21 décembre	Étienne Labonté paie son compte au complet.
23 décembre	Émission du chèque 514, au montant de 10 000 $, à l'ordre de Crane du Canada ltée.
24 décembre	Vente à crédit de 2000 $ à Module Construction ltée. Facture 218.
27 décembre	Vente au comptant de 4000 $ de marchandises à Euroca ltée.
28 décembre	Achat au comptant de 1000 $ de marchandises chez Cemex inc. Chèque 515.
31 décembre	Paiement des intérêts courus à la banque jusqu'à ce jour, soit un montant de 500 $. Chèque 516 à la Banque Royale.
31 décembre	Versement des salaires du mois.

Nom des employés	Benoît Gariepy	Diane Dupuis	Hélène Huot
Numéro des chèques	108	109	110
Salaire brut	600,00 $	400,00 $	400,00 $
Assurance-chômage	10,81	9,41	9,41
Régime des rentes du Québec	10,05	6,45	6,45
Régime de retraite privé	60,00	40,00	40,00
Impôt provincial	81,80	41,45	34,80
Impôt fédéral	65,80	34,05	30,75
Assurance-groupe	5,00	5,00	5,00
Salaire net	366,54 $	263,64 $	273,59 $

L'employeur verse en charges sociales une cotisation égale à 1,4 fois celle de l'employé en ce qui concerne l'assurance-chômage, une contribution égale à celle de l'employé pour le Régime des rentes du Québec et un montant égal à 3 % du salaire brut pour le Régime d'assurance-maladie du Québec.

Il contribue également, à part égale, au régime de retraite privé et à l'assurance-groupe. Ces montants sont enregistrés par l'écriture suivante :

> Charges sociales
>> Retenues à la source et charges sociales à payer.

Arrondissez à dix dollars près.

Renseignements additionnels

1. Actif à long terme

   La Société adopte la méthode de l'amortissement linéaire ou constant. Le mobilier a une vie utile estimée de 8 ans avec une valeur de rebut de 2000 $; l'immeuble a une vie estimée de 20 ans avec une valeur de rebut de 10 000 $.

2. Effet à recevoir

   Ce billet a été reçu le 1er mars 19X2 et vient à échéance dans un an. Le taux d'intérêt annuel est de 10 %.

3. Assurance payée d'avance

   Prime payée le 1er juillet 19X2 ; d'une durée de 5 ans.

4. Provision pour créances irrécouvrables.

   Le comptable de la Société a établi la provision à 700 $ au 31 décembre 19X2.

5. Impôts sur le revenu

   La charge d'impôt sur le revenu s'élève à 9700 $.

6. Stocks de marchandises

   Les stocks de marchandises au 31 décembre 19X2 sont estimés à 70 000 $.

7. Obligations à payer

   Les obligations sont payables le 30 septembre de chaque année, par tranches de 1000 $, en plus de l'intérêt s'y rapportant. Le taux d'intérêt annuel est de 10 %.

Travail à faire

a) Inscrivez les soldes des comptes du 30 novembre 19X2 au grand livre général.

b) Enregistrez les transactions du mois de décembre dans les journaux appropriés.

c) Effectuez le report des journaux au grand livre général et aux grands livres auxiliaires.

d) Enregistrez les écritures de régularisation et effectuez le report au grand livre général.

e) Dressez :

1) l'état des résultats pour l'exercice terminé le 31 décembre 19X2 ;

2) l'état des bénéfices non répartis pour l'exercice terminé le 31 décembre 19X2.

f) Enregistrez les écritures de fermeture au journal général et faites le report au grand livre général.

g) Rédigez le bilan au 31 décembre 19X2.

h) Dressez la liste des comptes-clients et des comptes-fournisseurs au 31 décembre 19X2.

TROISIÈME MONOGRAPHIE : SON ET MUSIQUE LTÉE

Son et musique ltée est une entreprise commerciale, spécialisée dans la vente au détail d'appareils stéréophoniques de tout genre. L'exercice financier de la Société se termine le 31 décembre.

Le système comptable de l'entreprise se compose des registres suivants :

Journal général

Journal des achats

Journal des ventes

Journal des recettes

Journal des débours

Journal des salaires

Grand livre général

Grand livre auxiliaire des clients

Grand livre auxiliaire des fournisseurs

Au 30 novembre 19X4, le grand livre général et les grands livres auxiliaires se détaillaient ainsi :

GRAND LIVRE GÉNÉRAL

N° compte	Nom des comptes	Montant
100	Banque	65 000 $
110	Clients	60 000
115	Provision pour créances irrécouvrables (solde créditeur ou débiteur)	1 000
120	Effet à recevoir	10 000
130	Stocks de marchandises au 1er janvier 19X4	100 000
140	Assurance payée d'avance	1 000
150	Mobilier	40 000
155	Amortissement cumulé — Mobilier	8 000

160	Camion	12 000
165	Amortissement cumulé — Camion	3 000
200	Emprunt bancaire	28 000
210	Fournisseurs	50 000
220	Dividendes à payer	5 000
250	Obligations à payer	120 000
300	Capital-actions : 5000 actions émises	15 000
310	Bénéfices non répartis au 1er janvier 19X4	10 500
320	Dividendes	15 000
400	Ventes	650 000
410	Intérêts créditeurs	500
500	Achats	450 000
510	Publicité	30 000
520	Chauffage et électricité	15 000
530	Salaires	54 000
535	Charges sociales	6 000
540	Intérêts débiteurs	9 000
550	Loyer	24 000

Le plan comptable comprend aussi les comptes suivants :

125	Intérêts courus à recevoir
225	Impôts sur le revenu à payer
230	Intérêts courus à payer
235	Retenues à la source et charges sociales à payer
330	Sommaire des résultats
505	Coût des marchandises vendues
560	Assurances
570	Créances irrécouvrables
580	Amortissement — Mobilier
590	Amortissement — Camion
600	Impôts sur le revenu

GRAND LIVRE AUXILIAIRE DES CLIENTS

N° compte	Nom du client	Montant
1	Casa Loma inc.	20 000 $
2	Paul Mercier ltée	15 000
3	CKUP, Saint-Zénon	10 000
4	Représentations Marco ltée	12 000
5	Café Excello inc.	3 000
		60 000 $

GRAND LIVRE AUXILIAIRE DES FOURNISSEURS

N° compte	Nom du client	Montant
1	Dual-Noresco ltée	17 000 $
2	Électrohome inc.	15 000
3	Sony électronique ltée	12 000
4	Recherche acoustique inc.	6 000
		50 000 $

Les transactions suivantes se sont produites au cours du mois de décembre 19X4 :

3 décembre   Réception d'un chèque de 12 000 $ de Représentations Marco ltée.

5 décembre   Vente à crédit, à la Ville de Montréal, d'un système de son de 25 000 $; facture n° 46.

7 décembre   Paiement du dividende à payer ; chèque n° 126.

8 décembre   Paiement du solde dû à Électrohome inc. ; chèque n° 127.

10 décembre   Achat à crédit de 10 000 $ de marchandises chez Recherche acoustique inc.

12 décembre   Déclaration d'un dividende de 1 $ par action ordinaire payable le 15 janvier 19X5.

13 décembre   Vente à crédit à Paul Mercier ltée pour 18 000 $; facture n° 47.

15 décembre   Réception d'une facture de 5000 $ du journal *Allô vedettes* pour les frais de publicité jusqu'à ce jour ; payable dans 30 jours.

16 décembre   Paiement des charges suivantes :

     Hydro-Québec :   électricité, chèque n° 128   2000 $
     Mongeau et Robert ltée : chauffage, chèque n° 129   3000 $

18 décembre   Réception d'un chèque de 15 000 $ de Casa Loma inc.

20 décembre   Achats à crédit de 6000 $ de marchandises chez Électrohome inc.

22 décembre   Émission d'un chèque de 15 000 $ à Dual-Noresco ltée ; chèque n° 130.

24 décembre   Vente au comptant de 8000 $ de marchandises à Musique Thibault-Lafleur inc. ; facture n° C-16.

26 décembre   Vente à crédit d'un système de son de 6000 $ à Café Excello inc. ; facture n° 48.

31 décembre   Préparation et versement de la paie du mois.

Nom de l'employé	Léo Paul	Chantal Bernard
Salaire brut	1 000,00 $	450,00 $
Assurance-chômage	21,62	10,58
Régime des rentes du Québec	16,50	6,51
Régime de retraite privé	50,00	22,50
Impôt provincial	99,05	30,15
Impôt fédéral	74,30	24,05
Salaire net	738,53 $	356,21 $

L'employeur paie les charges sociales suivantes, arrondissez au dollar près :

Assurance-chômage	1,4 fois les cotisations de l'employé
Régime des rentes du Québec	Une cotisation égale à celle de l'employé
Régime d'assurance-maladie du Québec	3 % des salaires bruts
Régime de retraite privé	Contribution égale à celle de l'employé

Renseignements additionnels

1. Actif à long terme

   La Société adopte la méthode de l'amortissement linéaire ou constant. Le mobilier a une vie utile estimée à 10 ans et le camion a une vie estimée de 4 ans. Aucune valeur de rebut n'est attribuée à ces biens.

2. Effet à recevoir

   Ce billet, payable sur demande, porte intérêt au taux annuel de 10 %, à échoir le 1er juillet de chaque année.

3. Assurance payée d'avance

   L'assurance payée d'avance vient à échéance le 31 décembre 19X4.

4. Provision pour créances irrécouvrables.

   On estime cette provision à 4000 $ au 31 décembre 19X4.

5. Impôts sur le revenu

   Le montant d'impôt sur le revenu s'élève à 22 800 $.

6. Stocks de marchandises

   Les stocks de marchandises au 31 décembre sont établis à 88 400 $.

7. Emprunt bancaire

L'emprunt bancaire est payable sur demande et porte intérêt au taux de 10 % l'an, à échoir le 30 septembre de chaque année.

8. Obligations à payer

Les obligations sont payables le 1ᵉʳ juillet de chaque année, par tranches de 2000 $, ainsi que l'intérêt y afférant. Le taux d'intérêt annuel est de 12 %.

Travail à faire

a) Inscrivez les soldes des comptes au 30 novembre 19X4 au grand livre général.

b) Enregistrez les transactions du mois de décembre dans les journaux appropriés.

c) Effectuez le report des journaux au grand livre général et aux grands livres auxiliaires.

d) Enregistrez les écritures de régularisation au journal général et faites le report au grand livre général.

e) Dressez :

1) l'état des résultats pour l'exercice terminé le 31 décembre 19X4 ;

2) l'état des bénéfices non répartis pour l'exercice terminé le 31 décembre 19X4.

f) Enregistrez les écritures de fermeture au journal général et faites le report au grand livre général.

g) Rédigez le bilan au 31 décembre 19X4.

h) Dressez la liste des comptes-clients et des comptes-fournisseurs au 31 décembre 19X4.

Groupe B

PREMIÈRE MONOGRAPHIE : VICTOR ÉLECTRONIQUE LTÉE

Victor électronique ltée est une entreprise commerciale spécialisée dans la vente de téléviseurs. Elle a été fondée le 2 janvier 19X4 par M. Yves Victor.

Le système comptable de l'entreprise se compose des registres suivants :

Journal général

Journal des ventes

Journal des achats

Journal des recettes

Journal des débours

Journal des salaires

Grand livre auxiliaire des clients

Grand livre auxiliaire des fournisseurs

Grand livre général

Au cours du mois de janvier 19X4, Victor électronique ltée effectue les transactions décrites ci-dessous :

2 janvier   M. Victor investit 60 000 $ dans l'entreprise en échange de 6000 actions votantes. Vous désirez inscrire cette écriture au journal général afin de la détailler.

2 janvier   Un montant de 3000 $ est versé pour le paiement de six mois de loyer. Le chèque a été fait à Immeubles Lebel inc. ; chèque n° 100.

2 janvier   Un chèque de 1900 $ est expédié à Ameublement Auclair ltée pour du matériel de magasin ; chèque n° 101.

2 janvier   M. Victor paie 3100 $ comptant à Westinghouse ltée pour l'achat de téléviseurs ; chèque n° 102.

2 janvier   Achat à crédit de matériel de magasin. Une facture de 1750 $ est reçue d'Adam électronique inc.

2 janvier   Réception d'une facture de 10 000 $ de Lacombe électronique enr. Les termes sont 2/10, n/30. Il s'agit de téléviseurs.

2 janvier   Paiement par chèque d'un montant de 480 $ pour une police d'assurance sur les stocks. La police est pour une période d'un an et est émise par La Solidaire, société d'assurances ; chèque n° 103.

3 janvier   Achat de fournitures de magasin à Papeterie Ivanovitch ltée. La facture de 850 $ est payée comptant ; chèque n° 104.

3 janvier   Achat à crédit de 6000 $ de marchandises de Bell électronique ltée.

4 janvier   Vente à crédit, à Marie Boulanger, de 3400 $ de marchandises. Les termes sont 2/10, n/30.

5 janvier   Achat à crédit de fournitures de magasin de Bousquet inc. Les termes sont 2/10, n/30. La facture est de 300 $.

6 janvier   Émission d'un chèque pour acquitter la facture de Bell électronique ltée ; chèque n° 105.

9 janvier   Vente de marchandises au comptant pour une somme de 5500 $.

10 janvier   Paiement du compte de Lacombe électronique enr. ; chèque n° 106.

10 janvier   Vente à crédit de téléviseurs, à Gilles Durand, pour un montant de 1430 $.

11 janvier   Vente de 750 $ de marchandises à Julien Breault. Les conditions sont 2/10, n/30.

11 janvier   Vente à crédit, à J.C. Bradley, de 300 $ de marchandises.

14 janvier	Réception d'un chèque de Marie Boulanger en paiement complet de son compte.
16 janvier	Achat à crédit de 2800 $ de Mobilier moderne ltée. Il s'agit de téléviseurs. Conditions : 2/10, n/30.
16 janvier	Achat à crédit de 600 $ de Zénith ltée. Termes : 2/10, n/30.
18 janvier	Réception d'une somme de 144 $ de Julien Breault en versement sur son compte. On lui accorde un escompte de 3 $ pour le paiement rapide.
21 janvier	Paiement de 240 $ à la Presse pour la publicité ; chèque n° 107.
30 janvier	Paiement des comptes de téléphone, 20 $, et d'électricité, 40 $. Ils ont été payés directement à la banque.
30 janvier	Paiement à Bousquet inc. pour la facture du 5 janvier 19X4 ; chèque n° 108.

Voici le plan comptable de l'entreprise. Il peut être nécessaire d'ouvrir d'autres comptes.

100	Banque
110	Clients
115	Provision pour créances irrécouvrables
120	Stock de marchandises
122	Assurance payée d'avance
125	Loyer payé d'avance
130	Stock de fournitures
140	Matériel de magasin
145	Amortissement cumulé — Matériel de magasin
200	Fournisseurs
205	Retenues à la source et charges sociales à payer
220	Impôts sur le revenu à payer
300	Capital-actions
310	Bénéfices non répartis
320	Sommaire des résultats
400	Ventes
402	Escomptes sur ventes
405	Achats
410	Escomptes sur achats
420	Transport à l'achat
425	Coût des marchandises vendues
430	Publicité
435	Téléphone et électricité
440	Amortissement — Matériel de magasin
445	Fournitures de magasin utilisées
450	Assurance
460	Loyer
470	Impôt sur le revenu

30 janvier   Paiement des salaires du mois.

	Yves Victor	Charles Voyer	Yvon Plante
Numéro du chèque	1	2	3
Salaire brut	1 700,00 $	675,00 $	500,00 $
Assurance-chômage	10,81	10,81	10,81
Régime de rentes du Québec	29,80	11,40	8,25
Régime de retraite privé	105,77	33,75	25,00
Impôt provincial	377,20	107,30	49,50
Impôt fédéral	304,75	86,45	41,45
Salaire net	871,67 $	425,29 $	364,99 $

L'employeur paie les charges sociales suivantes :

Assurance-chômage	1,4 fois la cotisation de l'employé
Régime de rentes du Québec	Une cotisation égale à celle de l'employé
Régime de retraite privé	Une contribution égale à celle de l'employé

Renseignements additionnels

1. Le stock de marchandises en entrepôt au 31 janvier 19X4 est évalué à 19 910 $.

2. Les fourniturs de magasin sont évaluées à 1100 $.

3. Le matériel de magasin est amorti linéairement sur dix ans.

4. Le taux d'imposition est de 20 %.

Travail à faire

Effectuez les opérations propres à la réalisation du cycle comptable.

a) Enregistrez les transactions dans les différents journaux et faites les reports nécessaires aux grands livres auxiliaires.

b) Classifiez les transactions par le report au grand livre général.

c) Vérifiez l'équilibre débit-crédit par une balance de vérification.

d) Préparez les écritures de régularisation au journal général et reportez-les au grand livre général.

e) Établissez une liste des comptes-clients et des comptes-fournisseurs et vérifiez-en l'exactitude avec les comptes collectifs au grand livre général.

f) Rédigez un état des résultats pour le mois de janvier 19X4.

g) Préparez les écritures de fermeture au journal général et reportez-les au grand livre général. Normalement, ces fermetures n'ont lieu qu'en fin d'exercice financier.

h) Préparez le bilan au 31 janvier 19X4.

DEUXIÈME MONOGRAPHIE : LIBRAIRIE L.L.L. ENR.

Face à une concurrence importante dans le domaine de là vente de livres au détail, MM. Lamontagne, Larivière et Lavallée décident de s'associer. Ils déposent une déclaration au greffe de la Cour supérieure des districts où ils feront affaires et rédigent devant notaire un contrat de société dont voici quelques articles :

Article 12

Les associés Lamontagne et Larivière apporteront à la Société leur entreprise respective.

	Lamontagne	Larivière	Total
Caisse	3 000 $	3 500 $	6 500 $
Comptes-clients	5 700	7 400	13 100
Stocks de marchandises	15 200	11 100	26 300
Matériel roulant (net)	3 500	5 200	8 700
Mobilier (net)	6 000	10 000	16 000
	33 400 $	37 200 $	70 600 $
Comptes-fournisseurs	13 400 $	12 200 $	25 600 $
Effets à payer	5 000	6 000	11 000
Capital Lamontagne	15 000		15 000
Capital Larivière		19 000	19 000
	33 400 $	37 200 $	70 600 $

La Société absorbera tous les actifs et tous les passifs. L'associé Lavallée apportera 15 000 $ en argent.

Article 13

Les associés auront les *intérêts* suivants, dans la Société, à la date de la formation :

Lamontagne	15 000 $
Larivière	19 000 $
Lavallée	15 000 $

Article 14

Les bénéfices nets seront partagés de la manière suivante :

a) Un *salaire annuel* payable par versements mensuels à compter de février.

Lamontagne	3 600 $
Larivière	4 800 $
Lavallée	6 000 $

b) Un intérêt annuel de 6 % sur les capitaux du début de chaque exercice versé à la fin de chaque mois.

c) Le solde des bénéfices nets sera partagé ainsi :

Lamontagne	30 %
Larivière	40 %
Lavallée	30 %

Article 15

Les *prélèvements* sont autorisés jusqu'à concurrence de 1500 $ par année.

Article 16

Les états financiers annuels devront être préparés par un comptable professionnel à chaque exercice se terminant le 31 décembre.

Après un examen des livres des entreprises déjà existantes, vous dressez la liste des comptes-clients et des comptes-fournisseurs.

Comptes-clients

Date		Montant	Conditions
3 décembre 19X5	Commission scolaire de Saint-Lin	3 300 $	2/10, n/30
18 décembre 19X5	École de langues modernes	1 200	2/10, n/30
30 décembre 19X5	École professionnelle inc.	2 400	2/10, n/30
15 décembre 19X5	Commission scolaire de Laprairie	5 000	2/10, n/30
1er décembre 19X5	CECM	1 200	2/10, n/30
		13 100 $	

Comptes-fournisseurs

Date		Montant	Conditions
23 décembre 19X5	McGraw-Hill	6 400 $	2/10, n/30
30 décembre 19X5	Irwin Dorsey inc.	7 000	2/10, n/30
15 décembre 19X5	Centre de psychologie et de		
	pédagogie inc.	6 200	2/10, n/30
3 décembre 19X5	Holt, Rinehart & Winston inc.	6 000	2/10, n/30
		25 600 $	

Voici les opérations qui ont été effectuées depuis la *formation de la Société*, soit le 2 janvier 19X6 :

2 janvier   Achat d'un immeuble de 16 000 $, dont 6000 $ pour le terrain. Les associés paient 3000 $ comptant à Montréal Trust ltée. Le solde est financé au moyen d'une hypothèque à 9 % remboursable, capital et intérêts, en dix versements dont le premier vient à échéance le 1er juillet 19X6.

               Les associés pensent avoir fait une bonne affaire puiqu'ils estiment que l'immeuble vaut 20 000 $.

2 janvier   Les sociétaires décident d'engager trois commis, deux seront préposés aux ventes et le troisième à l'administration. Le salaire hebdomadaire de chacun est de 150 $.

2 janvier   On décide d'assurer l'immeuble et les stocks. Voici le détail des polices :

Date d'entrée en vigueur	Coût	Durée
2 janvier	360 $	3 ans
2 janvier	240 $	1 an

               La Sauvegarde, société d'assurances, facture la Société.
               Le paiement doit être fait avant 30 jours.

2 janvier   Paiement de trois mois de loyer à Immeubles Lacasse inc. Le chèque n° 2 est de 1500 $.

3 janvier   Vente à crédit à la Commission scolaire de Saint-Joachim totalisant 3270 $ incluant la taxe de vente de 9 %, soit 270 $. Conditions : 2/10, n/30.

4 janvier   Achat à crédit de 3000 $ à Prentice-Hall inc.

5 janvier   Enregistrement du chèque n° 3 de 980 $ fait à l'ordre d'Irwin Dorsey inc. La Société a bénéficié d'un escompte de 2 %.

9 janvier   Vente au comptant de 4000 $ à l'Université de Sherbrooke. Ce montant n'inclut pas la taxe de vente de 9 %.

10 janvier   La CECM paie son compte du 1er décembre en entier, soit 1200 $. Pas d'escompte.

11 janvier   Transfert du compte en banque général à un compte spécial Salaires pour le montant de la paie du 15 janvier. Chèque n° 4.

11 janvier   Paiement du compte à Holt, Rinehart & Winston inc. Le chèque n° 5 est de 6000 $.

12 janvier   Enregistrement des ventes au comptant réalisées au cours des onze derniers jours. Le total est de 5500 $, taxe de vente de 9 % non incluse.

15 janvier   Paiement du salaire des trois commis. Voici le détail de leurs paies pour la période du 2 au 12 janvier. Les chèques n°s 1, 2 et 3 sont tirés sur le compte Banque — Salaires.

	V. Bourassa	P. Dupuis	O. Loubier
Salaire brut	300 $	300 $	300 $
Impôt fédéral	23	26	17
Assurance-chômage	5	5	5
R.R.Q.	5	5	5
Impôt provincial	21	24	17
Salaire net	246 $	240 $	256 $

La part de l'employeur est la suivante :

Assurance-chômage	7 $	7 $	7 $
R.R.Q.	5	5	5
R.A.M.Q.	9	9	9
	21 $	21 $	21 $

15 janvier   On verse un acompte de 1960 $ à Prentice-Hall en bénéficiant, avec l'accord du fournisseur, d'un escompte de 2 %, soit 40 $. Chèque n° 6.

15 janvier   Vente à crédit de 5600 $ de marchandises aux Entreprises éducatives du Nord-Ouest. Le montant n'inclut pas la taxe de vente de 504 $.

17 janvier   Vente à crédit de 3150 $ de marchandises à la Régionale le Royer. Ce montant exclut la taxe de vente de 284 $.

18 janvier   Achat à crédit, du Centre de psychologie et de pédagogie, de 4860 $ de marchandises. Les conditions sont 2/10, n/30.

23 janvier   Retour de 200 $ de livres au Centre de psychologie et de pédagogie. Il s'agit de marchandises en mauvais état. On reçoit la note de crédit le même jour. Enregistrez au journal général.

23 janvier   Achat à crédit de 1080 $ aux éditions Fides inc.

24 janvier   Paiement des divers comptes :

Hydro-Québec	Chèque n° 7	38 $	
Bell Canada	Chèque n° 8	42 $	
Ville de Montréal	Chèque n° 9	135 $	Taxe d'affaires
Maintenance Bilodeau	Chèque n° 10	208 $	Entretien — Immeuble
Transport Brosseau	Chèque n° 11	135 $	Transport à l'achat

25 janvier   Transfert au compte en banque spécial du montant de la paie du 31 janvier. Chèque n° 12.

25 janvier   Voici le détail de la paie enregistrée ce jour-là pour la période se terminant le 31 janvier.

	V. Bourassa	O. Loubier
Salaire brut	300 $	300 $
Impôt fédéral	23	17
Assurance-chômage	5	5
R.R.Q.	5	5
Impôt provincial	21	17
Salaire net	246 $	256 $

La part de l'employé est la suivante :

Assurance-chômage	7 $	7 $
R.R.Q.	5	5
R.A.M.Q.	9	9
	21 $	21 $

Le commis P. Dupuis a été remercié de ses services le 15 janvier.

27 janvier   Vente à crédit de 4360 $ à la CECM. Ce montant inclut la taxe de vente.

27 janvier   Encaissement du compte de 3434 $ de la Régionale Le Royer. Elle a bénéficié d'un escompte de 2 %, soit 69 $. La recette fut donc de 3365 $.

31 janvier   MM. Lavallée et Lamontagne retirent respectivement 500 $ et 300 $: chèques n°s 13 et 14 ; tandis que M. Larivière effectue un prélèvement de 1000 $: chèque n° 15.

31 janvier   Paiement de la prime d'assurance de 600 $ à la Sauvegarde. Chèque n° 16.

31 janvier   La CECM retourne 300 $ de marchandises en mauvais état. Ce montant n'inclut pas la taxe à enregistrer au journal général.

31 janvier   Enregistrement des ventes au comptant du 13 au 21 janvier ; 12 000 $ avant taxe de vente de 1080 $.

31 janvier   Distribution des chèques de paie n°s 4 et 5.

Renseignements additionnels

1. • L'immeuble a une vie utile prévue de 10 ans. La valeur de rebut est estimée à 4000 $;

   • Le matériel roulant a une vie utile de 3 ans et une valeur de rebut de 1500 $;

   • Le mobilier aura une durée de 5 ans avec une valeur de rebut de 4000 $.

2. La provision pour créances irrécouvrables est estimée à 5 % des comptes-clients de la fin de l'exercice.

3. Les stocks de marchandises sont évalués à 28 300 $ au 31 janvier 19X6.

4. Il y a un certain montant d'intérêts courus à payer.

Travail à faire

a) Enregistrez les transactions dans les journaux appropriés.

b) Faites les reports au grand livre général et aux grands livres auxiliaires.

c) Enregistrez les écritures de régularisation et effectuez le report au grand livre général.

d) Préparez les principaux états financiers.

e) Enregistrez les écritures de fermeture et effectuez le report au grand livre général même si, en pratique, on ne ferme pas les comptes après un mois d'opération.

NOTE :   Le plan comptable de cette Société en nom collectif comprend les comptes suivants :

100	Banque
110	Banque — Salaires
115	Clients
116	Provision pour créances irrécouvrables
125	Stock de marchandises
126	Loyer payé d'avance
130	Assurances payées d'avance
140	Terrain
150	Immeuble
151	Amortissement cumulé — Immeuble
160	Mobilier
161	Amortissement cumulé — Mobilier
170	Matériel roulant

171	Amortissement cumulé — Matériel roulant
200	Fournisseurs
210	Retenues à la source et charges sociales à payer
212	Taxe de vente à payer
215	Intérêts courus à payer
216	Effets à payer
220	Versement exigible de la dette à long terme
225	Hypothèque à payer
300	Capital — Lamontagne
305	Capital — Larivière
310	Capital — Lavallée
315	Prélèvements Lamontagne
320	Prélèvements Larivière
325	Prélèvements Lavallée
340	Sommaire des résultats
400	Ventes
410	Escomptes sur ventes
415	Rendus et rabais sur ventes
500	Achats
505	Escomptes sur achats
510	Rendus et rabais sur achats
515	Transport à l'achat
520	Coût des marchandises vendues
530	Salaires
535	Charges sociales
540	Assurances
545	Électricité
550	Téléphone
555	Taxe d'affaires
560	Créances irrécouvrables
570	Entretien de l'immeuble
575	Amortissement — Immeuble
580	Amortissement — Mobilier
585	Amortissement — Matériel roulant
590	Intérêts — Débiteurs
595	Loyer — Charge

TROISIÈME MONOGRAPHIE : AMEUBLEMENT QUÉBÉCOIS LTÉE

Ameublement québécois ltée est une entreprise de vente de meubles au détail. L'exercice financier de la Société se termine le 31 décembre.

Vous vous occupez de la comptabilité et de l'administration de l'entreprise et, au 30 novembre 19X4, un examen des registres comptables vous fournit les renseignements suivants :

GRAND LIVRE GÉNÉRAL

N° compte	Nom des comptes	Montant
100	Caisse	15 000 $
102	Valeurs négociables	18 600
104	Clients	41 000
106	Effets à recevoir	7 000
108	Intérêts courus à recevoir	
110	Stocks de marchandises au 1er janvier 19X4	50 000
112	Stocks de fournitures de magasin	
114	Stocks d'articles de promotion	
116	Assurance payée d'avance	2 500
118	Équipement de magasin	40 500
119	Amortissement cumulé — Équipement de magasin	10 000
200	Fournisseurs	22 000
202	Déductions et charges sociales à payer	550
204	Effets à payer	23 000
206	Intérêts courus à payer	
208	Salaires courus à payer	
210	Impôts à payer	
211	Taxe de vente à payer	1 800
212	Loyer reçu d'avance	
214	Hypothèque à payer	15 000
216	Obligations à payer	
300	Capital-actions (10 000 actions)	50 000
302	Bénéfices non répartis	15 000
304	Dividendes	
400	Ventes	251 302
402	Escomptes sur ventes	1 200
404	Rendus et rabais sur ventes	302
500	Achats	141 500
502	Transport à l'achat	2 500
504	Escomptes sur achats	1 350
506	Rendus et rabais sur achats	320
508	Publicité	4 900
510	Frais de ventes	7 500
512	Amortissement — Équipement de magasin	
516	Chauffage et électricité	5 000
518	Assurance	
520	Frais généraux d'administration	8 800
522	Charge d'impôts	
524	Salaires	38 000
526	Charges sociales	1 320
528	Loyer — Charge	4 800

530	Intérêts débiteurs	1 500
532	Créances irrécouvrables	
600	Intérêts créditeurs	400
602	Loyer — Produits	1 200
700	Coût des marchandises vendues	—
702	Sommaire des résultats	—

Les comptes suivants font également partie du bilan comptable :

101	Banque — Salaires
105	Provision pour créances irrécouvrables
107	Loyer payé d'avance
213	Dividendes à payer

GRAND LIVRE AUXILIAIRE DES CLIENTS

N° compte	Nom du client	Montant	Date
V-1	Motel Beauséjour enr.	10 000 $	15 novembre
V-2	Immeubles Loblaw inc.	7 000	4 novembre
V-3	Charles Lambert	2 000	18 novembre
V-4	Salon de coiffure Distinction	4 000	30 novembre
V-5	Immeubles princiers inc.	18 000	29 novembre
		41 000 $	

GRAND LIVRE AUXILIAIRE DES FOURNISSEURS

N° compte	Nom du fournisseur	Montant	Date
A-1	Ébénisterie moderne inc.	3 000 $	24 novembre
A-2	Fabrique de meubles Cartier ltée	2 000	28 novembre
A-3	Artisans du meuble québécois inc.	10 000	13 novembre
A-4	Lafayette ltée	4 000	10 novembre
A-5	Ameublement Lefebvre	3 000	29 novembre
		22 000 $	

Les opérations suivantes ont été effectuées au cours du mois de décembre 19X4 :

1er décembre — Vente à crédit à la Résidence Beaulac de 12 000 $ de meubles. La taxe de vente est de 1080 $. Facture n° 1500.

2 décembre — Le Conseil d'administration déclare un dividende de 0,60 $ par action.

3 décembre — Enregistrement du chèque n° 305 fait à l'Ébénisterie moderne inc. en règlement complet du compte. L'entreprise a bénéficié d'un escompte de 2 %.

4 décembre — Encaissement du compte d'Immeubles princiers inc.

4 décembre	Achat à crédit de 4800 $ de meubles d'Ébénisterie moderne inc.
9 décembre	Le salon de coiffure Distinction paie la totalité de son compte du 30 novembre et soumis aux conditions 2/10, n/30.
11 décembre	Encaissement du compte de Charles Lambert.
12 décembre	Vente à crédit, à Immeubles princiers inc., de 8720 $ de meubles. La taxe de vente de 720 $ est incluse ; facture n° 1501.
12 décembre	Transfert du compte en banque général au compte en banque spécial Salaires du montant de la paie du 15 décembre. Le détail de la paie est présenté dans les pages suivantes. Arrondissez au dollar près.
13 décembre	Enregistrement des ventes au comptant des deux dernières semaines, soit 8175 $. Ce montant inclut la taxe de vente de 675 $. Factures n°s 1000 à 1108.
13 décembre	Retour de 300 $ de meubles en mauvais état à la Fabrique de meubles Cartier ltée.
13 décembre	Paiement des comptes divers.

Chèque n° 306	Ministère du Revenu	
	R.R.Q.	75 $
	Impôt	175
	R.A.M.Q.	25
		275 $
Chèque n° 307	Receveur général du Canada	
	Assurance-chômage	25 $
	Impôt fédéral	250
		275 $
Chèque n° 308	Ministère du Revenu	
	Taxe de vente	1 800 $
Chèque n° 309	Hydro-Québec	30 $
Chèque n° 310	Bell Canada	24 $
Chèque n° 311	Le Devoir : publicité	65 $
Chèque n° 312	Transport Thibault : transport à l'achat	100 $
Chèque n° 313	Restaurant Au Bon Vivant : frais de ventes	30 $

15 décembre	Versement de la paie en espèces.

L'employeur verse en charges sociales les cotisations suivantes :

Assurance-chômage	1,4 fois les cotisations des employés
Régime de rentes du Québec	Une cotisation égale à celles des employés
Régime d'assurance-maladie du Québec	3 % des salaires bruts

16 décembre   Réception d'une facture d'Ameublement artistique inc. pour l'achat de 8430 $ de meubles.

17 décembre   Encaissement de 10 000 $ résultant de l'émission de 1000 actions. On désire enregistrer au journal général afin de détailler.

18 décembre   Enregistrement du chèque n° 314 en paiement partiel du compte A-3. Le montant est de 5000 $.

21 décembre   Réception d'une facture des Artisans du meuble québécois inc. pour 2430 $ de marchandises.

22 décembre   Ventes à crédit, à la Société immobilière Concorde ltée, de 4800 $ de marchandises. La taxe de vente de 432 $ est exclue. Facture n° 1502.

23 décembre   Le Motel Beauséjour enr. retourne 250 $ de marchandises. La taxe de vente était de 22 $.

27 décembre   Transfert du compte en banque général au compte en banque spécial Salaires du montant de la paie du 31, identique à celle du 15.

27 décembre   Enregistrement du chèque n° 315, de 4000 $, en acompte sur le solde dû à Ameublement artistique inc.

27 décembre   Enregistrement des ventes au comptant des deux dernières semaines, soit 14 170 $. Ce montant comprend la taxe de vente de 1170 $. Factures n°s 1109 à 1222.

28 décembre   Vente à crédit au Cercle de bridge de Westmount de 2180 $ de meubles. La taxe de vente est incluse.

29 décembre   Réception d'une facture de 3820 $ de Lafayette ltée.

31 décembre   L'entreprise verse les dividendes déclarés le 2 décembre 19X4 aux actionnaires inscrits le 15 décembre 19X4.

31 décembre   En prévision de son expansion, l'entreprise développe les opérations de financement déjà entreprises par l'émission d'actions en mettant 15 000 $ d'obligations en circulation. Ces obligations seront garanties par un lien hypothécaire sur l'immeuble. Le produit de l'émission est encaissé le 31 décembre. L'échéance est fixée au 1er juin 19Y0. Taux d'intérêt : 8 %. On l'inscrit au journal pour enregistrer le détail.

31 décembre   Versement de la paie qui est exactement du même montant que celle du 15 décembre. Versement en espèces aux employés. Tenir compte des charges sociales de l'employeur.

Renseignements additionnels

1. L'examen de tous les comptes-clients permet d'établir que la provision pour créances irrécouvrables devrait être de 800 $.

2. L'assurance payée d'avance se détaille ainsi :

POLICE	DATE	DURÉE	PRIMES
A648	1er janvier 19X4	3 ans	1 500 $
P832	1er juillet 19X4	2 ans	1 000 $

3. L'effet à recevoir consiste en un billet à 60 jours, portant 6 % d'intérêt, daté du 30 novembre 19X4.

4. L'effet à payer consiste en un billet à 90 jours, portant 6 % d'intérêt, daté du 30 novembre 19X4.

5. Voici le détail des achats d'équipement de magasin :

DATE D'ACHAT	COÛT	VIE UTILE	VALEUR DE REBUT
Il y a six ans	22 000 $	10 ans	2 000 $
1er avril 19X4	10 000 $	20 ans	0
1er juillet 19X4	8 500 $	8 ans	500 $

6. La charge d'impôts est évaluée à 3500 $.

7. Le 1er août 19X4, l'entreprise a loué de l'équipement pour une durée de 12 mois et a versé 1200 $ pour un an de location.

8. L'intérêt sur l'hypothèque est de 800 $ par année, payable semi-annuellement soit les 1er mai et 1er novembre.

9. Les stocks sont les suivants au 31 décembre 19X4 :

Marchandises	36 000 $
Stocks d'articles de promotion	1 200
Fournitures de magasin	300

Le débit pour fournitures de magasin et articles de promotion a été passé à Frais de ventes.

Travail à faire

a) Enregistrez les transactions dans les différents journaux.

b) Faires le report au grand livre général et aux grands livres auxiliaires.

c) Enregistrez les écritures de régularisation.

d) Après avoir dressé une balance de vérification, préparez :

   1) l'état des résultats pour l'exercice terminé le 31 décembre 19X4 ;

   2) l'état des bénéfices non répartis pour la même période.

e) Enregistrez les écritures de fermeture.

f) Rédigez le bilan au 31 décembre 19X4.

Voici les détails nécessaires à la préparation des paies :

Date	Nom de l'employé	Salaire	Assurance-chômage	R.R.Q.	Régime de retraite privé	Gain assujetti à l'impôt	Impôt provincial	Impôt fédéral	Salaires à payer	Numéro de chèque
15 déc.	Jacques Chalifoux	370	3,20	6,18	2,95	357,67	35,90	41,05	280,72	
	Camille Chartrand	375	3,20	6,27	3,00	362,53	37,75	43,30	281,48	
	Jean Claveau	270	2,71	4,38	2,15	260,76	16,15	15,80	228,80	
	Mario Conte	275	2,75	4,47	2,20	265,58	11,60	9,40	244,58	
	Pierre Davis	310	3,10	5,10	2,50	299,30	18,45	20,40	260,45	
		1 600	14,96	26,40	12,80		119,85	129,95	1 296,03	

Chapitre 8
La paie

8.1 INTRODUCTION

L'objectif de ce chapitre est de nous renseigner sur la façon de comptabiliser la paie. À cette fin, nous introduirons les principaux registres comptables et les documents nécessaires et nous examinerons les principales lois et programmes gouvernementaux qui interviennent dans le calcul des salaires.

Le traitement comptable de la paie pose des difficultés à cause des facteurs suivants :

1. La paie est un acte répétitif qui se produit hebdomadairement, aux deux semaines, bimensuellement, mensuellement, etc. Ce caractère répétitif incite à l'instauration d'un traitement informatisé afin de faciliter la tâche ;

2. Certaines données sont variables ; ainsi le nombre d'heures peut changer à cause des heures supplémentaires ; il peut s'agir d'un travail payable à la commission ; le nombre d'employés peut être modifié ; les déductions de certains employés peuvent varier à la suite d'un changement dans leur situation personnelle ;

3. La paie doit être préparée à temps et ne pas contenir d'erreurs malgré les nombreux calculs qu'elle exige : salaire brut, retenues à la source, salaire net et contributions de l'employeur ;

4. Il faut remettre les retenues à la source aux intéressés (Receveur général du Canada, ministre du Revenu du Québec, etc.) généralement dans les quinze jours qui suivent la fin du mois où les retenues ont été effectuées. Ces remises sont accompagnées de formulaires à compléter ;

5. La tenue des registres comptables répond à des exigences légales. De plus, des dossiers doivent être maintenus afin de faire rapport aux employés et aux gouvernements quant aux données salariales (salaires bruts, retenues à la source, etc.). Différents formulaires seront présentés en annexe dans ce chapitre (Relevé du calcul accompagnant le chèque de paie, T-4, relevé 1 et différents sommaires en fin d'année ...) ;

6. Il faut respecter des normes strictes de contrôle interne afin de verser les montants exacts aux employés, aux gouvernements et aux autres organismes ; il faut éviter de payer pour des employés fictifs ; il faut payer le bon taux et pour des services effectivement reçus.

8.2 LE CALCUL DU SALAIRE BRUT

Le contrôle interne concernant la paie exige une collaboration étroite entre le Service du personnel et le Service de la paie (*payroll department*). La première mesure consiste sans doute à s'assurer du bien-fondé de la demande d'embauchage d'une personne supplémentaire (par exemple une demande provient du Service des ventes). Un comité des ressources humaines indépendant peut s'assurer de ce bien-fondé.

Le Service du personnel a la responsabilité de choisir le bon média afin de publiciser l'offre d'emploi, mais tout en respectant la convention collective (affichage interne). La sélection du candidat se fait ensuite en collaboration avec la direction du service demandeur (Service des ventes ici) et en faisant les vérifications d'usage (lettres de recommandation ou d'attestation ...). Le Service du personnel ouvre un dossier pour le candidat retenu. Les données de ce dossier intéressent le Service de la paie, on y retrouve :

1) La date d'embauchage. L'employé sera alors inscrit sur la liste de paie ;

2) Le taux de salaire (salaire horaire, à la pièce, annuel, commission, système mixte ...) ;

3) La déclaration du nouvel employé concernant les exemptions personnelles auxquelles il a droit. Ainsi, le Service de la paie saura les montants d'impôts qu'il doit retenir (codes d'exemption). Ce sont le formulaire TPD-1 pour le ministère du Revenu du Québec et le formulaire TD-1 pour Revenu Canada, Impôt. L'employé doit les compléter (voir annexes 1 et 2) lors de son embauchage et, par la suite, chaque fois que sa situation est modifiée ;

4) L'autorisation écrite de l'employé pour les retenues facultatives, à savoir : cotisations syndicales, primes d'assurance-vie ou d'assurance-salaire, montant destiné à l'achat d'obligations d'épargne, régime privé de retraite, stationnement, contributions à des organismes charitables, etc.

Le Service de la paie ouvrira une fiche-salaire pour ce nouvel employé (voir annexe 3) et il aura son salaire à la prochaine paie. Tout changement dans les données de cette fiche devra avoir été approuvé au préalable par le Service du personnel. Par exemple, lors d'une augmentation du taux salarial, il faudra s'assurer qu'elle a bien été approuvée par le chef de service et autres responsables.

De la même façon, le départ d'un employé devra entraîner le retrait et de la fiche et du nom de l'employé de la liste de paie (*payroll*). À cet effet, le Service du personnel devra faire parvenir un document au Service de la paie afin que le versement du salaire soit interrompu, surtout dans le cas d'employés dont le salaire est calculé annuellement. La transmission de documents entre le Service du personnel et le Service de la paie doit également avoir lieu dans les cas de maladie ou de congé de certains employés.

8.2.1 Les heures de travail

Pour les employés payés à l'heure, le salaire brut dépend du nombre d'heures de travail et du taux horaire. Ces deux variables sont fixées soit par la loi, soit par un contrat de travail.

L'Acte de l'Amérique du Nord britannique confère aux provinces le pouvoir de légiférer en matière de droit du travail. Au Québec, la Commission des normes du travail, un organisme relevant du ministère de la main-d'œuvre et de la sécurité du revenu, statue sur le salaire minimum et sur la semaine normale de travail. Le salaire minimum est révisé périodiquement et il est établi par décret, approuvé par le Conseil des ministres. (Au moment de la rédaction de ce texte, il était de 4,75 $ l'heure.) Enfin, la Loi sur les normes du travail fixe actuellement la semaine normale de travail à 44 heures. Ainsi, tout employé qui travaillera plus de 44 heures au cours d'une semaine verra son taux horaire normal majoré de 50 % pour toute heure supplémentaire.

Les conventions collectives, qui sont des contrats de travail privés signés entre l'employeur et un syndicat représentant les employés, garantissent souvent de meilleures conditions de travail aux employés que celles accordées par la loi.

Les conventions collectives contiennent également un autre article qui intéresse le Service de la paie. En effet, l'employeur doit déduire à la source les cotisations syndicales (formule Rand) et faire parvenir, par exemple avant le quinzième jour du mois suivant, les cotisations ainsi déduites de même qu'un état détaillé de la perception contenant les noms des employés et la déduction syndicale correspondante.

La loi exige que les employeurs conservent un dossier des heures de travail effectuées par chaque employé. On trouvera un exemple de cette feuille de présence à l'annexe 5.

Pour les employés payés à l'heure, l'entreprise peut placer un horodateur près de la porte d'entrée des services concernés, lequel imprime l'heure et la date. Les cartes sont ensuite recueillies par un préposé à la fin de la période de paie. L'employé reçoit une nouvelle carte au début de chaque nouvelle période de paie ; lui seul est autorisé à utiliser sa carte. Une vérification des heures totalisées pour la semaine doit être faite par le responsable du service concerné.

8.2.2 Salaires ou honoraires

Une autre distinction intéressant le Service de la paie est celle qui existe entre les salaires et les honoraires. Ainsi, les personnes qui recevront des honoraires se verront remettre un chèque au montant brut, c'est-à-dire sans qu'aucune retenue à la source n'ait été effectuée. Les honoraires sont la rétribution accordée généralement aux personnes qui exercent une profession libérale ou un métier, à leur compte, en échange de leurs services.

La relation employeur — employé existe généralement lorsque la personne qui rémunère les services a le droit de contrôler et de diriger la personne qui les fournit. Le « contrôle » s'exerce non seulement sur les résultats qui doivent être atteints grâce aux services fournis, mais aussi sur les moyens d'atteindre ces résultats. En d'autres mots, l'employé est assujetti à la volonté et à la surveillance de l'employeur, non seulement en ce qui concerne la tâche à exécuter, mais également en ce qui a trait au mode d'exécution du travail. Il n'est pas nécessaire que l'employeur dirige ou surveille effectivement la façon dont le service est fourni ; il suffit qu'il ait le droit d'agir ainsi.

Par exemple, l'associé d'un bureau d'avocats reçoit des honoraires, tandis que l'avocat qui fait partie du service juridique de la société est un employé salarié. Les employés rémunérés hebdomadairement, bimensuellement ou mensuellement reçoivent un salaire ; cette rétribution fixe attachée à leur emploi peut alors se nommer traitement ou appointement.

8.3 LES RETENUES SALARIALES

Le salaire brut est le montant de la charge que doit comptabiliser la société. Toutefois, elle ne versera que le salaire net à l'employé, car elle doit remettre elle-même les différentes retenues salariales directement aux organismes concernés. Ces retenues sont qualifiées de *retenues à la source* justement parce que l'employeur, qui est la source du salaire, doit les remettre directement à des tiers ; on rencontre également le terme « précompte » pour les désigner.

Certaines retenues obligatoires sont effectuées en conformité avec une loi tandis que d'autres, facultatives, résultent d'un accord privé.

Retenues prévues par des lois

— Régime de rentes du Québec (ou Régime de pension du Canada pour les autres provinces) ;

— Assurance-chômage ;

— Régime d'assurance-maladie du Québec (depuis 1978 cette cotisation est intégrée à l'impôt provincial sur le revenu) ;

— Impôt sur le revenu provincial ;

— Impôt sur le revenu fédéral ;

— Saisie-arrêt, cessions ou réclamations.

Retenues prévues dans les conventions collectives

— Frais d'adhésion ;

— Cotisations syndicales.

Retenues facultatives

— Assurances collectives (vie, maladie, salaires) ;

— Régime enregistré d'épargne retraite de la société ;

— Obligations d'épargne ;

— Œuvres de charité ;

— Autres : caisse d'épargne, stationnement, outils, insignes, ... ;

— Remboursement de prêt ou d'une avance sur salaire.

8.4 LE RÉGIME DE RENTES DU QUÉBEC

Le Régime de rentes du Québec est entré en vigueur le 1er janvier 1966. Il s'agit d'un régime universel, c'est-à-dire que tous les citoyens du Québec âgés de 18 à 70 ans qui retirent un revenu de leur travail doivent verser des cotisations. Dans les autres provinces, les travailleurs sont tenus de participer au Régime de pensions du Canada.

Le Régime prévoit les prestations suivantes :

— la rente de retraite,

— la rente de conjoint survivant (veuf ou veuve),

— la rente d'orphelin,

— la prestation de décès,

— la rente d'invalidité,

— la rente d'enfant d'invalide.

Les cotisants sont identifiés par leur numéro d'assurance sociale. Le Service du personnel doit veiller à ce que tous les employés possèdent un numéro d'assurance sociale ; l'employé qui n'en a pas doit remplir le formulaire S-1 au Centre d'emploi du Canada le plus proche.

8.4.1 Le financement du Régime de rentes du Québec

Le Régime est financé par les salariés et les employeurs.

Les cotisations des salariés âgés de 18 à 70 ans sont les suivantes :

	1986	1987	1988
Maximum des gains admissibles	25 800,00 $	25 900,00 $	26 500,00 $
Exemption générale	2 500,00 $	2 500,00 $	2 600,00 $
Maximum des gains cotisables	23 300,00 $	23 400,00 $	23 900,00 $
Taux de contribution	1,8 %	1,9 %	2,0 %
Contribution maximale du salarié	419,40 $	444,60 $	478,00 $
Contribution maximale de l'employeur (par salarié)	419,40 $	444,60 $	478,00 $

En 1988, le salaire assujetti est donc d'un maximum de 23 900 $ et la contribution maximale est de 478,00 $. Si, par hasard, un employé a versé davantage (deux emplois par exemple) il demande un remboursement dans sa déclaration fiscale.

Pour déterminer la cotisation, on peut utiliser une table comme celle présentée à l'annexe 6 (page 519). Ces tables sont publiées annuellement par le ministère du Revenu du Québec. Il faut tout d'abord chercher la table correspondant à la période de paie en usage (p. ex. : 52 périodes de paie par année, 26, 24, 12 ...). Ensuite, il faut trouver le palier correspondant au salaire brut de l'employé sous la rubrique *rémunération*. Quant à la retenue à effectuer, elle est indiquée dans la colonne *déduction* à droite.

Les cotisations des personnes dont le revenu dépasse le maximum de 26 500 $ en 1988 s'échelonnent sur une période de moins d'un an. Par exemple, pour un salarié qui gagne le double de ce maximum, soit 53 000 $, le plafond des cotisations devrait être atteint dans six mois environ. Il faut donc être vigilant et cesser la déduction en cours d'année.

Prenons l'exemple d'un employé de 30 ans qui touche 1050 $ par semaine. Son employeur devra déduire 20 $ (2 % de 1050 $ − 50 $ d'exemption) de chacune des 23 premières paies. À la 24e paie, la retenue sera de 18 $ (478 $ maximum moins 460 $ déjà retenu) et ce sera terminé pour cet employé, jusqu'à la fin de l'année. Le 50 $ d'exemption vient du calcul : 2600 $/52 semaines.

Pour un employé qui gagne 25 986,48 $ par année ou 499,74 $ par semaine, la retenue hebdomadaire sera de 8,99 $, selon la table à l'annexe 6 (page 521). On arriverait au même résultat par le calcul 2 % × 23 386,48 $ (25 986,48 $ moins l'exemption générale de 2600 $).

La contribution de l'employeur est égale à celle de l'employé, soit 2 % du salaire cotisable. Le financement du régime atteint donc 4 % du salaire cotisable des employés. Nous verrons plus loin comment comptabiliser cette contribution de l'employeur.

Les personnes travaillant à leur compte doivent verser elles-mêmes, trimestriellement, au ministre des Finances du Québec, leur contribution avec la formule TP-7C (non la TPD-7A qui sert à la remise des contributions des employés). En 1988, les contributions du travailleur autonome s'élèvent à 4,0 % de ses gains situés entre 2500 $ et 25 800 $. Le versement se fait en complétant la formule TP-7B. Gain signifie les revenus de l'entreprise et non les retraits.

8.5 LE RÉGIME D'ASSURANCE-MALADIE DU QUÉBEC

La Loi sur l'assurance-maladie du Québec est entrée en vigueur le 1er novembre 1970. Cette loi mettait sur pied un régime *universel* d'assurance-maladie, protégeant par le fait même tous les citoyens du Québec.

8.5.1 Le financement du Régime d'assurance-maladie du Québec

Le Régime d'assurance-maladie est financé par les employés et les employeurs. En outre, depuis juin 1978, cette cotisation des employés est intégrée à l'impôt provincial sur le revenu prélevé sur le salaire des employés. Le Service de paie n'a donc pas de retenue distincte à faire.

La contribution de l'employeur est de 3,2175 % du total des salaires bruts, en 1988. Il n'y a pas de maximum ; en 1986 elle était de 3 %.

8.6 L'ASSURANCE-CHÔMAGE

La Loi et les Règlements sur l'assurance-chômage, qui existe depuis 1948, poursuivent deux objectifs :

1er verser des prestations, pendant une certaine période, aux personnes sans emploi ;

2e aider les personnes en chômage à se trouver un emploi et aider les employeurs à trouver la main-d'œuvre.

En 1966, la Commission d'assurance-chômage est créée : c'est un organisme fédéral qui veille au versement des prestations.

Le 1er avril 1966, le ministère de la Main-d'œuvre et de l'Immigration est chargé d'aider les personnes en chômage dans leur recherche d'un emploi.

Finalement, en 1971, la loi est révisée et inclut maintenant tous les travailleurs canadiens de moins de 65 ans. Toutefois, certains travailleurs sont exclus, tels ceux occupant des emplois occasionnels ou encore la personne au service de son conjoint ; il existe également quelques autres exceptions qui sont décrites dans la loi.

Le 1er juillet 1971, la perception des cotisations est confiée à Revenu Canada, Impôt. En 1984, douze millions de Canadiens sont protégés par l'assurance-chômage. Voici d'ailleurs, en vertu de la Loi de 1971 sur l'assurance-chômage, comment Revenu Canada, Impôt et Emploi et Immigration Canada se partagent les pouvoirs en matière d'application de cette loi.

Ainsi, les questions qui portent sur :

— la détermination de la rémunération et des emplois assurables,

— la retenue et la perception des primes,

— la tenue des livres et registres ainsi que sur leur destruction,

— l'établissement des cotisations,

— les décisions touchant le paiement des primes et l'établissement des cotisations,

de même que toute autre question visée par les dispositions de la Partie IV de la loi (Perception des primes) relèvent de la compétence de Revenu Canada, Impôt.

Quant aux questions portant sur :

— le droit aux prestations et la détermination et le paiement de celles-ci,

— la récupération de tout versement excédentaire de prestations,

— les exigences financières rattachées à l'établissement du taux annuel de la prime,

— l'établissement du maximum et du minimun de la rémunération assurable hebdomadaire,

— l'émission des numéros d'assurance sociale,

— l'application des dispositions relatives aux régimes d'assurance-salaire,

— l'application des dispositions concernant les programmes de création d'emploi, et

— la vérification des données que les employeurs déclarent dans les relevés d'emploi,

elles relèvent d'Emploi et Immigration Canada qui, en outre, est chargée d'appliquer les dispositions de la loi visant les emplois assurables et exclus et de recommander l'adoption ou la modification périodique de certaines dispositions des Règlements qui régissent ces emplois.

8.6.1   Le financement de l'assurance-chômage

Le financement se fait par les cotisations des employés et des employeurs. Selon l'ancienne loi de 1940, ces cotisations, calculées sur le salaire brut, étaient égales pour l'employé et l'employeur. Selon la loi révisée de 1971, la cotisation de l'employeur est de 1,4 fois celle de l'employé. Cette dernière s'élève, en 1988, à 2,35 % de la rémunération assurable. Les cotisations sont calculées à partir du salaire brut en respectant les deux seuils minimum suivants : l'employé doit avoir travaillé au moins 15 heures pendant la semaine et avoir gagné au moins 113 $. Pour deux semaines, les seuils minimum sont 30 heures et 226 $, et ainsi de suite. Toutefois, la cotisation maximale hebdomadaire étant de 13,28 $, le maximum de gain hebdomadaire assurable est donc de 565 $ (cotisation maximale : 2,35 % de 565 $). Il est intéressant de noter que le seuil minimum est de 20 % du seuil maximum (113 $ = 20 % de 565 $).

	1986	1987	1988
Maximum des gains assurables	25 740,00 $	27 560,00 $	29 380,00 $
Taux de contribution	2,35 %	2,35 %	2,35 %
Contribution maximale de l'employé	604,89 $	647,66 $	690,43 $
Contribution maximale de l'employeur	846,85 $	906,72 $	966,60 $

La contribution payée en trop par un contribuable est récupérée dans la déclaration fiscale de fin d'année. Par exemple, un employé qui n'aurait pas gagné 5876 $ (52 fois 113 $) pendant l'année récupérerait ses cotisations même si pendant certaines semaines il a gagné plus que 113 $.

En plus de fixer les cotisations, la Loi sur l'assurance-chômage crée les obligations suivantes à l'employeur :

1) Retenir, du salaire de chaque employé, les cotisations au taux prescrit ;

2) Verser une contribution représentant 1,4 fois la somme totale des cotisations qu'il a retenues pour tous ses employés.

3) Remettre les cotisations ouvrières et la contribution patronale à Revenu Canada au plus tard le quinzième jour du mois qui suit celui où la rémunération a été versée aux employés. Les employeurs dont la moyenne des retenues à la source mensuelle était de l'ordre de 15 000 $ ou plus en 1986 sont tenus, à compter du 1er janvier 1988, de verser ces retenues deux fois par mois. Par exemple, la paie concernant les quinze premiers jours de janvier amène le paiement des retenues au plus tard le 25 janvier. Les retenues concernant les deux dernières semaines de janvier seront remises au plus tard le 10 février.

4) Remettre à un employé qui cesse de travailler un relevé d'emploi (annexe 16) dans le but de déterminer l'admissibilité de cette personne au régime d'assurance-chômage, le taux des prestations et le temps pendant lequel les prestations pourront être versées. Il doit être émis dans les 5 jours qui suivent la cessation de l'emploi. Ce relevé indique :

— le nombre de semaines que l'employé a travaillé au cours des 52 dernières semaines ;

— les cotisations qu'il a versées au cours des 20 dernières semaines ;

— la raison pour laquelle il a cessé de travailler.

5) Tenir, pour chaque employé, à des fins d'impôt, d'assurance-chômage, etc., des registres dans lesquels apparaissent entre autres les gains assurables et les cotisations retenues. La loi ne spécifie pas le type de registre à maintenir, mais on retrouve généralement une fiche de salaire individuelle du type de celle qui est présentée à l'annexe 3 et un journal des salaires semblable à celui présenté à l'annexe 4. Sur demande, l'employeur doit permettre aux agents de Revenu Canada, Impôt de vérifier ces registres et livres de compte. Habituellement, les registres et livres de compte doivent être conservés pendant au moins six ans suivant la fin de l'année à laquelle ils se rapportent.

Si le salarié est identifié auprès des organismes gouvernementaux par son numéro d'assurance sociale, l'employeur quant à lui doit s'enregistrer. Ainsi, le nouvel employeur fait parvenir ses premières remises et reçoit une formule PD-20 intitulée « Enregistrement de l'employeur » qu'il complète afin de s'enregistrer. Il incombe aux employeurs, en vertu des dispositions de la Loi sur l'assurance-chômage de 1971, de veiller à ce que tous les employés n'ayant pas de numéro d'assurance sociale se conforment aux exigences relatives à l'obtention de ce numéro.

Le montant des prestations versées aux bénéficiaires est déterminé suivant leurs gains assurables moyens. Quant à la durée de la période des prestations, elle varie d'une région à l'autre.

8.7 L'IMPÔT SUR LE REVENU FÉDÉRAL

La première loi concernant l'impôt sur le revenu a été adoptée en 1917 par le gouvernement fédéral. Elle touchait un petit nombre de contribuables ayant un revenu élevé. Lors de la Seconde Guerre mondiale, une nouvelle loi fut votée qui obligeait à peu près tous les particuliers à payer des impôts sur le revenu. Toutes les provinces et territoires du Canada possèdent une loi provinciale ou un décret d'impôt sur le revenu. Les dispositions de ces lois sont appliquées par Revenu Canada, Impôt sauf pour le Québec qui, lui, fait appliquer sa propre loi.

Les employeurs sont tenus de retenir l'impôt fédéral sur les salaires, traitements, commissions, paie de vacances, etc. et de remettre ces retenues. De plus, les employeurs doivent déterminer le montant de ces retenues. Ce calcul serait simple si le salaire brut de tous les contribuables était assujetti à l'impôt. Mais les contribuables ont droit à certaines exemptions qui varient selon leur situation. Les principales exemptions accordées par le gouvernement fédéral depuis 1986 sont les suivantes :

	1986	1987	1988
1. Exemption personnelle de base	4 180 $	4 220 $	4 280 $
2. Exemption maximale pour personne mariée ou l'équivalent, si le revenu net du conjoint ne dépasse pas	3 660 (520)	3 700 (520)	3 750 (530)
3. Exemption maximale pour chaque enfant entièrement à charge : âgé de 18 ans au 31 décembre dont le revenu net ne dépasse pas	1 420 (1 340)	1 200 (1 820)	1 000 (2 280)
âgé de moins de 18 ans au 31 décembre dont le revenu net ne dépasse pas	710 (2 760)	560 (3 100)	470 (3 340)

Il est important de consulter le formulaire TD-1, annexe 2 page 510, pour comprendre ce mécanisme, car le montant réclamé par l'employé agira sur la déduction d'impôt à effectuer à chaque période de paie.

La raison de ces exemptions est d'exonérer d'impôt les premières tranches de revenu d'un contribuable. Ainsi, un célibataire qui n'aura gagné que 4280 $ pendant l'année 1988 ne paiera pas d'impôt fédéral.

Il existe d'autres exemptions pour les contribuables âgés de plus de 65 ans (2680 $), pour les invalides (2930 $), pour ceux ayant des personnes autres que des enfants à charge et les étudiants.

Étant donné que les exemptions peuvent varier d'un employé à l'autre, ceux-ci sont tenus de remplir le formulaire TD-1 intitulé « Déclaration de l'employé pour la retenue de l'impôt » et de le remettre à l'employeur au début de l'emploi ou dans les sept jours suivant tout changement dans les exemptions.

8.7.1 Les tables de retenues de l'impôt fédéral

Ce formulaire TD-1 fournit un code de réclamation exprimé par les chiffres 1 à 13. Ce code servira à l'employeur lors de la recherche du montant de retenue dans les tables.

Une table pour une période hebdomadaire de paie est présentée à l'annexe 9 (page 533). Tout d'abord, on observe que le mot « Québec » est inscrit sur cette table ; il s'agit bel et bien des retenues fédérales mais, de cette façon, Revenu Canada veut indiquer que cette table s'applique uniquement au Québec. Le Québec constitue une exception et les tables d'impôt fédéral dans cette province n'indiquent que l'impôt fédéral. Des retenues distinctes devront être calculées et remises au ministère du Revenu du Québec. Viennent ensuite les codes de réclamation disposés sur des colonnes de 1 à 13. On cherchera la colonne correspondant au code de réclamation que l'on retrouve sur le TD-1 mais, tout d'abord, il aura fallu trouver, dans la première colonne intitulée « Paie par semaine », le palier correspondant au salaire imposable de l'employé (et non le salaire brut).

Ce salaire imposable n'est pas égal au salaire brut de l'employé car, en vertu de la loi fédérale de l'impôt, les cotisations versées par les employés au Régime de rentes du Québec, à l'Assurance-chômage, à un Régime enregistré de retraite sont déductibles. Il faut donc les déduire du salaire brut afin de déterminer le montant assujetti à l'impôt. C'est ce montant que l'on utilisera pour trouver le palier à utiliser.

Par exemple, le salaire hebdomadaire d'un célibataire est de 403,13 $ et les retenues suivantes sont effectuées :

Assurance-chômage	9,47 $
Régime de rentes du Québec	7,06
Régime enregistré d'épargne retraite	19,45
	35,98 $

Le salaire assujetti est donc de 367,15 $ (403,13 $ − 35,98 $) et la retenue correspondant au code de réclamation 1 est de 40,55 $ (voir la table à la page 535).

8.8 L'IMPÔT SUR LE REVENU PROVINCIAL

Comme les autres provinces, le Québec a sa Loi de l'impôt sur le revenu. Toutefois, c'est le ministère du Revenu du Québec qui perçoit les retenues salariales effectuées au chapitre de l'impôt provincial sur le revenu.

Les contribuables québécois bénéficient d'exemptions personnelles dont le Service de la paie doit tenir compte dans le calcul des retenues. Entre 1986 et 1988, les principales exemptions pour une personne mariée sont les suivantes :

	1986	1987	1988
1. Exemption personnelle de base	5 280 $	5 280 $	5 280 $
2. Exemption maximale pour personne mariée	4 560	4 880	5 280
3. Exemption maximale pour personne à charge d'un particulier avec conjoint :			
a) Première personne à charge de moins de 21 ans qui n'est pas aux études, ou de tout âge mais qui est aux études :			
non postsecondaires	1 870	1 930	2 010
postsecondaires	4 560		5 020
b) Autres personnes à charge de moins de 21 ans et non aux études ou de tout âge mais aux études :			
non postsecondaires	1 370	1 420	1 470
postsecondaires	4 060		4 480

Des exemptions plus importantes sont donc prévues pour les personnes à charge inscrites à des études postsecondaires à plein temps. On doit toutefois déduire les allocations familiales à l'égard des personnes à charge. Des déductions sont permises pour des frais de garde d'enfants. Quant aux étudiants, ils peuvent déduire des frais de scolarité.

Un examen minutieux du formulaire TPD-1 (page 505) permettra de repérer toutes ces exemptions.

Pour les mêmes raisons que l'impôt fédéral, les employés doivent remplir et remettre à leur employeur le formulaire TPD-1 qui est l'équivalent provincial (P) du TD-1.

8.8.1 Les tables de retenues de l'impôt provincial

Le formulaire TPD-1 fournit le code de réclamation, lequel est identifié par des lettres de A à N.

Une table de retenues d'impôt provincial pour une période de paie hebdomadaire est fournie à l'annexe 7 (page 525). Son aspect ressemble à celui de la table fédérale étudiée précédemment, à cette différence que les codes de réclamations sont désignés par des lettres.

Les paliers correspondent au salaire assujetti à la déduction (première colonne). Il faut donc considérer, comme dans le cas de l'impôt fédéral, le salaire brut moins les déductions occasionnées par les cotisations au Régime de rentes du Québec, à l'Assurance-chômage, au Régime enregistré de retraite ...

Par exemple, pour un célibataire qui gagne un salaire hebdomadaire de 380 $ et dont les retenues sont les suivantes :

Assurance-chômage	8,93 $
Régime de rentes du Québec	6,60
Régime enregistré d'épargne retraite	16,21
	31,74 $

le salaire assujetti à l'impôt sera de 348,26 $ (380 $ moins 31,74 $), la retenue correspondant au code de réclamation A est de 41,90 $ (voir la table à la page 527).

8.9 AUTRES RETENUES

Les retenues étudiées jusqu'à présent étaient toutes déterminées par des lois. Toutefois, d'autres retenues peuvent découler d'un jugement telle la saisie-arrêt par laquelle un créancier obtient qu'un montant soit retenu du salaire et remis au tribunal pour règlement. Ou, lorsqu'il y a cession volontaire, le salarié signifie par écrit son intention de céder une partie de son salaire au réclamant. On rencontre également des retenues pour régler des arrérages d'impôts ou des remboursements de trop-perçu en assurance-chômage. L'employé peut aussi avoir signé une autorisation de déduire des cotisations syndicales. Enfin, l'employé peut avoir autorisé certaines retenues facultatives que nous avons énumérées précédemment.

8.10 LES RESPONSABILITÉS DES EMPLOYEURS À L'ÉGARD DES RETENUES

Les employeurs doivent :

1. Remettre les retenues au plus tard le 15 du mois suivant celui où la rémunération a été versée ou bimensuellement pour les gros employeurs, tel qu'expliqué précédemment ;

2. Remettre, au plus tard le dernier jour de février de chaque année, pour l'année précédente, un formulaire T-4 (fédéral) et relevé 1 (Québec) dans lesquels on retrouve a) le salaire de la dernière année, b) les avantages imposables, commissions, c) les impôts retenus, d) les cotisations à un régime enregistré de retraite, e) les cotisations au Régime de rentes du Québec, et f) les cotisations à l'assurance-chômage. Ces formulaires sont reproduits à l'annexe 12 ;

3. Remettre à Revenu Canada, Impôt ou au ministère du Revenu du Québec, le dernier jour de février ou avant, un double des T-4 (fédéral) et des relevés 1 (Québec) remis aux employés ;

4. Remettre en plus un sommaire des informations incluses dans les T-4 et relevés 1. Ces formulaires s'intitulent T4-T4A Sommaire, Retenues à la source et contributions de l'employeur (Québec). Ces sommaires sont présentés à l'annexe 13 ;

5. Remettre les autres retenues salariales aux organismes concernés selon les ententes conclues avec elles.

8.11 LES CONTRIBUTIONS DE L'EMPLOYEUR

Pour l'employeur, le montant des salaires bruts constitue une charge d'exploitation. En outre, l'employeur doit contribuer à divers régimes et cela constitue une charge supplémentaire intitulée « Charges sociales » ou encore « Contributions de l'employeur ». En anglais on rencontre « *Payroll Taxes Expense* », laquelle charge est différente des « Avantages sociaux » que l'on peut traduire par « *Fringe benefits* ». La contribution de l'employeur au Régime de rentes du Québec est une charge sociale obligatoire tandis que la contribution de l'employeur à un régime enregistré d'épargne-retraite privé est un avantage social consenti aux employés.

Voici la liste des charges sociales :

1. Commission de la santé et de la sécurité du travail du Québec,

2. Régime de rentes du Québec,

3. Régime d'assurance-maladie du Québec,

4. Assurance-chômage.

8.11.1 La santé et la sécurité du travail

Il appartient aux provinces de légiférer en matière de normes du travail. Ainsi, au Québec, la loi prévoit une indemnisation aux employés pour les accidents et les incapacités résultant de leur travail. Ce sont les employeurs qui versent les primes destinées à « assurer » les employés. Le montant de ces primes dépend : 1) de la fréquence des accidents survenus dans l'industrie dans laquelle l'employeur est classifié, 2) du montant total de la paie.

La Commission de la santé et de la sécurité du travail du Québec (CSST)

La CSST a remplacé la Commission des accidents du travail le 13 mars 1980. Elle joue un rôle de *prévention* et d'*indemnisation*. Cette Commission veille à l'application des six lois dont :

1) Loi sur la santé et la sécurité du travail,

2) Loi sur les accidents du travail.

Les programmes de prévention et d'indemnisation de la CSST sont financés par les *employeurs*.

La *Loi sur les accidents du travail* détermine le montant des primes et les procédures de versement :

1) Au début de chaque année, au plus tard le dernier jour de février, les employeurs doivent remettre à la CSST un relevé des salaires payés pour l'année écoulée et une estimation des salaires qui seront versés durant l'année en cours ;

2) La CSST établit un avis de cotisation provisoire. La cotisation est payable dans les 30 jours ;

3) À la fin de l'année, l'employeur soumet le montant réel de ses salaires à la CSST qui lui fait alors parvenir le montant définitif de la prime.

Les employeurs ne paient pas tous les mêmes primes. En effet, le fait que certains secteurs soient plus risqués que d'autres entraîne également une variation du *taux de cotisation*. D'autre part, l'employeur possède un numéro d'*unité de classification*. Cette classification est établie suivant trois éléments :

1° Les unités ou groupes d'employeurs dont les activités sont sensiblement les mêmes ;

2° Les classes ou regroupement des unités dont les coûts relatifs aux accidents sont semblables ;

3° Le secteur économique (agro-alimentaire, foresterie, pêcherie, mines, entreprises industrielles, construction, transport et communication, commerce, autres services et services publics).

Certains employeurs aimeraient qu'une classification soit aussi adoptée par le gouvernement fédéral en ce qui concerne le calcul des primes d'assurance-chômage, alléguant que certains secteurs présentent des risques de chômage plus élévés que d'autres. Par exemple, les entreprises du secteur public sont moins risquées que celles de l'industrie textile.

La Commission des normes du travail (CNT)

La CNT a remplacé la Commission du salaire minimum en avril 1980, le salaire minimum ne constituant qu'une norme de travail parmi d'autres. La CNT a donc comme rôle de surveiller la mise en œuvre et l'application de la *Loi sur les normes du travail*. Elle remplit les fonctions suivantes :

1) Faire connaître à la population les normes du travail ;

2) Recevoir les plaintes des travailleurs et les indemniser ;

3) Dédommager les travailleurs suite à la faillite d'un employeur.

La CNT finance ses programmes en demandant aux employeurs le versement d'une somme n'excédant pas 1 % des salaires payés à leurs salariés.

La Loi sur les normes du travail régit :

1) La durée de la semaine normale de travail (44 heures) ;

2) Le taux à payer pour les heures excédant cette semaine normale (150 %) ;

3) Le paiement d'indemnité pour le travail effectué durant les jours fériés et chômés ;

4) Le paiement des congés annuels ;

5) Les conditions portant sur les repos, le préavis, le certificat de travail, la retraite, la faillite, les infractions, la tenue d'un livre de paie, etc.

Quant au salaire minimum, il est déterminé par décret adopté par le Conseil des ministres. Il est révisé périodiquement. Ainsi, il est passé à 4,35 $ l'heure en septembre 1986, à 4,55 $ en 1987 et il sera de 4,75 $ en octobre 1988.

8.11.2 Le régime de rentes du Québec

La contribution de l'employeur est égale à la somme totale des cotisations versées par les employés, soit 2,0 % de l'ensemble des salaires cotisables. Le calcul est simple à effectuer puisqu'il s'agit uniquement de constater, à la fin du mois ou d'une paie, au journal des salaires, le montant retenu pour l'ensemble des employés.

8.11.3 Le régime d'assurance-maladie du Québec

La contribution de l'employeur est égale, en 1988, à 3,2175 % du total des salaires bruts versés. Le montant des salaires bruts est disponible au journal des salaires. Il n'y a pas de montant minimum cotisable.

8.11.4 L'assurance-chômage

Selon les nouveaux règlements de l'assurance-chômage maintenant en vigueur, la cotisation de l'employeur est de 1,4 fois la cotisation ouvrière totale. Là encore le calcul est simple puisqu'il s'agit simplement de multiplier par 1,4 le montant des cotisations retenues des salaires.

8.12 LES AVANTAGES SOCIAUX

L'indemnité de vacances est un premier avantage social consenti par l'employeur. Parfois, une convention collective vient stipuler la longueur des vacances qui, généralement, est fonction du nombre d'années de service. Quant à la paie de vacances, elle est souvent calculée en pourcentage du salaire brut de l'employé (4 %, 6 %, ...). Par exemple, si l'employé quitte son travail après six mois et que le taux est de 4 %, il peut recevoir 4 % du montant brut qu'il a gagné pendant les six mois où il a travaillé. Ainsi, les vacances sont proportionnelles au temps travaillé.

Étant donné que le salaire représente le coût des services reçus des employés, il est évident que le coût de ces services pour l'employeur à une époque quelconque de l'année est le taux de salaire normal plus une partie du salaire de vacances. Par exemple, les services reçus d'un employé dont le salaire hebdomadaire est de 500 $ et dont la convention collective prévoit une indemnité de vacances de 4 % coûtent en réalité 520 $ par semaine à l'entreprise.

Si l'on impute les salaires des vacances à la période pendant laquelle ils sont versés, on effectue un mauvais rapprochement entre les produits et les charges. Considérons l'exemple d'une entreprise qui est fermée en juillet, période où tous ses employés sont en vacances. Comme elle ne gagne aucun revenu en juillet et que les salaires de vacances sont payés en juillet, si l'on considère ces salaires comme des charges pour juillet, on présenterait une perte pour ce mois alors que les bénéfices des onze autres mois seraient surévalués.

Il faut donc comptabiliser, à chaque paie, la charge relative à l'indemnité de vacances et la dette qui y correspond. Il en va de même pour la contribution de l'employeur. Les retenues à la source et la contribution de l'employeur ne deviendront exigibles qu'après le versement de la paie de vacances.

EXEMPLE

Un employé dont le salaire hebdomadaire est de 500 $ acquiert le droit irrévocable à une indemnité de vacances de 4 % calculée sur les services rendus. En plus de la paie normale, il faudra inscrire l'indemnité de vacances et la contribution de l'employeur (assurance-chômage, R.R.Q., R.A.M.Q.) qui se constituent sur cette paie de vacances, même si elle ne devient exigible par les gouvernements qu'après le versement de la paie de vacances. Présumons que cette contribution de l'employeur est de 5 $:

Indemnité de vacances	25	
Indemnité de vacances à payer		25
(500 $ × 4 % plus 5 $)		

Lorsque la paie de vacances sera enregistrée au journal des salaires, nous passerons cette écriture pour ne pas perturber la comptabilisation normale des salaires par la voie du journal des salaires.

Indemnité de vacances à payer	1 250	
Salaires		1 000
Charges sociales		250
(50 paies × 20 $ et 50 paies × 5 $)		

La charge totale sera donc :

Salaires (50 semaines × 500 $)	25 000 $
Indemnité de vacances (2 semaines × 500 $)	1 000
52 semaines à 500 $	26 000 $

En plus de l'indemnité de vacances, l'employé peut bénéficier de congés de maladie. En général, les indemnités seront comptabilisées si toutes les conditions suivantes sont réunies :

1) L'obligation que l'employeur a contractée de verser des indemnités à son personnel lors d'absences futures découle de services que ce dernier a déjà rendus ;

2) L'obligation découle de droits déjà acquis, en ce sens que la personne en cause n'est pas tenue de rendre des services dans l'avenir pour recevoir l'indemnité ;

3) Il est probable que l'indemnité sera versée ;

4) L'indemnité peut faire l'objet d'estimations raisonnables.[1]

S'il est impossible d'estimer le montant des indemnités mais que les trois premières conditions sont réunies, on fera connaître l'existence d'indemnités à verser par voie de notes aux états financiers.

Parmi les autres avantages sociaux, mentionnons la contribution de l'employeur à un régime enregistré d'épargne retraite, le paiement partiel de primes d'assurance-maladie, vie, salaire, ... L'écriture pour enregistrer les avantages sociaux est :

Avantages sociaux — Service des ventes	111,75	
Avantages sociaux — Administration	42,50	
Régime enregistré de retraite à payer		134,25
Assurance groupe à payer		20,00

8.13 LES REGISTRES NÉCESSAIRES À LA COMPTABILISATION DE LA PAIE

Une fois les salaires et les retenues salariales calculées, il faut procéder à leur enregistrement. Cela est nécessaire non seulement pour accumuler les données utiles à la rédaction des états financiers mais aussi pour rendre compte aux gouvernements et autres organismes intéressés. Certains rapports doivent être fournis ; de plus, ces registres sont susceptibles d'être l'objet d'un examen par les vérificateurs des gouvernements. Il faut donc conserver ces registres et les pièces justificatives jusqu'à ce que l'autorisation écrite d'en dis-

---

(1) FASB, *Accounting for Compensated Absences*, Statement N° 43, Stamford, 1980, p. 2 et 3.

poser ait été obtenue du ministre du Revenu du Québec ou du directeur de l'Impôt fédéral du district approprié. La période de conservation minimale est généralement de six ans.

8.14 LE JOURNAL DES SALAIRES

Nous avons présenté un journal des salaires à l'annexe 4. Il s'agit, à proprement parler, d'un véritable journal auxiliaire des salaires, car le report au grand livre général sera effectué à partir du total des diverses colonnes à la fin du mois. Un livre de paie est à peu près l'équivalent d'un journal des salaires, sauf que le report au grand livre général se fait par le biais d'une écriture de journal général. Il n'est donc pas un véritable journal auxiliaire.

La colonne Date apparaît tout d'abord dans notre journal des salaires. Il s'agit de la date de la fin de la période de paie et non la date à laquelle la paie fut préparée. Étant donné que la disposition du journal des salaires peut varier d'une entreprise à l'autre, viennent parfois ensuite le numéro d'assurance sociale et le nom de l'employé, suivis du nombre d'heures travaillées. Dans notre cas, le nombre d'heures apparaît sur la feuille de présence (annexe 5) ou sur la fiche individuelle de salaires (annexe 3).

Les deux colonnes suivantes servent à enregistrer les débits aux comptes de charges des salaires. Viennent ensuite les retenues à la source enregistrées par un crédit à divers comptes de passif, car l'employeur a alors un passif envers le Receveur général du Canada, le ministre des Finances du Québec et d'autres organismes puisqu'il doit remettre les retenues effectuées.

Les trois premières colonnes de retenues sont consacrées aux retenues de l'Assurance-chômage, du Régime de rentes du Québec, du Régime enregistré d'épargne-retraite privé et parfois même une quatrième colonne pour les cotisations à un Régime enregistré d'épargne logement. Ces colonnes apparaissent en premier lieu, car les salaires bruts (colonnes 1 et 2) seront diminués des montants de ces colonnes afin d'établir le montant assujetti à l'impôt (colonne 6). En effet, les montants de ces diverses cotisations ne sont pas assujettis à l'impôt.

À partir du salaire assujetti à l'impôt et à l'aide des tables de retenues d'impôt provincial (annexe 7) et fédéral (annexe 9), les montants des retenues d'impôt provincial (colonne 7) et fédéral (colonne 8) sont inscrits au journal des salaires. Viennent ensuite les autres déductions facultatives.

Le montant du salaire net est enregistré sous la colonne Banque-Salaires suivi du numéro du chèque remis à l'employé. Rappelons que le compte Banque-Salaires avait été débité par le journal des débours. Ici, il est crédité et son solde devrait ensuite être nul une fois le report effectué au grand livre général. À la fin du mois, le report du journal des salaires au grand livre général affecte les comptes suivants :

DES DÉBITS

Salaires — Ventes
Salaires — Administration, etc.

DES CRÉDITS

Retenues fédérales à la source
et charges sociales à payer

Pour les colonnes :
Assurance-chômage
Impôt fédéral

Retenues provinciales à la source
et charges sociales à payer

Pour les colonnes :
Régime de rentes du Québec
Impôt provincial

Assurance-groupe à payer

Régime enregistré de retraite à payer

Banque-Salaires ou Salaires à payer

Le crédit à Salaires à payer se rencontre si le nombre d'employés est petit et que les chèques de paie sont enregistrés au journal des débours ou registre des chèques. Dans ces cas, les chèques sont tirés sur le compte de banque régulier. Un débit au compte Salaires à payer apparaît alors au journal des débours ou au registre des chèques.

Il n'est pas nécessaire d'ouvrir un compte de passif pour chacune des retenues fédérales et provinciales, il suffit d'avoir deux comptes dont un se rapporte au passif envers le gouvernement fédéral (Retenues fédérales à la source et charges sociales à payer) et un autre au passif envers le gouvernement provincial (Retenues provinciales à la source et charges sociales à payer). Les contributions de l'employeur viendront également augmenter ces deux comptes de passif, comme nous le verrons plus loin.

8.15 LA FICHE INDIVIDUELLE DE SALAIRE

Un exemple de cette fiche préparée pour chaque employé est présenté à l'annexe 3. En plus du relevé des heures de travail, cette fiche fournit :

1) Les renseignements personnels dont l'employeur a besoin pour préparer la paie (codes de réclamation, etc.) ;

2) Les montants cumulatifs nécessaires pour établir les T-4, relevé 1, relevé d'emploi lors de la cessation d'emploi, etc. ;

3) Les montants cumulatifs des retenues au Régime de rentes du Québec.

Les informations sont disposées dans le même ordre que dans le journal des salaires car il ne s'agit que d'une transcription sur fiche individuelle des données de ce registre.

8.16 EXEMPLE PRATIQUE DE LA COMPTABILISATION DE LA PAIE

Vous devez faire la paie hebdomadaire des employés suivants :

NOM	SALAIRE HEBDOMADAIRE	COORDONNÉES
Josée Lacasse	350 $	Célibataire, habite et tient seule un établissement domestique autonome.
Claude Frappier	450 $	Veuf, son fils de 21 ans est à sa charge. Celui-ci fréquentera l'université pendant 8 mois et paiera 800 $ de frais de scolarité. M. Frappier a également son frère de 20 ans à sa charge. Celui-ci réalisera 1000 $ de revenu net en assurance-chômage en 1988.
Céline Bernard	250 $	Céline vit en union libre. Son conjoint de fait touchera 15 000 $ de revenu net. Elle a deux enfants de 5 et 6 ans qui lui coûteront 6000 $ en frais de garde. Elle encaissera des allocations familiales provinciales et fédérales. Les fédérales atteignent 610 $.
Armand Trudeau	425 $	Marié. Sa femme ne retire aucun revenu. Il a déboursé 500 $ en frais de scolarité pour des études à temps partiel.

Chaque employé verse 5 % de son salaire brut à un régime enregistré d'épargne retraite. L'employeur contribue à part égale à ce régime. Il s'agit d'un avantage social consenti aux employés.

Il faut d'abord trouver le code de réclamation correspondant au TPD-1 et TD-1 de 1988 de ces employés en consultant ces formulaires aux annexes 1 et 2.

	JOSÉE LACASSE	CLAUDE FRAPPIER	CÉLINE BERNARD	ARMAND TRUDEAU
PROVINCIAL				
Exemption personnelle	5 280 $	5 280 $	5 280 $	5 280 $
Personne mariée	—	—	—	5 280 $
Personnes à charge	—	7 440 (a)	5 430 (c)	—
Établissement domestique	820	—	—	—
Frais de scolarité	—	—	—	500
Frais de garde	—	—	5 655 (d)	—
Faible revenu	—	—	3 210 (e)	—
Allocations familiales	—	—	(1 809)	—
	6 100 $	12 720 $	17 766 $	11 060 $
Code de réclamation	B	H	Calcul	F
FÉDÉRAL				
Exemption personnelle	4 280 $	4 280 $	4 280 $	4 280 $
Personne mariée	—	—	—	3 750
Équivalent de marié	—	3 750 (b)	3 750	—
Enfants à charge	—	—	470	—
Autres exemptions	—	1 000	—	—
Frais de scolarité	—	400 (b)	—	500
Allocations familiales	—	—	(610) (f)	—
	4 280 $	9 430 $	7 890 $	8 530 $
Code de réclamation	1	9	7	8

(a) Première personne à charge d'un particulier sans conjoint .... 6 970 $
Deuxième personne à charge 1 470
Moins : Revenu net de la deuxième personne .... (1 000)
7 440 $

(b) Si le frère avait été utilisé cela n'aurait donné que .... 3 280 $
Seul l'étudiant peut déduire ses frais de scolarité
Un soutien peut demander la partie inutilisée par l'étudiant
pour la déduction relative aux études .... 400 $
8 mois × 50 $

(c) Première personne à charge d'un particulier sans conjoint   3 960 \$
     Deuxième personne à charge   1 470

     5 430 \$

(d) Enfant de 5 ans   3 770 \$
     Enfant de 9 ans   1 885

     5 655 \$

(e) Au sens de la Loi de l'impôt, il s'agit d'une famille monoparentale partageant un établissement domestique avec une autre personne. La grille de calcul II donne 3210 \$

	Céline	Hypothèse
Salaire	13 000 \$	21 053 \$
Exemptions déjà calculées 5280 \$ + 5430 \$	10 710	10 710
Salaire admissible à la déduction pour famille à faible revenu	2 290 \$	10 343 \$
Déduction possible correspondant à notre cas	3 210 \$	3 210 \$
Moins : Excédent à 45 %		
(2290 \$ − 3210 \$) 0,45	0	
(10 343 \$ − 3 210 \$) 0,45		3 210 \$
Déduction additionnelle	3 210 \$	0

Si Céline avait gagné 21 053 \$, elle aurait atteint le seuil maximum où elle ne profiterait plus de la déduction pour faible revenu. Chaque dollar réalisé au-delà de 13 920 \$ lui fait perdre 0,45 \$ d'exemption.

(f) Les allocations familiales fédérales sont imposables au fédéral.

Voici le journal des salaires qui en résulte, un exemple de journal des salaires est également fourni à l'annexe 4 ainsi qu'une fiche de salaire à l'annexe 3 :

DATE	NOM DE L'EMPLOYÉ	SALAIRES	ASSURANCE-CHÔMAGE	R.R.Q.	RÉGIME DE RETRAITE	ASSUJETTI À L'IMPÔT	IMPÔT PROVINCIAL	IMPÔT FÉDÉRAL	BANQUE-SALAIRES
		Dt	Ct	Ct	Ct		Ct	Ct	Ct
	Josée Lacasse	350	8,23	6,00	17,50	318,27	32,15	32,20	253,92
	Claude Frappier	450	10,58	8,00	22,50	408,92	24,70	31,45	352,77
	Céline Bernard	250	5,88	4,00	12,50	227,62	—	7,30	220,32
	Armand Trudeau	425	9,99	7,50	21,25	386,26	28,25	29,85	328,16
		1 475	34,68	25,50	73,75		85,10	100,80	1 155,17
	Report au grand livre	400	200	201	203		201	200	101

Il faut maintenant comptabiliser la contribution de l'employeur par écriture de journal.

	F°	Dt	Ct
Avantages sociaux	401	73,75	
Charges sociales	402	121,51	
Retenues provinciales à la source			
et charges sociales à payer	201		72,96
Retenues fédérales à la source			
et charges sociales à payer	200		48,55
Régime enregistré de retraite à payer	202		73,75

Il faut remarquer que deux comptes distincts sont utilisés (401 et 402) respectivement pour les avantages sociaux et pour les charges sociales. L'employeur est intéressé à connaître le coût des avantages sociaux consentis par convention collective distinctement du coût des programmes gouvernementaux obligatoires. Deux comptes de passif distincts (200 et 201) pour les remises fédérales et provinciales sont nécessaires, car le paiement sera distinct.

(1) Charges provinciales à payer

R.R.Q. (même contribution que les employés)	25,50 $
R.A.M.Q. 3,2175 % de 1475 $ (salaire brut)	47,46
	72,96 $

(2) Charges fédérales à payer

Assurance-chômage 1,4 × 34,68 $	48,55 $

(3) Avantages sociaux

Régime de retraite privé 73,75 $	73,75 $
(même contribution que les employés)	

8.17 LE PAIEMENT DES SALAIRES

Les employés reçoivent leur paie un jour déterminé, tous les jeudis ou les deux jeudis par exemple. Dans les entreprises où les employés sont payés à l'heure, on observe parfois un décalage entre la fin de la période de paie et la date de la remise des chèques, soit le temps de compiler les heures et de préparer la paie.

La plupart des entreprises paient leurs employés par chèque. Cela favorise un meilleur contrôle interne, leur évite la manipulation de grosses sommes en argent liquide ou la demande d'argent en coupures de 50 $, 20 $ ... et monnaie afin de pouvoir remettre le montant juste à chaque employé. Toutefois, cela peut se produire dans le cas d'un chantier éloigné des banques.

Généralement, le chèque de paie comprend une portion détachable qui sera conservée par l'employé. Ce talon est un relevé qui informe l'employé du nombre d'heures rémunérées, du salaire brut, des retenues et du salaire net. Ce talon répond à une exigence légale et il évite au Service de la paie d'avoir à répondre à un grand nombre de demandes de détails de la part des employés.

Si les employés sont payés en argent liquide, ce relevé apparaît sur leur enveloppe de paie ; cela complique la préparation de la paie.

Aujourd'hui, de nombreuses entreprises ont recours au virement bancaire pour payer les salaires. Ainsi, elle font parvenir à la banque la liste des salaires nets et celle-ci crédite le compte de chaque employé qui a autorisé ce mode de paiement. Dans ce cas, le relevé dont il était question plus haut doit être remis aux employés le jour de la paie. Nul doute que le développement des transferts automatiques inter-succursales ou même inter-banques, doublé des guichets automatiques, favorisera ce mode de paiement.

8.17.1 Le compte bancaire spécial pour les salaires

Si le nombre d'employés augmente, la société aura avantage à ouvrir un compte en banque spécial réservé aux transactions salariales. Il faut alors :

1) enregistrer les salaires de la façon habituelle au journal des salaires ou au journal de paie ;

2) tirer un chèque ou effectuer un virement du compte de banque général au compte de banque spécial pour le montant des salaires nets. Lors de l'approbation de ce chèque, ou virement, les responsables notent les variations par rapport aux paies précédentes, ce qui constitue une mesure de contrôle interne supplémentaire ;

3) ce chèque sera enregistré au journal des débours (ou au registre des chèques). Cela aura pour effet de créditer Banque général et débiter Banque spécial. Si l'entreprise utilise un journal de paie, le débit sera porté à Salaires à payer ;

4) faire les chèques aux employés. Les chèques prénumérotés seront alors distincts de ceux du compte général. La conciliation bancaire du compte général sera simplifiée puisqu'un seul chèque, du montant global des salaires, aura été tiré sur le compte général.

8.18 LA REMISE DES RETENUES

8.18.1 Le Régime de rentes, le Régime d'assurance-maladie et l'impôt provincial sur le revenu

L'employeur retient à la source les cotisations des employés au Régime de rentes du Québec et l'impôt provincial sur le revenu et, comme nous l'avons vu à la section sur les registres comptables, le report du journal des salaires au grand livre général crée pour les retenues d'un mois donné un passif au compte Retenues provinciales à la source et charges sociales à payer. Ces retenues à la source et les contributions de l'employeur doivent être remises au plus tard le 15 du mois suivant, ou bimensuellement pour les gros employeurs.

L'employeur calcule ses contributions au Régime de rentes du Québec et au Régime d'assurance-maladie du Québec d'après les données obtenues à la fin du mois au journal des salaires. On enregistre alors une écriture de journal qui débite le compte Charges sociales et qui crédite le compte Retenues provinciales à la source et charges sociales à payer.

L'employeur effectue la remise des cotisations des employés et de ses contributions en émettant un seul chèque à l'ordre du ministre du Revenu du Québec ou mieux en faisant un dépôt direct par l'intermédiaire d'une institution bancaire. Cette remise sera enregistrée au journal des débours ou au registre des chèques. Voici cet enregistrement présenté sous forme d'écriture de journal :

Retenues provinciales à la source et charges sociales à payer **Banque** **(85,10 $ + 25,50 $ + 72,96 $)** **(Impôt + R.R.Q. + Contribution de l'employeur)**	**201** **100**	**183,56**	**183,56**

Le paiement doit être accompagné d'une déclaration. À cet effet, l'employeur complète la formule TPD-7A (que l'on retrouve à l'annexe 14). Il est à noter qu'une pénalité est prévue pour les versements effectués en retard.

8.18.2   L'assurance-chômage et l'impôt fédéral sur le revenu

Les sommes retenues sur les salaires des employés au titre de l'impôt fédéral sur le revenu et de l'assurance-chômage donnent lieu à un crédit au compte Retenues fédérales à la source et charges sociales à payer lors du report du journal des salaires au grand livre général. L'employeur calcule donc sa contribution à l'assurance-chômage à partir du montant mensuel des retenues fournit par le journal des salaires. Ainsi, on a enregistré une écriture de journal qui débitait le compte Charges sociales et qui créditait le compte Retenues fédérales à la source et charges sociales à payer.

Ces retenues et contributions doivent être remises au plus tard le 15 du mois suivant, ou bimensuellement, soit en faisant un chèque à l'ordre du Receveur général du Canada et en l'adressant à Revenu Canada, Impôt, soit en effectuant le paiement par l'intermédiaire de la banque.

Le versement doit être accompagné d'une déclaration, à savoir la partie 1 de la formule PD7AR intitulée Déclaration de versements concernant les déductions au titre de l'impôt, du Régime de pensions du Canada et de l'assurance-chômage ; cette formule est présentée à l'annexe 15. Cette remise sera enregistrée au journal des débours ou au registre des chèques. Voici cet enregistrement présenté sous forme d'écriture de journal :

Retenues fédérales à la source et charges sociales à payer
  Banque
(100,80 $ + 34,68 $ + 48,55 $)
(Impôt + Assurance-chômage + Contribution
  de l'employeur)
	200
	100
		184,03	184,03

8.18.3   Les autres retenues

Comme l'a démontré l'étude du journal des salaires, certaines autres dettes à court terme ont été créées par les retenues diverses. Citons : Assurance-groupe à payer, Régime enregistré de retraite à payer, Cotisations syndicales à payer ... Ces dettes seront éliminées lors du paiement aux organismes concernés.

8.19   CAS SPÉCIAUX : SALAIRES ET EXEMPTIONS PLUS ÉLEVÉS

8.19.1   Salaires plus élevés : Impôt fédéral

Pour les revenus annuels imposables de plus de 40 000 $, le montant d'impôts à retenir est établi en conformité de la table 9 (annexe 11, p. 545) comme suit : (1) réduire le salaire du montant des cotisations, dans la période de paie, à un REER, au R.R.Q. et à des primes d'Assurance-chômage, selon le cas ; (2) multiplier chaque paie par le nombre de périodes de paie dans une année complète ; (3) retenir, de l'équivalent de paie annuelle ainsi obtenu, la « Demande nette » d'après la formule TD1 ; (4) chercher, dans la colonne « Paie annuelle nette », le palier renfermant le montant obtenu selon (3) ; (5) suivre cette ligne jusqu'à la colonne qui correspond à la période de paie selon laquelle l'employé est payé ; (6) le montant qui figure dans la table est le montant à retenir.

EXEMPLE

Traitement mensuel	6 000 $
Allocation de subsistance	300
Total	6 300 $

Cotisations de l'employé à un régime enregistré d'épargne retraite, au Régime de pensions du Canada ou au Régime de rentes du Québec et primes d'assurance-chômage	(250)
Paie par mois	6 050 $

« Demande nette » d'après la formule TD-1	4 280 $

(1) Multiplier la paie mensuelle par le nombre de périodes de paie dans une année complète pour trouver l'équivalent de paie :

6 050 $ × 12 = 72 600 $

(2) Déduire de l'équivalent de la paie annuelle la « Demande nette » d'après la formule TD-1 :

72 600 $ − 4 280 $ = 68 320 $

(3) Chercher, dans la colonne « Paie annuelle nette », le palier de revenu renfermant 68 320 $. Ce palier serait 68 000 $ à 68 500 $.

(4) Suivre cette ligne jusqu'à la colonne « Chaque mois » ; l'impôt à retenir est de 1 231,70 $.

8.19.2 Exemptions plus élevées : Impôt fédéral

Si les exemptions personnelles dépassent la déduction maximum de 12 890 $ qui correspond au code 13, il faut suivre le palier jusqu'à la colonne du code 13 et y lire le montant d'impôt. Comme l'employé doit payer un montant inférieur à celui-ci, on soustrait donc de ce même montant autant de fois le chiffre qui apparaît à la colonne A que l'exemption réclamée dépasse l'exemption maximale de 12 890 $ calculé par tranche de 600 $.

Par exemple, un employé dont le salaire hebdomadaire assujetti est de 350 $ et qui a réclamé 13 520 $ au TD-1 (voir la table p. 535) :

Au TD-1 l'employé réclame	13 520 $
Réclamation maximum au code 13	12 890
Montant de la réclamation qui dépasse le maximum	630 $

Divisé par tranches de 600 $, cela nous donne 1,05 fois. Nous arrondissons donc à 2 fois.

Au palier 347,00 − 351,99 au code 13 nous avons	11,50 $
Nous soustrayons 2 fois 2,20 (colonne A)	4,40
La retenue est donc	7,10 $

8.19.3 Salaires plus élevés : Impôt provincial

Lorsque le montant assujetti est supérieur au montant maximum prévu dans la table 22, il faut utiliser la table 22A ; elle est présentée à l'annexe 8 (p. 532).

Lorsqu'on doit utiliser la table 22A, le montant d'impôt à retenir est établi de la manière suivante :

(1) Multiplier le montant brut de chaque paie par le nombre de périodes de paie dans l'année ;

(2) Soustraire, du total annuel ainsi obtenu, la contribution admissible pour l'année à un régime enregistré de retraite, au Régime de rentes du Québec, à l'Assurance-chômage admissible pour l'année et le « total réclamé » dans le formulaire TPD-1 ;

(3) Chercher, dans la colonne « Paie assujettie à la retenue », le palier contenant le montant obtenu en (2) ;

(4) Suivre cette ligne jusqu'à la colonne correspondant à la période de paie ;

(5) Le montant à retenir y est indiqué.

EXEMPLE

Salaire mensuel	6 500 $
Allocation de subsistance	500
Salaire brut	7 000 $
Exemptions et déductions (10 745 $)	Code (F)

(1) Multiplier le salaire brut de la période de paie par le nombre de périodes de paie pour l'année :

7 000 $ × 12 = 84 000 $

(2) Soustraire la contribution admissible pour l'année à un régime enregistré de retraite, au Régime de rentes du Québec ou au Régime de pensions du Canada, à l'assurance-chômage et le « total réclamé » dans le formulaire TPD-1 :

84 000 $ − 10 745 $ = 73 255 $

(3) Chercher, dans la colonne « Paie assujettie à la retenue », le palier contenant 73 255 $. Ce palier est 73 200 $ — 73 599 $ (voir la table à la page 532) ;

(4) Suivre cette ligne jusqu'à la colonne « 12 périodes de paie ». L'impôt à déduire est de 1472,20 $.

8.19.4 Exemptions plus élevées : Impôt provincial

Si les exemptions personnelles dépassent le maximum 17 599 $, correspondant au code de réclamation N, il faut suivre le palier jusqu'à la colonne N et y lire le montant d'impôt. De ce montant il faut soustraire autant de fois le chiffre qui apparaît à la colonne Z que l'exemption réclamée dépasse l'exemption maximale de 17 599 $ calculée par tranches de 500 $.

Par exemple, pour une personne qui touche un salaire hebdomadaire de 750 $ et dont les retenues atteignent par hypothèse les montants suivants :

Assurance-chômage	13,28 $
Régime de rentes du Québec	14,10
Régime enregistré d'épargne retraite	32,75
	60,13 $

le salaire hebdomadaire assujetti à l'impôt est de 689,87 $; la retenue correspondant à la réclamation au TPD-1 est de 20 200 $.

Au TPD-1 l'employé réclame	20 200 $
Réclamation maximum au code N	17 599
Montant de la réclamation qui dépasse le maximum	2 601 $

Divisé par tranches de 500 $, cela donne 5,2 fois. Nous arrondissons donc à 6 fois.

Au palier 680,00 $ − 689,99 $, colonne N, nous avons	67,30 $
Nous soustrayons 6 fois 2,25 $ (colonne Z)	13,50
La retenue est donc (voir la table page 529)	53,80 $

8.20 QUESTIONS

1. Énumérez les retenues qui doivent être obligatoirement faites du salaire brut des employés. Quand et à qui remet-on ces retenues ?

2. Énumérez quelques retenues autres que celles imposées par la loi.

3. Énumérez les contributions obligatoires de l'employeur ainsi que leur taux.

4. Dans quels buts maintient-on une fiche-salaire pour chaque employé ?

5. Quand l'indemnité de vacances devrait-elle être comptabilisée ?

6. De quelles informations a-t-on besoin pour calculer les retenues d'impôt d'un employé pour une paie donnée ?

7. Énumérez quelques mesures de contrôle interne qui éviteront qu'un employé du Service de la paie ne produise une paie fictive à un complice.

8.21 PROBLÈMES

Groupe A

PROBLÈME 1 — SOCIÉTÉ RIVERIN
ENREGISTREMENT DE LA PAIE ET CONTRIBUTION DE L'EMPLOYEUR

La société Riverin vous demande de préparer la paie de ses trois employés pour la semaine se terminant le 7 novembre.

Semaine terminée le 7 novembre

Nom de l'employé	Heures de travail régulières	Heures supplémentaires	Taux horaire régulier
Cécile Montgrain	30	—	4,33 $
Ding Lafleur	30	—	8,36 $
Willie Ouellette	30	—	10,83 $

Voici les renseignements extraits des formulaires TD-1 et TPD-1 des employés :

		Code de réclamation	
Nom de l'employé	État civil	TD-1	TPD-1
Cécile Montgrain	Célibataire	9	A
Ding Lafleur	Marié	9	I
Willie Ouellette	Célibataire	1	A

Travail à faire

a) En utilisant un journal des salaires, préparez la paie pour la semaine se terminant le 7 novembre.

b) Enregistrez la contribution de l'employeur au journal général.

PROBLÈME 2 — GRANDEBOUFF LTÉE
IDENTIFICATION DES CODES DE RÉCLAMATION AU TD-1 ET TPD-1 ENREGISTREMENT DE LA PAIE

L'entreprise Grandebouff ltée, une entreprise spécialisée dans la préparation de buffet, congédie son comptable. En effet, celui-ci étirait exagérément ses heures de repas et « mangeait » ainsi une partie importante des bénéfices de la compagnie. On fait appel à vos services afin de pourvoir le poste et votre première tâche consiste à préparer la paie hebdomadaire pour la période se terminant le 10 février 1988.

Voici les renseignements qui vous sont nécessaires :

1. L'entreprise Grandebouff ltée compte les 3 employés suivants :

	Salaire hebdomadaire
Rachelle Hachey	1 700 $
Charles Voyer	675 $
Yvon Plante	500 $

Rachelle est chef cuisinier et jouit d'une renommée internationale. Pour l'année en cours, son conjoint retirera un revenu net de 4000 $. Quant à Jacques, son garçon âgé de 19 ans, il est étudiant à temps plein à l'université (8 mois). Le revenu annuel net de Jacques est de 600 $ et ses frais de scolarité sont de 200 $. Rachelle verse annuellement 7500 $ à un régime enregistré d'épargne-retraite.

Charles, célibataire, est assistant-chef.

Yvon a 2 enfants, âgés de 18 et 19 ans, qui sont à sa charge et étudient à domicile pour devenir des artistes. Ils n'ont aucun revenu. Yvon est divorcé.

2. Les salaires des employés sont assujettis à l'assurance-chômage* et au Régime de rentes du Québec.

3. Les employés, mis à part Rachelle Hachey, souscrivent à un régime enregistré de retraite en versant 5 % de leur salaire brut. Un maximum de 7500 $ peut être déduit, donc non assujetti à l'impôt sur le revenu. L'employeur ne contribue pas à ce régime. Quant à Rachelle Hachey, elle souscrit au maximum, soit 7500 $ pour 52 semaines (144,23 $ hebdomadairement).

4. Selon les spécifications de la Loi de l'impôt sur le revenu, on détermine les retenues provinciales et fédérales de la façon suivante pour les hauts revenus :

Impôt provincial

Pour un revenu annuel supérieur à 60 000 $ assujetti à l'impôt, il faut utiliser la table 22A. Cette table livre la déduction hebdomadaire d'impôt provincial à partir du revenu annuel. Le calcul à faire est le suivant :

---

* Il est à noter que le maximum de la rémunération assurable hebdomadairement est de 565 $. Ainsi, la prime annuelle maximum est de 690,56 $ pour l'assurance-chômage.

Revenu annuel brut

Moins • contribution admissible pour l'année à un régime enregistré de retraite,

  • contribution annuelle au Régime de rentes du Québec,

  • la prime d'assurance-chômage admissible pour l'année,

  • le total réclamé dans le formulaire TPD-1.

Le résultat (net) est le montant que l'on doit chercher dans la table 22A.

Impôt fédéral

Pour un revenu annuel assujetti à l'impôt, supérieur à 40 000 $, il faut utiliser la table 9. Le calcul à faire est le suivant :

Revenu hebdomadaire brut

Moins • contribution hebdomadaire à un régime enregistré de retraite,

  • contribution hebdomadaire au Régime de rentes du Québec,

  • la prime hebdomadaire d'assurance-chômage.

Multiplié par le nombre de périodes de paie pendant l'année.

Moins • le total réclamé dans la formule TD-1.

Le résultat (net) est le montant que l'on doit chercher dans la table 9.

5. Les chèques de paie émis porteront les numéros 101, 102 et 103.

Travail à faire

a) Remplissez les formulaires d'exemptions et déductions TPD-1 et TD-1.

b) Préparez la paie des 3 employés pour une période d'une semaine, laquelle se termine le 10 février 1988. Enregistrez-la au journal des salaires.

PROBLÈME 3 — PAIES-TOI LTÉE
         IDENTIFICATION DU CODE DE RÉCLAMATION,
         COMPTABILISATION DE LA PAIE ET DE LA CONTRIBUTION DE
         L'EMPLOYEUR

La société Paies-Toi ltée retient les services de trois employés. On vous consulte et on vous demande de faire la paie pour la semaine terminée le 29 novembre 19X6.

Vous recueillez les informations suivantes :

1. Hélène Huot est mariée. Sa rémunération hebdomadaire est de 400 $. Cette année, son conjoint retirera un revenu net de 4380 $. Hélène a un « enfant » à sa charge, âgé de

19 ans, qui gagnera un revenu net de 3250 $ en 19X6. Il sera aux études postsecondaires pendant 8 mois au cours de l'année visée.

2. Diane Dupuis est célibataire et gagne un salaire de 400 $ par semaine.

3. Benoît Gariepy est célibataire et touche un salaire hebdomadaire de 600 $. Il vit en union libre. Sa conjointe de fait n'a aucun revenu.

Paies-Toi ltée retient 5 $ par semaine par employé pour l'assurance-salaire de ses employés et contribue elle-même pour 5 $.

Paies-Toi ltée contribue à un régime de retraite privé pour ses employés. Elle déduit 10 % du salaire brut et ajoute un montant égal à cette retenue à titre de contribution de l'employeur.

Travail à faire

a) Identifiez les codes de réclamation à l'aide des formulaires TPD-1 et TD-1.

b) Complétez le journal des salaires ci-joint.

c) Passez l'écriture de journal pour enregistrer la contribution de l'employeur.

PAIES-TOI LTÉE — JOURNAL DES SALAIRES

Date	Nom de l'employé	Salaire	Assu-rance-chômage	Régime de rentes du Québec	Régime de retraite	Assu-jetti à l'impôt	Impôt pro-vincial	Impôt fédéral	Assu-rance-groupe	Salaires-Banque	Numéro de chèque
29 nov.	Hélène Huot	400	9,40	?	40,00	?	20,10	?	5,00	?	
29 nov.	Diane Dupuis	400	9,40	?	40,00	?	?	?	5,00	?	
29 nov.	Benoît Gariepy	600	?	?	60,00	?	?	69,70	5,00	?	

Groupe B

PROBLÈME 1 — SOCIÉTÉ BELLERIVE
ENREGISTREMENT DE LA PAIE ET DE LA CONTRIBUTION DE L'EMPLOYEUR

La société Bellerive vous demande de préparer la paie de ses trois employés pour la semaine se terminant le 14 novembre 19X6.

Semaine terminée le 14 novembre

Nom de l'employé	Heures de travail régulières	Heures supplémentaires	Taux horaire régulier
Cécile Montgrain	30	10	4,33 $
Ding Lafleur	30	12	8,36 $
Willie Ouellette	30	5	10,83 $

Les salaires des trois employés sont assujettis à l'assurance-chômage. D'autre part, aucun employé n'a atteint le maximum de contribution au Régime de rentes du Québec.

Voici des renseignements extraits des formulaires TD-1 et TPD-1 des employés :

Nom de l'employé	État civil	Code de réclamation TD-1	TPD-1
Cécile Montgrain	Célibataire	9	A
Ding Lafleur	Marié	9	I
Willie Ouellette	Célibataire	1	A

Les employés participent à un régime d'assurance collective. La cotisation est la suivante :

	Célibataire	Marié
Retenue de l'employé	2 $	4 $
Contribution de l'employeur	2 $	4 $

Travail à faire

a) En utilisant un journal des salaires, préparez la paie pour la semaine se terminant le 14 novembre.

b) Enregistrez la contribution de l'employeur au journal général.

PROBLÈME 2 — ANNEXE LTÉE
CONTRIBUTION DE L'EMPLOYEUR

En utilisant le journal des salaires de l'annexe 4 de ce chapitre, préparez l'écriture de journal pour enregistrer la contribution de l'employeur pour la paie du 30 novembre 19X4.

Attention ! l'entreprise veut connaître les coûts en charges sociales et en avantages sociaux séparément, pour le Service des ventes et pour l'administration.

L'employeur contribue du même montant que l'employé à l'assurance collective et au régime de retraite privé.

PROBLÈME 3 — CASSE-CROÛTE LÉO
IDENTIFICATION DES CODES DE RÉCLAMATION
ENREGISTREMENT DE LA PAIE COMPTABILISATION DE LA
CONTRIBUTION DE L'EMPLOYEUR

Le Casse-croûte Léo inc., une cafétéria dans une résidence pour personnes âgées, emploie 5 personnes, toutes payées à l'heure.

Voici des informations concernant ces employés.

Yves Saint-Amand, divorcé, a la garde de ses 2 enfants, Yves junior et Paul, respectivement âgés de 25 et 26 ans. Yves est présentement à l'université (8 mois), il en a encore pour 4 ans avant d'obtenir sa maîtrise. Ses frais de scolarité pour la prochaine session seront de 212,50 $. Quant à Paul, il est marié et demeure en Europe.

Jeanne Sauvé travaille au casse-croûte depuis son ouverture. Elle est mariée à Jean-Paul, 42 ans, qui travaille à mi-temps et touche un revenu net de 4100 $.

Jacques Saint-Onge, célibataire, est âgé de 68 ans. Sa conjointe de fait, Nicole, âgée de 50 ans, n'aura aucun revenu pendant l'année.

Jean Mange est divorcé et père de trois enfants. Jeannette, âgée de 28 ans, est étudiante à plein temps à l'université et gagne un revenu annuel net de 17 000 $; Joséphine, âgée de 18 ans, touche un revenu net de 6500 $; enfin, Rita est âgée de 17 ans et a un revenu net de 2590 $. Elle étudie au secondaire.

Les quatre personnes partagent le même logement.

Jean Charles, célibataire est âgé de 25 ans. Il a déjà atteint le maximum de contribution au R.R.Q.

1. Voici la feuille de temps des employés pour la dernière semaine.

| | Heures | | Taux horaire |
	Régulières	Supplémentaires	
Yves Saint-Amand	40	15	5,00 $
Jeanne Sauvé	40	10	6,00 $
Jacques Saint-Onge	40	5	6,50 $
Jean Mange	40	—	5,00 $
Jean Charles	40	—	30,00 $

2. Les heures supplémentaires sont payées au taux majoré de 50 %.

3. Chaque employé contribue à un régime de retraite privé en versant 4 % de son salaire brut par période hebdomadaire de paie. Selon la convention collective, la contribution de l'employeur doit s'élever à 50 % de celle de l'employé.

4. La cotisation syndicale représente 1,5 % du salaire brut et doit être retenue à la source (formule Rand).

5. Les chèques de paie à émettre porteront les numéros : 101, 102, 103, 104 et 105. La période de paie se termine le 5 novembre 1986.

Travail à faire

a) Déterminez les codes de réclamation pour chaque employé en utilisant les formulaires TD-1 et TPD-1.

b) Enregistrez la paie au journal des salaires. Faites le calcul des déductions et vérifiez-les au moyen des tables.

c) Faites les écritures de journal afin de comptabiliser les contributions de l'employeur.

PROBLÈME 4 — BEAULAC LTÉE
IDENTIFICATION DU CODE DE RÉCLAMATION, COMPTABILISATION DE LA PAIE ET DE LA CONTRIBUTION DE L'EMPLOYEUR

L'entreprise Beaulac ltée vous engage pour préparer la paie de ses 2 employés pour la période de deux semaines qui se termine le 29 décembre 19X6.

Voici les informations recueillies :

1. Léo Paul est marié et touche une rémunération brute de 1000 $. Sa conjointe ne gagne aucun revenu. Le couple a 2 enfants : Hélène, 19 ans, dont le revenu prévu est de 3490 $ pour 19X6 et Pierre, 17 ans, qui n'a aucun revenu. Hélène est aux études à plein temps au cégep (8 mois).

2. Chantale Bernard, la secrétaire de Beaulac ltée, est célibataire et gagne un salaire de 450 $. Elle habite seule et tient un établissement domestique autonome.

Beaulac ltée participe à un régime de retraite privé pour ses employés. Elle déduit donc 5 % du salaire brut de chaque employé et, à titre de contribution de l'employeur, fournit un montant égal au total de ces retenues.

La Société ne possède aucun régime d'assurance-groupe.

Travail à faire

a) Identifiez les codes de réclamation à l'aide des formulaires TPD-1 et TD-1.

b) Préparez la paie des deux employés et enregistrez-la au journal des salaires ci-joint. Attention, il y a 26 périodes de paie par année chez Beaulac ltée.

c) Passez l'écriture de journal pour enregistrer la contribution de l'employeur.

BEAULAC LTÉE — JOURNAL DES SALAIRES

Date	Nom de l'employé	Salaire	Assurance-chômage	Régime de rentes du Québec	Régime de retraite	Assujetti à l'impôt	Impôt provincial	Impôt fédéral	Assurance-groupe	Salaires-Banque	Numéro de chèque

ANNEXES

ANNEXE 1 — Formulaire TPD-1

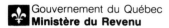

Gouvernement du Québec
Ministère du Revenu

TPD-1
88-01

DÉCLARATION AUX FINS DE LA RETENUE À LA SOURCE
EXEMPTIONS ET DÉDUCTIONS
En vigueur le 1er janvier 1988
Cette déclaration doit être conservée par le payeur (employeur) aux fins de vérification.

ÉTAPE 1 — Identification (écrivez en lettres moulées)

Nom légal	Prénom	Numéro de l'employé(e)
Adresse complète		Numéro d'assurance sociale
	Code postal	Date de naissance — année / mois / jour

ÉTAPE 2 — Exemptions et déductions

1. Exemption personnelle de base. — **5 280 | 00** — 1

2. Exemption de personne mariée.
   - Exemption maximale. — 5 280 | 00
   - **Moins:** Revenu net estimé de votre conjoint pour toute l'année 1988. (Voir définitions, page 1 du guide.) — –
   - Montant admissible. Si le résultat est négatif, inscrivez 0. = + ▶ — 2

3. Exemption pour personnes à charge. (Voir définitions, page 1 du guide.)
   Une même personne à charge qui répond à la fois aux exigences des lignes 3.1 et 3.2 ci-dessous doit faire l'objet d'une seule exemption.

   3.1 Exemption pour une personne de 21 ans ou plus et atteinte d'une infirmité physique ou mentale.

Nom légal et prénom	Date de naissance

   - Exemption maximale. — 5 020 | 00
   - **Moins:** Revenu net estimé pour toute l'année 1988. — –
   - Montant admissible. Si le résultat est négatif, inscrivez 0. = + ▶ — 3.1

   3.2 Exemption pour une personne de moins de 21 ans, ou de 21 ans ou plus aux études à plein temps.

Nom légal et prénom de la personne à charge (Faute d'espace, annexez une liste)	Lien de parenté avec vous	Année de naissance	Exemption Voir Tableau A (1)	**Moins:** Revenu net estimé de 1988 (2)	Montant admissible col. (1) moins col. (2) Si le résultat est négatif, inscrivez 0

   - Montant total admissible. = + ▶ — 3.2

4. Exemption pour une personne qui habite et maintient seul un établissement domestique autonome.
   Vous n'avez pas droit à cette exemption si vous réclamez l'exemption à la ligne 2 ou celle de 3 960 $ pour une personne à charge visée à la ligne 3.2. — Montant admissible: 820 $ + — 4

5. Exemption de membre d'un ordre religieux. — Montant admissible: 3 960 $ + — 5

6. Exemption en raison de l'âge si vous êtes âgé(e) de 65 ans ou plus en 1988.
   - Exemption maximale. — 2 200 | 00
   - **Moins:** Le montant estimé de votre revenu provenant d'un emploi ou d'une entreprise que vous exploitez seul(e) ou comme associé(e) actif (active) qui excède **10 000 $**. — –
   - Montant admissible. Si le résultat est négatif, inscrivez 0. = + ▶ — 6

7. Déduction relative aux personnes atteintes d'une déficience physique ou mentale. — Montant admissible: 2 200 $ + — 7

8. Additionnez les lignes 1 à 7 et reportez le résultat à la ligne 9. = — 8

9. Inscrivez le montant indiqué à la ligne 8.   9

10. Déduction de la partie non utilisée par les personnes à votre charge de leur déduction relative aux personnes atteintes d'une déficience physique ou mentale. (Ce calcul doit être effectué pour chaque personne à charge.)

   • Total des exemptions personnelles et des déductions diverses estimées de cette personne pour 1988.

   • **Moins:** Revenu net estimé pour toute l'année 1988 de cette personne.   −

   • Montant maximum admissible: 2 200 $ par personne à charge. Si le résultat est négatif, inscrivez 0.   =   10

11. Transferts d'un conjoint à l'autre.

   • Exemption en raison de l'âge de votre conjoint.
     Montant maximum admissible: 2 200 $

   • Déduction de votre conjoint s'il est atteint d'une déficience physique ou mentale.   **Montant maximum admissible: 2 200 $** +

   • Montant maximum admissible: 4 400 $.   =

   • **Moins:** Revenu net estimé de votre conjoint pour toute l'année 1988. (Voir définitions, page 1 du guide.)

   • **Moins:** Exemption personnelle de base.   − | 5 280 | 00 |

   • Inscrivez le résultat. Si le résultat est négatif, inscrivez 0.   =

   • Montant admissible. Si le résultat est négatif, inscrivez 0.   =   +   11

12. Déduction pour frais de scolarité si vous êtes étudiant(e). Vous devez cependant en soustraire la partie qui excède 500 $ des bourses d'étude ou de perfectionnement que vous prévoyez recevoir pendant l'année.   +   12

13. Déduction pour frais de garde d'enfants. Remplissez la grille de calcul I du guide.   +   13

14. Déduction pour revenus de retraite. Inscrivez le moindre de 500 $ et du montant estimé de vos revenus de retraite.   +   14

15. Déduction additionnelle pour les résidents d'un poste isolé. Voir la page 2 du guide et, s'il y a lieu, réclamez le moins élevé des montants suivants:
   • 20 % de votre revenu net estimé pour l'année; ou
   • la déduction mensuelle permise _____ × le nombre de mois _____ .   +   15

16. Déduction additionnelle relative à la réduction d'impôt pour famille à faible ou moyen revenu. Remplissez la grille de calcul II du guide.   +   16

17. Additionnez les lignes 9 à 16.   **Sous-total** =   17

18. Réduction des exemptions personnelles (compte tenu des allocations familiales). (Voir Tableau B, page 1 du guide.) −   18

19. Ligne 17 moins ligne 18.   **Montant net des exemptions et des déductions** =   19

ÉTAPE 3 — Demande d'exonération de retenue d'impôt à la source ou choix du code de la retenue

NOTE: Cette demande n'est valable que pour l'année civile 1988. Les personnes qui ne résideront pas au Canada toute l'année 1988 ne doivent pas utiliser ce formulaire pour demander une exonération de retenue d'impôt à la source.

Veuillez ne pas retenir d'impôt sur mes revenus parce que, pour l'année 1988, ils seront inférieurs au montant indiqué à la ligne «**Montant net des exemptions et des déductions**».

Indiquez votre revenu estimé de toutes provenances en 1988. | 20 | |

Trouvez dans le tableau ci-contre le palier où se situe le montant net de vos exemptions et déductions et inscrivez à la case 21 la lettre correspondante. Si le montant indiqué à la ligne 19 est égal ou supérieur à 17 600 $, inscrivez plutôt ce montant.

Le code ci-dessous est utilisé par le payeur (employeur) pour établir le montant d'impôt à retenir selon les tables.

| 21 | |

5 280 — 6 099	A
6 100 — 7 479	B
7 480 — 9 239	C
9 240 — 10 559	D
10 560 — 10 744	E
10 745 — 11 604	F
11 605 — 12 569	G
12 570 — 13 429	H
13 430 — 14 074	I
14 075 — 14 899	J
14 900 — 15 579	K
15 580 — 16 439	L
16 440 — 17 049	M
17 050 — 17 599	N

ÉTAPE 4 — Attestation

Je déclare que les renseignements fournis dans la présente déclaration produite à _____ sont véridiques et complets.

_____   _____
Signature   Date

Nom du payeur (employeur)

Ind. rég.   Téléphone

Si vous désirez obtenir des renseignements supplémentaires, veuillez communiquer avec Revenu Québec.

Quiconque fait une déclaration fausse ou trompeuse, ou qui participe, consent ou acquiesce à son énonciation commet une infraction grave.

Le payeur (employeur) doit soumettre au ministère du Revenu toute déclaration contenant des renseignements qu'il croit douteux.

Formule prescrite par le ministre du Revenu du Québec

GUIDE DE LA DÉCLARATION
AUX FINS DE LA RETENUE À LA SOURCE
EXEMPTIONS ET DÉDUCTIONS

Vous devez fournir au payeur (employeur) un exemplaire dûment rempli de ce formulaire lorsque:
a) le total des exemptions et des déductions que vous réclamez à l'étape 2 excède 5 280 $; **ou**
b) vous demandez à l'étape 3 qu'il ne vous soit pas retenu d'impôt du Québec sur vos revenus.

DÉFINITIONS

En plus du montant déterminé sur leur déclaration de revenus, le **revenu net de votre conjoint ou des personnes à votre charge** doit inclure l'allocation au conjoint et le supplément de revenu garanti, les prestations d'aide sociale (bien-être), les indemnités versées pour un accident du travail (CSST) ainsi que les sommes exonérées de l'impôt au Québec ou au Canada en vertu d'une disposition d'une convention ou d'un accord fiscal avec un autre pays, laquelle a force de loi au Québec et au Canada et les revenus tirés d'un centre financier international s'ils n'ont pas à être inclus dans le calcul de leurs revenus.

L'expression **personnes à charge** désigne vos enfants, vos petits-enfants, votre père, votre mère, vos grands-pères, vos grands-mères, vos neveux, vos nièces, vos oncles, vos tantes, ceux et celles de votre conjoint ainsi que vos frères,

vos soeurs, vos beaux-frères et vos belles-soeurs. La personne doit être à votre charge pendant l'année et habiter ordinairement avec vous.

L'expression **particulier sans conjoint** désigne un particulier qui, pendant l'année, n'est pas marié (soit célibataire, veuf ou divorcé) ou qui, étant marié, ne vit pas avec son conjoint, ne subvient pas à ses besoins et n'est pas à la charge de ce dernier (soit séparé) ou qui n'étant pas marié, vit avec un conjoint de fait.

L'expression **établissement domestique autonome** désigne une habitation, un appartement ou un autre logement de ce genre où vous prenez vos repas et couchez, mais ne comprend pas une baraque, un dortoir, une chambre d'hôtel ou une chambre dans une pension.

TABLEAU A — Exemptions pour personnes à charge
(Déterminez un seul montant par personne à charge)

Personnes à charge	Âgées de moins de 21 ans et non aux études	Aux études à plein temps autres que postsecondaires	Aux études postsecondaires à plein temps	
			1 trimestre	2 trimestres
1re personne à charge d'un particulier avec conjoint (une seule personne par établissement domestique autonome) ou d'un membre d'un ordre religieux	2 010 $	2 010 $	3 515 $	5 020 $
1re personne à charge d'un particulier sans conjoint (une seule personne par établissement domestique autonome)	3 960 $	3 960 $	5 465 $	6 970 $
Pour chaque autre personne à charge de tous les particuliers	1 470 $	1 470 $	2 975 $	4 480 $

TABLEAU B — Réduction des exemptions personnelles (compte tenu des allocations familiales)

Famille qui compte un:	Mensuellement par enfant	Annuellement par enfant	Total cumulatif pour la famille
Premier enfant	63,21 $	758,52 $	758,52 $
Deuxième enfant	87,54	1 050,48	1 809,00
Troisième enfant	74,81	897,72	2 706,72

Pour chacun des autres enfants, ajoutez le montant accordé pour le troisième enfant, soit mensuellement ou annuellement. Pour chaque enfant âgé de 12 ans ou plus, ajoutez un montant de 7,84 $ par mois. Ces montants sont basés sur les données de 1987

DÉDUCTION POUR FRAIS DE GARDE D'ENFANTS

À certaines conditions, vous pouvez réclamer cette déduction si, en 1988:
- vous avez subvenu aux besoins de votre enfant; **ou**
- vous étiez marié(e) ou vous viviez maritalement avec le soutien de l'enfant. La déduction pour frais de garde d'enfants peut être réclamée par vous ou par le soutien de l'enfant. Le soutien de l'enfant est une personne résidant avec vous à un moment quelconque en 1988, soit généralement votre conjoint ou le père ou la mère de l'enfant. Le montant total de la déduction est toutefois déterminé en fonction d'un pourcentage du revenu gagné du conjoint ou du soutien de l'enfant ayant le revenu gagné le moins élevé. Dans certains cas (par exemple, études à plein temps ou hospitalisation du conjoint ou du soutien de l'enfant), le montant total de l'exemption pourra être déterminé en fonction du revenu gagné du conjoint ou du soutien de l'enfant ayant le revenu gagné le plus élevé.

Un enfant admissible à la déduction pour frais de garde est:
- un enfant âgé de moins de 12 ans; **ou**
- un enfant qui atteint l'âge de 12 ans dans l'année 1988; **ou**
- un enfant de 12 ans ou plus et à la charge d'un particulier en raison d'une infirmité mentale ou physique.

L'expression **revenu gagné** désigne les salaires, les traitements, les pourboires, les prestations d'assurance-salaire, les allocations de formation, le montant net des subventions de recherche et les revenus d'entreprise et de profession.

GRILLE DE CALCUL I

101. Déduction par enfant né après le 30 septembre 1982.		3 770 00	101
102. Nombre d'enfants de cette catégorie.	×		102
103. Multipliez la ligne 101 par la ligne 102. Inscrivez le résultat.	=	▶	103
104. Déduction par enfant admissible né avant le 1er octobre 1982.		1 885 00	104
105. Nombre d'enfants admissibles de cette catégorie.	×		105
106. Multipliez la ligne 104 par la ligne 105. Inscrivez le résultat.	=	+ ▶	106
107. Additionnez les lignes 103 et 106. Inscrivez le résultat.	=		107
108. Montant estimé des frais de garde d'enfants à payer en 1988 à l'égard de tous les enfants admissibles.			108
109. Le moindre des montants de la ligne 107 ou de la ligne 108. Reportez ce montant à la ligne 13 du formulaire TPD-1.			109

Le montant inscrit à la ligne 109 ne peut excéder 40 % du revenu gagné du conjoint ou du soutien de l'enfant ayant le revenu gagné le moins élevé en 1988 pour frais de garde à l'égard d'un seul enfant, 80 % pour deux enfants et 100 % pour trois enfants et plus.

DÉDUCTION ADDITIONNELLE POUR LES RÉSIDENTS D'UN POSTE ISOLÉ

Si vous résidez dans un poste isolé admissible pendant au moins 6 mois consécutifs commençant ou se terminant dans l'année, vous pouvez avoir droit à une déduction au titre du logement. Cette déduction correspond au moindre de 20 % du revenu net et de 450 $ par mois, si vous teniez un établissement domestique autonome et qu'aucune autre personne habitant ce même établissement ne demande cette déduction. Dans tous les autres cas, la déduction admissible correspond au moindre de 20 % du revenu net et de 225 $ par mois. Le nombre de mois admissibles correspond au nombre de jours dans l'année que vous avez passés dans un poste isolé, divisé par 30 et arrondi au mois près.

DÉDUCTION ADDITIONNELLE RELATIVE À LA RÉDUCTION D'IMPÔT POUR FAMILLE À FAIBLE OU MOYEN REVENU

Ne tenez pas compte de cette déduction si vous n'avez pas d'enfant à charge de moins de 21 ans, ou de 21 ans ou plus aux études à plein temps, ou si votre conjoint l'a réclamée aux fins du présent formulaire.

Aux fins de cette déduction, le **revenu total** comprend notamment les revenus nets de charge et d'emploi des conjoints, leurs revenus nets d'entreprise ou de biens ainsi que les prestations d'assurance-chômage, les prestations d'aide sociale, les indemnités pour un accident du travail (CSST) ainsi que les indemnités de la Régie de l'assurance automobile du Québec.

Le terme **conjoint** comprend toute personne avec qui vous vivez maritalement depuis au moins 1 an.

Famille biparentale comptant au moins un enfant à charge
- Si le revenu total familial est inférieur à 18 451 $, inscrivez 5 880 $ à la ligne 16 du formulaire TPD-1.
- Si le revenu total familial excède 18 450 $, remplissez la grille de calcul ci-dessous. Il est toutefois possible que vous n'ayez pas droit à une déduction additionnelle.

Famille monoparentale comptant au moins un enfant à charge et ne partageant pas un établissement domestique autonome (logement) avec une personne autre que le ou les enfants à charge
- Si le revenu total familial est inférieur à 14 211 $, inscrivez 4 970 $ à la ligne 16 du formulaire TPD-1.
- Si le revenu total familial excède 14 210 $, remplissez la grille de calcul ci-dessous. Il est toutefois possible que vous n'ayez pas droit à aucune déduction additionnelle.

Famille monoparentale comptant au moins un enfant à charge et partageant un établissement domestique autonome (logement) avec une personne autre que le ou les enfants à charge
- Si le revenu total familial est inférieur à 12 451 $, inscrivez 3 210 $ à la ligne 16 du formulaire TPD-1.
- Si le revenu total familial excède 12 450 $, remplissez la grille de calcul ci-dessous. Il est toutefois possible que vous n'ayez droit à une déduction additionnelle.

GRILLE DE CALCUL II

		Vous	Votre conjoint	Total des deux	
201.	Revenu total estimé de toute provenance pour toute l'année 1988.		▶		201
202.	**Moins:** Total des exemptions personnelles. • Exemption de base.	5 280	✕		
	• Si vous avez un conjoint, inscrivez 5 280 $. +		✕		
	• Exemptions réclamées aux lignes 3.1, 3.2, 4 et 6 du formulaire TPD-1. +				
	TOTAL =		▶		202
203.	Revenu admissible aux fins de la déduction additionnelle. =				203
204.	**Moins:** Déduction additionnelle disponible. Inscrivez l'un des trois montants suivants: • 5 880 $ pour une famille biparentale comptant au moins un enfant à charge; • 4 970 $ pour une famille monoparentale comptant au moins un enfant à charge mais ne partageant pas un établissement domestique autonome (logement) avec une personne autre que le ou les enfants à charge; • 3 210 $ pour une famille monoparentale comptant au moins un enfant à charge et partageant un établissement domestique autonome (logement) avec une personne autre que le ou les enfants à charge. −				204
205.	Inscrivez le résultat. S'il est négatif, inscrivez 0. =				205
206.	Déduction additionnelle disponible déterminée à la ligne 204.				206
207.	**Moins:** Montant indiqué à la ligne 205: × 45 %. −				207
208.	Déduction additionnelle. Reportez ce montant à la ligne 16 du formulaire TPD-1. =				208

ANNEXE 2 — Formulaire TD-1

 Revenue Canada Revenu Canada
Taxation Impôt

TAX EXEMPTION RETURN - PART A
DÉCLARATION D'EXEMPTION D'IMPÔT - PARTIE A

TD1
Rev. 1988

1. **This return shall be filed with an employer, on commencement of employment, by an employee** in receipt of salary, wages, commissions or any other remuneration.

   A return shall also be filed with a payer, by a payee in receipt of:

   (a) superannuation or pension benefits (including annuity payments) under a superannuation or pension fund or plan,

   (b) benefits under the Unemployment Insurance Act, or

   (c) a training allowance under the National Training Act, unless it is paid as an allowance for personal or living expenses while living away from home.

   A new return shall be filed **within seven days** of a change in exemptions.

2. **This return need not be filed by an individual entitled to the Basic Personal Exemption only.**

   Failure to file this return shall result in the employer or payer considering only the Basic Personal Exemption.

3. A non-resident person is **only** entitled to personal exemptions where **at least 90%** of the person's income from all sources for the year will be included in computing taxable income **earned** in Canada.

   Your District Taxation Office may authorize additional exemptions in certain circumstances (e.g. alimony payments).

4. Net income of your spouse or dependants includes any pension or supplement under the Old Age Security Act or similar Act of a province, benefits under the Canada or Quebec Pension Plan and the Unemployment Insurance Act, 1971, workers' compensation payments and social assistance payments.

5. If married during the year, the spouse's net income for the year comprises the income before and during marriage.

6. Claim exemptions for a relative (a) dependent on you or you and one or more other persons, and (b) residing with you, in a dwelling maintained by you or by you and other persons to whom the dependant is related. (Claim **only** if there is agreement that no other person claims for the same dependant or for the same residence.)

7. Claim exemption for a dependent son, daughter, grandchild, niece or nephew under 21, or any age if in full-time attendance at school, college, university, or mentally or physically infirm. Claim only for a niece or nephew if; (a) you have complete custody and control, and (b) **the child resides in Canada.** Do not claim here for a child claimed in Part B, Item 2.2.

8. No claim can be made here for: a dependant over age 21 who is not mentally or physically infirm unless it is a brother or sister in full time attendance at a school or university, or a dependant already claimed in Part B item 2.2. The maximum that can be claimed here is the relevant maximum specified in Part B item 3 and if any other person contributes to the support of the dependant, the aggregated claim of both persons cannot exceed that maximum.

9. If you have been certified by a physician as being a person who has a severe and prolonged mental or physical impairment you may claim for yourself $2,930. Also, if your spouse, child, grandchild or supported individual is similarly certified, you may claim any unused balance of the disability exemption to which they are entitled.

10. If you are resident in the Yukon, Northwest Territories or any other prescribed area for a period of not less than six months beginning or ending in the year, you are entitled to a deduction for housing. The deduction is the lesser of 20% of net income and $450 for each 30 day period, if you maintained a "self-contained domestic establishment" and no other person living in that establishment claims this deduction. In any other case the allowable deduction is the lesser of 20% of net income and $225 for each 30 day period. "Self-contained domestic establishment" means the dwelling house, apartment or similar place where you sleep and eat but does not include a bunkhouse, dormitory, hotel room or rooms in a boarding house.

1. **Cette déclaration doit être prduite à un employeur, au début de l'emploi, par un employé** recevant un traitement, un salaire, des commissions ou toute autre rémunération.

   Une déclaration doit également être produite à un payeur par une personne bénéficiaire:

   a) de prestations de retraite ou de pension (y compris des paiements de rentes) en vertu d'un fond ou d'un régime de pensions ou de retraite,

   b) de prestations en vertu de la Loi sur l'assurance-chômage, ou

   c) d'une allocation de formation en vertu de la Loi nationale sur la formation, sauf si elle est versée comme frais de subsistance ou frais personnels engagés lorsqu'elle vit hors de chez elle.

   Une nouvelle déclaration doit être produite **dans les sept jours** qui suivent tout changement dans les exemptions.

2. **Les particuliers qui n'ont droit qu'à l'Exemption personnelle de base n'ont pas besoin de produire cette déclaration.**

   À défaut de produire cette déclaration, l'employeur ou le payeur ne devra considérer que l'Exemptior personnelle de base.

3. Une personne non résidante n'a droit à des exemptions personnelles **seulement** lorsque **au moins 90%** de son revenu de toutes provenances pour l'année sera inclus dans le calcul de son revenu imposable **gagné** au Canada.

   Votre bureau de district d'impôt peut autoriser des exemptions additionnelles dans certaines circonstances (par ex. pension alimentaire).

4. Le revenu net de votre conjoint ou des personnes à votre charge comprend toute pension ou tout supplément reçu en vertu de la Loi sur la sécurité de la vieillesse ou de toute loi provinciale semblable, les prestations reçues en vertu du Régime de pensions du Canada, du Régime de rentes du Québec ou de la Loi de 1971 sur l'assurance-chômage, les indemnités pour accidents du travail et les paiements d'assistance sociale.

5. Si vous vous êtes marié(e) dans l'année, le revenu net de votre conjoint pour l'année comprend le revenu gagné avant et après la date de votre mariage.

6. Demandez une exemption pour un parent a) à votre charge ou à votre charge et à la charge d'un ou de plusieurs autres personnes et b) résidant avec vous dans un logement tenu par vous ou par vous et par d'autres personnes apparentées à charge. (**Ne** demandez cette exemption **que** s'il est entendu que personne d'autre ne la demandera pour la même personne à charge ou pour le même logement.)

7. Demandez une exemption pour un fils, une fille, un petit-enfant, un neveu ou une nièce de moins de 21 ans qui est à votre charge ou de 21 ans ou plus qui fréquente à plein temps une école, un collège ou une université ou qui est handicapé mentalement ou physiquement. Ne demandez une exemption pour une nièce ou un neveu que a) si vous en avez la garde et la responsabilité entières et b) **si l'enfant réside au Canada.** Ne faites pas ici de demande pour un enfant nommé au numéro 2.2 de la Partie B.

8. Aucune exemption ne peut être demandée ici pour une personne à charge de plus de 21 ans qui n'est pas handicapée mentalement ou physiquement, sauf si cette personne à charge est un frère ou une soeur qui fréquente à plein temps une école ou une université, ni pour une personne à charge nommée au numéro 2.2 de la Partie B. Le maximum pouvant être demandé ici est le maximum approprié qui est précisé au numéro 3 de la Partie B, et, si une autre personne contribue à l'entretien de la personne à charge, la somme des demandes des deux personnes ne peut pas dépasser ce maximum.

9. Si un médecin a certifié que vous souffrez d'une incapacité mentale ou physique grave et prolongée, vous pouvez demander une exemption de 2930$. De même, si un médecin a certifié que votre conjoint, un de vos enfants ou de vos petits-enfants ou une autre personne à charge souffre d'une incapacité semblable, vous pouvez demander la déduction du solde inutilisé de l'exemption pour handicapés à laquelle ces personnes ont droit.

10. Si vous résidez au Yukon, dans les Territoires du Nord-Ouest ou dans toute autre région visée par règlement pendant au moins six mois commençant ou se terminant dans l'année, vous avez droit à une déduction au titre de logement. Cette déduction correspond au moindre de 20% du revenu net et de 450$ par période de 30 jours, si vous teniez un "établissement domestique autonome" et qu'aucune autre personne habitant dans cet établissement ne demande cette déduction. Dans tous les autres cas, la déduction admissible correspond au moindre de 20% du revenu net et de 225$ par période de 30 jours. Un "établissement domestique autonome" est une habitation, un appartement ou un autre logement de ce genre où vous prenez vos repas et couchez, mais ne comprend pas une baraque, un dortoir, une chambre d'hôtel ou une chambre dans une pension.

11. Keep Part A of this form for any future reference and remit completed Part B to the employer/payer. See item 1 above.

11. Conservez la Partie A de cette formule dans vos dossiers et remettez la Partie B dûment remplie à votre employeur ou au payeur. Reportez-vous au numéro 1 ci-dessus.

Table of Net Claim Codes 1988 *Table des codes de demande nette*			
Net Claim - *Demande nette* Exceeding - Not exceeding *Excédant - N'excédant pas*	**Net Claim Code** *Code de demande nette*	**Net Claim -** *Demande nette* Exceeding - Not exceeding *Excédant - N'excédant pas*	**Net Claim Code** *Code de demande nette*
For use re: Table 11 *Utilisation: Table 11*	0	8,000 — 8,780	8
0 – 4,330	1	8,780 — 9,600	9
4,330 — 5,010	2	9,600 — 10,510	10
5,010 — 5,750	3	10,510 — 11,390	11
5,750 — 6,400	4	11,390 — 12,230	12
6,400 — 7,240	5	12,230 — 12,890	13
7,240 — 7,620	6	12,890 and up — *et plus*	X
7,620 — 8,000	7	No tax withholding required *Aucune retenue d'impôt requise*	E

Complete the "Claim for Exemptions" on Part B and enter your "Net Claim", if

    (i) you are resident in Canada, or

    (ii) you satisfy item 3 above.

Refer to the "Table" above and enter the applicable "Net Claim Code". Enter "0" if not resident in Canada unless claim established under 3.

Net Claim - *Demande nette*

► ☐ ◄

Net Claim Code - *Code de demande nette*

► ☐ ◄

Remplissez la section "Exemptions demandées" de la Partie B et inscrivez votre "demande nette",

    (i) si vous êtes résident du Canada, ou

    (ii) si vous remplissez la condition indiquée au numéro 3 ci-dessus.

Consultez la "Table" ci-dessus et inscrivez le "Code de demande nette" approprié. Inscrivez "0", si vous n'êtes pas résident du Canada, sauf si votre demande est établie en vertu du numéro 3 ci-dessus.

• Your "Net Claim Code" is used by the employer or the payer to decide what tax deduction is to be made from the payments listed in 1.

• L'employeur ou le payeur utilise votre "Code de demande nette" pour savoir quel montant d'impôt il doit retenir sur les paiements énumérés aux numéros 1.

Part A should be retained for future reference and Part B when completed must be signed and remitted to the employer or payer.

Vous devez conserver la Partie A dans vos dossiers et remettre la Partie B dûment remplie et signée à votre employeur et au payeur.

Date completed _____

Remitted to:

    Name of Employer/Payer _____

    Address _____

    _____

    Telephone Number _____

Remplie le _____

Remise à:

    Nom de l'employeur ou du payeur _____

    Adresse _____

    _____

    Numéro de téléphone _____

If you need any information or help to complete this form please call Revenue Canada - Taxation District Office. For the telephone number of your District Taxation Office see the number listed in your local telephone directory under "Government of Canada".

Si vous avez besoin de renseignements ou d'aide pour remplir la présente formule, veuillez téléphoner à votre bureau de district de Revenu Canada, Impôt. Le numéro de téléphone de votre bureau de district d'impôt se trouve dans votre annuaire téléphonique local à la rubrique "Gouvernement du Canada".

◼◼◼	Revenue Canada Taxation	Revenu Canada Impôt	**TAX EXEMPTION RETURN - PART B** **DÉCLARATION D'EXEMPTION D'IMPÔT - PARTIE B**	**TD1** Rev. 1988

FAMILY NAME (Print) - *NOM DE FAMILLE (en majuscules)*	USUAL FIRST NAME AND INITIALS - *PRÉNOM USUEL ET INITIALES*	EMPLOYEE NO. - *NUMÉRO DE L'EMPLOYÉ*
ADDRESS - *ADRESSE*	FOR NON-RESIDENT ONLY - *RÉSERVÉ AUX NON-RÉSIDENTS* COUNTRY OF PERMANENT RESIDENCE *PAYS DE LA RÉSIDENCE PERMANENTE*	SOCIAL INSURANCE NUMBER *NUMÉRO D'ASSURANCE SOCIALE*
		DATE OF BIRTH - *DATE DE NAISSANCE* Day - Jour | Month - Mois | Year - *Année*

Claim for Exemptions — *Exemptions demandées*

1. Basic Personal Exemption - *Exemption personnelle de base* ▶ 4,280.00

2. Claim only one of these two exemptions - *Demandez une seule des deux exemptions suivantes:*

2.1 If Married and Supporting Spouse - *Si vous êtes marié(e) et assurez le soutien de votre conjoint*
See Note 5 in Part A - *Voyez le numéro 5 de la Partie A*

☐ whose net income for the year will not exceed } 530   Claim - *Demandez* 3,750
dont le revenu net pour l'année ne dépassera pas

☐ whose net income for the year will exceed } 530 but not   4,280.00
dont le revenu net pour l'année dépassera   *sans dépasser*

Less: spouse's net income - *Moins le revenu du conjoint*
Claim - *Demandez* ▶

2.2 If single, divorced, separated or widow(er), and supporting dependant
Si vous êtes célibataire, divorcé(e), séparé(e) ou veuf(veuve), et assurez le soutien d'une personne à charge
See Note 6 in Part A - *Voyez le numéro 6 de la Partie A*

*☐ (iii) whose net income for the year will not exceed } 530   Claim - *Demandez* 3,750
dont le revenu net pour l'année ne dépassera pas

*☐ (iv) whose net income for the year will exceed } 530 but not 4,280.00
dont le revenu net pour l'année dépassera   *sans dépasser*

Less: dependant's net income - *Moins le revenu net de la personne à votre charge*
Claim - *Demandez*

* Name and relationship to you:
Nom et lien de parenté avec vous:

3. Exemption for Dependant Children

See Note 7 in Part A, give details and claim according to:

(i) **under age 18** at December 31st and net income will not exceed $3,340 claim $470. If net income exceeds $3,340 but not $4,280 claim 470 minus one half the amount in excess of $3,340.

(ii) **age 18 or over** at December 31st and net income will not exceed $2,280 claim $1,000. If net income exceeds $2,280 but not $4,280 claim $1,000 minus one half the amount in excess $2,280.

or (iii) **age 18 or over** at December 31st and **mentally or physically infirm** and net income will not exceed $2,810 claim $1,470. If net income exceeds $2,810 but not $4,280 claim $1,470 minus the amount in excess of $2,810.

3. Exemption pour enfants à charge

Voyez le numéro 7 de la Partie A, donnez les précisions demandées et demandez l'exemption selon ce qui suit:

(i) **moins de 18 ans** le 31 décembre. Si son revenu net ne dépasse pas 3340$, demandez 470$. Si son revenu net se situera entre 3340$ et 4280$, demandez 470$, moins la moitié de la fraction qui dépasse 3340$;

(ii) **18 ans ou plus** le 31 décembre. Si son revenu net ne dépasse pas 2280$, demandez 1000$. Si son revenu net se situera entre 2280$ et 4280$, demandez 1000$, moins la moitié de la fraction qui dépasse 2280$;

ou (iii) **18 ans ou plus** le 31 décembre, mais l'enfant souffre **d'une incapacité physique ou mentale**. Si son revenu net ne dépasse pas 2810$, demandez 1470$. Si son revenu net se situera entre 2810$, et 4280, demandez 1470$, moins la fraction qui dépasse 2810$.

Name of child (Attach list if space is insufficient) - *Nom de l'enfant (Faute d'espace, annexez une liste)*	Estimated annual net Income - *Revenu net annuel estimatif*	Date of birth - *Date de naissance* Day Jour / Month Mois / Year Année	If over 21, state school attended *S'il a plus de 21 ans, indiquez l'école fréquentée*
			▶
			▶
			▶

4. Other Exemptions

(i) Parents, Grandparents, Brothers, Sisters, Aunts or Uncles Resident in Canada (including in-laws)
See Note 8 in Part A and give details.

4. Autres exemptions

(i) Père, mère, grands-parents, frères, soeurs, tantes et oncles résidant au Canada (et ceux du conjoint).
Voyez le numéro 8 de la Partie A et donnez les précisions demandées.

Name and address of dependant *Nom et adresse de la personne à charge* (Attach list if space is insufficient) *(Faute d'espace, annexer une liste)*	Dependant's - *Personne à charge* Net income *Revenu net* / Year of birth *Année de naissance*	Estimated cost to you of support of dependant - *Montant estimatif pour l'entretien de la personne à charge*	If over 21, state school attended or whether mentally or physically infirm *Si elle a plus de 21 ans, indiquez l'école fréquentée ou dites si elle souffre d'une incapacité physique ou mentale.*
			▶

(ii) Age Exemptions
If you are 65 years of age or over

If your spouse is 65 years of age or over you may claim any unused balance of the exemption amount (maximum $2,680).

(ii) Exemptions en raison d'âge
Si vous avez 65 ans ou plus

Si votre conjoint a 65 ans ou plus, vous pouvez demander la fraction inutilisée de son exemption (jusqu'à concurrence de 2680$.)

Claim - *Demandez* 2,680 ▶

Unused Balance
Fraction inutilisée ▶

SUB-TOTAL carried to Page 4
TOTAL PARTIEL reporté à la page 4 ▶

SUBTOTAL carried from Page 3
TOTAL PARTIEL reporté de la page 3 ▶

(iii) Disability Exemptions	(iii) Exemptions pour handicapés

(iii) Disability Exemptions

For persons who during the year have a severe and prolonged mental or physical impairment (see note 9 in Part A), for yourself

You may claim any unused balance of the disability exemption, maximum $2,930 to which your spouse, child, grandchild or supported individual is entitled to. See notes 6 and 9 in Part A.

(iii) Exemptions pour handicapés

Pour les personnes qui, pendant l'année, souffrent d'une incapacité mentale ou physique grave et prolongée (voyez le numéro 9 de la Partie A) - pour vous-même

Claim
Demandez 2,930 ▶

Vous pouvez demander la partie inutilisée (maximum de 2930$) de l'exemption pour handicapés à laquelle ont droit votre conjoint, vos enfants, vos petits-enfants ou des personnes à votre charge. Voyez les numéros 6 et 9 de la Partie A.

Unused Balance
Fraction inutilisée ▶

5. Pension Income or Qualified Pension Income Exemption

If you are 60 years of age or over and have qualified pension income or are 65 years of age or over and have pension income, or if under age 60 and no contribution has been made to a registered retirement savings plan or registered pension plan from a qualified pension income, claim the lesser of $1,000 or the amount received.

5. Exemption relative au revenu de pensions ou au revenu de pensions admissible

Si vous avez 60 ans ou plus et avez un revenu de pensions admissible, ou si vous avez 65 ans ou plus et avez un revenu de pensions, ou si vous avez moins de 60 ans et n'avez fait aucune contribution provenant d'un revenu de pensions admissible dans un régime enregistré d'épargne-retraite ou un régime enregistré de pensions, demandez le montant de la pension reçu, jusqu'à concurrence de 1000$. ▶

6. Student Exemptions

(i) Claim $50 for each month in the year you will be a student in full-time attendance at the following; a university or college or an institution offering job retraining courses.

(ii) Claim your tuition fees less the total amount of all scholarships, fellowships or bursaries exceeding $500 which you will receive during the calendar year.

6. Exemption pour les étudiants

(i) Demandez 50$ pour chaque mois de l'année où vous fréquentez à plein temps une université, un collège ou un établissement dispensant des cours de rééducation professionnelle.

(ii) Demandez vos frais de scolarité moins la fraction qui dépasse 500$ du total de toutes les bourses d'études, de perfectionnement (fellowships) ou d'entretien que vous recevrez au cours de l'année civile. ▶

7. Deduction for residing in a prescribed area

See item 10 in Part A, and if applicable claim the lesser of

(i) 20% of your net income for the year, and

(ii) _____ x _____ =
Number of 30 day periods   Allowable deduction
in a prescribed area

7. Déduction applicable aux habitants des régions visées par règlement

Voyez le numéro 10 de la Partie A et, s'il y a lieu, demandez le moins élevé des montants suivants:

(i) 20% de votre revenu net pour l'année

(ii) _____ x _____ =
Nombre de périodes de 30 jours dans   Déduction admissible
une région visée par règlement ▶

8. Total add items 1 to 7

8. Total Additionnez les montants 1 à 7 ▶

9. Deduct: Taxable Family Allowance Payments
(To be received in year for children claimed above.)

9. Soustraire: les allocations familiales imposables
(À recevoir au cours de l'année pour les enfants nommés ci-dessus.)

10. Net Claim, item 8 less item 9
(Will not be less than $4,280. Enter this amount on reverse side of Part A.)

10. Demande nette, montant 8 moins montant 9
(Ne doit pas être inférieure à 4280$. Inscrivez ce montant au verso de la Partie A.) ▶

11. Enter the Net Claim Code as per the Table of Net Claim Codes contained in Part A. This code is not for the computer users but only for those employers/payers using the booklet "Tables - Income Tax Deductions at Source".

11. Inscrivez le code de demande nette, selon la Table des codes de demande nette qui se trouve à la Partie A. Ce code ne s'applique pas aux utilisateurs d'ordinateurs, mais seulement aux employeurs et aux payeurs qui utilisent les tables de retenues à la source d'impôt sur le revenu. ▶

Claim for Exemption from Tax Deduction - *Valid for 1988 only.*

My estimated income for 1988 from all sources (excluding Family Allowance payments) is $ _____ . This does not exceed the amount of my Net Claim.
If you qualify for this exemption your net claim code is "E". No tax will be deducted at source.
Note: Subject to 3 in Part A no exemptions may be claimed here by a person not resident in Canada during the year.

Demande d'exemption de retenues d'impôt - *Valable seulement pour 1988.*

Mon revenu estimatif de toutes provenances pour 1988 (à l'exclusion des allocations familiales) est de _____ $. Ce montant ne dépasse pas celui de ma "Demande nette".
Si vous avez droit à cette exemption, votre code de demande nette est "E". Aucun impôt ne sera retenu à la source.
Remarque: Sous réserve de la condition énoncée au numéro 3 de la Partie A, aucune exemption ne peut être demandée à l'aide de la présente formule par une personne ne résidant pas au Canada pendant l'année.

Certification

I HEREBY CERTIFY that the information given in this return is correct and complete.

Attestation

J'ATTESTE PAR LES PRÉSENTES que les renseignements donnés dans cette formule sont exacts et complets.

Signature _____ Date _____ 19 ____

It is an offence to make a false return - *Faire une fausse déclaration constitue une infraction.*

Note to Computer Users: the amount in items (i) and (ii) must be entered separately in the individual's payroll master file in order to apply the annual increase in CPI. The individual Net Claim amount is the total of item (i) and the amount in item (ii) after being adjusted by the annual increase in CPI.

Net Claim amount as determined in item 10

(i) Less amounts not subject to indexation, items 3(i), 3(ii), 4(i), 5, 6 and 7.

(ii) Exemption amount subject to indexation.

Remarque à l'intention des utilisateurs d'ordinateurs: les montants des numéros (i) et (ii) doivent être inscrits séparément dans le fichier maître de la paie du particulier pour qu'on puisse appliquer l'augmentation annuelle de l'indice des prix à la consommation. Le montant de la demande nette du particulier correspond au total des numéros (i) et (ii), après rajustement selon l'augmentation annuelle de l'indice des prix à la consommation.

Montant de la demande nette établi au numéro 10 ▶

(i) moins les montants non soumis à l'indexation, numéros 3(i), 3(ii), 4(i), 5, 6 et 7.

(ii) montant d'exemption soumis à l'indexation. ▶

Warning: An employer or payer should refer a form TD1 containing doubtful statements to the District Taxation Office. Any person who knowingly accepts a form TD1 containing false or deceptive statements commits a serious offence. Employers and payers must retain completed forms TD1 for inspection by officers of the Department of National Revenue, Taxation.

Form authorized and prescribed by order of the Minister of National Revenue.

Avertissement: L'employeur ou le payeur doit soumettre au bureau de district d'impôt toute formule TD1 renfermant une déclaration douteuse. Quiconque accepte sciemment une formule TD1 renfermant une déclaration fausse ou douteuse commet une infraction grave. Les employeurs et les payeurs doivent conserver les formules TD1 dûment remplies pour inspection par les agents de Revenu Canada, impôt.

Formule autorisée et prescrite sur l'ordre du Ministre du Revenu national.

ANNEXE 3 — Fiche-salaire

FICHE DE SALAIRE

NOM: **Céline Lafrance**
ADRESSE: **2310, rue De Maisonneuve ouest, Montréal**
N° D'ASSURANCE SOCIALE: **252 388 045**
DATE DE NAISSANCE: **1960-03-22**
ÉTAT CIVIL: **Mariée**

	Période de paye terminée	SALAIRE BRUT					Assurance-chômage	R.R.Q.	Régime de retraite
		Régulier		Supplémentaire		Total			
		Nombre d'heures	$	Nombre d'heures	$				
1						1 645 0	378 35	265 55	822 50
2						500 -	11 63	8 18	25 -
3									
4									
5									
6									
7									
8									
9									
10									
11									
12									
13									
14									
15									
16									
17									
18									
19									
20									
21									
22									
23									
24									
25									
26									
27									

CODE DE RÉCLAMATION NETTE SELON LA TD-1:
CODE DE RÉCLAMATION NETTE SELON LA TPD-1:
TAUX HORAIRE: **14,30 $**
DATE D'EMBAUCHE: **20 février 19X1**
SERVICE: **Administration**

	DÉDUCTIONS						SALAIRE NET	NUMÉRO DE CHÈQUE	
Assujetti à l'impôt	Impôt provincial	Impôt fédéral	Assurance-groupe	Autres déductions	Déductions totales				
		975 26	803 70	235 -		3480 35	12969 65		1
455 19	47 35	42 95	5 -		140 11	359 89	104		2
									3
									4
									5
									6
									7
									8
									9
									10
									11
									12
									13
									14
									15
									16
									17
									18
									19
									20
									21
									22
									23
									24
									25
									26
									27

ANNEXE 4 — Journal des salaires

JOURNAL DES SALAIRES

	Date		Nom de l'employé	Salaires—ventes DT	Salaires—administration DT	Assurance-chômage CT	R.R.Q. CT	Régime de retraite CT
1	30 nov.	X4	Armand Frappier	435 -		10 22	7 01	21 75
2			Claude Bernard	550 -		11 63	9 06	27 50
3			Pierre Lévesque	2000 -		11 63	35 13	50 -
4			Céline Lafrance		500 -	11 63	8 18	25 -
5			René Trudeau		200 -	4 70	2 73	10 -
6				2985 -	700 -	49 81	62 13	134 25
7								
8								
9								
10								
11								
12								
13								
14								
15								
16								
17								
18								
19								
20								
21								
22								
23								
24								
25								
26								
27								
28								
29								
30								
31								
32								
33								
34								

Assujetti à l'impôt	Impôt provincial CT	Impôt fédéral CT	Assurance-groupe CT	Autres déductions CT	Folio	✓	Banque—salaires CT	Numéro de chèque	
395 02	28 35	27 65	5 00				335 02	101	1
501 79	14 40	32 75	5 00				449 64	102	2
1903 24	430 90	455 75	2 50				1014 09	103	3
455 19	47 35	42 95	5 00				359 89	104	4
182 57	10 70	10 80	2 50				158 57	105	5
	531 70	569 90	20 00				2317 20		6
									7
									8
									9
									10
									11
									12
									13
									14
									15
									16
									17
									18
									19
									20
									21
									22
									23
									24
									25
									26
									27
									28
									29
									30
									31
									32
									33
									34

ANNEXE 5 — Feuille de présence

Service: Ventes
Approuvée par: I. Saitout

NOMS	Lundi		Mardi		Mercredi		Jeudi		Vendredi		Samedi		Dimanche		TOTAL		NOTE
	Abs.	H supp.	Abs.	H. supp.	Abs.	H supp.	Abs.	H supp.	Abs.	H supp.	Abs.	H supp.	Abs.	H supp.	Abs.	H supp.	
Claude Bernard	X					2		3							8	5	
Armand Frappier							X			1					8	1	
Pierre Lévesque		1		2					3			1			4	4	
Jean Lavigueur	X		X		X		X		X						40		

ANNEXE 6 — Tables pour la contribution au Régime de rentes du Québec

TABLE A

EMPLOI CONTINU		TABLE A		DÉDUCTION				52 Périodes de paie par année	
Rémunération	Déduction	Rémunération	Déduction	Rémunération	Déduction	Rémunération	Déduction	Rémunération	Déduction

TABLE A

EMPLOI CONTINU **DÉDUCTION** **52 Périodes de paie par année**

Rémunération	Déduction	Rémunération	Déduction	Rémunération	Déduction	Rémunération	Déduction	Rémunération	Déduction

EMPLOI CONTINU — TABLE A — DÉDUCTION

52 Périodes de paie par année

Rémunération	Déduction	Rémunération	Déduction	Rémunération	Déduction	Rémunération	Déduction	Rémunération	Déduction
349,75-350,24	6,00	379,75-380,24	6,60	409,75-410,24	7,20	439,75-440,24	7,80	469,75-470,24	8,40
350,25-350,74	6,01	380,25-380,74	6,61	410,25-410,74	7,21	440,25-440,74	7,81	470,25-470,74	8,41
350,75-351,24	6,02	380,75-381,24	6,62	410,75-411,24	7,22	440,75-441,24	7,82	470,75-471,24	8,42
351,25-351,74	6,03	381,25-381,74	6,63	411,25-411,74	7,23	441,25-441,74	7,83	471,25-471,74	8,43
351,75-352,24	6,04	381,75-382,24	6,64	411,75-412,24	7,24	441,75-442,24	7,84	471,75-472,24	8,44
352,25-352,74	6,05	382,25-382,74	6,65	412,25-412,74	7,25	442,25-442,74	7,85	472,25-472,74	8,45
352,75-353,24	6,06	382,75-383,24	6,66	412,75-413,24	7,26	442,75-443,24	7,86	472,75-473,24	8,46
353,25-353,74	6,07	383,25-383,74	6,67	413,25-413,74	7,27	443,25-443,74	7,87	473,25-473,74	8,47
353,75-354,24	6,08	383,75-384,24	6,68	413,75-414,24	7,28	443,75-444,24	7,88	473,75-474,24	8,48
354,25-354,74	6,09	384,25-384,74	6,69	414,25-414,74	7,29	444,25-444,74	7,89	474,25-474,74	8,49
354,75-355,24	6,10	384,75-385,24	6,70	414,75-415,24	7,30	444,75-445,24	7,90	474,75-475,24	8,50
355,25-355,74	6,11	385,25-385,74	6,71	415,25-415,74	7,31	445,25-445,74	7,91	475,25-475,74	8,51
355,75-356,24	6,12	385,75-386,24	6,72	415,75-416,24	7,32	445,75-446,24	7,92	475,75-476,24	8,52
356,25-356,74	6,13	386,25-386,74	6,73	416,25-416,74	7,33	446,25-446,74	7,93	476,25-476,74	8,53
356,75-357,24	6,14	386,75-387,24	6,74	416,75-417,24	7,34	446,75-447,24	7,94	476,75-477,24	8,54
357,25-357,74	6,15	387,25-387,74	6,75	417,25-417,74	7,35	447,25-447,74	7,95	477,25-477,74	8,55
357,75-358,24	6,16	387,75-388,24	6,76	417,75-418,24	7,36	447,75-448,24	7,96	477,75-478,24	8,56
358,25-358,74	6,17	388,25-388,74	6,77	418,25-418,74	7,37	448,25-448,74	7,97	478,25-478,74	8,57
358,75-359,24	6,18	388,75-389,24	6,78	418,75-419,24	7,38	448,75-449,24	7,98	478,75-479,24	8,58
359,25-359,74	6,19	389,25-389,74	6,79	419,25-419,74	7,39	449,25-449,74	7,99	479,25-479,74	8,59
359,75-360,24	6,20	389,75-390,24	6,80	419,75-420,24	7,40	449,75-450,24	8,00	479,75-480,24	8,60
360,25-360,74	6,21	390,25-390,74	6,81	420,25-420,74	7,41	450,25-450,74	8,01	480,25-480,74	8,61
360,75-361,24	6,22	390,75-391,24	6,82	420,75-421,24	7,42	450,75-451,24	8,02	480,75-481,24	8,62
361,25-361,74	6,23	391,25-391,74	6,83	421,25-421,74	7,43	451,25-451,74	8,03	481,25-481,74	8,63
361,75-362,24	6,24	391,75-392,24	6,84	421,75-422,24	7,44	451,75-452,24	8,04	481,75-482,24	8,64
362,25-362,74	6,25	392,25-392,74	6,85	422,25-422,74	7,45	452,25-452,74	8,05	482,25-482,74	8,65
362,75-363,24	6,26	392,75-393,24	6,86	422,75-423,24	7,46	452,75-453,24	8,06	482,75-483,24	8,66
363,25-363,74	6,27	393,25-393,74	6,87	423,25-423,74	7,47	453,25-453,74	8,07	483,25-483,74	8,67
363,75-364,24	6,28	393,75-394,24	6,88	423,75-424,24	7,48	453,75-454,24	8,08	483,75-484,24	8,68
364,25-364,74	6,29	394,25-394,74	6,89	424,25-424,74	7,49	454,25-454,74	8,09	484,25-484,74	8,69
364,75-365,24	6,30	394,75-395,24	6,90	424,75-425,24	7,50	454,75-455,24	8,10	484,75-485,24	8,70
365,25-365,74	6,31	395,25-395,74	6,91	425,25-425,74	7,51	455,25-455,74	8,11	485,25-485,74	8,71
365,75-366,24	6,32	395,75-396,24	6,92	425,75-426,24	7,52	455,75-456,24	8,12	485,75-486,24	8,72
366,25-366,74	6,33	396,25-396,74	6,93	426,25-426,74	7,53	456,25-456,74	8,13	486,25-486,74	8,73
366,75-367,24	6,34	396,75-397,24	6,94	426,75-427,24	7,54	456,75-457,24	8,14	486,75-487,24	8,74
367,25-367,74	6,35	397,25-397,74	6,95	427,25-427,74	7,55	457,25-457,74	8,15	487,25-487,74	8,75
367,75-368,24	6,36	397,75-398,24	6,96	427,75-428,24	7,56	457,75-458,24	8,16	487,75-488,24	8,76
368,25-368,74	6,37	398,25-398,74	6,97	428,25-428,74	7,57	458,25-458,74	8,17	488,25-488,74	8,77
368,75-369,24	6,38	398,75-399,24	6,98	428,75-429,24	7,58	458,75-459,24	8,18	488,75-489,24	8,78
369,25-369,74	6,39	399,25-399,74	6,99	429,25-429,74	7,59	459,25-459,74	8,19	489,25-489,74	8,79
369,75-370,24	6,40	399,75-400,24	7,00	429,75-430,24	7,60	459,75-460,24	8,20	489,75-490,24	8,80
370,25-370,74	6,41	400,25-400,74	7,01	430,25-430,74	7,61	460,25-460,74	8,21	490,25-490,74	8,81
370,75-371,24	6,42	400,75-401,24	7,02	430,75-431,24	7,62	460,75-461,24	8,22	490,75-491,24	8,82
371,25-371,74	6,43	401,25-401,74	7,03	431,25-431,74	7,63	461,25-461,74	8,23	491,25-491,74	8,83
371,75-372,24	6,44	401,75-402,24	7,04	431,75-432,24	7,64	461,75-462,24	8,24	491,75-492,24	8,84
372,25-372,74	6,45	402,25-402,74	7,05	432,25-432,74	7,65	462,25-462,74	8,25	492,25-492,74	8,85
372,75-373,24	6,46	402,75-403,24	7,06	432,75-433,24	7,66	462,75-463,24	8,26	492,75-493,24	8,86
373,25-373,74	6,47	403,25-403,74	7,07	433,25-433,74	7,67	463,25-463,74	8,27	493,25-493,74	8,87
373,75-374,24	6,48	403,75-404,24	7,08	433,75-434,24	7,68	463,75-464,24	8,28	493,75-494,24	8,88
374,25-374,74	6,49	404,25-404,74	7,09	434,25-434,74	7,69	464,25-464,74	8,29	494,25-494,74	8,89
374,75-375,24	6,50	404,75-405,24	7,10	434,75-435,24	7,70	464,75-465,24	8,30	494,75-495,24	8,90
375,25-375,74	6,51	405,25-405,74	7,11	435,25-435,74	7,71	465,25-465,74	8,31	495,25-495,74	8,91
375,75-376,24	6,52	405,75-406,24	7,12	435,75-436,24	7,72	465,75-466,24	8,32	495,75-496,24	8,92
376,25-376,74	6,53	406,25-406,74	7,13	436,25-436,74	7,73	466,25-466,74	8,33	496,25-496,74	8,93
376,75-377,24	6,54	406,75-407,24	7,14	436,75-437,24	7,74	466,75-467,24	8,34	496,75-497,24	8,94
377,25-377,74	6,55	407,25-407,74	7,15	437,25-437,74	7,75	467,25-467,74	8,35	497,25-497,74	8,95
377,75-378,24	6,56	407,75-408,24	7,16	437,75-438,24	7,76	467,75-468,24	8,36	497,75-498,24	8,96
378,25-378,74	6,57	408,25-408,74	7,17	438,25-438,74	7,77	468,25-468,74	8,37	498,25-498,74	8,97
378,75-379,24	6,58	408,75-409,24	7,18	438,75-439,24	7,78	468,75-469,24	8,38	498,75-499,24	8,98
379,25-379,74	6,59	409,25-409,74	7,19	439,25-439,74	7,79	469,25-469,74	8,39	499,25-499,74	8,99

TABLE A

EMPLOI CONTINU — **DÉDUCTION** — **52 Périodes de paie par année**

Rémunération	Déduction
499.75 – 500.24	9.00
500.25 – 500.74	9.01
500.75 – 501.24	9.02
501.25 – 501.74	9.03
501.75 – 502.24	9.04
502.25 – 502.74	9.05
502.75 – 503.24	9.06
503.25 – 503.74	9.07
503.75 – 504.24	9.08
504.25 – 504.74	9.09
504.75 – 505.24	9.10
505.25 – 505.74	9.11
505.75 – 506.24	9.12
506.25 – 506.74	9.13
506.75 – 507.24	9.14
507.25 – 507.74	9.15
507.75 – 508.24	9.16
508.25 – 508.74	9.17
508.75 – 509.24	9.18
509.25 – 509.74	9.19
509.75 – 519.99	9.20
520.00 – 529.99	9.30
530.00 – 539.99	9.50
540.00 – 549.99	9.70
550.00 – 559.99	9.90
560.00 – 569.99	10.10
570.00 – 579.99	10.30
580.00 – 589.99	10.50
590.00 – 599.99	10.70
600.00 – 609.99	10.90
610.00 – 619.99	11.10
620.00 – 629.99	11.30
630.00 – 639.99	11.50
640.00 – 649.99	11.70
650.00 – 659.99	11.90
660.00 – 669.99	12.10
670.00 – 679.99	12.30
680.00 – 689.99	12.50
690.00 – 699.99	12.70
700.00 – 709.99	12.90
710.00 – 719.99	13.10
720.00 – 729.99	13.30
730.00 – 739.99	13.50
740.00 – 749.99	13.70
750.00 – 759.99	13.90
760.00 – 769.99	14.10
770.00 – 779.99	14.30
780.00 – 789.99	14.50
790.00 – 799.99	14.70
800.00 – 809.99	14.90
810.00 – 819.99	15.10
820.00 – 829.99	15.30
830.00 – 839.99	15.50
840.00 – 849.99	15.70
850.00 – 859.99	15.90
860.00 – 869.99	16.10
870.00 – 879.99	16.30
880.00 – 889.99	16.50
890.00 – 899.99	16.90

Rémunération	Déduction
900.00 – 909.99	17.10
910.00 – 919.99	17.30
920.00 – 929.99	17.50
930.00 – 939.99	17.70
940.00 – 949.99	17.90
950.00 – 959.99	18.10
960.00 – 969.99	18.30
970.00 – 979.99	18.50
980.00 – 989.99	18.70
990.00 – 999.99	18.90
1000.00 – 1009.99	19.10
1010.00 – 1019.99	19.30
1020.00 – 1029.99	19.50
1030.00 – 1039.99	19.70
1040.00 – 1049.99	19.90
1050.00 – 1059.99	20.10
1060.00 – 1069.99	20.30
1070.00 – 1079.99	20.50
1080.00 – 1089.99	20.70
1090.00 – 1099.99	20.90
1100.00 – 1109.99	21.10
1110.00 – 1119.99	21.30
1120.00 – 1129.99	21.50
1130.00 – 1139.99	21.70
1140.00 – 1149.99	21.90
1150.00 – 1159.99	22.10
1160.00 – 1169.99	22.30
1170.00 – 1179.99	22.50
1180.00 – 1189.99	22.70
1190.00 – 1199.99	22.90
1200.00 – 1209.99	23.10
1210.00 – 1219.99	23.30
1220.00 – 1229.99	23.50
1230.00 – 1239.99	23.70
1240.00 – 1249.99	23.90
1250.00 – 1259.99	24.10
1260.00 – 1269.99	24.30
1270.00 – 1279.99	24.50
1280.00 – 1289.99	24.70
1290.00 – 1299.99	24.90
1300.00 – 1309.99	25.10
1310.00 – 1319.99	25.30
1320.00 – 1329.99	25.50
1330.00 – 1339.99	25.70
1340.00 – 1349.99	25.90
1350.00 – 1359.99	26.10
1360.00 – 1369.99	26.30
1370.00 – 1379.99	26.50
1380.00 – 1389.99	26.70
1390.00 – 1399.99	26.90
1400.00 – 1409.99	27.10
1410.00 – 1419.99	27.30
1420.00 – 1429.99	27.50
1430.00 – 1439.99	27.70
1440.00 – 1449.99	27.90

Pour les rémunérations dépassant 1 449,99 $, vous devez calculer vous-même la déduction en vous basant sur les explications contenues dans les pages précédentes.

EMPLOI CONTINU TABLE A DÉDUCTION

26 Périodes de paie par année

Rémunération	Déduction	Rémunération	Déduction	Rémunération	Déduction	Rémunération	Déduction	Rémunération	Déduction	Rémunération	Déduction

TABLE A

EMPLOI CONTINU

DÉDUCTION

26 Périodes de paie par année

Rémunération	Déduction	Rémunération	Déduction	Rémunération	Déduction	Rémunération	Déduction	Rémunération	Déduction

ANNEXE 7 — Tables pour l'impôt du Québec retenu à la source

Table 22

52 PÉRIODES DE PAIE PAR ANNÉE

Voir remarque page 18

Remarque: Exemptions dépassant 17 599 $

Réduisez l'impôt dans la colonne N en soustrayant le montant figurant dans la colonne Z pour chaque 500 $ (ou fraction) d'exemption supplémentaire.

Si le code sur la formule TPD-1 de l'employé est — déduisez de chaque paie

Paie assujettie à la déduction. Utilisez le palier approprié.	A	B	C	D	E	F	G	H	I	J	K	L	M	N	Z
67.50 - 69.99															
70.00 - 72.49															
72.50 - 74.99															
75.00 - 77.49															
77.50 - 79.99															
80.00 - 82.49															
82.50 - 84.99															
85.00 - 87.49															
87.50 - 89.99															
90.00 - 92.49															
92.50 - 94.99															
95.00 - 97.49															
97.50 - 99.99															
100.00 - 102.49															
102.50 - 104.99															
105.00 - 107.49	0.10														
107.50 - 109.99	0.40														
110.00 - 112.49	0.70														
112.50 - 114.99	0.95														
115.00 - 117.49															
117.50 - 119.99	1.25														
120.00 - 122.49	1.60														
122.50 - 124.99	1.90														
125.00 - 127.49	2.20	0.15													
127.50 - 129.99	2.55	0.45													
130.00 - 132.49	2.85	0.75													
132.50 - 134.99	3.20	1.05													
135.00 - 137.49	3.50	1.35													
137.50 - 139.99	3.85	1.65													
140.00 - 142.49	4.20	2.00													
142.50 - 144.99	4.55	2.30													
145.00 - 147.49	4.90	2.65													
147.50 - 149.99	5.25	2.95													
150.00 - 152.49	5.60	3.30													
152.50 - 154.99	5.95	3.60	0.10												
155.00 - 157.49	6.30	3.95	0.40												
157.50 - 159.99	6.70	4.30	0.70												
160.00 - 162.49	7.05	4.65	0.95												
162.50 - 164.99	7.40	5.00	1.25												
165.00 - 167.49	7.80	5.35	1.60												

Table 22

52 PÉRIODES DE PAIE PAR ANNÉE

Paie assujettie à la déduction. Utilisez le palier approprié.

Si le code sur la formule TPD-1 de l'employé est

déduisez de chaque paie

Paie	A	B	C	D	E	F	G	H	I	J	K	L	M	N	Z
167.50 - 169.99	8.15	5.70	1.90												
170.00 - 172.49	8.55	6.05	2.20												
172.50 - 174.99	8.95	6.40	2.55												
175.00 - 177.49	9.30	6.80	2.85												
177.50 - 179.99	9.70	7.15	3.20												
180.00 - 182.49	10.10	7.50	3.50												
182.50 - 184.99	10.50	7.90	3.85												
185.00 - 187.49	10.85	8.25	4.20												
187.50 - 189.99	11.25	8.65	4.55												
190.00 - 192.49	11.65	9.05	4.90	0.25											
192.50 - 194.99	12.10	9.45	5.25	0.55											
195.00 - 197.49	12.50	9.80	5.60	0.85											
197.50 - 199.99	12.90	10.20	5.95	1.15											
200.00 - 204.99	13.50	10.80	6.50	1.60											
205.00 - 209.99	14.35	11.60	7.25	2.25											
210.00 - 214.99	15.15	12.40	7.95	2.90											
215.00 - 219.99	16.00	13.20	8.75	3.55	0.15										
220.00 - 224.99	16.90	14.05	9.50	4.25	0.75	0.30									
225.00 - 229.99	17.75	14.85	10.30	4.90	1.35	0.90									
230.00 - 234.99	18.60	15.70	11.05	5.60	2.00	1.50									
235.00 - 239.99	19.50	16.60	11.85	6.35	2.65	2.15									
240.00 - 244.99	20.40	17.45	12.70	7.10	3.30	2.80	0.60								
245.00 - 249.99	21.35	18.40	13.60	7.90	4.00	3.50	1.25								
250.00 - 254.99	22.30	19.30	14.45	8.70	4.75	4.25	1.90								
255.00 - 259.99	23.30	20.25	15.35	9.50	5.50	4.95	2.60	0.15							
260.00 - 264.99	24.25	21.20	16.25	10.35	6.25	5.70	3.30	0.80							
265.00 - 269.99	25.25	22.15	17.20	11.15	7.05	6.50	4.00	1.45							
270.00 - 274.99	26.20	23.15	18.00	12.05	7.80	7.25	4.75	2.10							
275.00 - 279.99	27.25	24.10	19.00	12.90	8.65	8.05	5.45	2.80	0.60						
280.00 - 284.99	28.25	25.10	19.95	13.80	9.45	8.85	6.25	3.50	1.25						
285.00 - 289.99	29.25	26.05	20.90	14.65	10.30	9.70	7.05	4.20	1.90	0.30					
290.00 - 294.99	30.30	27.05	21.85	15.55	11.10	10.50	7.80	4.95	2.60	0.95					
295.00 - 299.99	31.30	28.10	22.85	16.45	11.95	11.35	8.60	5.70	3.25	1.55					
300.00 - 304.99	32.30	29.10	23.80	17.40	12.85	12.20	9.45	6.45	4.00	2.25	0.20				
305.00 - 309.99	33.35	30.15	24.80	18.30	13.70	13.05	10.25	7.25	4.70	2.95	0.80				
310.00 - 314.99	34.40	31.15	25.75	19.25	14.60	13.95	11.10	8.05	5.45	3.65	1.45	0.45			
315.00 - 319.99	35.50	32.15	26.75	20.15	15.50	14.85	11.95	8.85	6.25	4.35	2.15	1.05			
320.00 - 324.99	36.55	33.20	27.80	21.15	16.40	15.75	12.85	9.70	7.00	5.10	2.80	1.70			
325.00 - 329.99	37.60	34.25	28.80	22.10	17.30	16.65	13.70	10.50	7.80	5.85	3.50	2.40			
330.00 - 334.99	38.70	35.30	29.80	23.05	18.25	17.60	14.55	11.35	8.60	6.65	4.25		0.25		

Z : Voir remarque page 18

Table 22

52 PÉRIODES DE PAIE PAR ANNÉE

Paie assujettie à la déduction. Utilisez le palier approprié.

Si le code sur la formule TPD-1 de l'employé est — déduisez de chaque paie

Voir remarque page 18

Paie		A	B	C	D	E	F	G	H	I	J	K	L	M	N	Z
335.00 -	339.99	39.75	36.40	30.85	24.05	19.15	18.50	15.45	12.20	9.40	7.40	4.95	3.10	0.85		
340.00 -	344.99	40.80	37.45	31.85	25.00	20.10	19.45	16.40	13.10	10.25	8.20	5.75	3.80	1.50		
345.00 -	349.99	41.90	38.50	32.85	26.00	21.05	20.35	17.30	13.95	11.05	9.05	6.50	4.55	2.20	0.65	
350.00 -	354.99	43.00	39.60	33.90	27.00	22.00	21.35	18.20	14.85	11.95	9.85	7.30	5.25	2.85	1.30	1.25
355.00 -	359.99	44.10	40.65	35.00	28.00	23.00	22.30	19.15	15.75	12.80	10.70	8.05	6.05	3.55	1.95	1.25
360.00 -	364.99	45.20	41.70	36.05	29.05	23.95	23.25	20.05	16.65	13.70	11.50	8.90	6.80	4.30	2.65	1.30
365.00 -	369.99	46.35	42.80	37.10	30.05	24.95	24.25	21.05	17.55	14.55	12.40	9.70	7.60	5.05	3.30	1.30
370.00 -	374.99	47.45	43.95	38.20	31.05	25.90	25.25	22.00	18.50	15.45	13.25	10.55	8.40	5.80	4.05	1.35
375.00 -	379.99	48.55	45.05	39.25	32.10	26.90	26.20	23.00	19.40	16.35	14.15	11.35	9.20	6.55	4.80	1.40
380.00 -	384.99	49.70	46.15	40.30	33.10	27.95	27.20	23.95	20.35	17.30	15.00	12.25	10.05	7.35	5.50	1.40
385.00 -	389.99	50.80	47.30	41.40	34.15	28.95	28.25	24.90	21.30	18.20	15.90	13.10	10.85	8.10	6.30	1.45
390.00 -	394.99	51.90	48.40	42.50	35.25	29.95	29.25	25.90	22.30	19.15	16.85	14.00	11.70	8.95	7.05	1.45
395.00 -	399.99	53.05	49.50	43.60	36.30	31.00	30.25	26.90	23.25	20.05	17.75	14.85	12.60	9.75	7.85	1.50
400.00 -	409.99	54.80	51.40	45.25	37.90	32.50	31.80	28.40	24.70	21.50	19.15	16.20	13.90	11.00	9.10	1.60
410.00 -	419.99	57.15	53.45	47.50	40.05	34.60	33.85	30.45	26.70	23.45	21.10	18.05	15.65	12.75	10.75	1.60
420.00 -	429.99	59.45	55.80	49.75	42.20	36.75	36.00	32.50	28.70	25.40	23.00	19.90	17.50	14.50	12.45	1.65
430.00 -	439.99	61.80	58.10	51.95	44.40	38.90	38.15	34.60	30.75	27.40	24.90	21.85	19.35	16.30	14.20	1.70
440.00 -	449.99	64.10	60.45	54.25	46.65	41.00	40.25	36.75	32.80	29.40	26.90	23.80	21.25	18.15	15.95	1.70
450.00 -	459.99	66.45	62.75	56.60	48.85	43.20	42.40	38.85	34.90	31.45	28.95	25.70	23.20	20.00	17.80	1.75
460.00 -	469.99	68.75	65.10	58.90	51.10	45.45	44.65	41.00	37.05	33.50	30.95	27.75	25.10	21.90	19.65	1.75
470.00 -	479.99	71.10	67.40	61.25	53.35	47.65	46.85	43.20	39.15	35.65	33.00	29.80	27.10	23.85	21.60	1.85
480.00 -	489.99	73.50	69.75	63.60	55.70	49.90	49.10	45.40	41.30	37.80	35.15	31.80	29.15	25.80	23.50	1.85
490.00 -	499.99	75.90	72.10	65.90	58.00	52.15	51.35	47.65	43.50	39.90	37.25	33.90	31.20	27.80	25.45	1.85
500.00 -	509.99	78.35	74.50	68.25	60.35	54.45	53.60	49.90	45.75	42.05	39.40	36.00	33.20	29.85	27.45	1.90
510.00 -	519.99	80.75	76.95	70.55	62.70	56.75	55.95	52.10	47.95	44.30	41.55	38.15	35.35	31.90	29.50	1.95
520.00 -	529.99	83.20	79.35	72.95	65.00	59.10	58.25	54.40	50.20	46.50	43.75	40.30	37.50	33.95	31.55	1.95
530.00 -	539.99	85.60	81.80	75.35	67.35	61.45	60.60	56.75	52.45	48.75	45.95	42.45	39.60	36.10	33.60	2.00
540.00 -	549.99	88.05	84.20	77.80	69.65	63.75	62.95	59.10	54.75	50.95	48.20	44.65	41.75	38.25	35.70	2.05
550.00 -	559.99	90.45	86.65	80.20	72.00	66.10	65.25	61.40	57.10	53.25	50.45	46.90	44.00	40.35	37.85	2.05
560.00 -	569.99	92.90	89.05	82.65	74.40	68.40	67.60	63.75	59.40	55.55	52.65	49.15	46.20	42.50	40.00	
570.00 -	579.99	95.30	91.50	85.05	76.85	70.75	69.90	66.05	61.75	57.90	55.00	51.35	48.45	44.75	42.15	2.10
580.00 -	589.99	97.75	93.90	87.50	79.25	73.10	72.25	68.40	64.05	60.20	57.35	53.65	50.65	47.00	44.35	2.15
590.00 -	599.99	100.15	96.35	89.90	81.70	75.55	74.70	70.70	66.40	62.55	59.60	55.95	52.90	49.20	46.60	2.15
600.00 -	609.99	102.60	98.75	92.35	84.10	77.95	77.10	73.10	68.70	64.85	62.00	58.30	55.25	51.45	48.85	2.15
610.00 -	619.99	105.00	101.20	94.75	86.55	80.40	79.55	75.50	71.05	67.20	64.30	60.60	57.60	53.75	51.05	2.15
620.00 -	629.99	107.45	103.60	97.20	88.95	82.80	81.95	77.95	73.45	69.55	66.65	62.95	59.90	56.05	53.30	2.15
630.00 -	639.99	110.00	106.05	99.60	91.40	85.25	84.40	80.35	75.85	71.85	68.95	65.30	62.25	58.40	55.65	2.25
640.00 -	649.99	112.50	108.55	102.05	93.80	87.65	86.80	82.80	78.30	74.30	71.30	67.60	64.55	60.70	58.00	2.25
650.00 -	659.99	115.05	111.05	104.45	96.25	90.10	89.20	85.20	80.70	76.70	73.70	69.95	66.90	63.05	60.30	2.25
660.00 -	669.99	117.55	113.60	106.90	98.65	92.50	91.65	87.65	83.15	79.15	76.15	72.30	69.20	65.35	62.65	

Table 22

52 PÉRIODES DE PAIE PAR ANNÉE

Si le code sur la formule TPD-1 de l'employé est

déduisez de chaque paie

Voir remarque page 18

Paie assujettie à la déduction. Utilisez le palier approprié.		A	B	C	D	E	F	G	H	I	J	K	L	M	N	Z
670.00 -	679.99	120.10	116.10	109.40	101.10	94.95	94.10	90.05	85.55	81.55	78.55	74.70	71.55	67.70	64.95	2.25
680.00 -	689.99	122.60	118.60	111.95	103.50	97.35	96.50	92.50	88.00	84.00	81.00	77.15	73.95	70.00	67.50	2.25
690.00 -	699.99	125.10	121.15	114.45	105.95	99.80	98.95	94.90	90.40	86.40	83.40	79.55	76.40	72.35	69.60	2.25
700.00 -	709.99	127.65	123.65	116.95	108.45	102.20	101.35	97.35	92.85	88.85	85.85	82.00	78.80	74.80	71.95	2.25
710.00 -	719.99	130.15	126.20	119.50	110.95	104.65	103.80	99.75	95.25	91.25	88.25	84.40	81.25	77.20	74.40	2.25
720.00 -	729.99	132.70	128.70	122.00	113.50	107.10	106.20	102.20	97.70	93.70	90.70	86.85	83.65	79.65	76.80	2.35
730.00 -	739.99	135.20	131.25	124.55	116.00	109.60	108.70	104.60	100.10	96.10	93.10	89.25	86.10	82.05	79.25	2.35
740.00 -	749.99	137.75	133.75	127.05	118.50	112.10	111.20	107.05	102.55	98.55	95.55	91.70	88.50	84.50	81.65	2.35
750.00 -	759.99	140.25	136.25	129.60	121.05	114.65	113.75	109.60	104.95	100.95	97.95	94.10	90.95	86.90	84.10	2.35
760.00 -	769.99	142.75	138.80	132.10	123.55	117.15	116.25	112.10	107.40	103.40	100.40	96.55	93.35	89.35	86.50	2.35
770.00 -	779.99	145.30	141.30	134.65	126.10	119.70	118.80	114.60	109.95	105.80	102.80	98.95	95.80	91.75	88.95	2.35
780.00 -	789.99	147.80	143.85	137.15	128.60	122.20	121.30	117.15	112.45	108.30	105.25	101.40	98.20	94.20	91.35	2.35
790.00 -	799.99	150.35	146.35	139.65	131.15	124.75	123.85	119.65	115.00	110.80	107.70	103.80	100.65	96.60	93.80	2.35
800.00 -	809.99	152.85	148.90	142.20	133.65	127.25	126.35	122.20	117.50	113.35	110.20	106.25	103.05	99.05	96.20	2.35
810.00 -	819.99	155.40	151.40	144.70	136.20	129.80	128.90	124.70	120.05	115.85	112.75	108.75	105.50	101.45	98.65	2.35
820.00 -	829.99	157.90	153.95	147.25	138.70	132.30	131.40	127.25	122.55	118.40	115.25	111.25	107.95	103.90	101.05	2.35
830.00 -	839.99	160.45	156.45	149.75	141.20	134.80	133.90	129.75	125.05	120.90	117.75	113.75	110.45	106.30	103.50	2.35
840.00 -	849.99	162.95	158.95	152.30	143.75	137.35	136.45	132.25	127.60	123.40	120.30	116.30	113.00	108.80	105.90	2.40
850.00 -	859.99	165.45	161.50	154.80	146.25	139.85	138.95	134.80	130.10	125.95	122.80	118.80	115.50	111.35	108.40	2.40
860.00 -	869.99	168.00	164.00	157.30	148.80	142.40	141.50	137.30	132.65	128.45	125.35	121.35	118.05	113.85	110.90	2.40
870.00 -	879.99	170.55	166.55	159.85	151.30	144.90	144.00	139.85	135.15	131.00	127.85	123.85	120.55	116.40	113.45	2.45
880.00 -	889.99	173.20	169.05	162.35	153.85	147.45	146.55	142.35	137.70	133.50	130.40	126.40	123.10	118.90	115.95	2.45
890.00 -	899.99	175.80	171.70	164.50	156.35	149.95	149.05	144.90	140.25	136.05	132.90	128.90	125.60	121.45	118.50	2.45
900.00 -	909.99	178.45	174.30	167.40	158.90	152.45	151.60	147.40	142.75	138.55	135.45	131.40	128.15	123.95	121.00	2.45
910.00 -	919.99	181.05	176.90	169.95	161.60	155.00	154.10	149.95	145.25	141.10	137.95	133.95	130.65	126.50	123.50	2.45
920.00 -	929.99	183.65	179.55	172.60	163.90	157.50	156.60	152.45	147.75	143.60	140.45	136.45	133.15	129.00	126.05	2.45
930.00 -	939.99	186.30	182.15	175.20	166.45	160.05	159.15	154.95	150.30	146.10	143.00	139.00	135.70	131.50	128.55	2.45
940.00 -	949.99	188.90	184.80	177.80	168.95	162.55	161.65	157.50	152.80	148.65	145.50	141.50	138.20	134.05	131.10	2.45
950.00 -	959.99	191.50	187.40	180.45	171.60	165.10	164.20	160.00	155.35	151.15	148.05	144.05	140.75	136.55	133.60	2.45
960.00 -	969.99	194.15	190.00	183.05	174.20	167.60	166.70	162.55	157.85	153.70	150.55	146.55	143.25	139.10	136.15	2.45
970.00 -	979.99	196.75	192.65	185.70	176.80	170.15	169.25	165.05	160.40	156.20	153.10	149.10	145.80	141.60	138.65	2.45
980.00 -	989.99	199.40	195.25	188.30	179.45	172.80	171.85	167.60	162.90	158.75	155.60	151.60	148.30	144.15	141.15	2.45
990.00 -	999.99	202.00	197.85	190.90	182.05	175.40	174.45	170.15	165.40	161.25	158.10	154.10	150.80	146.65	143.70	2.45
1,000.00 -	1,009.99	204.60	200.50	193.55	184.65	178.05	177.10	172.75	167.95	163.75	160.65	156.65	153.35	149.20	146.20	2.45
1,010.00 -	1,019.99	207.25	203.10	196.15	187.30	180.65	179.70	175.40	170.50	166.30	163.15	159.15	155.85	151.70	148.75	2.45
1,020.00 -	1,029.99	209.85	205.75	198.80	189.90	183.25	182.35	178.00	173.05	168.80	165.70	161.70	158.40	154.20	151.25	2.45
1,030.00 -	1,039.99	212.50	208.35	201.40	192.55	185.90	184.95	180.60	175.75	171.45	168.30	164.20	160.90	156.75	153.80	2.45
1,040.00 -	1,049.99	215.10	210.95	204.00	195.15	188.50	187.55	183.25	178.40	174.05	170.80	166.75	163.45	159.25	156.30	2.45
1,050.00 -	1,059.99	217.70	213.60	206.65	197.75	191.10	190.20	185.85	181.00	176.65	173.40	169.25	165.95	161.80	158.85	2.45
1,060.00 -	1,069.99	220.35	216.20	209.25	200.40	193.75	192.80	188.50	183.60	179.30	176.05	171.90	168.50	164.30	161.35	2.45

Table 22

52 PÉRIODES DE PAIE PAR ANNÉE

Paie assujettie à la déduction. Utilisez le palier approprié

Si le code sur la formule TPD-1 de l'employé est

déduisez de chaque paie

Voir remarque page 18

Paie assujettie		A	B	C	D	E	F	G	H	I	J	K	L	M	N	Z
1,070.00	1,079.99	222.95	218.80	211.85	203.00	196.35	195.45	191.10	186.25	181.90	178.65	174.50	171.05	166.85	163.85	2.45
1,080.00	1,089.99	225.55	221.45	214.50	205.65	199.00	198.05	193.70	188.85	184.50	181.25	177.10	173.70	169.35	166.40	2.45
1,090.00	1,099.99	228.20	224.05	217.10	208.25	201.60	200.65	196.35	191.45	187.15	183.90	179.75	176.30	172.00	168.90	2.45
1,100.00	1,109.99	230.80	226.70	219.75	210.85	204.20	203.30	198.95	194.10	189.75	186.50	182.35	178.95	174.60	171.55	2.55
1,110.00	1,119.99	233.45	229.30	222.35	213.50	206.85	205.90	201.55	196.70	192.40	189.15	185.00	181.55	177.20	174.15	2.55
1,120.00	1,129.99	236.05	231.90	224.95	216.10	209.45	208.50	204.20	199.35	195.00	191.75	187.60	184.15	179.85	176.75	2.55
1,130.00	1,139.99	238.65	234.55	227.60	218.70	212.05	211.15	206.80	201.95	197.60	194.35	190.20	186.80	182.45	179.40	2.55
1,140.00	1,149.99	241.30	237.15	230.20	221.35	214.70	213.75	209.45	204.55	200.25	197.00	192.85	189.40	185.10	182.00	2.55
1,150.00	1,159.99	243.90	239.75	232.80	223.95	217.30	216.40	212.05	207.20	202.85	199.60	195.45	192.05	187.70	184.60	2.55
1,160.00	1,169.99	246.50	242.40	235.45	226.60	219.95	219.00	214.65	209.80	205.45	202.25	198.05	194.65	190.30	187.25	2.55
1,170.00	1,179.99	249.15	245.00	238.05	229.20	222.55	221.60	217.30	212.40	208.10	204.85	200.70	197.25	192.95	189.85	2.55
1,180.00	1,189.99	251.75	247.65	240.70	231.80	225.15	224.25	219.90	215.05	210.70	207.45	203.30	199.90	195.55	192.50	2.55
1,190.00	1,199.99	254.40	250.25	243.30	234.45	227.80	226.85	222.50	217.65	213.35	210.10	205.95	202.50	198.15	195.10	2.55
1,200.00	1,209.99	257.00	252.85	245.90	237.05	230.40	229.45	225.15	220.30	215.95	212.70	208.55	205.10	200.80	197.70	2.55
1,210.00	1,219.99	259.60	255.50	248.55	239.65	233.00	232.10	227.75	222.90	218.55	215.30	211.15	207.75	203.40	200.35	2.55
1,220.00	1,229.99	262.25	258.10	251.15	242.30	235.65	234.70	230.40	225.50	221.20	217.95	213.80	210.35	206.05	202.95	2.55
1,230.00	1,239.99	264.85	260.75	253.75	244.90	238.25	237.35	233.00	228.15	223.80	220.55	216.40	213.00	208.65	205.60	2.55
1,240.00	1,249.99	267.45	263.35	256.40	247.55	240.90	239.95	235.60	230.75	226.45	223.20	219.00	215.60	211.25	208.20	2.55
1,250.00	1,259.99	270.10	265.95	259.00	250.15	243.50	242.55	238.25	233.40	229.05	225.80	221.65	218.20	213.90	210.80	2.55
1,260.00	1,269.99	272.70	268.60	261.65	252.75	246.10	245.20	240.85	236.00	231.65	228.40	224.25	220.85	216.50	213.45	2.55
1,270.00	1,279.99	275.35	271.20	264.25	255.40	248.75	247.80	243.50	238.60	234.30	231.05	226.90	223.45	219.10	216.05	2.55
1,280.00	1,289.99	277.95	273.80	266.85	258.00	251.35	250.45	246.10	241.25	236.90	233.65	229.50	226.05	221.75	218.65	2.55
1,290.00	1,299.99	280.55	276.45	269.50	260.65	254.00	253.05	248.70	243.85	239.50	236.30	232.10	228.70	224.35	221.30	2.55
1,300.00	1,309.99	283.25	279.05	272.10	263.25	256.60	255.65	251.35	246.45	242.15	238.90	234.75	231.30	227.00	223.90	2.55
1,310.00	1,319.99	285.85	281.70	274.75	265.85	259.20	258.30	253.95	249.10	244.75	241.50	237.35	233.95	229.60	226.55	2.55
1,320.00	1,329.99	288.65	284.40	277.35	268.50	261.85	260.90	256.55	251.70	247.40	244.15	239.95	236.55	232.20	229.15	2.55
1,330.00	1,339.99	291.40	287.10	279.95	271.10	264.45	263.50	259.20	254.35	250.00	246.75	242.60	239.15	234.85	231.75	2.55
1,340.00	1,349.99	294.10	289.80	282.60	273.70	267.05	266.15	261.80	256.95	252.60	249.35	245.20	241.80	237.45	234.40	2.55
1,350.00	1,359.99	296.80	292.55	285.30	276.35	269.70	268.75	264.40	259.55	255.25	252.00	247.85	244.40	240.10	237.00	2.55
1,360.00	1,369.99	299.55	295.25	288.05	278.95	272.30	271.40	267.05	262.20	257.85	254.60	250.45	247.05	242.70	239.60	2.55
1,370.00	1,379.99	302.25	297.95	290.75	281.60	274.95	274.00	269.65	264.80	260.45	257.25	253.05	249.65	245.30	242.25	2.55
1,380.00	1,389.99	304.95	300.65	293.45	284.25	277.55	276.60	272.30	267.40	263.10	259.85	255.70	252.25	247.95	244.85	2.55
1,390.00	1,399.99	307.65	303.40	296.20	287.00	280.15	279.25	274.90	270.05	265.70	262.45	258.30	254.90	250.55	247.50	2.55
1,400.00	1,409.99	310.40	306.10	298.90	289.70	282.80	281.85	277.50	272.65	268.35	265.10	260.95	257.50	253.15	250.10	2.55
1,410.00	1,419.99	313.10	308.80	301.60	292.40	285.55	284.55	280.15	275.30	270.95	267.70	263.55	260.10	255.80	252.70	2.55
1,420.00	1,429.99	315.80	311.55	304.35	295.15	288.25	287.30	282.80	277.90	273.55	270.30	266.15	262.75	258.40	255.35	2.55
1,430.00	1,439.99	318.55	314.25	307.05	297.85	290.95	290.00	285.50	280.50	276.20	272.95	268.80	265.35	261.05	257.95	2.55
1,440.00	1,449.99	321.25	316.95	309.75	300.55	293.70	292.70	288.20	283.20	278.80	275.55	271.40	268.00	263.65	260.55	2.55
1,450.00	1,459.99	323.95	319.70	312.50	303.30	296.40	295.45	290.95	285.85	281.45	278.20	274.00	270.60	266.25	263.20	2.55
1,460.00	1,469.99	326.70	322.40	315.20	306.00	299.10	298.15	293.65	288.60	284.10	280.80	276.65	273.20	268.90	265.80	2.55

Table 22

26 PÉRIODES DE PAIE PAR ANNÉE

Si le code sur la formule TPD-1 de l'employé est
déduisez de chaque paie

Paie assujettie à la déduction. Utilisez le palier approprié		A	B	C	D	E	F	G	H	I	J	K	L	M	N	Z
335.00	339.99	16.30	11.40	3.80												
340.00	344.99	17.10	12.10	4.45												
345.00	349.99	17.85	12.85	5.05												
350.00	354.99	18.65	13.60	5.70												
355.00	359.99	19.40	14.30	6.35												
360.00	364.99	20.20	15.05	7.05												
365.00	369.99	20.95	15.75	7.70												
370.00	374.99	21.75	16.55	8.40												
375.00	379.99	22.50	17.30	9.10												
380.00	384.99	23.35	18.10	9.75	0.50											
385.00	389.99	24.15	18.85	10.45	1.10											
390.00	394.99	24.95	19.65	11.15	1.70											
395.00	399.99	25.80	20.40	11.90	2.30											
400.00	409.99	27.05	21.55	13.00	3.20											
410.00	419.99	28.65	23.15	14.45	4.50											
420.00	429.99	30.30	24.80	15.90	5.75											
430.00	439.99	32.05	26.45	17.45	7.10	0.35										
440.00	449.99	33.75	28.10	19.00	8.45	1.55	0.65									
450.00	459.99	35.50	29.75	20.55	9.85	2.70	1.80									
460.00	469.99	37.25	31.40	22.10	11.25	4.00	3.00									
470.00	479.99	38.95	33.15	23.75	12.70	5.25	4.30									
480.00	489.99	40.75	34.95	25.40	14.20	6.60	5.60	1.25								
490.00	499.99	42.70	36.75	27.15	15.75	8.05	7.00	2.50								
500.00	509.99	44.65	38.60	28.90	17.40	9.50	8.45	3.85								
510.00	519.99	46.60	40.45	30.65	19.05	11.00	9.90	5.20	0.35							
520.00	529.99	48.50	42.40	32.50	20.70	12.55	11.45	6.55	1.60							
530.00	539.99	50.40	44.35	34.35	22.35	14.10	13.00	8.00	2.85							
540.00	549.99	52.40	46.30	36.20	24.10	15.65	14.55	9.45	4.20							
550.00	559.99	54.45	48.25	38.05	25.85	17.25	16.10	10.95	5.60	1.20						
560.00	569.99	56.50	50.15	39.90	27.55	18.90	17.75	12.50	7.00	2.45						
570.00	579.99	58.55	52.10	41.80	29.30	20.55	19.40	14.05	8.45	3.80	0.60					
580.00	589.99	60.55	54.15	43.75	31.10	22.20	21.05	15.60	9.90	5.15	1.85					
590.00	599.99	62.60	56.20	45.70	32.95	23.95	22.70	17.25	11.40	6.55	3.15					
600.00	609.99	64.65	58.20	47.65	34.80	25.70	24.45	18.90	12.95	8.00	4.50	0.40				
610.00	619.99	66.70	60.25	49.55	36.65	27.45	26.20	20.55	14.50	9.45	5.85	1.65				
620.00	629.99	68.80	62.30	51.50	38.45	29.20	27.95	22.20	16.05	10.90	7.30	2.90				
630.00	639.99	70.95	64.35	53.50	40.30	30.95	29.70	23.90	17.70	12.45	8.75	4.25	0.85			
640.00	649.99	73.10	66.35	55.55	42.25	32.80	31.50	25.65	19.35	14.00	10.20	5.65	2.15			
650.00	659.99	75.25	68.50	57.60	44.20	34.65	33.35	27.40	21.00	15.55	11.70	7.05	3.45			
660.00	669.99	77.35	70.65	59.65	46.15	36.50	35.15	29.15	22.65	17.20	13.30	8.50	4.80	0.50		

Voir remarque page 18

Table 22

26 PÉRIODES DE PAIE PAR ANNÉE

Paie assujettie à la déduction. Utilisez le palier approprié.

Si le code sur la formule TPD-1 de l'employé est — déduisez de chaque paie

Z : Voir remarque page 18

Palier		A	B	C	D	E	F	G	H	I	J	K	L	M	N	Z
670.00	679.99	79.50	72.75	61.65	48.10	38.35	37.00	30.90	24.40	18.85	14.85	9.95	6.15	1.75		
680.00	689.99	81.65	74.90	63.70	50.00	40.15	38.85	32.75	26.15	20.50	16.40	11.45	7.60	3.00	0.05	
690.00	699.99	83.75	77.05	65.75	51.95	42.10	40.75	34.60	27.90	22.15	18.05	13.00	9.05	4.40	1.30	
700.00	709.99	86.00	79.15	67.85	54.00	44.05	42.65	36.45	29.65	23.90	19.70	14.55	10.50	5.75	2.55	2.40
710.00	719.99	88.20	81.30	69.95	56.05	46.00	44.60	38.30	31.45	25.60	21.35	16.10	12.05	7.15	3.90	2.50
720.00	729.99	90.45	83.45	72.10	58.05	47.95	46.55	40.15	33.30	27.35	23.05	17.75	13.60	8.60	5.25	2.60
730.00	739.99	92.70	85.65	74.25	60.10	49.85	48.50	42.05	35.15	29.10	24.80	19.40	15.15	10.05	6.65	2.65
740.00	749.99	94.90	87.85	76.35	62.15	51.80	50.45	44.00	37.00	30.90	26.55	21.05	16.75	11.55	8.10	2.75
750.00	759.99	97.15	90.10	78.50	64.15	53.85	52.40	45.95	38.80	32.75	28.30	22.75	18.40	13.15	9.55	2.80
760.00	769.99	99.35	92.35	80.65	66.20	55.85	54.40	47.90	40.70	34.55	30.00	24.50	20.05	14.70	11.05	2.85
770.00	779.99	101.60	94.55	82.80	68.35	57.90	56.45	49.85	42.65	36.40	31.85	26.25	21.70	16.25	12.60	2.95
780.00	789.99	103.85	96.80	84.95	70.45	59.95	58.50	51.75	44.45	38.25	33.70	27.95	23.40	17.90	14.15	3.00
790.00	799.99	106.10	99.05	87.20	72.60	62.00	60.55	53.80	46.50	40.10	35.55	29.70	25.15	19.55	15.70	3.00
800.00	819.99	109.60	102.35	90.55	75.80	65.05	63.60	56.85	49.40	43.00	38.30	32.45	27.75	22.00	18.15	3.10
820.00	839.99	114.25	106.90	95.00	80.05	69.25	67.70	60.90	53.35	46.90	42.05	36.15	31.30	25.50	21.45	3.15
840.00	859.99	118.90	111.55	99.45	84.35	73.50	72.00	65.00	57.45	50.75	45.95	39.80	35.00	29.00	24.90	3.30
860.00	879.99	123.55	116.25	103.90	88.80	77.75	76.25	69.20	61.50	54.75	49.85	43.65	38.70	32.60	28.40	3.40
880.00	899.99	128.20	120.90	108.55	93.30	82.05	80.50	73.45	65.60	58.85	53.80	47.55	42.50	36.25	31.95	3.45
900.00	919.99	132.90	125.55	113.20	97.75	86.40	84.85	77.75	69.80	62.90	57.85	51.45	46.35	39.95	35.65	3.55
920.00	939.99	137.55	130.20	117.85	102.20	90.90	89.30	82.00	74.10	67.00	61.95	55.50	50.25	43.80	39.30	3.55
940.00	959.99	142.20	134.85	122.50	106.75	95.35	93.75	86.35	78.35	71.30	66.00	59.55	54.20	47.70	43.15	3.70
960.00	979.99	147.00	139.50	127.15	111.40	99.80	98.20	90.85	82.60	75.55	70.25	63.65	58.30	51.60	47.05	3.75
980.00	999.99	151.85	144.20	131.80	116.05	104.25	102.65	95.30	87.00	79.80	74.55	67.75	62.35	55.65	50.90	3.75
1,000.00	1,019.99	156.70	149.05	136.45	120.70	108.90	107.25	99.75	91.50	84.10	78.80	72.00	66.45	59.70	54.95	3.90
1,020.00	1,039.99	161.55	153.90	141.10	125.35	113.55	111.90	104.20	95.95	88.55	83.05	76.30	70.70	63.80	59.00	3.90
1,040.00	1,059.99	166.40	158.75	145.85	130.00	118.20	116.55	108.85	100.00	93.00	87.50	80.55	75.00	67.90	63.10	3.95
1,060.00	1,079.99	171.20	163.60	150.70	134.65	122.85	121.20	113.15	104.85	97.50	91.95	84.85	79.25	72.20	67.20	3.95
1,080.00	1,099.99	176.10	168.45	155.55	139.35	127.50	125.85	118.15	109.50	101.95	96.40	89.35	83.50	76.45	71.45	4.10
1,100.00	1,119.99	180.95	173.30	160.40	144.00	132.15	130.50	122.80	114.15	106.45	100.85	93.80	87.95	80.70	75.75	4.10
1,120.00	1,139.99	185.00	178.15	165.25	148.85	136.80	135.15	127.45	118.80	111.10	105.35	98.25	92.40	85.05	80.00	4.10
1,140.00	1,159.99	190.65	183.00	170.10	153.70	141.50	139.80	132.10	123.50	115.80	110.00	102.70	96.90	89.50	84.25	4.10
1,160.00	1,179.99	195.50	187.85	174.95	158.55	146.25	144.50	136.80	128.15	120.45	114.65	107.25	101.35	93.95	88.75	4.30
1,180.00	1,199.99	200.35	192.70	179.80	163.40	151.10	149.35	141.45	132.80	125.10	119.30	111.95	105.85	98.45	93.20	4.30
1,200.00	1,219.99	205.20	197.55	184.65	168.25	155.95	154.20	146.20	137.45	129.75	123.95	116.60	110.50	102.90	97.65	4.30
1,220.00	1,239.99	210.05	202.40	189.50	173.10	160.80	159.05	151.05	142.10	134.40	128.65	121.25	115.15	107.45	102.10	4.30
1,240.00	1,259.99	214.95	207.25	194.35	177.95	165.65	163.90	155.90	146.90	139.05	133.30	125.90	119.80	112.10	106.65	4.35
1,260.00	1,279.99	220.00	212.10	199.20	182.80	170.50	168.75	160.75	151.75	143.70	137.95	130.55	124.45	116.75	111.75	4.45
1,280.00	1,299.99	225.00	217.05	204.05	187.65	175.35	173.60	165.60	156.60	148.55	142.60	135.25	129.10	121.40	115.95	4.45
1,300.00	1,319.99	230.05	222.10	208.90	192.50	180.20	178.45	170.45	161.45	153.25	147.40	139.85	133.80	126.10	120.60	4.45
1,320.00	1,339.99	235.10	227.15	213.75	197.35	185.05	183.30	175.30	166.30	158.25	152.25	144.55	138.45	130.75	125.25	4.45

ANNEXE 8 — Déductions d'impôt pour revenus plus élevés fondées sur la paie annuelle

TABLE-22 A

DÉDUCTIONS D'IMPÔT POUR REVENUS PLUS ÉLEVÉS FONDÉES SUR LA PAIE ANNUELLE

- Multipliez la paie pour la période par le nombre de périodes dans toute l'année et soustrayez les exemptions personnelles d'après la TPD-1.

PAIE ASSUJETTIE À LA DÉDUCTION	52 PÉRIODES DE PAIE (1)	26 PÉRIODES DE PAIE (2)	24 PÉRIODES DE PAIE (3)	12 PÉRIODES DE PAIE (4)
60 000 $ - 60 399.99 $	271.20 $	542.40 $	587.60 $	1 175.30 $
60 400 - 60 799.99	273.20	546.40	592.00	1 184.00
60 800 - 61 199.99	275.50	550.50	596.30	1 192.70
61 200 - 61 599.99	277.30	554.50	600.70	1 201.40
61 600 - 61 999.99	279.30	558.50	605.10	1 210.20
62 000 - 62 399.99	281.30	562.60	609.40	1 218.90
62 400 - 62 799.99	283.30	566.70	613.90	1 227.80
62 800 - 63 199.99	285.40	570.90	618.40	1 236.90
63 200 - 63 599.99	287.50	575.00	623.00	1 245.90
63 600 - 63 999.99	289.60	579.20	627.50	1 255.00
64 000 - 64 399.99	291.70	583.40	632.00	1 264.00
64 400 - 64 799.99	293.80	587.60	636.50	1 273.10
64 800 - 65 199.99	295.90	591.80	641.10	1 282.10
65 200 - 65 599.99	298.00	595.90	645.60	1 291.20
65 600 - 65 999.99	300.10	600.10	650.10	1 300.20
66 000 - 66 399.99	302.10	604.30	654.60	1 309.30
66 400 - 66 799.99	304.20	608.50	659.20	1 318.30
66 800 - 67 199.99	306.30	612.60	663.70	1 327.40
67 200 - 67 599.99	308.40	616.80	668.20	1 336.40
67 600 - 67 999.99	310.50	621.00	672.80	1 345.50
68 000 - 68 399.99	312.60	625.20	677.30	1 354.60
68 400 - 68 799.99	314.70	629.40	681.80	1 363.60
68 800 - 69 199.99	316.80	633.50	686.30	1 372.70
69 200 - 69 599.99	318.90	637.70	690.90	1 381.70
69 600 - 69 999.99	320.90	641.90	695.40	1 390.80
70 000 - 70 399.99	323.00	646.10	699.90	1 399.80
70 400 - 70 799.99	325.10	650.20	704.40	1 408.90
70 800 - 71 199.99	327.20	654.40	709.00	1 417.90
71 200 - 71 599.99	329.30	658.60	713.50	1 427.00
71 600 - 71 999.99	331.40	662.80	718.00	1 436.00
72 000 - 72 399.99	333.50	667.00	722.50	1 445.10
72 400 - 72 799.99	335.60	671.10	727.10	1 454.10
72 800 - 73 199.99	337.70	675.30	731.60	1 463.20
73 200 - 73 599.99	339.70	679.50	736.10	1 472.20
73 600 - 73 999.99	341.80	683.70	740.70	1 481.30
74 000 - 74 399.99	343.90	687.90	745.20	1 490.40
74 400 - 74 799.99	346.00	692.00	749.70	1 499.40
74 800 - 75 199.99	348.10	696.20	754.20	1 508.50
75 200 - 75 599.99	350.20	700.40	758.80	1 517.50
75 600 - 75 999.99	352.30	704.60	763.30	1 526.60
76 000 - 76 399.99	354.40	708.70	767.80	1 535.60
76 400 - 76 799.99	356.50	712.90	772.30	1 544.70
76 800 - 77 199.99	358.60	717.10	776.90	1 553.70
77 200 - 77 599.99	360.60	721.30	781.40	1 562.80
77 600 - 77 999.99	362.70	725.50	785.90	1 571.80
78 000 $ - 78 399.99 $	364.80 $	729.60 $	790.40 $	1 580.90 $
78 400 - 78 799.99	366.90	733.80	795.00	1 589.90
78 800 - 79 199.99	369.00	738.00	799.50	1 599.00
79 200 - 79 599.99	371.10	742.20	804.00	1 608.00
79 600 - 79 999.99	373.20	746.40	808.60	1 617.10
80 000 - 80 399.99	375.30	750.50	813.10	1 626.20
80 400 - 80 799.99	377.40	754.70	817.60	1 635.20
80 800 - 81 199.99	379.40	758.90	822.10	1 644.30
81 200 - 81 599.99	381.50	763.10	826.70	1 653.30
81 600 - 81 999.99	383.60	767.20	831.20	1 662.40
82 000 - 82 399.99	385.70	771.40	835.70	1 671.40
82 400 - 82 799.99	387.80	775.60	840.20	1 680.50
82 800 - 83 199.99	389.90	779.80	844.80	1 689.50
83 200 - 83 599.99	392.00	784.00	849.30	1 698.60
83 600 - 83 999.99	394.10	788.10	853.80	1 707.60
84 000 - 84 399.99	396.20	792.30	858.30	1 716.70
84 400 - 84 799.99	398.20	796.50	862.90	1 725.70
84 800 - 85 199.99	400.30	800.70	867.40	1 734.80
85 200 - 85 599.99	402.40	804.90	871.90	1 743.80
85 600 - 85 999.99	404.50	809.00	876.50	1 752.90
86 000 - 86 399.99	406.60	813.20	881.00	1 762.00
86 400 - 86 799.99	408.70	817.40	885.50	1 771.00
86 800 - 87 199.99	410.80	821.60	890.00	1 780.10
87 200 - 87 599.99	412.90	825.70	894.60	1 789.10
87 600 - 87 999.99	415.00	829.90	899.10	1 798.20
88 000 - 88 399.99	417.10	834.10	903.60	1 807.20
88 400 - 88 799.99	419.10	838.30	908.10	1 816.30
88 800 - 89 199.99	421.20	842.50	912.70	1 825.30
89 200 - 89 599.99	423.30	846.60	917.20	1 834.40
89 600 - 89 999.99	425.40	850.80	921.70	1 843.40
90 000 - 90 399.99	427.50	855.00	926.20	1 852.50
90 400 - 90 799.99	429.60	859.20	930.80	1 861.50
90 800 - 91 199.99	431.70	863.40	935.30	1 870.60
91 200 - 91 599.99	433.80	867.50	939.80	1 879.60
91 600 - 91 999.99	435.90	871.70	944.40	1 888.70
92 000 - 92 399.99	437.90	875.90	948.90	1 897.80
92 400 - 92 799.99	440.00	880.10	953.40	1 906.80
92 800 - 93 199.99	442.10	884.20	957.90	1 915.90
93 200 - 93 599.99	444.20	888.40	962.50	1 924.90
93 600 - 93 999.99	446.30	892.60	967.00	1 934.00
94 000 - 94 399.99	448.40	896.80	971.50	1 943.00
94 400 - 94 799.99	450.50	901.00	976.00	1 952.10
94 800 - 95 199.99	452.60	905.20	980.60	1 961.10
95 200 - 95 599.99	454.70	909.30	985.10	1 970.20
95 600 - 95 999.99	456.70	913.50	989.60	1 979.20

ANNEXE 9 — Tables pour l'impôt fédéral retenu à la source

38

QUÉBEC — WEEKLY TAX DEDUCTIONS — Basis — 52 Pay Periods per Year

TABLE 2

QUÉBEC — RETENUES D'IMPÔT PAR SEMAINE — Base — 52 périodes de paie par année

IF THE EMPLOYEE'S "NET CLAIM CODE" ON FORM TD1 IS – SI LE -CODE DE DEMANDE NETTE- DE L'EMPLOYÉ SELON LA FORMULE TD1 EST DE

DEDUCT FROM EACH PAY – RETENEZ SUR CHAQUE PAIE

WEEKLY PAY / PAIE PAR SEMAINE	1	2	3	4	5	6	7	8	9	10	11	12	13	Column A / Colonne A (See note on page 36 / Voir remarque p. 36)
Under-Moins de 94.00	.00													
94.00 – 95.99	.05													
96.00 – 97.99	.15													
98.00 – 99.99	.25													
100.00 – 101.99	.35													
102.00 – 103.99	.50	.10												
104.00 – 105.99	.60	.20												
106.00 – 107.99	.70	.30												
108.00 – 109.99	.80	.40												
110.00 – 111.99	.90	.50												
112.00 – 113.99	1.00	.60												
114.00 – 115.99	1.10	.70	.10											
116.00 – 117.99	1.20	.80	.20											
118.00 – 119.99	1.30	.90	.30											
120.00 – 121.99	1.55	1.00												
122.00 – 123.99	1.80	1.10	.40											
124.00 – 125.99	2.10	1.25	.50											
126.00 – 127.99	2.35	1.35	.60											
128.00 – 129.99	2.65	1.60	.75	.05										
130.00 – 131.99	2.90	1.90	.85	.15										
132.00 – 133.99	3.20	2.15	.95	.25										
134.00 – 135.99	3.45	2.45	1.05	.35										
136.00 – 137.99	3.75	2.70	1.15	.45										
138.00 – 139.99	4.00	3.00	1.25	.55										
140.00 – 141.99	4.30	3.25	1.35	.65										
142.00 – 143.99	4.55	3.55	1.65	.75										
144.00 – 145.99	4.85	3.80	1.90	.85	.10									
146.00 – 147.99	5.15	4.10	2.20	.95	.20									
148.00 – 149.99	5.45	4.35	2.50	1.05	.35									
150.00 – 151.99	5.75	4.65	2.75	1.15	.45									
152.00 – 153.99	6.00	4.90	3.05	1.30	.55									
154.00 – 155.99	6.30	5.20	3.30	1.45	.65	.05								
156.00 – 157.99	6.60	5.50	3.60	1.75	.75	.15								
158.00 – 159.99	6.90	5.80	3.85	2.00	.85	.25								
160.00 – 161.99	7.20	6.10	4.15	2.30	.95	.35								
162.00 – 163.99	7.50	6.40	4.40	2.55	1.05	.45	.05							
164.00 – 165.99	7.80	6.70	4.70	2.85	1.15	.55	.15							
166.00 – 167.99	8.10	7.00	4.95	3.10	1.25	.65	.25							
168.00 – 169.99	8.35	7.25	5.25	3.40	1.40	.75	.40							
170.00 – 171.99	8.65	7.55	5.55	3.65	1.70	.85	.50							

QUÉBEC
WEEKLY TAX DEDUCTIONS
Basis — 52 Pay Periods per Year

TABLE 2

QUÉBEC
RETENUES D'IMPÔT PAR SEMAINE
Base — 52 périodes de paie par année

IF THE EMPLOYEE'S "NET CLAIM CODE" ON FORM TD1 IS — SI LE "CODE DE DEMANDE NETTE" DE L'EMPLOYÉ SELON LA FORMULE TD1 EST DE

DEDUCT FROM EACH PAY — *RETENEZ SUR CHAQUE PAIE*

WEEKLY PAY / Use appropriate bracket — PAIE PAR SEMAINE / Utilisez le palier approprié	1	2	3	4	5	6	7	8	9	10	11	12	13	See note on page 36 / Voir remarque p. 36 — Column A / Colonne A
172.00 - 173.99	8.95	7.85	5.85	3.95	1.95	.95	.60							
174.00 - 175.99	9.25	8.15	6.15	4.25	2.25	1.00	.70	.10						
176.00 - 177.99	9.55	8.45	6.45	4.50	2.50	1.15	.80	.20						
178.00 - 179.99	9.85	8.75	6.75	4.80	2.80	1.30	.90	.30						
180.00 - 181.99	10.15	9.05	7.05	5.05	3.05	1.45	1.00	.40						
182.00 - 183.99	10.45	9.35	7.30	5.30	3.45	1.75	1.10	.50						
184.00 - 185.99	10.75	9.60	7.60	5.65	3.65	2.00	1.20	.65						
186.00 - 187.99	11.05	9.90	7.90	5.95	3.90	2.30	1.30	.75						
188.00 - 189.99	11.50	10.20	8.20	6.25	4.20	2.55	1.55	.85	.05					
190.00 - 191.99	11.80	10.50	8.50	6.55	4.45	2.85	1.80	.95	.15					
192.00 - 193.99	11.90	10.80	8.80	6.85	4.75	3.10	2.10	1.05	.25					
194.00 - 195.99	12.20	11.10	9.10	7.10	5.00	3.40	2.40	1.15	.35					
196.00 - 197.99	12.50	11.40	9.40	7.40	5.30	3.65	2.65	1.25	.45	.10				
198.00 - 199.99	12.80	11.70	9.65	7.70	5.60	3.95	2.95	1.40	.55	.20				
200.00 - 201.99	13.10	12.00	9.95	8.00	5.90	4.20	3.20	1.65	.65	.30				
202.00 - 203.99	13.40	12.25	10.25	8.30	6.20	4.50	3.50	1.95	.75	.40				
204.00 - 205.99	13.75	12.55	10.55	8.60	6.50	4.75	3.75	2.20	.85	.50				
206.00 - 207.99	14.05	12.85	10.85	8.90	6.80	5.05	4.05	2.50	.95	.65				
208.00 - 209.99	14.35	13.20	11.15	9.15	7.05	5.35	4.30	2.75	1.10	.75				
210.00 - 211.99	14.65	13.50	11.45	9.45	7.35	5.65	4.60	3.05	1.20	.85				
212.00 - 213.99	15.00	13.80	11.75	9.75	7.65	5.95	4.85	3.30	1.30					
214.00 - 215.99	15.30	14.10	12.05	10.05	7.95	6.25	5.15	3.60	1.45					
216.00 - 217.99	15.60	14.45	12.30	10.35	8.25	6.50	5.45	3.90	1.75					
218.00 - 219.99	15.90	14.75	12.60	10.65	8.55	6.80	5.75	4.15	2.00					
220.00 - 221.99	16.20	15.05	12.95	10.95	8.85	7.10	6.05	4.45	2.30					
222.00 - 226.99	16.75	15.50	13.35	11.45	9.35	7.65	6.55	4.90	2.80	1.00	.10			
227.00 - 231.99	17.55	16.30	14.15	12.20	10.10	8.35	7.30	5.65	3.50	1.30	.40			
232.00 - 236.99	18.30	17.15	15.05	12.95	10.80	9.10	8.00	6.40	4.15	1.85	.65	.05		
237.00 - 241.99	19.10	17.95	15.80	13.75	11.55	9.85	8.75	7.10	4.85	2.55	.90	.30		
242.00 - 246.99	19.90	18.70	16.60	14.50	12.30	10.55	9.50	7.85	5.60	3.25	1.15			
247.00 - 251.99	20.65	19.50	17.35	15.30	13.05	11.30	10.25	8.60	6.35	3.95	1.55	.55		
252.00 - 256.99	21.50	20.30	18.15	16.05	13.85	12.05	10.95	9.30	7.05	4.65	2.25	.80	.05	.05
257.00 - 261.99	22.30	21.10	18.90	16.85	14.60	12.80	11.70	10.05	7.80	5.35	2.95	1.10	.35	.35
262.00 - 266.99	23.15	21.90	19.70	17.60	15.40	13.55	12.45	10.80	8.55	6.10	3.65	1.35	.60	.60
267.00 - 271.99	23.95	22.75	20.50	18.40	16.15	14.35	13.20	11.55	9.25	6.80	4.35	2.05	.85	.85
272.00 - 276.99	24.80	23.55	21.30	19.20	16.95	15.10	14.00	12.25	10.00	7.55	5.00	2.75	1.10	1.10
277.00 - 281.99	25.60	24.35	22.15	19.95	17.70	15.90	14.75	13.00	10.75	8.30	5.75	3.40	1.45	1.45
282.00 - 286.99	26.45	25.20	22.95	20.75	18.50	16.70	15.55	13.80	11.45	9.05	6.50	4.10	2.10	2.00
287.00 - 291.99	27.25	26.00	23.75	21.60	19.30	17.45	16.30	14.60	12.20	9.75	7.25	4.80	2.60	2.60
292.00 - 296.99	28.05	26.85	24.60	22.40	20.05	18.25	17.10	15.35	12.95	10.50	7.95	5.55	3.50	2.05

40

QUÉBEC
WEEKLY TAX DEDUCTIONS
Basis — 52 Pay Periods per Year

TABLE 2

QUÉBEC
RETENUES D'IMPÔT PAR SEMAINE
Base — 52 périodes de paie par année

IF THE EMPLOYEE'S "NET CLAIM CODE" ON FORM TD1 IS — SI LE "CODE DE DEMANDE NETTE" DE L'EMPLOYÉ SELON LA FORMULE TD1 EST DE

DEDUCT FROM EACH PAY — *RETENEZ SUR CHAQUE PAIE*

WEEKLY PAY — Une appropriate bracket / PAIE PAR SEMAINE — Utilisez le palier approprié	1	2	3	4	5	6	7	8	9	10	11	12	13	See note on page 36 / Voir remarque p. 36 — Column A / Colonne A
297.00 - 301.99	26.90	27.65	25.40	23.20	20.85	19.00	17.85	16.15	13.75	11.25	8.70	6.25	4.20	2.05
302.00 - 306.99	29.70	28.50	26.25	24.05	21.70	19.80	18.65	16.90	14.50	11.95	9.45	7.00	4.90	2.10
307.00 - 311.99	30.55	29.30	27.05	24.85	22.50	20.60	19.45	17.70	15.30	12.70	10.15	7.75	5.60	2.15
312.00 - 316.99	31.35	30.10	27.90	25.70	23.35	21.40	20.20	18.45	16.10	13.50	10.90	8.50	6.35	2.15
317.00 - 321.99	32.20	30.95	28.70	26.50	24.15	22.20	21.00	19.25	16.85	14.25	11.65	9.20	7.10	2.15
322.00 - 326.99	33.00	31.75	29.50	27.35	24.95	23.05	21.85	20.05	17.65	15.05	12.40	9.95	7.00	2.15
327.00 - 331.99	33.80	32.60	30.35	28.15	25.80	23.85	22.65	20.85	18.40	15.80	13.15	10.70	8.55	2.15
332.00 - 336.99	34.65	33.40	31.15	28.95	26.60	24.70	23.50	21.65	19.20	16.60	13.90	11.40	9.30	2.15
337.00 - 341.99	35.45	34.25	32.00	29.80	27.45	25.50	24.30	22.50	19.95	17.40	14.70	12.15	10.05	2.15
342.00 - 346.99	36.30	35.05	32.80	30.60	28.25	26.35	25.15	23.30	20.75	18.15	15.50	12.90	10.75	2.15
347.00 - 351.99	37.10	35.90	33.65	31.45	29.10	27.15	25.95	24.10	21.60	18.95	16.25	13.70	11.50	2.20
352.00 - 356.99	37.95	36.70	34.45	32.25	29.90	28.00	26.75	24.95	22.40	19.70	17.05	14.45	12.25	2.20
357.00 - 361.99	38.85	37.55	35.30	33.10	30.75	28.80	27.60	25.75	23.25	20.50	17.80	15.25	13.00	2.25
362.00 - 366.99	39.70	38.40	36.10	33.90	31.55	29.60	28.40	26.60	24.05	21.30	18.60	15.75	13.75	2.25
367.00 - 371.99	40.55	39.25	36.90	34.70	32.35	30.45	29.25	27.40	24.90	22.15	19.35	16.80	14.55	2.25
372.00 - 376.99	41.45	40.15	37.75	35.55	33.20	31.25	30.05	28.25	25.70	22.95	20.15	17.55	15.35	2.25
377.00 - 381.99	42.30	41.00	38.65	36.35	34.00	32.10	30.90	29.05	26.50	23.80	20.95	18.35	16.10	2.25
382.00 - 386.99	43.15	41.85	39.50	37.20	34.85	32.90	31.70	29.85	27.35	24.60	21.80	19.15	16.90	2.25
387.00 - 391.99	44.05	42.75	40.35	38.05	35.65	33.75	32.55	30.70	28.15	25.45	22.60	19.90	17.60	2.25
392.00 - 396.99	44.90	43.60	41.25	38.90	36.50	34.55	33.35	31.50	29.00	26.25	23.40	20.70	18.45	2.25
397.00 - 401.99	45.75	44.45	42.10	39.80	37.30	35.35	34.15	32.35	29.80	27.05	24.25	21.55	19.20	2.35
402.00 - 406.99	46.60	45.35	42.95	40.65	38.15	36.20	35.00	33.15	30.65	27.90	25.05	22.35	20.00	2.35
407.00 - 411.99	47.45	46.20	43.85	41.50	39.00	37.00	35.80	34.00	31.45	28.70	25.90	23.15	20.80	2.35
412.00 - 416.99	48.35	47.05	44.70	42.40	39.90	37.85	36.65	34.80	32.25	29.55	26.70	24.00	21.60	2.40
417.00 - 421.99	49.20	47.90	45.55	43.25	40.75	38.75	37.45	35.60	33.10	30.35	27.55	24.80	22.45	2.40
422.00 - 426.99	50.10	48.80	46.40	44.10	41.65	39.60	38.35	36.45	33.90	31.20	28.35	25.65	23.25	2.40
427.00 - 431.99	50.95	49.65	47.30	45.00	42.50	40.45	39.20	37.25	34.75	32.00	29.20	26.45	24.10	2.40
432.00 - 436.99	51.80	50.50	48.15	45.85	43.35	41.35	40.05	38.15	35.55	32.85	30.00	27.30	24.90	2.40
437.00 - 441.99	52.70	51.40	49.00	46.70	44.25	42.20	40.95	39.00	36.40	33.65	30.80	28.10	25.75	2.40
442.00 - 446.99	53.55	52.25	49.90	47.55	45.10	43.05	41.80	39.85	37.20	34.45	31.65	28.90	26.55	2.40
447.00 - 451.99	54.40	53.10	50.75	48.45	45.95	43.95	42.65	40.75	38.05	35.30	32.45	29.75	27.35	2.40
452.00 - 456.99	55.30	54.00	51.60	49.30	46.80	44.80	43.55	41.60	38.95	36.10	33.30	30.55	28.20	2.40
457.00 - 461.99	56.30	54.85	52.50	50.15	47.70	45.65	44.40	42.45	39.80	36.95	34.10	31.40	29.00	2.40
462.00 - 466.99	57.25	55.80	53.35	51.05	48.55	46.50	45.25	43.35	40.65	37.80	34.95	32.20	29.85	2.40
467.00 - 471.99	58.25	56.80	54.20	51.90	49.40	47.40	46.10	44.20	41.55	38.65	35.75	33.05	30.65	2.40
472.00 - 481.99	59.75	58.25	55.55	53.20	50.70	48.70	47.40	45.50	42.85	39.95	37.00	34.25	31.90	2.40
482.00 - 491.99	61.75	60.25	57.55	54.90	52.45	50.40	49.15	47.20	44.55	41.70	38.70	35.90	33.55	2.40
492.00 - 501.99	63.75	62.25	59.55	56.85	54.20	52.15	50.90	48.95	46.30	43.40	40.45	37.55	35.20	2.40
502.00 - 511.99	65.75	64.25	61.50	58.65	56.00	53.90	52.60	50.70	48.00	45.15	42.15	39.30	36.85	2.45
512.00 - 521.99	67.70	66.25	63.50	60.85	58.00	55.65	54.35	52.40	49.75	46.85	43.90	41.05	38.55	2.50

QUÉBEC
WEEKLY TAX DEDUCTIONS
Basis — 52 Pay Periods per Year

TABLE 2

QUÉBEC
RETENUES D'IMPÔT PAR SEMAINE
Base — 52 périodes de paie par année

IF THE EMPLOYEE'S "NET CLAIM CODE" ON FORM TD1 IS — SI LE «CODE DE DEMANDE NETTE» DE L'EMPLOYÉ SELON LA FORMULE TD1 EST DE

DEDUCT FROM EACH PAY — RETENEZ SUR CHAQUE PAIE

WEEKLY PAY — Use appropriate bracket / PAIE PAR SEMAINE — Utilisez le palier approprié	1	2	3	4	5	6	7	8	9	10	11	12	13	See note on page 36 / Voir remarque p. 36 / Column A / Colonne A
522.00 - 531.99	69.70	66.20	65.50	62.85	60.00	57.65	56.20	54.15	51.50	48.60	45.65	42.75	40.25	2.50
532.00 - 541.99	71.70	70.20	67.50	64.85	62.00	59.65	58.20	55.95	53.20	50.35	47.35	44.50	42.00	2.50
542.00 - 551.99	73.70	72.20	69.50	66.80	63.95	61.65	60.20	57.95	54.95	52.05	49.10	46.20	43.75	2.50
552.00 - 561.99	75.70	74.20	71.45	68.80	65.95	63.60	62.15	59.95	56.90	53.80	50.80	47.95	45.45	2.50
562.00 - 571.99	77.85	76.20	73.45	70.80	67.95	65.60	64.15	61.95	58.90	55.55	52.55	49.70	47.20	2.50
572.00 - 581.99	80.00	78.35	75.45	72.80	69.95	67.60	66.15	63.95	60.85	57.55	54.30	51.40	48.90	2.50
582.00 - 591.99	82.15	80.55	77.60	74.80	71.95	69.60	68.15	65.90	62.85	59.55	56.15	53.15	50.65	2.50
592.00 - 601.99	84.30	82.70	79.75	76.85	73.90	71.60	70.15	67.90	64.85	61.55	58.10	54.85	52.40	2.50
602.00 - 611.99	86.50	84.85	81.90	79.00	75.90	73.55	72.10	69.90	66.85	63.55	60.10	56.80	54.10	2.70
612.00 - 621.99	88.65	87.00	84.05	81.20	78.10	75.55	74.10	71.90	68.85	65.50	62.10	58.80	55.95	2.85
622.00 - 631.99	90.80	89.20	86.25	83.35	80.25	77.70	76.15	73.90	70.80	67.50	64.10	60.80	57.90	2.90
632.00 - 641.99	92.95	91.35	88.40	85.50	82.40	79.85	78.30	75.90	72.80	69.50	66.05	62.80	59.90	2.90
642.00 - 651.99	95.15	93.50	90.55	87.05	84.55	82.05	80.45	78.05	74.80	71.50	68.05	64.75	61.90	2.90
652.00 - 661.99	97.30	95.65	92.70	89.85	86.75	84.20	82.60	80.20	76.90	73.50	70.05	66.75	63.90	2.90
662.00 - 671.99	99.45	97.85	94.90	92.00	88.90	86.35	84.80	82.35	79.05	75.45	72.05	68.75	65.90	2.90
672.00 - 681.99	101.60	100.00	97.05	94.15	91.05	88.50	86.90	84.55	81.20	77.60	74.05	70.75	67.85	2.90
682.00 - 691.99	103.80	102.15	99.20	96.30	93.20	90.70	89.10	86.70	83.35	79.75	76.05	72.75	69.85	2.90
692.00 - 701.99	105.95	104.30	101.35	98.50	95.40	92.85	91.25	88.85	85.55	81.95	78.20	74.70	71.85	2.90
702.00 - 711.99	108.10	106.50	103.55	100.65	97.55	95.00	93.45	91.00	87.70	84.10	80.35	76.80	73.85	2.95
712.00 - 721.99	110.25	108.65	105.70	102.80	99.70	97.15	95.60	93.20	89.85	86.25	82.55	78.95	75.85	3.10
722.00 - 731.99	112.45	110.80	107.85	104.95	101.85	99.35	97.75	95.35	92.00	88.40	84.70	81.10	78.00	3.10
732.00 - 741.99	114.60	112.95	110.00	107.15	104.05	101.50	99.90	97.50	94.20	90.60	86.85	83.30	80.15	3.15
742.00 - 751.99	116.75	115.15	112.20	109.30	106.20	103.65	102.10	99.65	96.35	92.75	89.00	85.45	82.30	3.15
752.00 - 761.99	118.90	117.30	114.35	111.45	108.35	105.80	104.25	101.85	98.50	94.90	91.20	87.60	84.50	3.15
762.00 - 771.99	121.10	119.45	116.50	113.60	110.50	108.00	106.40	104.00	100.65	97.05	93.35	89.75	86.65	3.15
772.00 - 781.99	123.25	121.60	118.65	115.80	112.70	110.15	108.55	106.15	102.85	99.25	95.50	91.95	88.80	3.15
782.00 - 791.99	125.40	123.80	120.85	117.95	114.85	112.30	110.75	108.30	105.00	101.40	97.65	94.10	90.95	3.15
792.00 - 801.99	127.55	125.95	123.00	120.10	117.00	114.45	112.90	110.50	107.15	103.55	99.85	96.25	93.15	3.15
802.00 - 811.99	129.75	128.10	125.15	122.25	119.15	116.65	115.05	112.65	109.30	105.70	102.00	98.40	95.30	3.15
812.00 - 821.99	131.90	130.25	127.30	124.45	121.35	118.80	117.20	114.80	111.50	107.90	104.15	100.60	97.45	3.15
822.00 - 831.99	134.00	132.65	129.50	126.60	123.50	120.95	119.40	116.95	113.65	110.05	106.30	102.75	99.00	3.15
832.00 - 841.99	137.20	135.25	131.70	128.75	125.65	123.10	121.55	119.15	115.80	112.20	108.50	104.90	101.80	3.15
842.00 - 851.99	139.40	137.85	134.30	130.90	127.80	125.30	123.70	121.30	117.95	114.35	110.65	107.05	103.95	3.15
852.00 - 861.99	142.40	140.45	136.90	133.40	130.80	127.45	125.85	123.45	120.15	116.55	112.80	109.25	106.10	3.15
862.00 - 871.99	144.90	143.05	139.50	136.00	132.30	129.60	126.05	125.60	122.30	118.70	114.95	111.40	108.25	3.15
872.00 - 881.99	147.55	145.60	142.10	138.60	134.90	131.85	130.20	127.80	124.45	120.85	117.15	113.55	110.45	3.15
882.00 - 891.99	150.15	148.20	144.65	141.20	137.50	134.45	132.55	129.95	126.60	123.00	119.30	115.70	112.60	3.15
892.00 - 901.99	152.75	150.30	147.25	143.80	140.10	137.05	135.15	132.25	128.80	125.20	121.45	117.90	114.75	3.15
902.00 - 911.99	155.35	153.40	149.85	146.40	142.70	139.65	137.75	134.85	130.95	127.35	123.60	120.05	116.90	3.15
912.00 - 921.99	157.95	156.00	152.45	149.00	145.25	142.25	140.35	137.45	133.45	129.50	125.80	122.20	119.10	3.15

QUÉBEC

BI-WEEKLY TAX DEDUCTIONS
Basis — 26 Pay Periods per Year

TABLE 3

QUÉBEC

RETENUES D'IMPÔT DE DEUX SEMAINES
Base — 26 périodes de paie par année

IF THE EMPLOYEE'S "NET CLAIM CODE" ON FORM TD1 IS — SI LE "CODE DE DEMANDE NETTE" DE L'EMPLOYÉ SELON LA FORMULE TD1 EST DE

DEDUCT FROM EACH PAY — RETENEZ SUR CHAQUE PAIE

BI-WEEKLY PAY / PAIE DE DEUX SEMAINES	1	2	3	4	5	6	7	8	9	10	11	12	13	Column A / Colonne A (See note on page 36 / Voir remarque p. 36)
344.00 - 347.99	17.90	15.70	11.70	7.90	3.95	1.95	1.15							
348.00 - 351.99	18.50	16.30	12.30	8.45	4.50	2.15	1.40	.20						
352.00 - 355.99	19.10	16.90	12.90	9.00	5.05	2.35	1.60	.45						
356.00 - 359.99	19.70	17.50	13.45	9.55	5.60	2.55	1.80	.65						
360.00 - 363.99	20.30	18.05	14.05	10.10	6.15	2.90	2.00	.85						
364.00 - 367.99	20.85	18.65	14.65	10.70	6.70	3.45	2.20	1.05						
368.00 - 371.99	21.45	19.25	15.25	11.30	7.25	4.00	2.40	1.25						
372.00 - 375.99	22.05	19.85	15.80	11.90	7.80	4.55	2.60	1.45						
376.00 - 379.99	22.65	20.40	16.40	12.50	8.35	5.10	3.10	1.65	.10					
380.00 - 383.99	23.20	21.00	17.00	13.05	8.90	5.65	3.65	1.90	.30					
384.00 - 387.99	23.80	21.60	17.60	13.65	9.45	6.20	4.20	2.10	.50					
388.00 - 391.99	24.40	22.20	18.15	14.25	10.05	6.75	4.75	2.30	.70					
392.00 - 395.99	24.95	22.80	18.75	14.85	10.60	7.35	5.30	2.50	.90					
396.00 - 399.99	25.60	23.35	19.35	15.40	11.20	7.90	5.85	2.75	1.10					
400.00 - 403.99	26.20	23.95	19.95	16.00	11.80	8.45	6.40	3.30	1.30					
404.00 - 407.99	26.85	24.55	20.50	16.60	12.40	9.00	6.95	3.90	1.55					
408.00 - 411.99	27.45	25.10	21.10	17.20	12.95	9.55	7.50	4.45	1.75					
412.00 - 415.99	28.10	25.75	21.70	17.75	13.55	10.10	8.05	5.00	1.95	.20				
416.00 - 419.99	28.70	26.35	22.30	18.35	14.15	10.70	8.65	5.55	2.15	.45				
420.00 - 423.99	29.35	27.00	22.90	18.95	14.75	11.30	9.20	6.10	2.35	.65				
424.00 - 427.99	29.95	27.60	23.45	19.55	15.30	11.85	9.75	6.65	2.55	.85				
428.00 - 431.99	30.55	28.25	24.05	20.10	15.90	12.45	10.30	7.20	2.95	1.05				
432.00 - 435.99	31.20	28.85	24.65	20.70	16.50	13.05	10.90	7.75	3.50	1.25				
436.00 - 439.99	31.80	29.50	25.25	21.30	17.10	13.65	11.50	8.30	4.05	1.45				
440.00 - 443.99	32.45	30.10	25.85	21.90	17.65	14.20	12.05	8.85	4.60	1.65				
444.00 - 453.99	33.55	31.20	26.95	22.90	18.70	15.25	13.10	9.80	5.55	2.05	.25			
454.00 - 463.99	35.10	32.75	28.50	24.40	20.15	16.70	14.55	11.30	6.95	2.55	.75			
464.00 - 473.99	36.65	34.30	30.05	25.90	21.65	18.20	16.05	12.75	8.35	3.75	1.30			
474.00 - 483.99	38.20	35.85	31.60	27.45	23.10	19.65	17.50	14.25	9.70	5.10	1.80	.10		
484.00 - 493.99	39.75	37.45	33.15	29.00	24.60	21.15	19.00	15.70	11.20	6.50	2.30	.60		
494.00 - 503.99	41.35	39.00	34.75	30.55	26.10	22.60	20.45	17.20	12.65	7.90	3.10	1.15	.15	.15
504.00 - 513.99	43.00	40.55	36.30	32.10	27.65	24.10	21.95	18.65	14.10	9.25	4.50	1.65	.65	.65
514.00 - 523.99	44.65	42.15	37.85	33.70	29.20	25.55	23.40	20.10	15.60	10.70	5.90	2.15	1.20	1.20
524.00 - 533.99	46.30	43.80	39.40	35.25	30.80	27.15	24.85	21.60	17.05	12.15	7.25	2.70	1.70	1.70
534.00 - 543.99	47.95	45.45	40.95	36.80	32.35	28.70	26.40	23.05	18.55	13.65	8.65	4.10	1.70	1.70
544.00 - 553.99	49.55	47.10	42.00	38.35	33.90	30.25	27.95	24.55	20.00	15.10	10.05	5.45	2.20	2.20
554.00 - 563.99	51.20	48.75	44.25	39.90	35.45	31.80	29.50	26.05	21.45	16.60	11.50	6.85	2.85	2.85
564.00 - 573.99	52.85	50.40	45.90	41.50	37.00	33.35	31.10	27.60	22.95	18.05	13.00	8.25	4.25	4.00
574.00 - 583.99	54.50	52.05	47.55	43.15	38.55	34.90	32.65	29.15	24.40	19.50	14.45	9.60	5.60	4.00
584.00 - 593.99	56.15	53.70	49.20	44.80	40.10	36.45	34.20	30.70	25.95	21.00	15.95	11.05	7.00	4.05

44

QUÉBEC
BI-WEEKLY TAX DEDUCTIONS
Basis — 26 Pay Periods per Year

TABLE 3

QUÉBEC
RETENUES D'IMPÔT DE DEUX SEMAINES
Base — 26 périodes de paie par année

IF THE EMPLOYEE'S "NET CLAIM CODE" ON FORM TD1 IS — SI LE «CODE DE DEMANDE NETTE» DE L'EMPLOYÉ SELON LA FORMULE TD1 EST DE

DEDUCT FROM EACH PAY — RETENEZ SUR CHAQUE PAIE

BI-WEEKLY PAY / PAIE DE DEUX SEMAINES	1	2	3	4	5	6	7	8	9	10	11	12	13	Column A / Colonne A
594.00 - 603.99	57.80	55.30	50.85	46.45	41.75	38.00	35.75	32.30	27.50	22.45	17.40	12.55	8.40	4.15
604.00 - 613.99	59.45	56.95	52.45	48.10	43.35	39.60	37.30	33.85	29.05	23.95	18.85	14.00	9.80	4.20
614.00 - 623.99	61.05	58.60	54.10	49.70	45.00	41.15	38.85	35.40	30.60	25.40	20.35	15.50	11.25	4.25
624.00 - 633.99	62.70	60.25	55.75	51.35	46.65	42.80	40.40	36.95	32.15	27.00	21.80	16.95	12.70	4.25
634.00 - 643.99	64.35	61.90	57.40	53.00	48.30	44.45	42.05	38.50	33.70	28.55	23.30	18.40	14.20	4.25
644.00 - 653.99	66.00	63.55	59.05	54.65	49.95	46.10	43.70	40.05	35.25	30.10	24.75	19.90	15.65	4.25
654.00 - 663.99	67.65	65.20	60.70	56.30	51.60	47.75	45.35	41.65	36.85	31.65	26.30	21.35	17.10	4.25
664.00 - 673.99	69.30	66.80	62.35	57.95	53.25	49.40	46.95	43.30	38.40	33.20	27.85	22.85	18.60	4.25
674.00 - 683.99	70.95	68.45	64.00	59.60	54.90	51.00	48.60	44.95	39.95	34.75	29.40	24.30	20.05	4.25
684.00 - 693.99	72.60	70.10	65.60	61.25	56.50	52.65	50.25	46.60	41.55	36.30	30.95	25.80	21.55	4.25
694.00 - 703.99	74.20	71.75	67.25	62.85	58.15	54.30	51.90	48.25	43.20	37.85	32.50	27.35	23.00	4.35
704.00 - 713.99	75.95	73.40	68.90	64.50	59.80	55.95	53.55	49.90	44.85	39.45	34.05	28.90	24.45	4.45
714.00 - 723.99	77.70	75.10	70.55	66.15	61.45	57.60	55.20	51.55	46.45	41.00	35.65	30.50	26.00	4.50
724.00 - 733.99	79.40	76.80	72.20	67.80	63.10	59.25	56.85	53.15	48.10	42.65	37.20	32.05	27.55	4.50
734.00 - 743.99	81.15	78.55	73.85	69.45	64.75	60.90	58.50	54.80	49.75	44.30	38.75	33.60	29.10	4.50
744.00 - 753.99	82.65	80.25	75.55	71.10	66.40	62.50	60.10	56.45	51.40	45.95	40.30	35.15	30.05	4.50
754.00 - 763.99	84.60	82.00	77.20	72.75	68.00	64.15	61.75	58.10	53.05	47.00	41.90	36.70	32.20	4.50
764.00 - 773.99	86.35	83.75	79.00	74.40	69.65	65.80	63.40	59.75	54.70	49.20	43.55	38.25	33.75	4.50
774.00 - 783.99	88.05	85.45	80.70	76.10	71.30	67.45	65.05	61.40	56.35	50.85	45.20	39.80	35.35	4.50
784.00 - 793.99	89.80	87.20	82.45	77.85	72.95	69.10	66.70	63.05	57.95	52.50	46.85	41.40	36.90	4.50
794.00 - 803.99	91.50	88.90	84.20	79.55	74.60	70.75	68.35	64.65	59.60	54.15	48.50	43.05	38.45	4.60
804.00 - 813.99	93.25	90.65	85.95	81.30	76.35	72.40	70.00	66.30	61.25	55.80	50.15	44.70	40.00	4.70
814.00 - 823.99	95.00	92.40	87.65	83.05	78.10	74.05	71.65	67.90	62.90	57.45	51.80	46.35	41.00	4.75
824.00 - 833.99	96.70	94.10	89.40	84.75	79.80	75.75	73.25	69.60	64.55	59.10	53.40	48.00	43.25	4.75
834.00 - 843.99	98.45	95.85	91.10	86.50	81.55	77.50	74.95	71.25	66.20	60.70	55.05	49.65	44.90	4.75
844.00 - 853.99	100.15	97.55	92.85	88.20	83.25	79.20	76.70	72.90	67.85	62.35	56.70	51.25	46.55	4.75
854.00 - 863.99	101.90	99.30	94.60	89.95	85.00	80.95	78.40	74.55	69.50	64.00	58.35	52.90	48.20	4.75
864.00 - 873.99	103.65	101.05	96.30	91.70	86.75	82.65	80.15	76.30	71.10	65.65	60.00	54.55	49.90	4.75
874.00 - 883.99	105.35	102.75	98.05	93.40	88.45	84.40	81.85	78.00	72.75	67.30	61.65	56.20	51.45	4.75
884.00 - 893.99	107.10	104.50	99.75	95.15	90.20	86.15	83.60	79.75	74.40	68.95	63.30	57.85	53.10	4.75
894.00 - 903.99	108.80	106.20	101.50	96.85	91.90	87.85	85.35	81.45	76.15	70.05	64.95	59.50	54.75	4.75
904.00 - 913.99	110.55	107.95	103.25	98.60	93.65	89.60	87.05	83.20	77.90	72.25	65.55	61.15	56.40	4.75
914.00 - 923.99	112.55	109.70	104.95	100.05	95.40	91.30	88.80	84.95	79.60	73.85	68.20	62.80	58.05	4.75
924.00 - 933.99	114.55	111.55	106.70	102.05	97.10	93.05	90.50	86.65	81.35	75.60	69.85	64.40	59.70	4.75
934.00 - 943.99	116.55	113.55	108.40	103.80	98.85	94.80	92.25	88.40	83.05	77.30	71.50	66.05	61.30	4.75
944.00 - 963.99	119.50	116.55	111.10	106.60	101.45	97.35	94.85	91.00	85.65	79.90	73.95	68.55	63.00	4.75
964.00 - 983.99	123.50	120.55	115.05	109.85	104.90	100.85	98.30	94.45	89.10	83.35	77.40	71.80	67.10	4.75
984.00 - 1003.99	127.50	124.50	119.05	113.75	108.35	104.30	101.75	97.90	92.60	86.65	80.85	75.15	70.35	4.75
1004.00 - 1023.99	131.45	128.45	123.05	117.70	112.00	107.75	105.20	101.35	96.05	90.30	84.35	78.60	73.65	4.95
1024.00 - 1043.99	135.45	132.45	127.00	121.70	116.00	111.35	108.70	104.80	99.50	93.75	87.80	82.05	77.10	4.95

See note on page 36 / Voir remarque p. 36

ANNEXE 10 — Tables de primes d'assurance-chômage

For minimum and maximum insurable earnings amounts for various pay periods see Schedule II. For the maximum premium deduction for various pay periods see bottom of this page.

Les montants minimum et maximum des gains assurables pour diverses périodes de paie figurent en annexe II. La déduction maximale de primes pour diverses périodes de paie figure au bas de la présente page.

Remuneration Rémunération From-de	To-à	U.I. Premium Prime d'a.-c.	Remuneration Rémunération From-de	To-à	U.I. Premium Prime d'a.-c.	Remuneration Rémunération From-de	To-à	U.I. Premium Prime d'a.-c.	Remuneration Rémunération From-de	To-à	U.I. Premium Prime d'a.-c.
.00	.63	.01	30.86	31.27	.73	61.49	61.91	1.45	92.13	92.55	2.17
.64	1.06	.02	31.28	31.70	.74	61.92	62.34	1.46	92.56	92.97	2.18
1.07	1.48	.03	31.71	32.12	.75	62.35	62.76	1.47	92.98	93.40	2.19
1.49	1.91	.04	32.13	32.55	.76	62.77	63.19	1.48	93.41	93.82	2.20
1.92	2.34	.05	32.56	32.97	.77	63.20	63.61	1.49	93.83	94.25	2.21
2.35	2.76	.06	32.98	33.40	.78	63.62	64.04	1.50	94.26	94.68	2.22
2.77	3.19	.07	33.41	33.82	.79	64.05	64.46	1.51	94.69	95.10	2.23
3.20	3.61	.08	33.83	34.25	.80	64.47	64.89	1.52	95.11	95.53	2.24
3.62	4.04	.09	34.26	34.68	.81	64.90	65.31	1.53	95.54	95.95	2.25
4.05	4.46	.10	34.69	35.10	.82	65.32	65.74	1.54	95.96	96.38	2.26
4.47	4.89	.11	35.11	35.53	.83	65.75	66.17	1.55	96.39	96.80	2.27
4.90	5.31	.12	35.54	35.95	.84	66.18	66.59	1.56	96.81	97.23	2.28
5.22	5.74	.13	35.96	36.38	.85	66.60	67.02	1.57	97.24	97.65	2.29
5.75	6.17	.14	36.39	36.80	.86	67.03	67.44	1.58	97.66	98.08	2.30
6.18	6.59	.15	36.81	37.23	.87	67.45	67.87	1.59	98.09	98.51	2.31
6.60	7.02	.16	37.24	37.65	.88	67.88	68.29	1.60	98.52	98.93	2.32
7.03	7.44	.17	37.66	38.08	.89	68.30	68.72	1.61	98.94	99.36	2.33
7.45	7.87	.18	38.09	38.51	.90	68.73	69.14	1.62	99.37	99.78	2.34
7.88	8.29	.19	38.52	38.93	.91	69.15	69.57	1.63	99.79	100.21	2.35
8.30	8.72	.20	38.94	39.36	.92	69.58	69.99	1.64	100.22	100.63	2.36
8.73	9.14	.21	39.37	39.78	.93	70.00	70.42	1.65	100.64	101.06	2.37
9.15	9.57	.22	39.79	40.21	.94	70.43	70.85	1.66	101.07	101.48	2.38
9.58	9.99	.23	40.22	40.63	.95	70.86	71.27	1.67	101.49	101.91	2.39
10.00	10.42	.24	40.64	41.06	.96	71.28	71.70	1.68	101.92	102.34	2.40
10.43	10.85	.25	41.07	41.48	.97	71.71	72.12	1.69	102.35	102.76	2.41
10.86	11.27	.26	41.49	41.91	.98	72.13	72.55	1.70	102.77	103.19	2.42
11.28	11.70	.27	41.92	42.34	.99	72.56	72.97	1.71	103.20	103.61	2.43
11.71	12.12	.28	42.35	42.76	1.00	72.98	73.40	1.72	103.62	104.04	2.44
12.13	12.55	.29	42.77	43.19	1.01	73.41	73.82	1.73	104.05	104.46	2.45
12.56	12.97	.30	43.20	43.61	1.02	73.83	74.25	1.74	104.47	104.89	2.46
12.98	13.40	.31	43.62	44.04	1.03	74.26	74.68	1.75	104.90	105.31	2.47
13.41	13.82	.32	44.05	44.46	1.04	74.69	75.10	1.76	105.32	105.74	2.48
13.83	14.25	.33	44.47	44.89	1.05	75.11	75.53	1.77	105.75	106.17	2.49
14.26	14.68	.34	44.90	45.31	1.06	75.54	75.95	1.78	106.18	106.59	2.50
14.69	15.10	.35	45.32	45.74	1.07	75.96	76.38	1.79	106.60	107.02	2.51
15.11	15.53	.36	45.75	46.17	1.08	76.39	76.80	1.80	107.03	107.44	2.52
15.54	15.95	.37	46.18	46.59	1.09	76.81	77.23	1.81	107.45	107.87	2.53
15.96	16.35	.38	46.60	47.02	1.10	77.24	77.65	1.82	107.88	108.29	2.54
16.39	16.80	.39	47.03	47.44	1.11	77.66	78.08	1.83	108.30	108.72	2.55
16.81	17.23	.40	47.45	47.87	1.12	78.09	78.51	1.84	108.73	109.14	2.56
17.24	17.65	.41	47.88	48.29	1.13	78.52	78.93	1.85	109.15	109.57	2.57
17.66	18.08	.42	48.30	48.72	1.14	78.94	79.36	1.86	109.58	109.99	2.58
18.09	18.51	.43	48.73	49.14	1.15	79.37	79.78	1.87	110.00	110.42	2.59
18.52	18.93	.44	49.15	49.57	1.16	79.79	80.21	1.88	110.43	110.85	2.60
18.94	19.36	.45	49.58	49.99	1.17	80.22	80.63	1.89	110.86	111.27	2.61
19.37	19.78	.46	50.00	50.42	1.18	80.64	81.06	1.90	111.28	111.70	2.62
19.79	20.21	.47	50.43	50.85	1.19	81.07	81.48	1.91	111.71	112.12	2.63
20.22	20.63	.48	50.86	51.27	1.20	81.49	81.91	1.92	112.13	112.55	2.64
20.64	21.06	.49	51.28	51.70	1.21	81.92	82.34	1.93	112.56	112.97	2.65
21.07	21.48	.50	51.71	52.12	1.22	82.35	82.76	1.94	112.98	113.40	2.66
21.49	22.34	.51	52.13	52.55	1.23	82.77	83.19	1.95	113.41	113.82	2.67
21.92	22.34	.52	52.56	52.97	1.24	83.20	83.61	1.96	113.83	114.25	2.68
22.35	22.76	.53	52.98	53.40	1.25	83.62	84.04	1.97	114.26	114.68	2.69
22.77	23.19	.54	53.41	53.82	1.26	84.05	84.46	1.98	114.69	115.10	2.70
23.20	23.61	.55	53.83	54.25	1.27	84.47	84.89	1.99	115.11	115.53	2.71
23.62	24.04	.56	54.26	54.68	1.28	84.90	85.31	2.00	115.54	115.95	2.72
24.05	24.46	.57	54.69	55.10	1.29	85.32	85.74	2.01	115.96	116.38	2.73
24.47	24.89	.58	55.11	55.53	1.30	85.75	86.17	2.02	116.39	116.80	2.74
24.90	25.31	.59	55.54	55.95	1.31	86.18	86.59	2.03	116.81	117.23	2.75
25.32	25.74	.60	55.96	56.38	1.32	86.60	87.02	2.04	117.24	117.65	2.76
25.75	26.17	.61	56.39	56.80	1.33	87.03	87.44	2.05	117.66	118.08	2.77
26.18	26.59	.62	56.81	57.23	1.34	87.45	87.87	2.06	118.09	118.51	2.78
26.60	27.02	.63	57.24	57.65	1.35	87.88	88.29	2.07	118.52	118.93	2.79
27.03	27.44	.64	57.66	58.08	1.36	88.30	88.72	2.08	118.94	119.36	2.80
27.45	27.87	.65	58.09	58.51	1.37	88.73	89.14	2.09	119.37	119.78	2.81
27.88	28.29	.66	58.52	58.93	1.38	89.15	89.57	2.10	119.79	120.21	2.82
28.30	28.72	.67	58.94	59.36	1.39	89.58	89.99	2.11	120.22	120.63	2.83
28.73	29.14	.68	59.37	59.78	1.40	90.00	90.42	2.12	120.64	121.06	2.84
29.15	29.57	.69	59.79	60.21	1.41	90.43	90.85	2.13	121.07	121.48	2.85
29.58	29.99	.70	60.22	60.63	1.42	90.86	91.27	2.14	121.92	121.91	2.86
30.00	30.42	.71	60.64	61.06	1.43	91.28	91.70	2.15	121.92	122.34	2.87
30.43	30.85	.72	61.07	61.48	1.44	91.71	92.12	2.16	122.35	122.76	2.88

Maximum Premium Deduction for a Pay Period of the stated frequency. Déduction maximale de prime pour une période de paie d'une durée donnée.	Weekly - Hebdomadaire	13.28	10 pp per year - 10 pp par année 69.04
	Bi-Weekly - Deux semaines	26.56	13 pp per year - 13 pp par année 53.11
	Semi-Monthly - Bi-mensuel	28.77	22 pp per year - 22 pp par année 31.38
	Monthly - Mensuellement	57.54	

20   **UNEMPLOYMENT INSURANCE PREMIUMS**   **PRIMES D'ASSURANCE-CHÔMAGE**

For minimum and maximum insurable earnings amounts for various pay periods see Schedule II. For the maximum premium deduction for various pay periods see bottom of this page.

Les montants minimum et maximum des gains assurables pour diverses périodes de paie figurent en annexe II. La déduction maximale de primes pour diverses périodes de paie figure au bas de la présente page.

Remuneration Rémunération From-de	To-à	U.I. Premium Prime d'a.-c.	Remuneration Rémunération From-de	To-à	U.I. Premium Prime d'a.-c.	Remuneration Rémunération From-de	To-à	U.I. Premium Prime d'a.-c.	Remuneration Rémunération From-de	To-à	U.I. Premium Prime d'a.-c.
122.77	123.19	2.89	153.41	153.82	3.61	184.05	184.46	4.33	214.69	215.10	5.05
123.20	123.61	2.90	153.83	154.25	3.62	184.47	184.89	4.34	215.11	215.53	5.06
123.62	124.04	2.91	154.26	154.68	3.63	184.90	185.31	4.35	215.54	215.95	5.07
124.05	124.46	2.92	154.69	155.10	3.64	185.32	185.74	4.36	215.96	216.38	5.08
124.47	124.89	2.93	155.11	155.53	3.65	185.75	186.17	4.37	216.39	216.80	5.09
124.90	125.31	2.94	155.54	155.95	3.66	186.18	186.59	4.38	216.81	217.23	5.10
125.32	125.74	2.95	155.96	156.38	3.67	186.60	187.02	4.39	217.24	217.65	5.11
125.75	126.17	2.96	156.39	156.80	3.68	187.03	187.44	4.40	217.66	218.08	5.12
126.18	126.59	2.97	156.81	157.23	3.69	187.45	187.87	4.41	218.09	218.51	5.13
126.60	127.02	2.98	157.24	157.65	3.70	187.88	188.29	4.42	218.52	218.93	5.14
127.03	127.44	2.99	157.66	158.08	3.71	188.30	188.72	4.43	218.94	219.36	5.15
127.45	127.87	3.00	158.09	158.51	3.72	188.73	189.14	4.44	219.37	219.78	5.16
127.88	128.29	3.01	158.52	158.93	3.73	189.15	189.57	4.45	219.79	220.21	5.17
128.30	128.72	3.02	158.94	159.36	3.74	189.58	189.99	4.46	220.22	220.63	5.18
128.73	129.14	3.03	159.37	159.78	3.75	190.00	190.42	4.47	220.64	221.06	5.19
129.15	129.57	3.04	159.79	160.21	3.76	190.43	190.85	4.48	221.07	221.48	5.20
129.58	129.99	3.05	160.22	160.63	3.77	190.86	191.27	4.49	221.49	221.91	5.21
130.00	130.42	3.06	160.64	161.06	3.78	191.28	191.70	4.50	221.92	222.34	5.22
130.43	130.85	3.07	161.07	161.48	3.79	191.71	192.12	4.51	222.35	222.76	5.23
130.86	131.27	3.08	161.49	161.91	3.80	192.13	192.55	4.52	222.77	223.19	5.24
131.28	131.70	3.09	161.92	162.34	3.81	192.56	192.97	4.53	223.20	223.61	5.25
131.71	132.12	3.10	162.35	162.76	3.82	192.98	193.40	4.54	223.62	224.04	5.26
132.13	132.55	3.11	162.77	163.19	3.83	193.41	193.82	4.55	224.05	224.46	5.27
132.56	132.97	3.12	163.20	163.61	3.84	193.83	194.25	4.56	224.47	224.89	5.28
132.98	133.40	3.13	163.62	164.04	3.85	194.26	194.68	4.57	224.90	225.31	5.29
133.41	133.82	3.14	164.05	164.46	3.86	194.69	195.10	4.58	225.32	225.74	5.30
133.83	134.25	3.15	164.47	164.89	3.87	195.11	195.53	4.59	225.75	226.17	5.31
134.26	134.68	3.16	164.90	165.31	3.88	195.54	195.95	4.60	226.18	226.59	5.32
134.69	135.10	3.17	165.32	165.74	3.89	195.96	196.38	4.61	226.60	227.02	5.33
135.11	135.53	3.18	165.75	166.17	3.90	196.39	196.80	4.62	227.03	227.44	5.34
135.54	135.95	3.19	166.18	166.59	3.91	196.81	197.23	4.63	227.45	227.87	5.35
135.96	136.38	3.20	166.60	167.02	3.92	197.24	197.65	4.64	227.88	228.29	5.36
136.39	136.80	3.21	167.03	167.44	3.93	197.66	198.08	4.65	228.30	228.72	5.37
136.81	137.23	3.22	167.45	167.87	3.94	198.09	198.51	4.66	228.73	229.14	5.38
137.24	137.65	3.23	167.88	168.29	3.95	198.52	198.93	4.67	229.15	229.57	5.39
137.66	138.08	3.24	168.30	168.72	3.96	198.94	199.36	4.68	229.58	229.99	5.40
138.09	138.51	3.25	168.73	169.14	3.97	199.37	199.78	4.69	230.00	230.42	5.41
138.52	138.93	3.26	169.15	169.57	3.98	199.79	200.21	4.70	230.43	230.85	5.42
138.94	139.36	3.27	169.58	169.99	3.99	200.22	200.63	4.71	230.86	231.27	5.43
139.37	139.78	3.28	170.00	170.42	4.00	200.64	201.06	4.72	231.28	231.70	5.44
139.79	140.21	3.29	170.43	170.85	4.01	201.07	201.48	4.73	231.71	232.12	5.45
140.22	140.63	3.30	170.86	171.27	4.02	201.49	201.91	4.74	232.13	232.55	5.46
140.64	141.06	3.31	171.28	171.70	4.03	201.92	202.34	4.75	232.56	232.97	5.47
141.07	141.48	3.32	171.71	172.12	4.04	202.35	202.76	4.76	232.98	233.40	5.48
141.49	141.91	3.33	172.13	172.55	4.05	202.77	203.19	4.77	233.41	233.82	5.49
141.92	142.34	3.34	172.56	172.97	4.06	203.20	203.61	4.78	233.83	234.25	5.50
142.35	142.76	3.35	172.98	173.40	4.07	203.62	204.04	4.79	234.26	234.68	5.51
142.77	143.19	3.36	173.41	173.82	4.08	204.05	204.46	4.80	234.69	235.10	5.52
143.20	143.61	3.37	173.83	174.25	4.09	204.47	204.89	4.81	235.11	235.53	5.53
143.62	144.04	3.38	174.26	174.68	4.10	204.90	205.31	4.82	235.54	235.95	5.54
144.05	144.46	3.39	174.69	175.10	4.11	205.32	205.74	4.83	235.96	236.38	5.55
144.47	144.89	3.40	175.11	175.53	4.12	205.75	206.17	4.84	236.39	236.80	5.56
144.90	145.31	3.41	175.54	175.95	4.13	206.18	206.59	4.85	236.81	237.23	5.57
145.32	145.74	3.42	175.96	176.38	4.14	206.60	207.02	4.86	237.24	237.65	5.58
145.75	146.17	3.43	176.39	176.80	4.15	207.03	207.44	4.87	237.66	238.08	5.59
146.18	146.59	3.44	176.81	177.23	4.16	207.45	207.87	4.88	238.09	238.51	5.60
146.60	147.02	3.45	177.24	177.65	4.17	207.88	208.29	4.89	238.52	238.93	5.61
147.03	147.44	3.46	177.66	178.08	4.18	208.30	208.72	4.90	238.94	239.36	5.62
147.45	147.87	3.47	178.09	178.51	4.19	208.73	209.14	4.91	239.37	239.78	5.63
147.88	148.29	3.48	178.52	178.93	4.20	209.15	209.57	4.92	239.79	240.21	5.64
148.30	148.72	3.49	178.94	179.36	4.21	209.58	209.99	4.93	240.22	240.63	5.65
148.73	149.14	3.50	179.37	179.78	4.22	210.00	210.42	4.94	240.64	241.06	5.66
149.15	149.57	3.51	179.79	180.21	4.23	210.43	210.85	4.95	241.07	241.48	5.67
149.58	149.99	3.52	180.22	180.63	4.24	210.86	211.27	4.96	241.49	241.91	5.68
150.00	150.42	3.53	180.64	181.06	4.25	211.28	211.70	4.97	241.92	242.34	5.69
150.43	150.85	3.54	181.07	181.48	4.26	211.71	212.12	4.98	242.35	242.76	5.70
150.86	151.27	3.55	181.49	181.91	4.27	212.13	212.55	4.99	242.77	243.19	5.71
151.28	151.70	3.56	181.92	182.34	4.28	212.56	212.97	5.00	243.20	243.61	5.72
151.71	152.12	3.57	182.35	182.76	4.29	212.98	213.40	5.01	243.62	244.04	5.73
152.13	152.55	3.58	182.77	183.19	4.30	213.41	213.82	5.02	244.05	244.46	5.74
152.56	152.97	3.59	183.20	183.61	4.31	213.83	214.25	5.03	244.47	244.89	5.75
152.98	153.40	3.60	183.62	184.04	4.32	214.26	214.68	5.04	244.90	245.31	5.76

Maximum Premium Deduction for a Pay Period of the stated frequency. Déduction maximale de prime pour une période de paie d'une durée donnée.		
Weekly – Hebdomadaire	13.28	
Bi-Weekly – Deux semaines	26.56	
Semi-Monthly – Bi-mensuel	28.77	
Monthly – Mensuellement	57.54	
10 pp per year – 10 pp par année	69.04	
13 pp per year – 13 pp par année	53.11	
22 pp per year – 22 pp par année	31.38	

UNEMPLOYMENT INSURANCE PREMIUMS

PRIMES D'ASSURANCE-CHÔMAGE

For minimum and maximum insurable earnings amounts for various pay periods see Schedule II. For the maximum premium deduction for various pay periods see bottom of this page.

Les montants minimum et maximum des gains assurables pour diverses périodes de paie figurent en annexe II. La déduction maximale de primes pour diverses périodes de paie figure au bas de la présente page.

Remuneration / Rémunération		U.I. Premium Prime d'a.-c.	Remuneration / Rémunération		U.I. Premium Prime d'a.-c.	Remuneration / Rémunération		U.I. Premium Prime d'a.-c.	Remuneration / Rémunération		U.I. Premium Prime d'a.-c.
From-de	To-à		From-de	To-à		From-de	To-à		From-de	To-à	
245.32 –	245.74	5.77	275.96 –	276.38	6.49	306.60 –	307.02	7.21	337.24 –	337.65	7.93
245.75 –	246.17	5.78	276.39 –	276.80	6.50	307.03 –	307.44	7.22	337.66 –	338.08	7.94
246.18 –	246.59	5.79	276.81 –	277.23	6.51	307.45 –	307.87	7.23	338.09 –	338.51	7.95
246.60 –	247.02	5.80	277.24 –	277.65	6.52	307.88 –	308.29	7.24	338.52 –	338.93	7.96
247.03 –	247.44	5.81	277.66 –	278.08	6.53	308.30 –	308.72	7.25	338.94 –	339.36	7.97
247.45 –	247.87	5.82	278.09 –	278.51	6.54	308.73 –	309.14	7.26	339.37 –	339.78	7.98
247.88 –	248.29	5.83	278.52 –	278.93	6.55	309.15 –	309.57	7.27	339.79 –	340.21	7.99
248.30 –	248.72	5.84	278.94 –	279.36	6.56	309.58 –	309.99	7.28	340.22 –	340.63	8.00
248.73 –	249.14	5.85	279.37 –	279.78	6.57	310.00 –	310.42	7.29	340.64 –	341.06	8.01
249.15 –	249.57	5.86	279.79 –	280.21	6.58	310.43 –	310.85	7.30	341.07 –	341.48	8.02
249.58 –	249.99	5.87	280.22 –	280.63	6.59	310.86 –	311.27	7.31	341.49 –	341.91	8.03
250.00 –	250.42	5.88	280.64 –	281.06	6.60	311.28 –	311.70	7.32	341.92 –	342.34	8.04
250.43 –	250.85	5.89	281.07 –	281.48	6.61	311.71 –	312.12	7.33	342.35 –	342.76	8.05
250.86 –	251.27	5.90	281.49 –	281.91	6.62	312.13 –	312.55	7.34	342.77 –	343.19	8.06
251.28 –	251.70	5.91	281.92 –	282.34	6.63	312.56 –	312.97	7.35	343.20 –	343.61	8.07
251.71 –	252.12	5.92	282.35 –	282.76	6.64	312.98 –	313.40	7.36	343.62 –	344.04	8.08
252.13 –	252.55	5.93	282.77 –	283.19	6.65	313.41 –	313.82	7.37	344.05 –	344.46	8.09
252.56 –	252.97	5.94	283.20 –	283.61	6.66	313.83 –	314.25	7.38	344.47 –	344.89	8.10
252.98 –	253.40	5.95	283.62 –	284.04	6.67	314.26 –	314.68	7.39	344.90 –	345.31	8.11
253.41 –	253.82	5.96	284.05 –	284.46	6.68	314.69 –	315.10	7.40	345.32 –	345.74	8.12
253.83 –	254.25	5.97	284.47 –	284.89	6.69	315.11 –	315.53	7.41	345.75 –	346.17	8.13
254.26 –	254.68	5.98	284.90 –	285.31	6.70	315.54 –	315.95	7.42	346.18 –	346.59	8.14
254.69 –	255.10	5.99	285.32 –	285.74	6.71	315.96 –	316.38	7.43	346.60 –	347.02	8.15
255.11 –	255.53	6.00	285.75 –	286.17	6.72	316.39 –	316.80	7.44	347.03 –	347.44	8.16
255.54 –	255.95	6.01	286.18 –	286.59	6.73	316.81 –	317.23	7.45	347.45 –	347.87	8.17
255.96 –	256.38	6.02	286.60 –	287.02	6.74	317.24 –	317.65	7.46	347.88 –	348.29	8.18
256.39 –	256.80	6.03	287.03 –	287.44	6.75	317.66 –	318.08	7.47	348.30 –	348.72	8.19
256.81 –	257.23	6.04	287.45 –	287.87	6.76	318.09 –	318.51	7.48	348.73 –	349.14	8.20
257.24 –	257.65	6.05	287.88 –	288.29	6.77	318.52 –	318.93	7.49	349.15 –	349.57	8.21
257.66 –	258.08	6.06	288.30 –	288.72	6.78	318.94 –	319.36	7.50	349.58 –	349.99	8.22
258.09 –	258.51	6.07	288.73 –	289.14	6.79	319.37 –	319.78	7.51	350.00 –	350.42	8.23
258.52 –	258.93	6.08	289.15 –	289.57	6.80	319.79 –	320.21	7.52	350.43 –	350.85	8.24
258.94 –	259.36	6.09	289.58 –	290.00	6.81	320.22 –	320.63	7.53	350.86 –	351.27	8.25
259.37 –	259.78	6.10	290.00 –	290.42	6.82	320.64 –	321.06	7.54	351.28 –	351.70	8.26
259.79 –	260.21	6.11	250.43 –	290.85	6.83	321.07 –	321.48	7.55	351.71 –	352.12	8.27
260.23 –	260.63	6.12	290.86 –	291.27	6.84	321.49 –	321.91	7.56	352.13 –	352.55	8.28
260.64 –	261.06	6.13	291.28 –	291.70	6.85	321.92 –	322.34	7.57	352.56 –	352.97	8.29
261.07 –	261.48	6.14	251.71 –	292.12	6.86	322.35 –	322.76	7.58	352.98 –	353.40	8.30
261.49 –	261.91	6.15	292.13 –	292.55	6.87	322.77 –	323.19	7.59	353.41 –	353.82	8.31
261.92 –	262.34	6.16	292.56 –	292.97	6.88	323.20 –	323.61	7.60	353.83 –	354.25	8.32
262.35 –	262.76	6.17	292.98 –	293.40	6.89	323.62 –	324.04	7.61	354.26 –	354.68	8.33
262.77 –	263.19	6.18	293.41 –	293.82	6.90	324.05 –	324.46	7.62	354.69 –	355.10	8.34
263.20 –	263.61	6.19	293.83 –	294.25	6.91	324.47 –	324.89	7.63	355.11 –	355.53	8.35
263.62 –	264.04	6.20	294.26 –	294.68	6.92	324.90 –	325.31	7.64	355.54 –	355.95	8.36
264.05 –	264.46	6.21	294.69 –	295.10	6.93	325.32 –	325.74	7.65	355.96 –	356.38	8.37
264.47 –	264.89	6.22	295.11 –	295.53	6.94	325.75 –	326.17	7.66	356.39 –	356.80	8.38
264.90 –	265.31	6.23	295.54 –	295.95	6.95	326.18 –	326.59	7.67	356.81 –	357.23	8.39
265.32 –	265.74	6.24	295.96 –	296.38	6.96	326.60 –	327.02	7.68	357.24 –	357.65	8.40
265.75 –	266.17	6.25	296.39 –	296.80	6.97	327.03 –	327.44	7.69	357.66 –	358.08	8.41
266.18 –	266.59	6.26	296.81 –	297.23	6.98	327.45 –	327.87	7.70	358.09 –	358.51	8.42
266.60 –	267.02	6.27	297.24 –	297.65	6.99	327.88 –	328.29	7.71	358.52 –	358.93	8.43
267.03 –	267.44	6.28	297.66 –	298.08	7.00	328.30 –	328.72	7.72	358.94 –	359.36	8.44
267.45 –	267.87	6.29	298.09 –	298.51	7.01	328.73 –	329.14	7.73	359.37 –	359.78	8.45
267.88 –	268.29	6.30	298.52 –	298.93	7.02	329.15 –	329.57	7.74	359.79 –	360.21	8.46
268.30 –	268.72	6.31	298.94 –	299.36	7.03	329.58 –	329.99	7.75	360.22 –	360.63	8.47
268.73 –	269.14	6.32	299.37 –	299.78	7.04	330.00 –	330.42	7.76	360.64 –	361.06	8.48
269.15 –	269.57	6.33	299.79 –	300.21	7.05	330.43 –	330.85	7.77	361.07 –	361.48	8.49
269.58 –	269.99	6.34	300.22 –	300.63	7.06	330.86 –	331.27	7.78	361.49 –	361.91	8.50
270.00 –	270.42	6.35	300.64 –	301.06	7.07	331.28 –	331.70	7.79	361.92 –	362.34	8.51
270.43 –	270.85	6.36	301.07 –	301.48	7.08	331.71 –	332.12	7.80	362.35 –	362.76	8.52
270.86 –	271.27	6.37	301.49 –	301.91	7.09	332.13 –	332.55	7.81	362.77 –	363.19	8.53
271.28 –	271.70	6.38	301.92 –	302.34	7.10	332.56 –	332.97	7.82	363.20 –	363.61	8.54
271.71 –	272.12	6.39	302.35 –	302.76	7.11	332.98 –	333.40	7.83	363.62 –	364.04	8.55
272.13 –	272.55	6.40	302.77 –	303.19	7.12	333.41 –	333.82	7.84	364.05 –	364.46	8.56
272.56 –	272.97	6.41	303.20 –	303.61	7.13	333.83 –	334.25	7.85	364.47 –	364.89	8.57
272.98 –	273.40	6.42	303.62 –	304.04	7.14	334.26 –	334.68	7.86	364.90 –	365.31	8.58
273.41 –	273.82	6.43	304.05 –	304.46	7.15	334.69 –	335.10	7.87	365.32 –	365.74	8.59
273.83 –	274.25	6.44	304.47 –	304.89	7.16	335.11 –	335.53	7.88	365.75 –	366.17	8.60
274.26 –	274.68	6.45	304.90 –	305.31	7.17	335.54 –	335.95	7.89	366.18 –	366.59	8.61
274.69 –	275.10	6.46	305.32 –	305.74	7.18	335.95 –	336.38	7.90	366.60 –	367.02	8.62
275.11 –	275.53	6.47	305.75 –	306.17	7.19	336.39 –	336.80	7.91	367.03 –	367.44	8.63
275.54 –	275.95	6.48	306.18 –	306.59	7.20	336.81 –	337.23	7.92	367.45 –	367.87	8.64

Maximum Premium Deduction for a Pay Period of the stated frequency.
Déduction maximale de prime pour une période de paie d'une durée donnée.

Weekly – Hebdomadaire	13.28	
Bi-Weekly – Deux semaines	26.56	
Semi-Monthly – Bi-mensuel	28.77	
Monthly – Mensuellement	57.54	

10 pp per year – 10 pp par année	69.04
13 pp per year – 13 pp par année	53.11
22 pp per year – 22 pp par année	31.38

UNEMPLOYMENT INSURANCE PREMIUMS   PRIMES D'ASSURANCE-CHÔMAGE

For minimum and maximum insurable earnings amounts for various pay periods see Schedule II. For the maximum premium deduction for various pay periods see bottom of this page.

Les montants minimum et maximum des gains assurables pour diverses périodes de paie figurent en annexe II. La déduction maximale de primes pour diverses périodes de paie figure au bas de la présente page.

Remuneration Rémunération From-de	To-à	U.I. Premium Prime d'a.-c.	Remuneration Rémunération From-de	To-à	U.I. Premium Prime d'a.-c.	Remuneration Rémunération From-de	To-à	U.I. Premium Prime d'a.-c.	Remuneration Rémunération From-de	To-à	U.I. Premium Prime d'a.-c.
367.88	368.29	8.65	398.52	398.93	9.37	429.15	429.57	10.09	459.79	460.21	10.81
368.30	368.72	8.66	398.94	399.36	9.38	429.58	429.99	10.10	460.22	460.63	10.82
368.73	369.14	8.67	399.37	399.78	9.39	430.00	430.42	10.11	460.64	461.06	10.83
369.15	369.57	8.68	399.79	400.21	9.40	430.43	430.85	10.12	461.07	461.48	10.84
369.58	369.99	8.69	400.22	400.63	9.41	430.86	431.27	10.13	461.49	461.91	10.85
370.00	370.42	8.70	400.64	401.06	9.42	431.28	431.70	10.14	461.92	462.34	10.86
370.43	370.85	8.71	401.07	401.48	9.43	431.71	432.12	10.15	462.35	462.76	10.87
370.86	371.27	8.72	401.49	401.91	9.44	432.13	432.55	10.16	462.77	463.19	10.88
371.28	371.70	8.73	401.92	402.34	9.45	432.56	432.97	10.17	463.20	463.61	10.89
371.71	372.12	8.74	402.35	402.76	9.46	432.98	433.40	10.18	463.62	464.04	10.90
372.13	372.55	8.75	402.77	403.19	9.47	433.41	433.82	10.19	464.05	464.46	10.91
372.56	372.97	8.76	403.20	403.61	9.48	433.83	434.25	10.20	464.47	464.89	10.92
372.98	373.40	8.77	403.62	404.04	9.49	434.26	434.68	10.21	464.90	465.31	10.93
373.41	373.82	8.78	404.05	404.46	9.50	434.69	435.10	10.22	465.32	465.74	10.94
373.83	374.25	8.79	404.47	404.89	9.51	435.11	435.53	10.23	465.75	466.17	10.95
374.26	374.68	8.80	404.90	405.31	9.52	435.54	435.95	10.24	466.18	466.59	10.96
374.69	375.10	8.81	405.32	405.74	9.53	435.96	436.38	10.25	466.60	467.02	10.97
375.11	375.53	8.82	405.75	406.17	9.54	436.39	436.80	10.26	467.03	467.44	10.98
375.54	375.95	8.83	406.18	406.59	9.55	436.81	437.23	10.27	467.45	467.87	10.99
375.96	376.38	8.84	406.60	407.02	9.56	437.24	437.65	10.28	467.88	468.29	11.00
376.39	376.80	8.85	407.03	407.44	9.57	437.66	438.08	10.29	468.30	468.72	11.01
376.81	377.23	8.86	407.45	407.87	9.58	438.09	438.51	10.30	468.73	469.14	11.02
377.24	377.65	8.87	407.88	408.29	9.59	438.52	438.93	10.31	469.15	469.57	11.03
377.66	378.08	8.88	408.30	408.72	9.60	438.94	439.36	10.32	469.58	469.99	11.04
378.09	378.51	8.89	408.73	409.14	9.61	439.37	439.78	10.33	470.00	470.42	11.05
378.52	378.93	8.90	409.15	409.57	9.62	439.79	440.21	10.34	470.43	470.85	11.06
378.94	379.36	8.91	409.58	409.99	9.63	440.22	440.63	10.35	470.86	471.27	11.07
379.37	379.78	8.92	410.00	410.42	9.64	440.64	441.06	10.36	471.28	471.70	11.08
379.79	380.21	8.93	410.43	410.85	9.65	441.07	441.48	10.37	471.71	472.12	11.09
380.22	380.63	8.94	410.86	411.27	9.66	441.49	441.91	10.38	472.13	472.55	11.10
380.64	381.06	8.95	411.28	411.70	9.67	441.92	442.34	10.39	472.56	472.97	11.11
381.07	381.48	8.96	411.71	412.12	9.68	442.35	442.76	10.40	472.98	473.40	11.12
381.49	381.91	8.97	412.13	412.55	9.69	442.77	443.19	10.41	473.41	473.82	11.13
381.92	382.34	8.98	412.56	412.97	9.70	443.20	443.61	10.42	473.83	474.25	11.14
382.35	382.76	8.99	412.98	413.40	9.71	443.62	444.04	10.43	474.26	474.68	11.15
382.77	383.19	9.00	413.41	413.82	9.72	444.05	444.46	10.44	474.69	475.10	11.16
383.20	383.61	9.01	413.83	414.25	9.73	444.47	444.89	10.45	475.11	475.53	11.17
383.62	384.04	9.02	414.26	414.68	9.74	444.90	445.31	10.46	475.54	475.95	11.18
384.05	384.46	9.03	414.69	415.10	9.75	445.32	445.74	10.47	475.96	476.38	11.19
384.47	384.89	9.04	415.11	415.53	9.76	445.75	446.17	10.48	476.39	476.80	11.20
384.90	385.31	9.05	415.54	415.95	9.77	446.18	446.59	10.49	476.81	477.23	11.21
385.32	385.74	9.06	415.96	416.38	9.78	446.60	447.02	10.50	477.24	477.65	11.22
385.75	386.17	9.07	416.39	416.80	9.79	447.03	447.44	10.51	477.66	478.08	11.23
386.18	386.59	9.08	416.81	417.23	9.80	447.45	447.87	10.52	478.09	478.51	11.24
386.60	387.02	9.09	417.24	417.65	9.81	447.88	448.29	10.53	478.52	478.93	11.25
387.03	387.44	9.10	417.66	418.08	9.82	448.30	448.72	10.54	478.94	479.36	11.26
387.45	387.87	9.11	418.09	418.51	9.83	448.73	449.14	10.55	479.37	479.78	11.27
387.88	388.29	9.12	418.52	418.93	9.84	449.15	449.57	10.56	479.79	480.21	11.28
388.30	388.72	9.13	418.94	419.36	9.85	449.58	449.99	10.57	480.22	480.63	11.29
388.73	389.14	9.14	419.37	419.78	9.86	450.00	450.42	10.58	480.64	481.06	11.30
389.15	389.57	9.15	419.79	420.21	9.87	450.43	450.85	10.59	481.07	481.48	11.31
389.58	389.99	9.16	420.22	420.63	9.88	450.86	451.27	10.60	481.49	481.91	11.32
390.00	390.42	9.17	420.64	421.06	9.89	451.28	451.70	10.61	481.92	482.34	11.33
390.43	390.85	9.18	421.07	421.48	9.90	451.71	452.12	10.62	482.35	482.76	11.34
390.86	391.27	9.19	421.49	421.91	9.91	452.13	452.55	10.63	482.77	483.19	11.35
391.28	391.70	9.20	421.92	422.34	9.92	452.56	452.97	10.64	483.20	483.61	11.36
391.71	392.12	9.21	422.35	422.76	9.93	452.98	453.40	10.65	483.62	484.04	11.37
392.13	392.55	9.22	422.77	423.19	9.94	453.41	453.82	10.66	484.05	484.46	11.38
392.56	392.97	9.23	423.20	423.61	9.95	453.83	454.25	10.67	484.47	484.89	11.39
392.98	393.40	9.24	423.62	424.04	9.96	454.26	454.68	10.68	484.90	485.31	11.40
393.41	393.82	9.25	424.05	424.46	9.97	454.69	455.10	10.69	485.32	485.74	11.41
393.83	394.25	9.26	424.47	424.89	9.98	455.11	455.53	10.70	485.75	486.17	11.42
394.26	394.68	9.27	424.90	425.31	9.99	455.54	455.95	10.71	486.18	486.59	11.43
394.69	395.10	9.28	425.32	425.74	10.00	455.96	456.38	10.72	486.60	487.02	11.44
395.11	395.53	9.29	425.75	426.17	10.01	456.39	456.80	10.73	487.03	487.44	11.45
395.54	395.95	9.30	426.18	426.59	10.02	456.81	457.23	10.74	487.45	487.87	11.46
395.96	396.38	9.31	426.60	427.02	10.03	457.24	457.65	10.75	487.88	488.29	11.47
396.39	396.80	9.32	427.03	427.44	10.04	457.66	458.08	10.76	488.30	488.72	11.48
396.81	397.23	9.33	427.45	427.87	10.05	458.09	458.51	10.77	488.73	489.14	11.49
397.24	397.65	9.34	427.88	428.29	10.06	458.52	458.93	10.78	489.15	489.57	11.50
397.66	398.08	9.35	428.30	428.72	10.07	458.94	459.36	10.79	489.58	489.99	11.51
398.09	398.51	9.36	428.73	429.14	10.08	459.37	459.78	10.80	490.00	490.42	11.52

Maximum Premium Deduction for a Pay Period of the stated frequency. Déduction maximale de prime pour une période de paie d'une durée donnée.	Weekly – Hebdomadaire 13.28 Bi-Weekly – Deux semaines 26.56 Semi-Monthly – Bi-mensuel 28.77 Monthly – Mensuellement 57.54	10 pp per year – 10 pp par année 69.04 13 pp per year – 13 pp par année 53.11 22 pp per year – 22 pp par année 31.38

UNEMPLOYMENT INSURANCE PREMIUMS — PRIMES D'ASSURANCE-CHÔMAGE 23

For minimum and maximum insurable earnings amounts for various pay periods see Schedule II. For the maximum premium deduction for various pay periods see bottom of this page.

Les montants minimum et maximum des gains assurables pour diverses périodes de paie figurent en annexe II. La déduction maximale de primes pour diverses périodes de paie figure au bas de la présente page.

Rémunération From-de	To-à	Prime d'a.-c.	Rémunération From-de	To-à	Prime d'a.-c.	Rémunération From-de	To-à	Prime d'a.-c.	Rémunération From-de	To-à	Prime d'a.-c.
490.43	490.85	11.53	521.07	521.48	12.25	551.71	552.12	12.97	582.35	582.76	13.69
490.86	491.27	11.54	521.49	521.91	12.26	552.13	552.55	12.98	582.77	583.19	13.70
491.28	491.70	11.55	521.92	522.34	12.27	552.56	552.97	12.99	583.20	583.61	13.71
491.71	492.12	11.56	522.35	522.76	12.28	552.98	553.40	13.00	583.62	584.04	13.72
492.13	492.55	11.57	522.77	523.19	12.29	553.41	553.82	13.01	584.05	584.46	13.73
492.56	492.97	11.58	523.20	523.61	12.30	553.83	554.25	13.02	584.47	584.89	13.74
492.98	493.40	11.59	523.62	524.04	12.31	554.26	554.68	13.03	584.90	585.31	13.75
493.41	493.82	11.60	524.05	524.46	12.32	554.69	555.10	13.04	585.32	585.74	13.76
493.83	494.25	11.61	524.47	524.89	12.33	555.11	555.53	13.05	585.75	586.17	13.77
494.26	494.68	11.62	524.90	525.31	12.34	555.54	555.95	13.06	586.18	586.59	13.78
494.69	495.10	11.63	525.32	525.74	12.35	555.96	556.38	13.07	586.60	587.02	13.79
495.11	495.53	11.64	525.75	526.17	12.36	556.39	556.80	13.08	587.03	587.44	13.80
495.54	495.95	11.65	526.18	526.59	12.37	556.81	557.23	13.09	587.45	587.87	13.81
495.96	496.38	11.66	526.60	527.02	12.38	557.24	557.65	13.10	587.88	588.29	13.82
496.39	496.80	11.67	527.03	527.44	12.39	557.66	558.08	13.11	588.30	588.72	13.83
496.81	497.23	11.68	527.45	527.87	12.40	558.09	558.51	13.12	588.73	589.14	13.84
497.24	497.65	11.69	527.88	528.29	12.41	558.52	558.93	13.13	589.15	589.57	13.85
497.66	498.08	11.70	528.30	528.72	12.42	558.94	559.36	13.14	589.58	589.99	13.86
498.09	498.51	11.71	528.73	529.14	12.43	559.37	559.78	13.15	590.00	590.42	13.87
498.52	498.93	11.72	529.15	529.57	12.44	559.79	560.21	13.16	590.43	590.85	13.88
498.94	499.36	11.73	529.58	529.99	12.45	560.22	560.63	13.17	590.86	591.27	13.89
499.37	499.78	11.74	530.00	530.42	12.46	560.64	561.06	13.18	591.28	591.70	13.90
499.79	500.21	11.75	530.43	530.85	12.47	561.07	561.48	13.19	591.71	592.12	13.91
500.22	500.63	11.76	530.86	531.27	12.48	561.49	561.91	13.20	592.13	592.55	13.92
500.64	501.06	11.77	531.28	531.70	12.49	561.92	562.34	13.21	592.56	592.97	13.93
501.07	501.48	11.78	531.71	532.12	12.50	562.35	562.76	13.22	592.98	593.40	13.94
501.49	501.91	11.79	532.13	532.55	12.51	562.77	563.19	13.23	593.41	593.82	13.95
501.92	502.34	11.80	532.56	532.97	12.52	563.20	563.61	13.24	593.83	594.25	13.96
502.35	502.76	11.81	532.98	533.40	12.53	563.62	564.04	13.25	594.26	594.68	13.97
502.77	503.19	11.82	533.41	533.82	12.54	564.05	564.46	13.26	594.69	595.10	13.98
503.20	503.61	11.83	533.83	534.25	12.55	564.47	564.89	13.27	595.11	595.53	13.99
503.62	504.04	11.84	534.26	534.68	12.56	564.90	565.31	13.28	595.54	595.95	14.00
504.05	504.46	11.85	534.69	535.10	12.57	565.32	565.74	13.29	595.96	596.38	14.01
504.47	504.89	11.86	535.11	535.53	12.58	565.75	566.17	13.30	596.39	596.80	14.02
504.90	505.31	11.87	535.54	535.95	12.59	566.18	566.59	13.31	596.81	597.23	14.03
505.32	505.74	11.88	535.96	536.38	12.60	566.60	567.02	13.32	597.24	597.65	14.04
505.75	506.17	11.89	536.39	536.80	12.61	567.03	567.44	13.33	597.66	598.08	14.05
506.18	506.59	11.90	536.81	537.23	12.62	567.45	567.87	13.34	598.09	598.51	14.06
506.60	507.02	11.91	537.24	537.65	12.63	567.88	568.29	13.35	598.52	598.93	14.07
507.03	507.44	11.92	537.66	538.08	12.64	568.30	568.72	13.36	598.94	599.36	14.08
507.45	507.87	11.93	538.09	538.51	12.65	568.73	569.14	13.37	599.37	599.78	14.09
507.88	508.29	11.94	538.52	538.93	12.66	569.15	569.57	13.38	599.79	600.21	14.10
508.30	508.72	11.95	538.94	539.36	12.67	569.58	569.99	13.39	600.22	600.63	14.11
508.73	509.14	11.96	539.37	539.78	12.68	570.00	570.42	13.40	600.64	601.06	14.12
509.15	509.57	11.97	539.79	540.21	12.69	570.43	570.85	13.41	601.07	601.48	14.13
509.58	509.99	11.98	540.22	540.63	12.70	570.86	571.27	13.42	601.49	601.91	14.14
510.00	510.42	11.99	540.64	541.06	12.71	571.28	571.70	13.43	601.92	602.34	14.15
510.43	510.85	12.00	541.07	541.48	12.72	571.71	572.12	13.44	602.35	602.76	14.16
510.86	511.27	12.01	541.49	541.91	12.73	572.13	572.55	13.45	602.77	603.19	14.17
511.28	511.70	12.02	541.92	542.34	12.74	572.56	572.97	13.46	603.20	603.61	14.18
511.71	512.12	12.03	542.35	542.76	12.75	572.98	573.40	13.47	603.62	604.04	14.19
512.13	512.55	12.04	542.77	543.19	12.76	573.41	573.82	13.48	604.05	604.46	14.20
512.56	512.97	12.05	543.20	543.61	12.77	573.83	574.25	13.49	604.47	604.89	14.21
512.98	513.40	12.06	543.62	544.04	12.78	574.26	574.68	13.50	604.90	605.31	14.22
513.41	513.82	12.07	544.05	544.46	12.79	574.69	575.10	13.51	605.32	605.74	14.23
513.83	514.25	12.08	544.47	544.89	12.80	575.11	575.53	13.52	605.75	606.17	14.24
514.26	514.68	12.09	544.90	545.31	12.81	575.54	575.95	13.53	606.18	606.59	14.25
514.69	515.10	12.10	545.32	545.74	12.82	575.96	576.38	13.54	606.60	607.02	14.26
515.11	515.53	12.11	545.75	546.17	12.83	576.39	576.80	13.55	607.03	607.44	14.27
515.54	515.95	12.12	546.18	546.59	12.84	576.81	577.23	13.56	607.45	607.87	14.28
515.96	516.38	12.13	546.60	547.02	12.85	577.24	577.65	13.57	607.88	608.29	14.29
516.39	516.80	12.14	547.03	547.44	12.86	577.66	578.08	13.58	608.30	608.72	14.30
516.81	517.23	12.15	547.45	547.87	12.87	578.09	578.51	13.59	608.73	609.14	14.31
517.24	517.65	12.16	547.88	548.29	12.88	578.52	578.93	13.60	609.15	609.57	14.32
517.66	518.08	12.17	548.30	548.72	12.89	578.94	579.36	13.61	609.58	609.99	14.33
518.09	518.51	12.18	548.73	549.14	12.90	579.37	579.78	13.62	610.00	610.42	14.34
518.52	518.93	12.19	549.15	549.57	12.91	579.79	580.21	13.63	610.43	610.85	14.35
518.94	519.36	12.20	549.58	549.99	12.92	580.22	580.63	13.64	610.86	611.27	14.36
519.37	519.78	12.21	550.00	550.42	12.93	580.64	581.06	13.65	611.28	611.70	14.37
519.79	520.21	12.22	550.43	550.85	12.94	581.07	581.48	13.66	611.71	612.12	14.38
520.22	520.63	12.23	550.86	551.27	12.95	581.49	581.91	13.67	612.13	612.55	14.39
520.64	521.06	12.24	551.28	551.70	12.96	581.92	582.34	13.68	612.56	612.97	14.40

Maximum Premium Deduction for a Pay Period of the stated frequency.
Déduction maximale de prime pour une période de paie d'une durée donnée.

Weekly - Hebdomadaire	13.28	10 pp per year - 10 pp par année	69.04
Bi-Weekly - Deux semaines	26.56	13 pp per year - 13 pp par année	53.11
Semi-Monthly - Bi-mensuel	28.77	22 pp per year - 22 pp par année	31.38
Monthly - Mensuellement	57.54		

For minimum and maximum insurable earnings amounts for various pay periods see Schedule II. For the maximum premium deduction for various pay periods see bottom of this page.

Les montants minimum et maximum des gains assurables pour diverses périodes de paie figurent en annexe II. La déduction maximale de primes pour diverses périodes de paie figure au bas de la présente page.

Remuneration Rémunération		U.I. Premium Prime d'a.-c.	Remuneration Rémunération		U.I. Premium Prime d'a.-c.	Remuneration Rémunération		U.I. Premium Prime d'a.-c.	Remuneration Rémunération		U.I. Premium Prime d'a.-c.
From-de	To-à		From-de	To-à		From-de	To-à		From-de	To-à	
612.98 -	613.40	14.41	643.62 -	644.04	15.13	674.26 -	674.68	15.85	704.90 -	705.31	16.57
613.41 -	613.82	14.42	644.05 -	644.46	15.14	674.69 -	675.10	15.86	705.32 -	705.74	16.58
613.83 -	614.25	14.43	644.47 -	644.89	15.15	675.11 -	675.53	15.87	705.75 -	706.17	16.59
614.26 -	614.68	14.44	644.90 -	645.31	15.16	675.54 -	675.95	15.88	706.18 -	706.59	16.60
614.69 -	615.10	14.45	645.32 -	645.74	15.17	675.96 -	676.38	15.89	706.60 -	707.02	16.61
615.11 -	615.53	14.46	645.75 -	646.17	15.18	676.39 -	676.80	15.90	707.03 -	707.44	16.62
615.54 -	615.95	14.47	646.18 -	646.59	15.19	676.81 -	677.23	15.91	707.45 -	707.87	16.63
615.96 -	616.38	14.48	646.60 -	647.02	15.20	677.24 -	677.65	15.92	707.88 -	708.29	16.64
616.39 -	616.80	14.49	647.03 -	647.44	15.21	677.66 -	678.08	15.93	708.30 -	708.72	16.65
616.81 -	617.23	14.50	647.45 -	647.87	15.22	678.09 -	678.51	15.94	708.73 -	709.14	16.66
617.24 -	617.65	14.51	647.88 -	648.29	15.23	678.52 -	678.93	15.95	709.15 -	709.57	16.67
617.66 -	618.08	14.52	648.30 -	648.72	15.24	678.94 -	679.36	15.96	709.58 -	709.99	16.68
618.09 -	618.51	14.53	648.73 -	649.14	15.25	679.37 -	679.78	15.97	710.00 -	710.42	16.69
618.52 -	618.93	14.54	649.15 -	649.57	15.26	679.79 -	680.21	15.98	710.43 -	710.85	16.70
618.94 -	619.36	14.55	649.58 -	649.99	15.27	680.22 -	680.63	15.99	710.86 -	711.27	16.71
619.37 -	619.78	14.56	650.00 -	650.42	15.28	680.64 -	681.06	16.00	711.28 -	711.70	16.72
619.79 -	620.21	14.57	650.43 -	650.85	15.29	681.07 -	681.48	16.01	711.71 -	712.12	16.73
620.22 -	620.63	14.58	650.86 -	651.27	15.30	681.49 -	681.91	16.02	712.13 -	712.55	16.74
620.64 -	621.06	14.59	651.28 -	651.70	15.31	681.92 -	682.34	16.03	712.56 -	712.97	16.75
621.07 -	621.48	14.60	651.71 -	652.12	15.32	682.35 -	682.76	16.04	712.98 -	713.40	16.76
621.49 -	621.91	14.61	652.13 -	652.55	15.33	682.77 -	683.19	16.05	713.41 -	713.82	16.77
621.92 -	622.34	14.62	652.56 -	652.97	15.34	683.20 -	683.61	16.06	713.83 -	714.25	16.78
622.35 -	622.76	14.63	652.98 -	653.40	15.35	683.62 -	684.04	16.07	714.26 -	714.68	16.79
622.77 -	623.19	14.64	653.41 -	653.82	15.36	684.05 -	684.46	16.08	714.69 -	715.10	16.80
623.20 -	623.61	14.65	653.83 -	654.25	15.37	684.47 -	684.89	16.09	715.11 -	715.53	16.81
623.62 -	624.04	14.66	654.26 -	654.68	15.38	684.90 -	685.31	16.10	715.54 -	715.95	16.82
624.05 -	624.46	14.67	654.69 -	655.10	15.39	685.32 -	685.74	16.11	715.96 -	716.38	16.83
624.47 -	624.89	14.68	655.11 -	655.53	15.40	685.75 -	686.17	16.12	716.39 -	716.80	16.84
624.90 -	625.31	14.69	655.54 -	655.95	15.41	686.18 -	686.59	16.13	716.81 -	717.23	16.85
625.32 -	625.74	14.70	655.96 -	656.38	15.42	686.60 -	687.02	16.14	717.24 -	717.65	16.86
625.75 -	626.17	14.71	656.39 -	656.80	15.43	687.03 -	687.44	16.15	717.66 -	718.08	16.87
626.18 -	626.59	14.72	656.81 -	657.23	15.44	687.45 -	687.87	16.16	718.09 -	718.51	16.88
626.60 -	627.02	14.73	657.24 -	657.65	15.45	687.88 -	688.29	16.17	718.52 -	718.93	16.89
627.03 -	627.44	14.74	657.66 -	658.08	15.46	688.30 -	688.72	16.18	718.94 -	719.36	16.90
627.45 -	627.87	14.75	658.09 -	658.51	15.47	688.73 -	689.14	16.19	719.37 -	719.78	16.91
627.88 -	628.29	14.76	658.52 -	658.93	15.48	689.15 -	689.57	16.20	719.79 -	720.21	16.92
628.30 -	628.72	14.77	658.94 -	659.36	15.49	689.58 -	689.99	16.21	720.22 -	720.63	16.93
628.73 -	629.14	14.78	659.37 -	659.78	15.50	690.00 -	690.42	16.22	720.64 -	721.06	16.94
629.15 -	629.57	14.79	659.79 -	660.21	15.51	690.43 -	690.85	16.23	721.07 -	721.48	16.95
629.58 -	629.99	14.80	660.22 -	660.63	15.52	690.86 -	691.27	16.24	721.49 -	721.91	16.96
630.00 -	630.42	14.81	660.64 -	661.06	15.53	691.28 -	691.70	16.25	721.92 -	722.34	16.97
630.43 -	630.85	14.82	661.07 -	661.48	15.54	691.71 -	692.12	16.26	722.35 -	722.76	16.98
630.86 -	631.27	14.83	661.49 -	661.91	15.55	692.13 -	692.55	16.27	722.77 -	723.19	16.99
631.28 -	631.70	14.84	661.92 -	662.34	15.56	692.56 -	692.97	16.28	723.20 -	723.61	17.00
631.71 -	632.12	14.85	662.35 -	662.76	15.57	692.98 -	693.40	16.29	723.62 -	724.04	17.01
632.13 -	632.55	14.86	662.77 -	663.19	15.58	693.41 -	693.82	16.30	724.05 -	724.46	17.02
632.56 -	632.97	14.87	663.20 -	663.61	15.59	693.83 -	694.25	16.31	724.47 -	724.89	17.03
632.98 -	633.40	14.88	663.62 -	664.04	15.60	694.26 -	694.68	16.32	724.90 -	725.31	17.04
633.41 -	633.82	14.89	664.05 -	664.46	15.61	694.69 -	695.10	16.33	725.32 -	725.74	17.05
633.83 -	634.25	14.90	664.47 -	664.89	15.62	695.11 -	695.53	16.34	725.75 -	726.17	17.06
634.26 -	634.68	14.91	664.90 -	665.31	15.63	695.54 -	695.95	16.35	726.18 -	726.59	17.07
634.69 -	635.10	14.92	665.32 -	665.74	15.64	695.96 -	696.38	16.36	726.60 -	727.02	17.08
635.11 -	635.53	14.93	665.75 -	666.17	15.65	696.39 -	696.80	16.37	727.03 -	727.44	17.09
635.54 -	635.95	14.94	666.18 -	666.59	15.66	696.81 -	697.23	16.38	727.45 -	727.87	17.10
635.96 -	636.38	14.95	666.60 -	667.02	15.67	697.24 -	697.65	16.39	727.88 -	728.29	17.11
636.39 -	636.80	14.96	667.03 -	667.44	15.68	697.66 -	698.08	16.40	728.30 -	728.72	17.12
636.81 -	637.23	14.97	667.45 -	667.87	15.69	698.09 -	698.51	16.41	728.73 -	729.14	17.13
637.24 -	637.65	14.98	667.88 -	668.29	15.70	698.52 -	698.93	16.42	729.15 -	729.57	17.14
637.66 -	638.08	14.99	668.30 -	668.72	15.71	698.94 -	699.36	16.43	729.58 -	729.99	17.15
638.09 -	638.51	15.00	668.73 -	669.14	15.72	699.37 -	699.78	16.44	730.00 -	730.42	17.16
638.52 -	638.93	15.01	669.15 -	669.57	15.73	699.79 -	700.21	16.45	730.43 -	730.85	17.17
638.94 -	639.36	15.02	669.58 -	669.99	15.74	700.22 -	700.63	16.46	730.86 -	731.27	17.18
639.37 -	639.78	15.03	670.00 -	670.42	15.75	700.64 -	701.06	16.47	731.28 -	731.70	17.19
639.79 -	640.21	15.04	670.43 -	670.85	15.76	701.07 -	701.48	16.48	731.71 -	732.12	17.20
640.22 -	640.63	15.05	670.86 -	671.27	15.77	701.49 -	701.91	16.49	732.13 -	732.55	17.21
640.64 -	641.06	15.06	671.28 -	671.70	15.78	701.92 -	702.34	16.50	732.56 -	732.97	17.22
641.07 -	641.48	15.07	671.71 -	672.12	15.79	702.35 -	702.76	16.51	732.98 -	733.40	17.23
641.49 -	641.91	15.08	672.13 -	672.55	15.80	702.77 -	703.19	16.52	733.41 -	733.82	17.24
641.92 -	642.34	15.09	672.56 -	672.97	15.81	703.20 -	703.61	16.53	733.83 -	734.25	17.25
642.35 -	642.76	15.10	672.98 -	673.40	15.82	703.62 -	704.04	16.54	734.26 -	734.68	17.26
642.77 -	643.19	15.11	673.41 -	673.82	15.83	704.05 -	704.46	16.55	734.69 -	735.10	17.27
643.20 -	643.61	15.12	673.83 -	674.25	15.84	704.47 -	704.89	16.56	735.11 -	735.53	17.28

Maximum Premium Deduction for a Pay Period of the stated frequency. Déduction maximale de prime pour une période de paie d'une durée donnée.	Weekly - Hebdomadaire	13.28	10 pp per year - 10 pp par année	69.04
	Bi-Weekly - Deux semaines	26.56	13 pp per year - 13 pp par année	53.11
	Semi-Monthly - Bi-mensuel	28.77	22 pp per year - 22 pp par année	31.38
	Monthly - Mensuellement	57.54		

ANNEXE 11 — Retenues d'impôt pour revenus plus élevés fondées sur la paie annuelle

66

QUÉBEC

TAX DEDUCTIONS FOR LARGER INCOMES BASED ON ANNUAL PAY

TABLE 9

- See instructions under "How to use the Tables"

NET PAY PER YEAR / PAIE ANNUELLE NETTE — Use appropriate bracket / Utilisez le palier approprié (Exceeding / Excédant — Not Exceeding / N'excédant pas)	1 WEEKLY CHAQUE SEMAINE	2 BI-WEEKLY AUX DEUX SEMAINES	3 SEMI-MONTHLY DEUX FOIS PAR MOIS	4 MONTHLY CHAQUE MOIS	5 13 PAY PERIODS 13 PÉRIODES DE PAIE
			DEDUCT – RETENEZ		
40,000. – 40,100.	141.20	282.40	306.95	611.90	564.85
40,100. – 40,200.	141.70	283.40	307.05	614.10	566.85
40,200. – 40,300.	142.20	284.40	308.10	616.25	568.85
40,300. – 40,400.	142.70	285.40	309.20	618.40	570.85
40,400. – 40,500.	143.20	286.40	310.30	620.55	572.85
40,500. – 40,600.	143.70	287.40	311.35	622.75	574.85
40,600. – 40,700.	144.20	288.40	312.45	624.90	576.80
40,700. – 40,800.	144.70	289.40	313.55	627.05	578.80
40,800. – 40,900.	145.20	290.40	314.60	629.20	580.80
40,900. – 41,000.	145.70	291.40	315.70	631.40	582.80
41,000. – 41,100.	146.20	292.40	316.75	633.55	584.80
41,100. – 41,200.	146.70	293.40	317.85	635.70	586.60
41,200. – 41,300.	147.20	294.40	318.95	637.85	588.60
41,300. – 41,400.	147.70	295.40	320.00	640.05	590.80
41,400. – 41,500.	148.20	296.40	321.10	642.20	592.80
41,500. – 41,600.	148.70	297.40	322.20	644.35	594.80
41,600. – 41,700.	149.20	298.40	323.25	646.50	596.80
41,700. – 41,800.	149.70	299.40	324.35	648.70	598.80
41,800. – 41,900.	150.20	300.40	325.40	650.85	600.80
41,900. – 42,000.	150.70	301.40	326.50	653.00	602.75
42,000. – 42,100.	151.20	302.40	327.60	655.15	604.75
42,100. – 42,200.	151.70	303.40	328.65	657.35	606.75
42,200. – 42,300.	152.20	304.40	329.75	659.50	608.75
42,300. – 42,400.	152.70	305.40	330.85	661.65	610.75
42,400. – 42,500.	153.20	306.40	331.90	663.80	612.75
42,500. – 42,600.	153.70	307.35	333.00	666.00	614.75
42,600. – 42,700.	154.20	308.35	334.05	668.15	616.75
42,700. – 42,800.	154.70	309.35	335.15	670.30	618.75
42,800. – 42,900.	155.20	310.35	336.25	672.45	620.75
42,900. – 43,000.	155.70	311.35	337.30	674.65	622.75
43,000. – 43,200.	156.45	312.85	338.95	677.85	625.75
43,200. – 43,400.	157.45	314.85	341.10	682.20	629.70
43,400. – 43,600.	158.45	316.85	343.25	686.50	633.70
43,600. – 43,800.	159.45	318.85	345.40	690.85	637.70
43,800. – 44,000.	160.40	320.85	347.60	695.15	641.70

QUÉBEC

RETENUES D'IMPÔT POUR REVENUS PLUS ÉLEVÉS FONDÉS SUR LA PAIE ANNUELLE

- Voir les indications sous le titre "Comment utiliser les tables"

NET PAY PER YEAR / PAIE ANNUELLE NETTE — Use appropriate bracket / Utilisez le palier approprié (Exceeding / Excédant — Not Exceeding / N'excédant pas)	1 WEEKLY CHAQUE SEMAINE	2 BI-WEEKLY AUX DEUX SEMAINES	3 SEMI-MONTHLY DEUX FOIS PAR MOIS	4 MONTHLY CHAQUE MOIS	5 13 PAY PERIODS 13 PÉRIODES DE PAIE
			DEDUCT – RETENEZ		
56,000. – 56,500.	222.05	444.10	481.10	962.25	888.20
56,500. – 57,000.	224.55	449.10	486.55	973.05	898.20
57,000. – 57,500.	227.05	454.10	491.95	983.85	908.20
57,500. – 58,000.	229.55	459.10	497.35	994.70	918.15
58,000. – 58,500.	232.05	464.05	502.75	1005.50	928.15
58,500. – 59,000.	234.55	469.05	508.15	1016.30	938.15
59,000. – 59,500.	237.05	474.05	513.55	1027.10	948.10
59,500. – 60,000.	239.50	479.05	518.95	1037.95	958.05
60,000. – 60,500.	242.00	484.05	524.35	1048.75	968.05
60,500. – 61,000.	244.50	489.00	529.80	1059.55	978.05
61,000. – 61,500.	247.00	494.00	535.20	1070.35	988.05
61,500. – 62,000.	249.50	499.00	540.60	1081.20	998.00
62,000. – 62,500.	252.00	504.00	546.00	1092.00	1008.00
62,500. – 63,000.	254.50	509.00	551.40	1102.80	1017.95
63,000. – 63,500.	257.00	514.00	556.80	1113.60	1027.95
63,500. – 64,000.	259.50	518.95	562.20	1124.45	1037.95
64,000. – 64,500.	262.00	523.95	567.60	1135.25	1047.90
64,500. – 65,000.	264.45	528.95	573.05	1146.05	1057.90
65,000. – 65,500.	267.25	534.55	579.10	1158.15	1069.00
65,500. – 66,000.	270.10	540.20	585.20	1170.40	1080.40
66,000. – 66,500.	272.90	545.85	591.35	1182.65	1091.70
66,500. – 67,000.	275.75	551.50	597.45	1194.95	1103.00
67,000. – 67,500.	278.60	557.15	603.60	1207.20	1114.30
67,500. – 68,000.	281.40	562.80	609.70	1219.45	1125.65
68,000. – 68,500.	284.25	568.45	615.85	1231.70	1136.95
68,500. – 69,000.	287.05	574.15	621.95	1243.95	1148.25
69,000. – 69,500.	289.90	579.80	628.10	1256.20	1159.55
69,500. – 70,000.	292.70	585.45	634.25	1268.45	1170.90
70,000. – 70,500.	295.55	591.10	640.35	1280.70	1182.20
70,500. – 71,000.	298.40	596.75	646.50	1292.95	1193.55
71,000. – 71,500.	301.20	602.40	652.60	1305.20	1204.85
71,500. – 72,000.	304.05	608.05	658.75	1317.45	1216.15
72,000. – 72,500.	306.85	613.70	664.85	1329.70	1227.45
72,500. – 73,000.	309.70	619.35	671.00	1342.60	1238.75
73,000. – 73,500.	312.50	625.05	677.10	1354.25	1250.05

Range	1	2	3	4	5
44,000. – 44,200.	161.40	322.85	349.75	699.50	645.70
44,200. – 44,400.	162.40	324.95	351.90	703.80	649.70
44,400. – 44,600.	163.40	326.85	354.05	708.15	653.65
44,600. – 44,800.	164.40	328.85	356.25	712.45	657.65
44,800. – 45,000.	165.40	330.85	358.40	716.80	661.65
45,000. – 45,200.	166.40	332.85	360.55	721.10	665.65
45,200. – 45,400.	167.40	334.30	362.70	725.45	669.65
45,400. – 45,600.	168.40	336.80	364.90	729.75	673.65
45,600. – 45,800.	169.40	338.80	367.05	734.10	677.65
45,800. – 46,000.	170.40	340.90	369.20	738.40	681.60
46,000. – 46,200.	171.40	342.90	371.35	742.75	685.60
46,200. – 46,400.	172.40	344.80	373.55	747.05	689.60
46,400. – 46,600.	173.40	346.30	375.70	751.40	693.60
46,600. – 46,800.	174.40	348.80	377.85	755.70	697.60
46,800. – 47,000.	175.40	350.80	380.00	760.05	701.60
47,000. – 47,200.	176.40	352.80	382.20	764.35	705.55
47,200. – 47,400.	177.40	354.80	384.35	768.70	709.55
47,400. – 47,600.	178.40	356.80	386.50	773.00	713.55
47,600. – 47,800.	179.40	358.80	388.65	777.35	717.55
47,800. – 48,000.	180.40	360.75	390.85	781.65	721.55
48,000. – 48,200.	181.40	362.75	393.00	786.00	725.55
48,200. – 48,400.	182.40	364.75	395.15	790.30	729.55
48,400. – 48,600.	183.40	366.75	397.30	794.65	733.50
48,600. – 48,800.	184.40	368.75	399.50	798.95	737.50
48,800. – 49,000.	185.40	370.75	401.65	803.30	741.50
49,000. – 49,200.	186.35	372.75	403.60	807.60	745.50
49,200. – 49,400.	187.35	374.75	405.95	811.95	749.50
49,400. – 49,600.	188.35	376.75	408.15	816.25	753.50
49,600. – 49,800.	189.35	378.75	410.30	820.60	757.45
49,800. – 50,000.	190.35	380.75	412.45	824.90	761.45
50,000. – 50,200.	191.35	382.75	414.60	829.25	765.45
50,200. – 50,400.	192.35	384.75	416.80	833.55	769.45
50,400. – 50,600.	193.35	386.70	419.10	837.90	773.45
50,600. – 50,800.	194.35	388.70	421.10	842.20	777.45
50,800. – 51,000.	195.35	390.70	423.25	846.55	781.45
51,000. – 51,500.	197.10	394.20	427.05	854.10	788.40
51,500. – 52,000.	199.50	399.20	432.45	864.95	798.40
52,000. – 52,500.	202.10	404.20	437.85	875.75	808.40
52,500. – 53,000.	204.60	409.20	443.30	886.55	818.35
53,000. – 53,500.	207.35	414.15	448.70	897.35	828.25
53,500. – 54,000.	209.80	419.15	454.10	906.20	838.30
54,000. – 54,500.	212.05	424.15	459.50	919.00	848.30
54,500. – 55,000.	214.55	429.15	464.90	929.80	858.30
55,000. – 55,500.	217.05	434.15	470.30	940.60	868.25
55,500. – 56,000.	219.55	439.10	475.70	951.45	878.25

Range	1	2	3	4	5
73,500. – 74,500.	311.75	633.50	686.30	1372.60	1267.05
74,500. – 75,500.	322.40	644.80	698.55	1397.10	1289.65
75,500. – 76,500.	328.05	656.15	710.80	1421.65	1312.25
76,500. – 77,500.	333.70	667.45	723.05	1446.15	1334.90
77,500. – 78,500.	339.40	678.75	735.30	1470.65	1357.50
78,500. – 79,500.	345.05	690.05	747.60	1495.15	1380.15
79,500. – 80,500.	350.70	701.40	759.85	1519.65	1402.75
80,500. – 81,500.	356.35	712.70	772.10	1544.15	1425.40
81,500. – 82,500.	362.00	724.00	784.35	1568.70	1448.00
82,500. – 83,500.	367.65	735.30	796.60	1593.20	1470.65
83,500. – 84,500.	373.30	746.65	808.85	1617.70	1493.25
84,500. – 85,500.	378.95	757.95	821.10	1642.20	1515.90
85,500. – 86,500.	384.65	769.25	833.35	1666.70	1538.50
86,500. – 87,500.	390.30	780.55	845.60	1691.20	1561.60
87,500. – 88,500.	395.95	791.85	857.85	1715.75	1583.75
88,500. – 89,500.	401.60	803.20	870.10	1740.25	1606.35
89,500. – 90,500.	407.25	814.50	882.35	1764.75	1629.00
90,500. – 91,500.	412.90	825.80	894.65	1789.25	1651.60
91,500. – 92,500.	418.55	837.10	906.90	1813.75	1674.25
92,500. – 93,500.	424.20	848.45	919.15	1838.25	1696.85
93,500. – 94,500.	429.85	859.75	931.40	1862.80	1719.50
94,500. – 95,500.	435.55	871.05	943.65	1887.30	1742.10
95,500. – 96,500.	441.20	882.35	955.90	1911.80	1764.75
96,500. – 97,500.	446.85	893.70	968.15	1936.30	1787.35
97,500. – 98,500.	452.50	905.00	980.40	1960.80	1810.00
98,500. – 99,500.	458.15	916.30	992.65	1985.30	1832.60
99,500. – 100,500.	463.80	927.60	1004.90	2009.85	1855.25
100,500. – 101,500.	469.45	938.90	1017.15	2034.35	1877.85
101,500. – 102,500.	475.10	950.25	1029.40	2058.85	1900.45
102,500. – 103,500.	480.75	961.55	1041.70	2083.35	1923.10
103,500. – 104,500.	486.45	972.85	1053.95	2107.85	1945.70
104,500. – 105,500.	492.10	984.15	1066.20	2132.35	1968.35
105,500. – 106,500.	497.75	995.45	1078.45	2156.90	1990.95
106,500. – 107,500.	503.40	1006.80	1090.70	2181.40	2013.60
107,500. – 108,500.	509.05	1018.10	1102.95	2205.90	2036.20
108,500. – 109,500.	514.70	1029.40	1115.20	2230.40	2058.85
109,500. – 110,500.	520.35	1040.75	1127.45	2254.90	2081.45
110,500. – 111,500.	526.00	1052.05	1139.70	2279.40	2104.10
111,500. – 112,500.	531.70	1063.35	1151.95	2303.95	2126.70
112,500. – 113,500.	537.35	1074.65	1164.20	2328.45	2149.35
113,500. – 114,500.	543.00	1085.95	1176.45	2352.95	2171.95
114,500. – 115,500.	548.65	1097.30	1188.75	2377.45	2194.55
115,500. – 116,500.	554.30	1108.60	1201.00	2401.95	2217.20
116,500. – 117,500.	559.95	1119.90	1213.25	2426.45	2239.60
117,500. – 118,500.	565.60	1131.20	1225.50	2451.00	2262.45

ANNEXE 12 — Formulaire T4 fédéral

T4-1987				

Revenue Canada Taxation **Revenu Canada** Impôt

Supplementary **Supplémentaire**

STATEMENT OF REMUNERATION PAID **ÉTAT DE LA RÉMUNÉRATION PAYÉE** `20-375-376`

(C) EMPLOYMENT INCOME BEFORE DEDUCTIONS	(D) EMPLOYEE'S PENSION CONTRIBUTION		(E) U.I. PREMIUM	(F) REGISTERED PENSION PLAN CONTRIBUTION	(G) INCOME TAX DEDUCTED	(H) U.I. INSURABLE EARNINGS	(I) C.P.P. PENSIONABLE EARNINGS	(J) EXEMPT
	CANADA PLAN	QUEBEC PLAN						C.P.P./R.P.C. U.I.
REVENUS D'EMPLOI AVANT RETENUES	DU CANADA COTISATION DE PENSION (EMPLOYÉ)	DU QUÉBEC	PRIME D'A.-C.	COTISATIONS RÉGIME ENREGISTRÉ DE PENSIONS	IMPÔT SUR LE REVENU RETENU	GAINS ASSURABLES A.-C.	GAINS OUVRANT DROIT À PENSIONS - R.P.C.	RPC/RRQ A.-C. EXONÉRATION

BOX (C) AMOUNT ALREADY INCLUDES ANY AMOUNTS IN BOXES (K), (L), (M), (N), (O), (P), (Q) AND (R). LE MONTANT DE LA CASE (C) COM PREND DÉJÀ TOUS LES MONTANTS DES CASES (K), (L), (M), (N), (O), (P), (Q) ET (R).	TAXABLE ALLOWANCES AND BENEFITS ▶ AVANTAGES IMPOSABLES	(K) BOARD AND LODGING NOURRITURE ET LOGEMENT	(L) RENT FREE AND LOW RENT HOUSING LOGEMENT GRATUIT OU À COÛT MODIQUE	(M) PERSONAL USE OF EMPLOYER'S AUTO USAGE PERSONNEL DE L'AUTO DE L'EMPLOYEUR	(N) INTEREST FREE AND LOW INTEREST LOANS PRÊTS SANS INTÉRÊT OU À FAIBLE INTÉRÊT	(O) MEDICAL TRAVEL VOYAGE POUR DES SOINS MÉDICAUX	(P) OTHER TRAVEL AUTRES VOYAGES	(Q) OTHER TAXABLE ALLOW. AND BENEFITS AUTRES AVANTAGES IMPOSABLES

(R) EMPLOYMENT COMMISSIONS COMMISSIONS D'EMPLOI	(S) PENSION PLAN REGISTRATION NUMBER N° D'ENREGISTREMENT RÉGIME DE PENSIONS	(T) PAYMENTS TO DPSP PAIEMENTS À UN RPDB	(U) CHARITABLE DONATIONS DONS DE CHARITÉ	(V) UNION DUES COTISATIONS SYNDICALES	(A) PROVINCE OF EMPLOYMENT PROVINCE D'EMPLOI	(B) SOCIAL INSURANCE NUMBER N° D'ASSURANCE SOCIALE	

EMPLOYEE: SURNAME FIRST (in capital letters) USUAL FIRST NAME AND INITIALS AND FULL ADDRESS
EMPLOYÉ: NOM DE FAMILLE D'ABORD (en capitales) PRÉNOM USUEL ET ADRESSE COMPLÈTE

SURNAME - NOM DE FAMILLE   USUAL FIRST NAME AND INITIALS - PRÉNOM USUEL

EMPLOYER NAME NOM DE L'EMPLOYEUR	
ACCOUNT NUMBER NUMÉRO DE COMPTE	EMPLOYEE NO. N° DE L'EMPLOYÉ

TO BE RETURNED WITH T4-T4A SUMMARY
À RETOURNER AVEC LA T4-T4A SOMMAIRE 1

Relevé 1 provincial

Revenu
Québec

RELEVÉ 1
Revenus d'emploi et revenus divers
1987

| 743390616 |

87-07

A		B		C		D		E	
F		G		H		I		J	
K		L		M		N		O	
P		Q								

Signification des lettres au verso

Nom légal, prénom et adresse complète du particulier

Numéro d'assurance sociale

Numéro de référence

Nom et adresse complète de l'employeur ou du payeur

Formule prescrite par le ministre du Revenu du Québec.

Copie 1: **À retourner avec le relevé 1 sommaire**

REVENUS D'EMPLOI ET REVENUS DIVERS

Signification des lettres
A — Revenus d'emploi avant retenues
B — Contributions au Régime de rentes du Québec
C — Contributions à l'assurance-chômage
D — Contributions à un régime enregistré de retraite
E — Impôt du Québec retenu à la source
F — Cotisations syndicales ou professionnelles
G — Salaire admissible au Régime de rentes du Québec, si différent de la case A
O — Commissions d'emploi incluses dans la case A
P — Dons de charité

Avantages imposables inclus dans la case A
H — Nourriture et logement
I — Loyer
J — Automobile
K — Prêts
L — Voyages pour des soins médicaux
M — Autres voyages
N — Autres avantages inclus dans la case A

Revenus divers
Q — Autres revenus non inclus dans la case A

For English translation of Relevé 1, see English Guide of Income Tax Return.

ANNEXE 13 — Sommaire de la rémunération payée T4 - T4A

Revenu Canada Revenue Canada
Impôt Taxation

T4-T4A SOMMAIRE - 1987
SOMMAIRE DE LA RÉMUNÉRATION PAYÉE
POUR L'ANNÉE SE TERMINANT LE 31 DÉCEMBRE 1987   copie **1**

1987   CETTE DÉCLARATION DOIT ÊTRE REMPLIE SELON LES INSTRUCTIONS DU "GUIDE DE L'EMPLOYEUR ET DU FIDUCIAIRE".

SI VOUS PRODUISEZ VOTRE DÉCLARATION T4-T4A SUR BANDES MAGNÉTIQUES COCHEZ (✓) LE SYMBOLE À GAUCHE ET ASSUREZ-VOUS QUE LA OU LES BANDES ET LE SOMMAIRE SUR SUPPORT PAPIER SONT ENVOYÉS À L'ADRESSE DU SECTEUR DES DÉCLARATIONS SUR BANDES INDIQUÉE DANS LA BROCHURE INTITULÉE "EXIGENCES POUR LES ENTREPRISES QUI PRODUISENT LEURS DÉCLARATIONS T4, T4A ET T4A-NR SUR BANDES MAGNÉTIQUES".

IMPORTANT
Le nom et le numéro de l'employeur doivent correspondre à ceux figurant sur votre Déclaration de versements - Retenues d'impôt - Régime de pensions du Canada - Assurance-chômage, formule P D 7 A.

N° D'EMPLOYEUR (selon la formule de versement)   NOM ET ADRESSE DE L'EMPLOYEUR

BUREAU D'IMPÔT   CODE DU B.D.

INDIQUER LES MONTANTS EN MONNAIE CANADIENNE

TOTAUX DES T4 SUPPLÉMENTAIRE DE 1987

NOMBRE TOTAL DE FEUILLETS T4 PRODUITS ★ _____ ①   △
REVENUS D'EMPLOI AVANT RETENUES - CASE (C), FEUILLETS T4 ____ ②   △   Nombre de feuillets T4 visés par le total indiqué à gauche, si l'adresse de l'employé est aux É.-U.
COTISATIONS: RÉGIME ENREGISTRÉ DE PENSIONS - CASE (F), FEUILLETS T4 ③   △

COTISATION DE PENSION (EMPLOYÉS)-RÉGIME DU CANADA - CASE (D), FEUILLETS T4 ④   △
COTISATIONS DE PENSION (EMPLOYEUR)-RÉGIME DU CANADA _____ ⑤   △
PRIMES D'ASSURANCE-CHÔMAGE (EMPLOYÉS) - CASE (E), FEUILLETS T4 _____ ⑥   △
PRIMES D'ASSURANCE-CHÔMAGE (EMPLOYEUR) _____ ⑦   △
IMPÔT SUR LE REVENU RETENU SELON T4 - CASE (G), FEUILLETS T4 ⑧   △

★ POUR LES DÉCLARATIONS RENFERMANT PLUS DE 300 FEUILLETS T4, CONSULTER LE GUIDE DE L'EMPLOYEUR ET DU FIDUCIAIRE CONCERNANT LA VENTILATION DES DÉCLARATIONS VOLUMINEUSES.

TOTAUX DES T4A / T4A-NR SUPPLÉMENTAIRE DE 1987

NOMBRE TOTAL DE FEUILLETS T4A PRODUITS ★★ _____ 9   /
NOMBRE TOTAL DE FEUILLETS T4A-NR PRODUITS _____ 10   Nombre de feuillets T4A visés par le total indiqué à gauche, si l'adresse du bénéficiaire est aux É.-U.
TOTAL DES PRESTATIONS VIAGÈRES D'UN RÉGIME DE RETRAITE SELON LES T4A - CASE (C), FEUILLETS T4A   11

TOTAL DE L'IMPÔT RETENU SELON LES T4A - CASE (J), FEUILLETS T4A _____ ⑫   △
TOTAL DE L'IMPÔT RETENU SELON LES T4A-NR - CASE (Q), FEUILLETS T4A ⑬   △

★★ POUR LES DÉCLARATIONS RENFERMANT PLUS DE 300 FEUILLETS T4, CONSULTER LE GUIDE DE L'EMPLOYEUR ET DU FIDUCIAIRE CONCERNANT LA VENTILATION DES DÉCLARATIONS VOLUMINEUSES.

TOTAL DE RETENUES DÉCLARÉES ④·⑤·⑥·⑦·⑧·⑫·⑬ ⑭
VERSEMENTS DE 1987 .... ⑮   Si vous n'avez pas versé le montant total déclaré, le solde devra accompagner cette sommaire. Tout solde exigible peut faire l'objet d'une pénalité pour versement tardif.
DIFFÉRENCE ....
Une différence inférieure à 1$ ne sera ni exigée ni remboursée
PAIEMENT EN TROP ⑯   SOLDE À PAYER ⑰
Transfert   Remboursement

CORPORATIONS PRIVÉES DONT LE CONTRÔLE EST CANADIEN OU EMPLOYEURS NON CONSTITUÉS INSCRIRE LE NUMÉRO D'ASSURANCE SOCIALE DU PROPRIÉTAIRE UNIQUE OU DES PRINCIPAUX PROPRIÉTAIRES ⑱   ⑲

PERSONNE POUVANT FOURNIR DE PLUS AMPLES RENSEIGNEMENTS AU SUJET DE LA DÉCLARATION T4-T4A:
Nom   N° de téléphone
Prénom usuel   Nom de famille   Indicatif régional

ATTESTATION

J'ATTESTE PAR LES PRÉSENTES que les renseignements fournis dans la déclaration T4-T4A -formule TA - T4A Sommaire et formules T4 Supplémentaire, T4A Supplémentaire et T4A-NR Supplémentaire connexes - sont vrais, exacts et complets sous tous les rapports.

Date   Signature d'une personne autorisée   Titre ou poste

RÉSERVÉ AU MINISTÈRE - PRIÈRE DE NE RIEN INSCRIRE ICI   MÉMO

Mesure de Transfert   CALCUL MANUEL   Déclaration proforma
⑳   1   PRÉC. À COUR.   ㉑ T4A IR   1   NON   Genre INIT.
2   AUCUNE MESURE   ㉒ T4A-NR IR   ㉓   2   OUI   ㉔ 1
3   AUTRE   CORRECTIONS DE REJET SEULEMENT   PPT   DATE
SOLDE T4   SAUTER   SUPPRIMER   NUMÉRO DE REJET   ÉTABLI PAR
1   1   3

CODE 2   CORR.   INC.   C. EMPL.   M.A.P.   REV.   FICHE
INITIALES
DATE

Conservez le brouillon de cette Sommaire pour vos dossiers. Envoyez les Copies 1 et 2 de cette Sommaire, la Copie 1 des formules T4 Supplémentaire connexes ou les Copies 1 et 2 des formules T4A ou T4A-NR Supplémentaire connexes à:
Traitement de l'information, Centre fiscal de Revenu Canada
875, chemin Héron
Ottawa (Ontario) K1A 1G9

LOI CANADIENNE SUR LES DROITS DE LA PERSONNE - NUMÉRO DE LA BANQUE DE DONNÉES FÉDÉRALE: 15615 - FORMULE AUTORISÉE ET PRESCRITE PAR ORDRE DU MINISTRE DU REVENU NATIONAL
CETTE FORMULE EST DISPONIBLE EN ANGLAIS À VOTRE BUREAU DE DISTRICT D'IMPÔT - THIS FORM IS AVAILABLE IN ENGLISH AT YOUR NEAREST DISTRICT TAXATION OFFICE

Relevé 1 sommaire

Formulaire Relevé 1 sommaire — Retenues à la source et contributions d'employeur (TP-5001S (87-01)), Gouvernement du Québec, Ministère du Revenu.

Déclaration du montant des cotisations syndicales sur les relevés 1

Gouvernement du Québec
Ministère du Revenu

TPL-4
87-09

DÉCLARATION DU MONTANT GLOBAL DES COTISATIONS SYNDICALES
SUR LES RELEVÉS 1

ÉCRIVEZ EN LETTRES MOULÉES

Nom de l'employeur

Adresse complète

Code postal

Numéros d'enregistrement

Dans ce formulaire,

a) «syndicat» signifie une association de salariés au sens du Code du travail (L.R.Q., c. 27) ou une association de salariés reconnue par le ministre du Revenu.

b) «cotisation syndicale» signifie:

   i) la cotisation retenue de la rémunération comme paiement requis pour demeurer membre d'un syndicat; elle ne comprend pas une cotisation prélevée aux fins d'un régime de retraite, de rentes, d'assurance ou de prestations similaires ou à toute autre fin non rattachée directement aux frais ordinaires de fonctionnement d'un syndicat;

   ii) la cotisation retenue de la rémunération conformément à une convention collective et remise à un syndicat dont l'employé(e) n'est pas membre.

ATTESTATION DE L'EMPLOYEUR

Je certifie que, pour l'année 19 ____ , le montant global des sommes indiquées comme «cotisations syndicales» sur les relevés 1 et remis au syndicat mentionné ci-dessous est de

$

(en lettres)   (en chiffres)

Nom du syndicat   Local

Signature de l'employeur ou d'un représentant autorisé   Date

Fonction du signataire   Ind. rég.   Téléphone

ATTESTATION DU SYNDICAT

Je certifie que notre syndicat a reçu le montant indiqué ci-dessus par l'employeur et n'émettra aucun reçu à cet égard à des fins de déduction en vertu de la Loi sur les impôts.

Signature d'un dirigeant autorisé   Date

Fonction du signataire   Ind. rég.   Téléphone

ANNEXE 14 — Formule TPD-7A
Remise des retenues à la source et contributions, Québec

N'AGRAFEZ AUCUN DOCUMENT À LA PARTIE 1.

Revenu Québec

Remise par un employeur des retenues d'impôt à la source et des contributions.

Loi	Trans.	Période	Part.

TPD-7A
EN-4
85-04

21

1

N° d'enregistrement   Période

Retenues d'impôt	
Contribution au Régime de rentes du Québec	
Contribution d'employeur au RAMQ	
REMISE TOTALE	

NE RIEN INSCRIRE DANS CET ESPACE

Signature   Date

Retournez à:

Aucune remise à faire pour le mois: cochez ☐, signez et retournez.

X _____

Je certifie que ce rapport est véridique et complet.

Détachez ici.

2 **CONSERVEZ CETTE PARTIE POUR VOS DOSSIERS.**

Présentez ce rapport à votre banque ou caisse populaire, ou retournez-le avec votre paiement à l'ordre du ministre du Revenu du Québec au plus tard le 15 du mois suivant.

TPD-7A
85-04

Veuillez ne pas utiliser ce numéro

PÉRIODE	REMISE TOTALE

Adresse de référence

Numéro d'enregistrement	Date du relevé	Lot	Dernière remise	Remises accumulées

Formule prescrite par le ministre du Revenu du Québec.

Détachez ici.

3 **S'IL Y A LIEU, REMPLISSEZ CE QUESTIONNAIRE (RECTO/VERSO) ET RETOURNEZ-LE AU MINISTÈRE DU REVENU.**

TPD-7A
85-04

Cochez la case appropriée

Bur.	Numéro d'enregistrement	Période

☐ Nouveau nom de l'entreprise (verso)
☐ Nouvelle adresse (verso)
☐ Entreprise vendue (verso)
☐ Autres raisons (verso)

☐ Entreprise fermée définitivement le   année   mois   jour

☐ Aucun employé définitivement depuis le   année   mois   jour

☐ Aucun employé temporairement   du   année mois jour   au   année mois jour

Signature   Date   Téléphone

Les montants retenus à la source et les contributions doivent être remis au plus tard le 15 du mois suivant celui où les retenues ont été effectuées. La Loi sur le ministère du Revenu prévoit, pour toute remise effectuée en retard, une pénalité de 10% du montant à remettre et un intérêt au taux en vigueur.

Si les montants indiqués sur le relevé ne correspondent pas à vos remises antérieures, communiquez immédiatement avec le ministère du Revenu du Québec à l'adresse de retour inscrite au recto ou au bureau le plus près de chez vous.

CHANGEMENTS SURVENUS DURANT LA PÉRIODE   Date du changement

1. Nouveau nom de l'entreprise: _____

2. Nouvelle adresse: COCHEZ ☐ De l'entreprise ☐ De correspondance   3. Entreprise vendue: Nom et adresse de l'acquéreur

_____   _____

_____ Code postal _____   _____ Code postal _____

4. Explications:

ANNEXE 15 — Formule PD7AR
Remise des retenues à la source et des contributions, Canada

1.

Revenue Canada Taxation — Revenu Canada Impôt

PD7AR REV. 87

REMITTANCE FORM - *FORMULE DE VERSEMENT*

NAME, ADDRESS AND OWNERSHIP CHANGES
Please enter any changes not reported previously
CHANGEMENTS DE NOM, D'ADRESSE ET DE PROPRIÉTAIRE
Prière d'indiquer le détail des changements non signalés antérieurement.

New name / *Nouveau nom*
Care of Address / *Adresse aux soins de*
New address / *Nouvelle adresse*
City, Province, Postal Code / *Ville, province, code postal*
If ownership of business has changed enter effective date (Day, Month, Year)
Si la propriété de l'entreprise a changé en indiquer la date de prise d'effet (Jour, Mois, Année)

COMPLETE THE UNSHADED BOXES ONLY
NE REMPLIR QUE LES CASES NON OMBRAGÉES

DEDUCTIONS WITHHELD DURING THE MONTH OF / *RETENUES DU MOIS DE* — 19

C.P.P. CONTRIBUTIONS / *COTISATIONS AU RPC*
U.I. PREMIUMS / *PRIMES D'A.-C.*
TAX DEDUCTIONS / *RETENUES D'IMPÔT*
CURRENT PAYMENT / *PAIEMENT COURANT*

ACCOUNT NUMBER / *NUMÉRO DE COMPTE*

6

Sub-Code *Sous-code*	NO. OF PAYTS *NBRE VERS.*	MONTH *MOIS*	YEAR *ANNÉE*

2

Revenue Canada Taxation — Revenu Canada Impôt

PD7A REV 87

EMPLOYER NUMBER / *N° DE L'EMPLOYEUR*   EMPLOYER NAME / *NOM DE L'EMPLOYEUR*

Your payment may be made where you bank or to
Vous pouvez faire le paiement à votre institution financière ou à.

Taxation Centre - *Centre fiscal*

See reverse / *Voir au verso*

· If payment is made where you bank, detach and present parts 1 and 2 to the teller. Retain part 2 for your record of payment after it is receipted by the teller. See reverse.

· *Si le paiement est fait à votre institution financière, détachez les parties 1 et 2 et présentez-les au caissier. Gardez la partie 2 comme preuve de votre paiement, après qu'elle a été quittancée par le caissier. Voir au verso.*

C.P.P. CONTRIBUTIONS / *COTISATIONS AU RPC*
U.I. PREMIUMS / *PRIMES D'A.-C.*
TAX DEDUCTIONS / *RETENUES D'IMPÔT*
CURRENT PAYMENT / *PAIEMENT COURANT*

3

PD7A REV 87

EMPLOYER NUMBER / *N° DE L'EMPLOYEUR*

STATEMENT OF ACCOUNT AS OF / *ÉTAT DE COMPTE TEL QUE*

AMOUNT PAID / *MONTANT PAYÉ*   AMOUNT OWING / *MONTANT DÛ*

DATE   **EXPLANATION OF CHANGES - *EXPLICATION DES CHANGEMENTS***   AMOUNT - *MONTANT*

Form Authorized and Prescribed by the Minister of National Revenue.

PAYMENT

- Payment may be made where you bank or mailed to your Taxation Centre.

  If you wish to pay at your financial institution, complete parts 1 and 2 of this remittance form and present them with payment. The teller will return part 2 to you as a receipt.

  If you are unable to pay where you bank, mail your cheque or money order to the Taxation Centre indicated on the front of this form at part 2. Make your remittance payable to the Receiver General and enclose part 1 of this remittance form. Do not mail cash.

TELLER'S STAMP HERE ▶		◀ TIMBRE DU CAISSIER ICI

ACCOUNTING ENTRIES - EXPLANATIONS

AMOUNT PAID: payments of Canada Pension Plan contributions, Unemployment Insurance premiums and Tax (net of adjustments) for the year indicated.

AMOUNT OWING: unpaid assessments of Canada Pension Plan contributions, Unemployment Insurance premiums and Tax plus assessed amounts of Penalties and Interest outstanding.

TELLER'S STAMP HERE ▶		◀ TIMBRE DU CAISSIER ICI

COMPLIANCE

- Deductions made during the month are to be **received** by the 15th day of the following month. Employers are reminded to include their required share of Canada Pension Plan contributions and Unemployment Insurance premiums when they remit their employees' deductions.
- Large employers whose monthly source deductions averaged $15,000 or more in the second preceding year will be required to remit these deductions twice a month.
  Amounts deducted each time employees are paid during the first 15 days of the month are to be **received** by the 25th day of that month and amounts deducted for the rest of the month are to be **received** by the 10th day of the following month.
- Late remittance is subject to a penalty that is the greater of $10.00 or 10 percent of the amount.
- Penalties for late or deficient remittance (other than for willful delay or deficiency) will be applied on amounts exceeding $500. Interest will also be charged.
- If there were no employees during the month, complete this side of part 4 of this form and return in the preaddressed envelope provided. If there was **also** a name / address change during the month, complete the NAME / ADDRESS CHANGE area of part 1 on the front of this form and return with part 4 below in the preaddressed envelope provided.

INQUIRY

- For clarification, additional information, or assistance in completing the form or using the CPP, UI, or income tax tables, you should contact your district taxation office. The phone numbers and addresses of all District Taxation Offices are listed in the income tax tables. Please quote your account number on all correspondence.

Formule autorisée et prescrite par le Ministre du Revenu National.

PAIEMENT

- Le paiement peut être fait à votre institution financière ou envoyé par la poste à votre centre fiscal.

  Si vous voulez payez à votre institution financière, remplissez les parties 1 et 2 de la présente formule de versement et joignez-les à votre paiement. Le caissier vous remettra la partie 2 à titre de reçu.

  Si vous ne pouvez pas payer à votre institution financière, envoyez un chèque ou un mandat au centre fiscal indiqué au recto de la présente formule à la partie 2. Faites votre versement à l'ordre du Receveur général et annexez la partie 1 de la présente formule de versement. N'envoyer pas d'espèces par la poste.

INSCRIPTIONS COMPTABLES - EXPLICATIONS

MONTANT PAYÉ: paiements de cotisations au Régime de pensions du Canada, de primes d'assurances-chômage et d'impôt (apres tout rajustement) pour l'année indiquée.

MONTANT DÛ: montants non payés de cotisations au Régime de pensions du Canada, de primes d'assurance-chômage et d'impôt, plus montants établis de pénalités et d'intérêt en souffrance.

OBSERVATION

- Les retenues prélevées pendant le mois doivent **être reçues** au Ministère le 15 du mois suivant. Les employeurs ne doivent pas oublier d'inclure leur part obligatoire des cotisations au Régime de pensions du Canada et des primes d'assurance-chômage, lorsqu'ils versent les retenues de leurs employés.
- Les gros employeurs dont les retenues à la source mensuelles étaient en moyenne de 15 000$ ou plus dans la deuxième année précédente devront verser ces retenues deux fois par mois.
  Les retenues prélevées sur chaque paie versée aux employés durant les 15 premiers jours du mois devront **être reçues** au Ministère au plus tard le 25 du mois, alors que les retenues prélevées durant le reste du mois devront **être reçues** au Ministère au plus tard le 10 du mois suivant.
- Un versement en retard est assujetti à une pénalité qui est le montant le plus élevé de 10$ ou de 10 pour 100 du montant.
- Des pénalités pour versement tardif (non intentionnel) seront appliquées lorsque la somme dépassera 500$. Des frais d'intérêt seront également exigés.
- S'il n'y avait pas d'employés pendant le mois, il faut remplir ce côté de la partie 4 de la présente formule et retourner cette partie dans l'enveloppe ci-jointe déjà adressée. S'il y a également eu un changement de nom ou d'adresse pendant le mois, il faut remplir la section du CHANGEMENT DE NOM OU D'ADRESSE de la partie 1 au recto de la présente formule et retourner cette partie avec la partie 4 ci-dessous dans l'enveloppe ci-jointe déjà adressée.

RENSEIGNEMENTS

- Pour toute précision, information supplémentaire ou aide dans l'établissement de la formule ou l'utilisation des tables du R.P.C., de l'A.-C. et de l'impôt sur le revenu, vous devez communiquer avec votre bureau de district d'impôt. Les numéros de téléphone et adresses de tous les bureaux de district d'impôt sont énumérés dans les tables. Veuillez indiquer votre numéro de compte dans toute correspondance.

ANNEXE 16 — Relevé d'emploi

■✦ Employment and Immigration Canada	Emploi et Immigration Canada

RECORD OF EMPLOYMENT **RELEVÉ D'EMPLOI**

- When completing this form by hand please use a ball point pen and press firmly.
- *Si vous remplissez le formulaire à la main, veuillez utiliser un stylo à bille, et bien appuyer.*

TO EXTRACT CARBONS- REMOVE THIS SIDE FIRST

POUR ENLEVER LES CARBONES, DÉTACHER D'ABORD CE CÔTÉ-CI

1. Serial No. - *N° de série* R

2. Serial No. of record amended or replaced
N° de série du relevé modifié ou remplacé
Guide, paras. 21

3. Employer's Name and Address - *Nom et adresse de l'employeur*

4. Postal Code - *Code postal*

5. RCT Employer Acct. No.
N° de compte de l'employeur à RC-I ▶

6. Employee's Name and Address - *Nom et adresse de l'employé*

7. Employee's Occupation - *Profession de l'employé*

8. Employee's Social Insurance No.
N° d'assurance sociale de l'employé

9. First Day Worked / *Premier jour de travail* Guide, para. 28 | D-J | M | Y-A |

10. Last Day Worked / *Dernier jour de travail* Guide, para. 29 | D-J | M | Y-A |

11. U.I. premiums payable up to
Cotisations d'assurance-chômage payables jusqu'au Guide, para. 30 | D-J | M | Y-A |

12. Number of insurable weeks for which U.I. premiums were payable in the last 52 weeks or since the last record of employment was issued by you to this employee, whichever is less.
Nombre de semaines assurables à l'égard desquelles des cotisations d'A.C. étaient payables depuis les 52 dernières semaines ou depuis le dernier relevé d'emploi délivré par vous à cet employé, le nombre le moins élevé étant retenu.
Guide, para. 31
(A) Please print this number in words - *Veuillez inscrire ce nombre en lettres moulées*

13. Paid sick/maternity leave or group wage loss indemnity payments payable **after** date shown in item 11 - if known, enter amount in "Comments" block below.
Congé de maladie/maternité payé ou indemnités payables en vertu d'un régime collectif d'assurance-salaire après la date indiquée dans la case 11 - si vous en connaissez le montant, inscrire celui-ci dans la case "Observations" ci-dessous. Guide, para. 32

| From / *Du* ▶ | D-J | M | Y-A | For / *Pour* | | | Weeks/Days *Semaines/Jours* |

14. Reason for issuing this record - *Raison du présent relevé*

Code	Reason · Raison	Code	Reason · Raison
A	Shortage of work *Manque de travail*	F	Pregnancy *Grossesse*
B	Strike or lockout *Grève ou lock-out*	G	Retired (other than age 65) *Retraite (raison autre que 65 ans)*
C	Return to school *Retour aux études*	H	Work sharing *Travail partagé*
D	Illness or injury *Maladie ou blessure*	J	Apprentice training *Formation par apprentissage*
E	Quit *Départ volontaire*	K	Other (explain below) *Autre (préciser ci-dessous)* Guide, para. 34

Enter Code
Inscrire le code

Comments - *Observations*

15. Expected date of recall
Date prévue de rappel | D-J | M | Y-A | | Not returning *Retour non prévu* | | Unknown *Date non connue* |

16. RCT No. used to obtain this form if different from item 5
N° de compte à RC-I utilisé pour obtenir ce formulaire, s'il diffère de la case 5
Guide, para. 36 ▶

Employer: In which official language do you wish us to communicate with you?
Employeur: Dans quelle langue officielle désirez-vous que nous communiquions avec vous? ▶ | English *Anglais* | | French *Français* |

EMP. 2106 (2-84)

17. For employer's use
Réservé à l'employeur ▶

18. Additional Monies Paid or Payable **on or after Termination** of Employment
Autres sommes payées ou payables au moment de la cessation d'emploi ou après
▼
(A) Vacation pay - *Paye de vacances*
Guide, para. 39 $ _____

(B) For statutory holidays after termination - enter date of holiday and amount.
Pour fêtes légales après la cessation d'emploi - inscrire la date de la fête et le montant.
$ _____
$ _____

(C) Other monies (explain) - *Autres sommes (préciser)*
Guide, para. 41 $ _____

19. Pay period type (weekly, bi-weekly, etc.)
Genre de période de paye (hebdomadaires, de quinzaine, etc.)
Guide, para. 42 | Final pay period ending date *Date de la fin de la dernière période de paye* |

20. Insurable Earnings by Pay Period (P.P.*) (Starting with the final pay period, enter the insurable earnings for the insurable weeks shown in item 12, up to a maximum of 20 insurable weeks.)
Rémunération assurable par période de paye (P.P.) (En commençant par la dernière période de paye, inscrire le montant de la rémunération assurable des semaines d'emploi assurable indiquées à la case 12, jusqu'à un maximum de 20 semaines.)* Guide, para. 43

* P.P.	Insurable Earnings *Rémunération assurable*	P.P. Except. "weeks" *P.P. except. "semaines"*	* P.P.	Insurable Earnings *Rémunération assurable*	P.P. Except. "weeks" *P.P. except. "semaines"*
1			11		
2			12		
3			13		
4			14		
5			15		
6			16		
7			17		
8			18		
9			19		
10			20		

(A) Total of all entries (rounded to nearest dollar)
Montant total (arrondi au dollar près) $ _____ 00

(B) Please print this amount in words · *Veuillez inscrire ce montant en lettres moulées*

21. Telephone number of issuer
Numéro de téléphone du signataire

| Area · *Région* | N° | | Ext. · *Poste* |

22. I am aware that it is an offence to make false entries and hereby certify that all statements on this form are true.
Je reconnais que toute fausse déclaration constitue une infraction et j'atteste, par les présentes, que toutes les déclarations faites sur ce formulaire sont véridiques.
Guide, para. 16

| Signature of issuer *Signature* | Name of issuer - please print *Nom du signataire (en lettres moulées)* |

23. Date of issue - *Date de délivrance* | D-J | M | Y-A |

EMPLOYEE'S COPY, PART ONE — DO NOT DETACH FROM PART TWO
COPIE DE L'EMPLOYÉ, PARTIE UN — NE PAS DÉTACHER DE LA PARTIE DEUX
THIS FORM MAY ONLY BE USED BY THE EMPLOYER TO WHOM IT WAS SUPPLIED
CE FORMULAIRE DOIT ÊTRE UTILISÉ UNIQUEMENT PAR L'EMPLOYEUR AUQUEL IL EST DÉSIGNÉ

Canadä

PART *PARTIE* **1**

Index

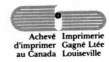

Achevé Imprimerie
d'imprimer Gagné Ltée
au Canada Louiseville